Wendeta po śmierć

Nora Roberts

jako
J. D. Robb

Wendeta po śmierć

Z angielskiego przełożyła
Hanna Kulczycka-Tonderska

Tytuł oryginału
Vendetta in Death

Wydawca
Urszula Ruzik-Kulińska

Redaktor prowadzący
Iwona Denkiewicz

Redakcja
Ewdokia Cydejko

Korekta
Jadwiga Piller
Ewa Grabowska

Copyright © 2019 by Nora Roberts
All rights reserved
Copyright © for the Polish translation by Hanna Kulczycka-Tonderska, 2022

Wydawnictwo Świat Książki
02-103 Warszawa, ul. Hankiewicza 2

Warszawa 2022

Księgarnia internetowa: swiatksiazki.pl

Skład i łamanie
Piotr Trzebiecki

Druk i oprawa
Abedik SA

Dystrybucja:
Dressler Dublin Sp. z o.o.
05-850 Ożarów Mazowiecki
ul. Poznańska 91
e-mail: dystrybucja@dressler.com.pl
tel. + 48 22 733 50 31/32
www.dressler.com.pl

ISBN 978-83-813-9823-7
Nr 1010016

Dla magicznego Griffina,
najjaśniejszego światełka i miłości mojego życia,
który przyszedł na świat
i pewien czas spędził w moich ramionach
podczas pisania przeze mnie tej książki.

O, przestań szlochać, moja niebogo,
Chłopiec był zawsze zwodnikiem.

William Szekspir, Wiele hałasu o nic
[tłum. Leon Ulrich]

Sprawiedliwość bez siły jest bezradna;
siła bez sprawiedliwości jest tyranią.

Blaise Pascal, Myśli
[tłum. Tadeusz Boy-Żeleński]

1

Odczuwała wewnętrzny przymus zabijania.

Przeprowadziła dogłębny wywiad, wszystko dokładnie przestudiowała i zaplanowała: kto, kiedy, jak i dlaczego. Zajęło jej to ponad rok. Jej wybór padł na Nigela B. McEnroya. To on miał być tym pierwszym.

Czterdziestotrzylatek, od jedenastu lat żonaty, dwoje dzieci – dwie dziewczynki: lat dziewięć i sześć. W ciągu osiemnastu lat udało mu się – z dwoma wspólnikami – założyć i rozwinąć firmę headhuntingową kadr zarządzających o nazwie Perfect Placement, Angaż Idealny. Jako dyrektor generalny miał pełną kontrolę nad rekrutacją na stanowiska w firmach i na Ziemi, i poza nią.

Siedzibę główną zdecydował się umiejscowić w Londynie, więc bez przerwy podróżował. Oddziały firma miała w Nowym Jorku, Waszyngtonie, Tokio, Madrycie, Sydney, w Nowym Los Angeles, Dubaju, Hongkongu i w Vegas II, a ostatnimi czasy otworzyli nowe centrum nawet na Olimpie.

Wiódł przyjemne, dostatnie życie, zabawiał się z iście królewskim przepychem i wyrobił sobie reputację osoby umiejącej niezwykle precyzyjnie określać potrzeby klientów. Co do małżeństwa – robił wszystko, by było perfekcyjne, przynajmniej w jego ocenie.

W pracy Nigel B. McEnroy odznaczał się sumiennością, był rzetelny i wymagający, dbał też o zachowanie wysokich standardów etycznych.

Żadna z wymienionych powyżej cech nie powstrzymała go jednakże w życiu prywatnym od przeistoczenia się w kłamcę, łotra, cudzołożnika oraz seryjnego gwałciciela.

Facet bez dwóch zdań należał do obleśnych wieprzów; nadszedł czas krwawej jatki.

Z niecierpliwością wyczekiwała odpowiedniej chwili. Czuła, że idealnie dobrała swą pierwszą ofiarę.

Lubił zdradzać żonę z rudowłosymi, cycatymi babkami, które zazwyczaj stały niżej w hierarchii łańcucha pokarmowego władzy niż on. Kiedy nie wyruszał na łowy we własnej firmie, zabawiał się polowaniem w ekskluzywnych klubach.

Jakby tego nie było dość – a przecież miał całkiem udaną rodzinę – zwykle wrzucał wybranej ofierze do drinka tabletkę gwałtu, aby no cóż... dobrze współpracowała. W pełni skapitulowała.

A co może było jeszcze gorsze, przynajmniej raz (miała uzasadnione podejrzenia, że powtórzyło się to kilkakrotnie) dodatkowo odurzył kandydatkę na pewne stanowisko – to konkretnie, przy którym podczas rekrutacji pominął KOBIETY, przeznaczając je dla MĘŻCZYZNY – by nie dość, że skrzywdzić, to jeszcze upokorzyć.

Oczywiście biedna dziewczyna nie potrafiła niczego udowodnić i ledwo pamiętała całe zajście, zbyt przerażona, by oskarżyć sukinsyna.

Jednakże wystarczająco dużo informacji pozyskała od innych jego ofiar – w ostatecznym rozliczeniu o wiele więcej, niżby wystarczyło do podjęcia własnego śledztwa – chodziła więc za nim krok w krok, tropiąc każdy ślad i obserwując wieprza w akcji. Dwukrotnie udało się jej całościowo udokumentować jego rutynowe zachowania seryjnego gwałciciela.

W końcu zgromadziła wszelkie niezbędne dane i teraz po raz ostatni zastygła na dłuższą chwilę przed dużym lustrem, znajdującym się w jej pracowni. Poddała ocenie odbicie swojej sylwetki, widocznej w nim od stóp do głów.

Długie, kręcone, ognistorude loki, powieki pokryte cieniem w kolorze zjadliwej zieleni, oczy starannie obwiedzione kredką, mocno wytuszowane rzęsy. Wydatne usta grubo pociągnięte czerwoną pomadką o barwie równie płomiennej jak włosy.

Sporo czasu zajęło jej uzyskanie efektu nieco zadartego noska i lekko spiczastego podbródka.

Sztuczny obfity biust wyglądał całkiem autentycznie, i tak też się z nim czuła – w końcu dostajesz to, za co płacisz. W celu idealnego wykończenia całości uwydatniła jeszcze nieco pośladki. Skórę miała nasmarowaną delikatnie samoopalaczem – tylko na tyle, by uzyskać subtelny złotawy odcień.

Suknia, którą wybrała – zielona jak jej oczy i gładka jak tafla wody – opinała ją jak druga skóra. Srebrne, iskrzące się w świetle wysokie szpilki dodawały jej wzrostu także optycznie, dzięki przedłużanym piętkom z wąskim paseczkiem.

Wieprzek Nigel miał ze sto osiemdziesiąt pięć centymetrów, a ona w szpilkach nie przekraczała metra osiemdziesięciu. Ujdzie.

Prezentowała się iście posągowo, zuchwale i seksownie.

W peruce, z mocno ucharakteryzowaną twarzą – no, no! – nie rozpoznałaby jej nawet własna matka.

Wykonała jeszcze jeden obrót przed trójdzielnym, wysokim lustrem i wzburzyła nieco włosy peruki.

– Wilford! Uruchamiamy się! – zawołała.

Robot-droid, zaprojektowany tak, by idealnie odwzorowywać białego mężczyznę po sześćdziesiątce, z przystrzyżonym wąsem, równie siwym jak jego gęste włosy, otworzył niebieskie oczy o spokojnym wejrzeniu.

– Jestem, proszę pani! Czego sobie pani życzy, madame?

Zaprogramowała jego głos na tonację z miękkim brytyjskim akcentem, ubrała w czarny frak, śnieżnobiałą koszulę i czarny krawat.

– Przyprowadź samochód – zaordynowała. – Weź zwyczajny miejski. Zawieziesz mnie do klubu o nazwie This Place, a potem zaparkujesz i zaczekasz na dalsze instrukcje.

– Jak sobie pani życzy, madame.

– Jedź windą. Odblokowałam dostęp.

Kiedy Wilford zajął się wykonywaniem jej poleceń, ona sprawdziła zawartość torebki, a następnie podeszła do zestawu monitorów.

Jej babcia – dzięki Bogu! – spała spokojnie, pilnowana przez droidkę-pielęgniarkę. Kochana, najdroższa Busia (tak na nią zawsze pieszczotliwie mówiła) prześpi całą noc jak dziecko, wspomagana łagodnym środkiem nasennym, który wnuczka dodawała co wieczór do szklaneczki brandy, wypijanej na dobry sen przez ukochaną Busię.

– Niedługo wrócę. – Przesłała całusa w stronę monitora i skierowała się do windy, która zawiozła ją na główną kondygnację wspaniałej starej rezydencji, uwielbianej przez nią nieomal na równi z Busią.

Ostrożna i uważna jak zawsze, ponownie zablokowała dostęp do windy i dopiero wtedy ruszyła dalej wystawnie urządzonym foyer, stukając z satysfakcją obcasami. Wyszła na zewnątrz w rześką kwietniową noc i zamknęła za sobą drzwi, uruchomiwszy uprzednio alarm.

Zadrżała lekko i z zimna, i z niecierpliwości, jednakże Wilford już stał na podjeździe, przytrzymując otwarte drzwi samochodu.

Wślizgnęła się do środka i skrzyżowała nogi. Jedenasty kwietnia dwa tysiące sześćdziesiątego pierwszego roku – pomyślała. Znaczący dzień w historii miasta. Dzień narodzin Lady Justice, prawdziwej damy wymierzającej sprawiedliwość.

*

Nigel tymczasem wpadł w ferwor łowów, gotów celebrować zakończenie długiego, pełnego sukcesów dnia pracy. Jego żona i córki rozkoszowały się akurat tropikalną lekką bryzą podczas wiosennych ferii, miał więc cały tydzień tylko dla siebie. Nie musiał silić się na wymyślanie wykrętów, dlaczego znów się zasiedział w pracy, i czuł się z tym nieco dziwnie.

Bardzo lubił klub This Place za dyskrecję (żadnych kamer monitoringu), za znajdujące się w jego wnętrzu kapsuły dla VIP-ów, doskonale odizolowane od gęstych tłumów gawiedzi wokół, oraz za doskonałe martini i świetną muzykę. Ach! Prawda! Również za duży wybór atrakcyjnych dziewczyn, poszukujących drobnej odmiany w swoim nudnawym życiu.

Oczywiście zarezerwował uprzednio VIP-owską kapsułę, lecz przez pierwszą godzinę pobytu błądził tu i tam po lśniących srebrzyście posadzkach, obserwując pulsujące światła na parkiecie do tańca i rzucając szybkie spojrzenia to w górę, to w dół po wszystkich trzech kondygnacjach klubu.

Tę część wieczoru zwał polowaniem i niezmiennie się nią fascynował.

Poprzedniej nocy uzyskał doskonały wynik – co za farciarz! – ustrzeliwszy bliźniaczki. Dwie truskawkowoblond siostry z największą przyjemnością dzielące się z nim swoimi wdziękami przez kilka godzin w jego garsonierze gdzieś w Nowym Jorku.

Zastanawiał się przez chwilę, czyby nie skontaktować się z którąś z nich – albo obiema? – i nie powtórzyć wyczynów z poprzedniej nocy, ale wolał jednak świeże mięsko. Na wszelki wypadek, jak zawsze, usunął numery ich telefonów.

Zdawał sobie sprawę z tego, że wygląda szałowo w czarnych, obcisłych spodniach z paskiem nabijanym ćwiekami i w niebieskim swetrze, pasującym do koloru jego oczu. Nosił na nadgarstku elegancki wielofunkcyjny zegarek; świadczył on o zamożności jego posiadacza, o ile ktoś był wyczulony na takie gadżety.

Stać go było na płatne, licencjonowane towarzyszki uciech z najwyższej półki – i chętnie korzystał z ich usług, jeśli brak czasu drastycznie zawężał mu możliwość wyboru. Jednakże o wiele bardziej pasjonowało go samodzielne polowanie oraz ustrzelona sztuka zwierzyny.

W tej właśnie chwili jego uwagę przykuła rudowłosa dziewczyna, wijąca się wdzięcznie na parkiecie do tańca. Nieco za młoda jak na jego upodobania, stwierdził, a jej włosy – nastroszone i krótkie – nie tworzyły zbyt wyrafinowanej fryzury.

Jednakże te wężowe ruchy!

Po namyśle zaczął krążyć na parkiecie, mając ją wciąż w zasięgu wzroku. Zaraz jakoś do niej zagada, a potem…

Wtem ktoś się zderzył z nim lekko plecami. Spojrzał przez ramię i usłyszał gardłowe:

– *Excusez-moi!*

Głos, lekki francuski akcent oraz seksowny pomruk sprawiły, że się całkiem odwrócił.

Tancerka o wężowych ruchach natychmiast uleciała mu z głowy.

– *Pas de quoi.* – Ujął dłoń zjawiskowej kobiety i uniósł do ust. W odpowiedzi został obdarowany zmysłowym uśmiechem.

Zatrzymał dłoń, a ona nie oponowała.

– *Êtes-vous ici seule?* – spytał.

– *Ah, oui!* – odrzekła tonem, który odczytał jako jednoznaczne zaproszenie. – *Et vous?*

Odwrócił jej dłoń, musnął delikatnie ustami wewnętrzną stronę nadgarstka i powiedział już po angielsku:

– Mam nadzieję, że od tej chwili nie będę samotny.

– Jesteś Anglikiem? Mówisz bardzo dobrze po francusku.

– Mam nadzieję, że pozwolisz mi postawić sobie drinka i wtedy porozmawiamy w takim języku, w jakim sobie zażyczysz.

Wolną ręką przeciągnęła z góry w dół po tej swojej wspaniałej kaskadzie rudych loków i przechyliła głowę na bok.

– Z największą przyjemnością – powiedziała.

Mam cię! – pomyślał, prowadząc ją przez tłum i lawirując pomiędzy stolikami. Przeszli obok jednego z wielu barów i znaleźli się przy jego kapsule.

– Mam nadzieję, że nie masz nic przeciwko? Wolę odrobinę prywatności.

Za kotarą czekało na nich półokrągłe, czarne, pluszowe siedzisko z obfitością równie czarnych poduch obrzeżonych srebrnymi lamówkami. Usiadła i skrzyżowawszy te swoje doskonałe nogi, odchyliła się lekko do tyłu. Tylko na tyle, by dotknąć plecami oparcia.

– Lubię kapsuły – oznajmiła. – Widzimy przez ich ścianki wszystko, co się dzieje dookoła, a nikt z zewnątrz nie może zajrzeć do środka. To... działa na zmysły, nieprawdaż?

– Tak. Istotnie. – Usiadł obok, oceniając w myślach, jak z nią postępować. Nie za szybko – zdecydował. To zielonookie cudo zna zasady gry i zapewne oczekuje nieco bardziej wyrafinowanych metod. – Co więc sprawia ci największą przyjemność?

– Mam wiele pomysłów.

Poczuł podniecenie, ale roześmiał się tylko krótko.

– To tak jak i ja. A jeśli chodzi o coś do picia?

– Wódka i bardzo wytrawne martini, dwie oliwki. Najbardziej lubię Romanov Five.

– Tak jak i ja.

– Ach, więc mamy podobne gusta.

– To zapewne pierwsze z wielu.

Dokonał zamówienia z automatycznego menu w kapsule. Jednocześnie błądził wzrokiem po jej kształtach. Cieszył go ruch za półprzepuszczalnymi ściankami kurtynowymi kapsuły, pulsujący rytm muzyki, działający na zmysły.

– Nazywam się Nigel…

Przyłożyła palec do jego ust.

– Tylko imiona, *ça va*? Niech będzie tajemniczo. Solange.

– Solange – powtórzył. – Co cię sprowadza do Nowego Jorku?

– Jeśli ci to zdradzę, czar tajemnicy pryśnie. Może lepiej powiem coś dotyczącego tej chwili. Lubię Nowy Jork za wiele przyjemności, których dostarcza, i za jego… – Sprawiała wrażenie szukającej odpowiedniego określenia. – Ach, tak! Za anonimowość. A ty, Nigelu, co lubisz najbardziej?

– Tę chwilę.

Roześmiała się i potrząsnęła lokami.

– W takim razie powinniśmy się razem nią cieszyć, tą oraz tymi, które wkrótce nadejdą. Przyszłam tutaj dzisiejszego wieczoru, żeby… tak, żeby pozbyć się… to znaczy, och! żeby zapomnieć o minionym dniu oraz o wszystkim, co musi i powinno zostać zrobione. Żeby zamiast tego uczynić coś, co sprawi mi przyjemność. Będzie to wieczór dla mnie, rozumiesz?

– Tak. Ja mam to samo. Kolejne podobieństwo.

– A więc… – otworzyła swoją wieczorową torebkę i wyjęła z niej malutką puderniczkę – …więc dziś wieczorem będziemy cieszyć się chwilą. Razem.

Już zaczął się skłaniać w jej stronę, gdy naraz w tym samym momencie okienko podawcze zasygnalizowało dostarczenie drinków i się otworzyło.

– Powinniśmy wznieść toast – rzekł.

Kiedy się odwrócił, chcąc sięgnąć po kieliszki z koktajlem zawierającym martini, zrzuciła torebkę na podłogę. On tymczasem postawił kieliszki na stole i schylił się, by ją podnieść, a wtedy kobieta wlała zawartość fiolki ukrytej w puderniczce do jego drinka.

– *Merci!* – Wzięła od niego torebkę, po czym schowała puderniczkę i swoim kieliszkiem delikatnie stuknęła w jego szkło. – Wypijmy więc za tę chwilę! – Wzniosła toast.

– Oraz za wiele czekających nas uciech – dodał.

Spoglądała na niego roziskrzonym wzrokiem sponad brzegu kielicha.

– Opowiedz mi dokładniej, czego pragniesz – zaproponowała kusząco.

– Pięknej kobiety, która chce tego samego co ja.

Położywszy mu dłoń na udzie, obserwowała uważnie, jak wychyla kielich. Następnie, drażniąc jego zmysły, przesunęła palcami w stronę wyraźnego wzniesienia w okolicy jego krocza.

– Jak zamierzasz sięgnąć po to, na co właśnie natrafiłeś? – wymruczała, lecz kiedy gwałtownie pochylił się w jej stronę, zablokowała go, opierając wyciągniętą rękę o jego pierś. – *Mais non!* Ależ nie! Wypijmy najpierw za tę chwilę, za przyszłe rozkosze i niecierpliwe wyczekiwanie ich nadejścia. Widzimy je jak za zasłoną, te ruchy, dotyk, rytuał zespolenia ciał, tak?... Niektórzy mogą, niektórzy nie, a my... Cóż, my możemy robić, co nam tylko przyjdzie do głowy już tutaj, przez nikogo niewidziani.

– Podniecająca perspektywa – odrzekł, czując dziwny mętlik w głowie.

– Zatem dopij do dna i chodź ze mną. Mam doskonałe lokum, które będzie bardziej niż odpowiednie dla nas dwojga. Zaznamy tam wielu uciech.

Nie mogąc się już doczekać, pospiesznie wychylił kielich i ujął jej dłoń, którą wyciągnęła ku niemu, wstając.

– Moje mieszkanie jest niedaleko stąd – zaczął.

– Mam doskonałe lokum – powtórzyła.

Wydawało mu się, że przedziera się przez kłęby jakby podświetlonej srebrzyście mgły i nie zdołał już dostrzec, jak kobieta dotyka odpowiednich przycisków na wyświetlaczu wielofunkcyjnego zegarka, wysyłając informację do oczekującego na nich droida. Ledwie docierały do niego dźwięki muzyki, kiedy sprowadzała go na pierwszy poziom klubu, a potem powiodła na zewnątrz, w noc.

Pchnęła go lekko, żeby wsiadł do auta. W środku zaczął dłońmi obmacywać jej piersi, a jego usta pożądliwie szukały jej warg.

Wydawało mu się, że usłyszał słowa kobiety: „Wilford! Prosto do domu!", wymówione innym zgoła tonem, ale zaczął już zapadać się gdzieś w głąb siebie, w głąb przyjemności i cielesnych uciech.

Ogarnęła go ciemność.

*

Ocknął się z dudnieniem w głowie. Gardło paliło go żywym ogniem. Kiedy spróbował się poruszyć, uczuł ból w mięśniach rąk. Zamrugał, z wysiłkiem otwierając oczy, i od razu je przymknął, oślepiony ostrym światłem.

Znajdował się w obszernym pomieszczeniu z blatami roboczymi, jakimiś monitorami i ekranami, z rozbudowanymi stanowiskami pracy. Nic z tego nie rozumiał.

Musiała minąć dobra minuta, nim sobie uświadomił, że jest całkowicie nagi, a ręce ma skute kajdankami w nadgarstkach i wykręcone ponad głową. Okowy ktoś przytwierdził do łańcucha zwisającego z sufitu. Ledwo sięgał podłogi stopami.

Porwany? Oszołomiony narkotykami? Spróbował się wykręcić mimo więzów, lecz zabolało.

Nie, nie, był w klubie. Owszem, poszedł do klubu. Ta Francuzka... Solange... Coś sobie przypominał, lecz dość mętnie, a gdy usiłował się głębiej nad tym zastanowić, poczuł nawrót rozdzierającego bólu czaszki.

Nie ma żadnych okien – myślał, oblewając się zimnym potem ze strachu. Zauważył schody prowadzące gdzieś na wyższe piętro, a kiedy przekrzywił maksymalnie na bok bolącą głowę, zdołał jedynie dostrzec u ich szczytu zamknięte drzwi.

Przez chwilę próbował wołać po pomoc, ale z jego krtani wydobył się tylko chrapliwy szept.

Cielesne uciechy – tak, pamiętał te obietnice. Rozmawiali o czekających ich przyjemnościach, a potem ona...

Wyczuł za plecami jakiś ruch i w tej samej chwili przeszył go spazm niewyobrażalnego bólu. Jego krzyk, który rozpoczął się chrypą, przeszedł w paniczny wrzask.

Wtedy ona przesunęła się tak, by mógł ją widzieć.

Nie była to wcale poznana wczoraj Francuzka.

Kim była ta kobieta, ta kreatura śmiejąca się z niego, o twarzy zasłoniętej srebrną maską, o ciemnych włosach lśniących srebrzyście na końcach? Ta kobieta o zgrabnych, krągłych kształtach, odziana w czerń?

Miała na sobie srebrne, wysokie za kolano buty i coś w rodzaju – dobry Boże! – napierśnika z czarnej skóry z wytłoczonymi literami LJ, pomalowanymi również na kolor srebrny, identyczny jak buty.

– Kim jesteś? – wychrypiał. – Czego chcesz?

– Pragnę doznać wielu obiecanych chwil przyjemności.

– Solange? – Poczuł cienką strużkę ulgi wlewającą się w ciało skręcone strachem. – Czy...

– Czy ja ci przypominam Solange? – prychnęła i smagnęła go tuż nad penisem elektrycznym poskramiaczem na długiej rączce.

Zwinął się z bólu, rażony palącym skórę impulsem, który przeszył jego ciało, spływając w dół.

– Jam jest Lady Justice, ta, która czyni sprawiedliwość, ty cudzołożny złamasie! Właśnie nadszedł dla ciebie czas rozrachunku, Nigelu McEnroyu!

– Przestań! Nie rób tego! Mam pieniądze! Dam ci, cokolwiek zechcesz! Zapłacę każdą cenę!

– Och, tak, wierz mi, że zapłacisz! Ten raz za to, co robisz swojej żonie... – mówiąc to, smagnęła go na odlew przez brzuch – ...i córkom... – następny cios spadł na jego pierś – ...i za każdą kobietę, którą zgwałciłeś. – Przeciągnęła elektrycznym poskramiaczem po jego pośladkach.

– Nie! Nie! Nie! – Jego wrzaski odbijały się od ścian. – Nigdy nie zgwałciłem żadnej kobiety! Popełniasz ogromny błąd!

– Doprawdy?! Doprawdy, Nigelu? – Musnęła go poskramiaczem po jądrach i przyszło jej do głowy, że chyba jeszcze tylko pies mógłby wyć w tak wysokich tonacjach.

Za każdym razem, kiedy wymawiała następne imię – imię jednej z jego ofiar – wywoływała u niego kolejny wstrząs elektryczny.

McEnroy bełkotał coś, aż wreszcie osunął się bezwładnie, kobieta była jednak nieustępliwa. Podsunęła mu pod nos fiolkę, która go otrzeźwiła, i zaczęła wszystko od początku.

Błagał ją – och, jak on ją błagał! – przeklinał, łkał, darł się, aż w końcu się zlał.

Och, och, och, te chwile przyjemności!

– Dlaczego? Dlaczego mi to robisz?!

– Mszczę się za wszystkie kobiety, które zdradzałeś, upokarzałeś i które molestowałeś. Wyznaj, Nigelu, wyznaj teraz wszystkie swoje zbrodnie!

– Nigdy nikogo nie skrzywdziłem!

Trzasnęła go na odlew prętem paralizatora po pośladkach. Kiedy odzyskał zdolność mówienia, wyjęczał, szlochając:

– Kocham moją żonę. Kocham moją żonę, lecz mam większe potrzeby. Tak mi przykro. To był tylko seks! Proszę! Błagam!

– Odurzałeś kobiety.

– Nigdy... Tak, tak! – wrzasnął, chcąc uniknąć bólu. – Nie zawsze, ale jest mi przykro z tego powodu. Przepraszam za to!

– Wykorzystywałeś swoje stanowisko do ich zastraszania. Zmuszałeś kobiety, które chciały tylko pracować, do uprawiania seksu.

– Nie... Tak, tak! Ale mam przecież swoje potrzeby. Błagam!

– Masz swoje potrzeby? – powtórzyła z przekąsem, po czym wzięła do ręki metalowy pręt i rąbnęła go w twarz, łamiąc mu kość policzkową. – Twoje potrzeby były ważniejsze niż ich wolna wola, niż ich życzenia, ich potrzeby? Niż słowa przysięgi złożonej własnej żonie w dniu ślubu?!

– Nie, nie! Przykro mi! Tak mi przykro! Ja... Potrzebna jest mi pomoc. Pójdę na leczenie. Do wszystkiego się przyznam. Pójdę do więzienia. Zrobię wszystko, co każesz!

– Powiedz, kim jestem.

– Nie wiem, kim jesteś. Błagam!

– Przecież już ci mówiłam! – Znów poraziła go prądem, a po konwulsyjnej reakcji drgawkowej domyśliła się, że niewiele mu brakowało do końca. – Zwę się Lady Justice. Powtórz!

– Lady Justice – wymamrotał, zachowując resztki przytomności.

– Justice, czyli Sprawiedliwość! – rzekła z patosem. – I sprawiedliwości stanie się zadość!

Miała już przygotowane wiadro i ostry sztylet. Teraz przyniosła je bliżej. Wiadro postawiła mu między nogami.

– A to po co?... Co robisz?... Przecież przyznałem się do wszystkiego. Przeprosiłem! O mój Boże! Boże! Proszę! Nieee!

– Wszystko jest w porządku, Nigelu. – Uśmiechnęła się, patrząc w zachodzące łzami, przerażone oczy mężczyzny. – Zamierzam zająć się tobą i twoimi potrzebami po raz ostatni.

Utrzymywała go przy życiu tak długo, jak tylko się dało, a kiedy już było po wszystkim, kiedy ucichł, a jego ciało zwiotczało, westchnęła przeciągle.

– A więc sprawiedliwości stało się zadość!

*

Gdy porucznik Eve Dallas stanęła nad zmasakrowanym, nagim ciałem mężczyzny, miasto wciąż jeszcze spowijał mrok. Wiał lekki wiatr, który wichrzył jej krótką, wystrzępioną fryzurkę i szarpał połami długiego skórzanego płaszcza. Nachyliwszy się, odczytywała wyraźnie wydrukowane, pisane na komputerze słowa z kartki, przymocowanej do miejsca, w którym niegdyś znajdowały się genitalia ofiary.

Ten tutaj za nic przysięgi małżeńskiej miał słowa:
Zdradzana przez niego była jego druga połowa.
Bogactwa i władzy miał nadmiary
Do twierdzy swej bezbronne wabił ofiary.
Gwałcił je dla zabawy
I zdechł dziurawy.
Lady Justice

Eve odstawiła swoją walizeczkę oględzinową i zwróciła się do policjantki mundurowej, która pierwsza dotarła na miejsce znalezienia ciała.

– Co już wiadomo? – zagadnęła.

Na co gęstobrewa kobieta rasy mieszanej wyrecytowała:

– Na numer dziewięćset jedenaście zadzwoniono o czwartej trzydzieści osiem nad ranem. Z limuzyny na rogu ulic Osiemdziesiątej Ósmej Zachodniej oraz Columbus wysiadła kobieta, Tisha Feinstein. Utrzymuje ona, że była na swoim wieczorze panieńskim w towarzystwie czternastu przyjaciółek i chciała się przejść kawałek dla odetchnięcia świeżym powietrzem. Odetchnięcia, jak się wyraziła, świeżym powietrzem. Przeszła trzy kwartały miasta aż po Dziewięćdziesiątą Pierwszą i tu spostrzegła leżące na chodniku zwłoki. Wbiegła do budynku – a tu właśnie mieszka – i obudziła swojego narzeczonego, Clippera Vance'a. Ten wyszedł przed dom, zobaczył ciało i zadzwonił na policję. Wezwanie odebrałam ja z partnerem. Przybyliśmy na miejsce o czwartej czterdzieści, zabezpieczyliśmy je taśmami i natychmiast wezwaliśmy wsparcie w postaci posterunkowych-droidów. Posterunkowy Rigby jest w środku ze świadkami.

– W porządku. Proszę pozostać na stanowisku.

Eve zabezpieczyła dłonie gumą w sprayu, kucnęła przy zwłokach i otworzyła swoją walizeczkę oględzinową. Zaczęła od dociśnięcia kciuka ofiary do okienka Identi-pada. Odczytała z wyświetlacza, co następuje:

> Ofiara zidentyfikowana jako Nigel B. McEnroy, rasy białej kaukaskiej. Wiek czterdzieści trzy lata, obywatelstwo brytyjskie. Wśród kilku posiadanych przez niego nieruchomości znajduje się również apartament przy ulicy Dziewięćdziesiątej Pierwszej Zachodniej, numer sto czterdzieści pięć w Nowym Jorku. W budynku pod tym samym adresem zamieszkuje również Tisha Feinstein, która znalazła zwłoki.

Eve przyjrzała się uważnie twarzy denata.

– Nic dziwnego, że go nie rozpoznała, nawet jeśli go znała. Pełno siniaków i śladów po przypiekaniu skóry, najprawdopodobniej jakimś urządzeniem elektrycznym, na twarzy i całym ciele. Niezwykle głębokie ślady po więzach na obu nadgarstkach wskazują, że zmarły był skrępowany podczas tortur i bardzo wówczas cierpiał – mówiła do dyktafonu.

Wyjęła mikrogogle i przyjrzała się uważniej rozcięciom i zasinieniom na nadgarstkach.

– Sądząc po kącie nachylenia śladów, miał ręce związane nad głową i to właśnie nadgarstki utrzymywały cały ciężar jego ciała. Do potwierdzenia przez patologa medycyny sądowej. Genitalia zostały odcięte.

Pochyliła się bardziej nad ciałem i uniósłszy ostrożnie za rożek kartkę z wierszem, spojrzała na ranę pod innym kątem.

– Żadnych oznak wahania. Cięcie wykonane z niemal chirurgiczną precyzją. Możliwa stosowna wiedza medyczna lub doświadczenie w tej dziedzinie.

Wyjęła z walizeczki detektory.

– Czas zgonu: trzecia dwadzieścia. Przypuszczalna przyczyna śmierci: całkowite wykrwawienie po kastracji. Możliwy zawał serca, spowodowany wielokrotnym rażeniem prądem elektrycznym. Być może jedno i drugie równocześnie.

Przykucnęła na piętach.

– A więc był związany, torturowany i zamordowany gdzieś indziej, bo do tego potrzeba jednak nieco bardziej odizolowanego miejsca, a potem zwłoki ułożono tutaj. I nie podrzucono, ale właśnie ułożono w odpowiedni sposób tuż przy wejściu do budynku, w którym mieszkał. W dodatku z tą tutaj, zlokalizowaną w przemyślanym miejscu, poetycznie zredagowaną notką. – Popatrzyła na kartkę. – Lady Justice, ta, która czyni sprawiedliwość. Ktoś się na ciebie nieźle wkurzył, drogi Nigelu.

Ujęła do ręki małe szczypczyki i wydobyła z walizeczki kilka torebek ewidencyjnych. Kiedy wyciągała z rany pierwsze wklejone w nią ciało obce, usłyszała znajomy stukot niskich obcasów różowych kowbojek swojej partnerki, zbliżającej się szybkim krokiem po pobliskim chodniku.

Peabody zaprezentowała posterunkowym-droidom pełniącym straż odznakę policyjną i schyliwszy się, przeszła pod taśmą odgradzającą miejsce zdarzenia. Po czym rzuciła okiem na zwłoki i stwierdziła krótko:

– Nieźle poharatany.

– Cały tak wygląda.

Eve dobrze pamiętała, jak jeszcze całkiem niedawno Peabody zieleniała na twarzy od takich widoków. Dwa lata w wydziale zabójstw zdecydowanie ją uodporniły.

– Miał jeszcze dołączony ten tutaj liścik miłosny. Wciśnięty tam. Peabody, wezwij z łaski swojej zespół z kostnicy oraz ekipę sprzątaczy. Lepiej, żeby go spakowali do worka i oznakowali, zanim mieszkańcy tej miłej, spokojnej okolicy zaczną wyprowadzać psy czy wychodzić na poranny jogging. Hej tam! Posterunkowy! Pomóżcie mi odwrócić ciało. Chcę dokończyć oględziny denata.

Odnalazła kolejne ślady przypalania na skórze: na plecach, pośladkach, pod kolanami, na łydkach. Wiele z nich już podczas tortur przekształciło się w otwarte, sączące się rany.

– Musiało to zająć sporo czasu… – mruknęła pod nosem. – Nie da się zrobić czegoś podobnego, jeśli się nie dysponuje dużą ilością wolnego czasu. A poza tym, co też mogła począć nasza Lady Justice z fiutem i jajkami?

Eve podniosła się i odwróciła do swojej partnerki. Peabody miała na sobie nieśmiertelny różowy płaszczyk. Szyję owinęła cienkim niebieskim szalikiem z wzorkiem – o zgrozo! – w różowe kwiatki. Ciemne włosy spięła w krótki kucyk, podskakujący przy każdym jej kroku.

– Poszukajcie świadków w środku – zaordynowała Eve. – Zabezpieczcie miejsce zbrodni, funkcjonariuszko! Jaki ma numer apartament panny Fenstein?

– Sześćset trzy, pani porucznik.

Razem z Peabody ruszyły w stronę wejścia do piętnastopiętrowej dostojnej budowli z elewacją z całkiem przyjemnie odnowionego brązowego kamienia. Przy wejściu nie było wprawdzie nocnej ochrony – jak zauważyła Eve – ale budynek miał dobry, solidny system monitoringu.

Pokazała odznakę policyjną stojącemu przy drzwiach posterunkowemu-droidowi.

Hol wejściowy prezentował się równie okazale, jak cały budynek. Jego posadzkę wyłożono naprzemiennie granatowymi i kremowymi płytkami. Granatowe ściany zdobił kremowy szlaczek, uwagę zwracały dyskretnie usytuowane biurko ochrony – chwilowo przez nikogo nieobsadzone – kilka wyściełanych miękko ławek i parę wysokich, smukłych wazonów z wyglądającymi na świeże wiosennymi kwiatami.

Eve wcisnęła przycisk windy i czekając na kabinę, przekazywała Peabody wszystko, co wiedziała.

– Świadek wracała z wieczoru panieńskiego i zauważyła ciało McEnroya leżące na chodniku. Wbiegła do środka, powiedziała o tym Vance'owi, swojemu narzeczonemu. Ten wyszedł przed budynek, zweryfikował słowa narzeczonej, a potem zadzwonił na policję. Mamy zapis rozmowy na numer dziewięćset jedenaście o godzinie czwartej trzydzieści osiem. Dwie minuty później na miejscu zdarzenia pojawił się pierwszy patrol policji. Denat był również mieszkańcem tego budynku – a raczej miał tu swój apartament. Jest narodowości brytyjskiej. Posiada wraz ze swoimi rodzicami międzynarodową, międzyplanetarną spółkę headhunterską. Żonaty, dwoje dzieci.

– Co z żoną? – zainteresowała się Peabody.

– Taa… – Eve weszła do kabiny windy. – Sprawdzimy potem, czy jest w domu, ale najpierw spróbujmy znaleźć jakichś świadków.

– Nie dotrzymał słów przysięgi małżeńskiej. – Peabody przypomniała słowa wierszyka. – Jeśli ona ich dotrzymywała, ten wierszyk miłosny od zabójczyni musiałby wywrzeć na niej ogromne wrażenie.

– Mhm… No cóż, ludzie reagują bardzo dziwnie, kiedy są wkurzeni, a ta Lady Justice, niosąca sprawiedliwość, musiała być nieźle wkurzona, choć… o ile żona nie jest zwyczajną idiotką, będzie miała cholernie mocne alibi.

Eve wyszła z windy i skierowała się szybkim krokiem w stronę cichego, spokojnego korytarza. Odnotowała zamontowane tam kamery ochrony.

– Sprawdźmy, co zarejestrowano na kamerach monitoringu z piętra, na którym mieszkał denat, z wind, holu wejściowego, z najbliższego otoczenia budynku.

Zadzwoniła do drzwi o numerze sześćset trzy i machnęła swoją odznaką przed nosem policjantowi mundurowemu – młodemu chłopakowi o ufnym spojrzeniu – który jej otworzył.

– Mam to, funkcjonariuszu Rigby – rzekła. – Proszę się skontaktować z ochroną budynku lub zarządcą nieruchomości. Chcę przejrzeć nagrania z kamer na piętrze, gdzie mieszkał denat, z wind, holu wejściowego do budynku oraz ze wszystkich kamer skierowanych na ulicę.

– Z jakiego przedziału czasu, pani porucznik?

– Dwie doby wstecz, o ile je przechowują. Potem zacznijcie się dobijać do drzwi sąsiadów.

– Tak jest, pani porucznik!

Odesłała go do wykonania powierzonych zadań, a sama szybkim, uważnym spojrzeniem otaksowała parę skuloną w objęciach na długiej, lśniącej szmaragdową zielenią żelowej sofie.

Dziewczyna – na oko dobiegająca trzydziestki – miała długie, kręcone, miedzianozłote włosy. Po podpuchniętych oczach mniej więcej tego samego koloru widać było, że płakała. Grymas na bladej twarzy, z której zmyła dokładnie makijaż – a musiała być mocno wymalowana na wieczornej imprezie – świadczył o przeżytym szoku.

Ubrana była w proste, szare bawełniane spodnie, koszulkę z długimi rękawami i domowe bambosze. Siedziała wtulona w postawnego chłopaka rasy mieszanej, mniej więcej w tym samym wieku co ona.

Chłopak skierował swe uduchowione piwne oczy na Eve i powiedział:

– Mam nadzieję, że nie zajmie to dużo czasu. Tish powinna się przespać.

– Obawiam się, że długo nie wytrzymam – odezwała się dziewczyna. – Oczy same mi się zamykają. Wiem, że powinnam zidentyfikować... – Wtuliła twarz w szerokie ramiona Vance'a.

– Zdaję sobie sprawę, że to trudne, panno Feinstein, postaramy się jednak załatwić wszystko najszybciej, jak to możliwe. Jestem porucznik Dallas, a to detektyw Peabody. Wydział zabójstw.

– Wydaje mi się, że panią rozpoznaję. Brat mojej przyjaciółki Lydii jest dzielnicowym w Queens. Miałam nawet do niego zadzwonić. W liceum chodziliśmy ze sobą przez pewien czas, ale...

– Może lepiej opowiedz nam, co się właściwie wydarzyło – Eve przerwała jej wynurzenia. – Zacznij od tego, gdzie byłaś wczoraj wieczorem.

– Impreza się skończyła i... – zaczęła Feinstein.

– Przepraszam – wtrącił się Vance. – Niech panie usiądą. Mogę czymś służyć? Może przygotuję kawę?

– Byłoby świetnie – powiedziała Eve. Zajmie go to przez pewien czas, pomyślała. – Dla mnie espresso, dla mojej partnerki americano.

– A dla ciebie, kochanie, może jeszcze jedną herbatkę? – zwrócił się do towarzyszki.

– Chętnie. Dzięki, Clip. – Uśmiechnęła się do niego. – Nie wiem, co bym bez ciebie zrobiła.

– Mam nadzieję, że nigdy nie będziesz musiała tego sprawdzać. Jedną chwileczkę. – Podniósł się i wyszedł bezszelestnie z pokoju.

Feinstein skuliła się, przyjmując pozycję obronną.

– A więc jak to było z tym waszym wieczorem? – podjęła Eve.

– Impreza się skończyła. Dokładniej: mój wieczór panieński. Pobieramy się z Clipem w przyszły piątek. Limuzyna zabrała mnie spod domu około dwudziestej pierwszej. Bawiłyśmy się w czternaście dziewczyn, wiadomo, jak to w klubie. Clip ma jutro swój wieczór kawalerski. Nieważne. Zakończyłyśmy zabawę męską rewią u Spinnera w centrum. Wiem, że to brzmi trochę tak, jak...

– Radosny czas, spędzony w towarzystwie przyjaciółek – wtrąciła Peabody z uśmiechem.

– No właśnie. – Oczy Feinstein zaszły łzami. – Naprawdę tak było. Niektóre z dziewczyn są moimi przyjaciółkami od wieków, a ja pierwsza z naszej grupki wychodzę za mąż. Bawiłyśmy się świetnie, dużo piłyśmy i śmiałyśmy się bez przerwy. Potem limuzyna odwoziła nas po kolei do domów. Ja byłam ostatnia, poprosiłam kierowcę, żeby wysadził mnie na rogu. Chciałam łyknąć trochę świeżego powietrza i przejść się kawałek. Czułam się taka szczęśliwa, tak rozkosznie niemądra! Było mi tak dobrze! Chciałam nieco przedłużyć ten stan i wtedy...

Przerwała, kiedy Vance powrócił z pełnymi kubkami ustawionymi na tacy.

– Clip.

– W porządku, kochanie. Mów dalej. Wszystko w porządku.

Odstawił tacę i objął narzeczoną ramieniem. Eve wzięła do ręki kubek z czarną kawą. Po zapachu skonstatowała, że pijała gorsze. Bóg jeden wie, że pijała lepsze, ale gorsze też.

– Gdybym poprosiła Shelly, która nas odwoziła do domu, żeby podjechała pod samo wejście do budynku, ona spostrzegłaby go pierwsza. To okropne, ale wolałabym, żeby tak się stało. On zwyczajnie tam sobie leżał. Przez ułamek sekundy myślałam, że to jakiś ponury żart, tylko że potem zobaczyłam... Chyba zaczęłam krzyczeć. Nie jestem pewna, ale chyba zaczęłam biec...

Za nic nie mogłam przeciągnąć kartą przez skaner ani wprowadzić poprawnie kodu otwierającego drzwi, tak bardzo trzęsły mi się ręce, w końcu się jednak udało, od razu wjechałam na górę i pobiegłam do Clipa.

– Myślałem, że wydarzył się jakiś wypadek. Nie była w stanie mi nic wytłumaczyć. Potem uznałem, że no cóż, trochę wypiła, coś tam sobie ubzdurała, tyle że wciąż była strasznie roztrzęsiona. – Mówiąc to, chłopak obejmował plecy Tishy ochronnym gestem, palcami głaszcząc ramię, przeciągając dłonią rytmicznie w górę i w dół. – Włożyłem coś na siebie i wyszedłem przed budynek. Zobaczyłem wtedy, że nie ściemniała. Zadzwoniłem na dziewięć jeden jeden i zaraz przyjechała policja.

– Rozpoznaliście denata?

– Nie. – Vance popatrzył na Feinstein, która pokręciła przecząco głową.

– Przyznam szczerze, że nie za bardzo się przyglądałam – wyjaśniła. – Pamiętam, że leżał dokładnie pod latarnią, ale nawet nie spojrzałam na jego twarz. Skórę na całym ciele miał... bo ja wiem... jakby czymś poprzypalaną. Widziałam podpis, cały ten liścik, i zauważyłam, że dokładnie pod nim on... – Głos się jej załamał i zamilkła.

– Ja też to zauważyłem – odezwał się Vance. – Ktoś go wykastrował.

– Mogę spytać, jak długo mieszkacie w tym apartamentowcu?

– Dwa i pół miesiąca. – Dziewczyna uśmiechnęła się blado, ujmując dłoń narzeczonego. – Chcieliśmy mieć własne gniazdko jeszcze przed ślubem. Nasze pierwsze wspólne miejsce na ziemi.

2

– Denat mieszkał na najwyższej kondygnacji – Eve poinformowała Peabody, kiedy doszły z powrotem do windy. – Nic dziwnego, że żadne z tych dwojga nie znało ani jego samego, ani jego żony. Mieszkają tu od dwóch miesięcy, osiem pięter niżej, i są ponad dwadzieścia lat młodsi.

– W dodatku jest to tylko jedno z wielu mieszkań denata – dodała Peabody – więc nie zawsze przebywał w tym budynku.

– Jednak przebywał wystarczająco długo, żeby zarobić na śmierć. Sprawdźmy, czy jego rodzina znajduje się na miejscu.

Pojechały na górę.

– Zabójca to kobieta lub też chce, aby myślano, że uczyniła to kobieta – rozmyślała na głos Peabody. – Jeśli pozostawiona wiadomość mówi o konkretnej grupie kobiet, to zapewne o tych, z którymi zdradzał żonę. Być może je gwałcił. Zastanawia mnie jedno... Był raczej szczupły i wysportowany, ale i tak potrzeba sporo siły, żeby go wsadzić do samochodu... o ile oczywiście ma samochód... a potem go stamtąd wytaszczyć. A jak już się go wyjmie z bagażnika, trzeba ułożyć ciało na chodniku. Może ona... jeżeli to kobieta... miała pomocnika?

– Jest to absolutnie możliwe. Odciśnięte ukośnie na nadgarstkach ślady po więzach wskazują na to, że ręce miał związane nad głową i nadgarstki dźwigały większą część jego wagi. Mógł być utrzymywany w takim zawieszeniu siłą mięśni lub za pomocą wielokrążka. Potem został opuszczony na coś w rodzaju jednoosiowego wózka transportowego, przetoczony po pochylni, przerzucony do samochodu i odwieziony tutaj. Dużo tego, ale ktoś musiał dokładnie wszystko przemyśleć. Na sto procent wiedzieli, gdzie mieszka w Nowym Jorku i kiedy tutaj będzie. Nie znalazłam na ciele żadnych śladów świadczących o tym, żeby próbował się bronić.

Na ostatniej kondygnacji znajdowało się tylko sześć przestronnych apartamentów. Ten należący do McEnroya zajmował północno-wschodni narożnik. Prowadziły doń szerokie, dwuskrzydłowe drzwi.

Kamera, panel alarmu, skaner, solidne zamki.

Eve nacisnęła guzik wideofonu.

Usłyszała głos automatycznej sekretarki: *McEnroyowie obecnie nie przyjmują gości. Podaj, proszę, swoje imię i nazwisko, powód wizyty oraz dane kontaktowe. Dziękujemy!*

Uniosła odznakę do kamery.

– Porucznik Dallas Eve oraz detektyw Peabody Delia. W sprawie policyjnego śledztwa. Musimy w tej chwili porozmawiać z kimkolwiek znajdującym się w mieszkaniu.

– *Proszę czekać! Obecnie odznaka podlega weryfikacji.*

Eve czekała przed skanerem. Minęła dłuższa chwila, po której usłyszała szczęk otwierających się zamków.

Portier-droid uchylił przed nimi lewe skrzydło drzwi. Stał – jak skała – dystyngowany, w czarnym fraku. Widok jego ciała o muskularnej budowie sugerował, że równie dobrze mógłby być tutaj ochroniarzem. Wypowiadał się równie dystyngowanie, z brytyjskim akcentem, patrząc na Eve i Peabody nieruchomym spojrzeniem błękitnych oczu.

– Przykro mi, pani porucznik oraz pani detektyw, lecz pan McEnroy jeszcze nie wrócił z wieczornego spotkania. Pani McEnroy wraz z dziećmi wyjechała z miasta na wakacje, spodziewamy się jej powrotu dopiero za pięć dni. Czy w takiej sytuacji mogę paniom w czymś pomóc?

– O tak! Możesz nam podać miejsce pobytu pani McEnroy oraz dane kontaktowe do niej.

– Jak już mówiłem, bardzo przepraszam, lecz te informacje są poufne.

– Już nie. Pan McEnroy nie powróci z wieczornego spotkania, ponieważ znajduje się właśnie w drodze do kostnicy.

Obserwowała, jak nieruchome oczy droida nagle ożywają, gdy zaczyna on przetwarzać niespodziewanie uzyskane informacje.

– To bardzo niefortunne zdarzenie – orzekł w końcu.

– Można to i tak określić. Wchodzimy! – zdecydowała Eve.

– Tak, zapraszam. – Odsunął się nieco na bok i zamknął za nimi drzwi.

Szeroki hol wejściowy przechodził płynnie w przestronny pokój dzienny. Przez ogromne przeszklenia Eve widziała skrawki rzeki Hudson, połyskującej srebrzyście w świetle poranka.

W salonie nad długim, wąskim kominkiem rozciągał się ogromny, wbudowany w ścianę ekran telewizora. Ekskluzywne meble w spokojnych tonacjach błękitów i zieleni, kilka widoków miasta, ujętych w ramy, tu i tam rodzinne fotografie również w eleganckich ramkach i nigdzie absolutnie ani śladu bałaganu.

– O której godzinie pan McEnroy opuścił apartament?

– O dwudziestej pierwszej osiemnaście ubiegłego wieczoru.

– Dokąd się wybierał?

– Nie posiadam takich informacji.

– Czy był sam?

– Tak.

– W co był ubrany?

Znów zauważyła błysk w oku, kiedy droid przeszukiwał zasoby pamięci.

– Miał na sobie czarne spodnie od Vincentiego, jasnoniebieski pulower Box Club z mieszanki jedwabiu i kaszmiru, czarną skórzaną marynarkę Leonardo, mokasyny z czarnej skóry firmy Baldwin oraz czarny skórzany pasek.

Tak szczegółowy opis uświadomił jej, że czasem i droidy mogą być przydatne w śledztwie.

– Kiedy pozostali członkowie rodziny opuścili Nowy Jork?

– Dwa dni temu o ósmej rano. Samochód osobowy przedsiębiorstwa transportu miejskiego zabrał panią McEnroy, jej córki oraz ich guwernantkę w celu odwiezienia ich na lotnisko. Stamtąd udali się na Tahiti i zostali zakwaterowani w ośrodku wypoczynkowym South Seas Resort & Spa, a konkretnie w bungalowie przy plaży o nazwie Paradise i tam spędzają czas wolny.

Taaa... – pomyślała Eve. – Droidy są doprawdy niezwykle przydatne.
– Czy pan McEnroy przyjmował jakichś gości podczas nieobecności reszty rodziny?
– Nie posiadam takich informacji. Panuje zasada, że moje funkcje są odłączane, kiedy pan McEnroy wychodzi z domu, a ponownie uruchamiany jestem tylko wówczas, kiedy pan McEnroy życzy sobie, bym mu asystował.
– Macie tutaj kamerę przy drzwiach wejściowych. Muszę przejrzeć zapis monitoringu.
– Oczywiście. Stacja monitoringu znajduje się tuż za pomieszczeniem kuchni.
– Zajmij się tym, Peabody. Poproszę o numer kontaktowy do pani McEnroy – zwróciła się do droida.
Tym razem nie oponował i podał numer.
– Która godzina jest teraz na Tahiti?
Oczy droida mrugnęły i natychmiast otrzymała odpowiedź:
– Na Tahiti jest w tej chwili dwunasta trzydzieści trzy po południu.
– To jakaś totalna bzdura – mruknęła pod nosem. – No nic, zatelefonuję i sprawdzę ten czas.
– Nie rozumiem – rzekł droid.
– Ja też nie rozumiem. Mamy tutaj morderstwo, muszę przeszukać mieszkanie, a ekipa wydziału techniki operacyjnej EDD sprawdzi wszystkie komputery i inne nośniki informacji. Czy w mieszkaniu są jeszcze inne droidy, personel zajmujący się pracami domowymi, składający się z ludzi lub urządzeń innego rodzaju?
– Są tu małe automatyczne urządzenia do czyszczenia podłóg i wykonywania innych zadań. Jest gu-

wernantka do dzieci, lecz, jak już wspominałem, ona również wyjechała na urlop razem z panią McEnroy. Asystentka pana McEnroya oraz inni pracownicy jego firmy mającej siedzibę w Nowym Jorku są czasem wzywani do tutejszego apartamentu, jednak ogólnie rzecz biorąc, pan McEnroy pracuje codziennie, kiedy jest na miejscu, ze swojego centrum zarządzania, które znajduje się w budynku Midtown Roarke Tower.

– Ha! Dam ci znać, jeśli będę miała jeszcze jakieś pytania. Co tam masz, Peabody? – zwróciła się potem do swojej partnerki, która wyłoniła się z głębi apartamentu.

– Wyszedł dokładnie o tej godzinie, którą podał droid, ubrany dokładnie w to, co opisał. Od tamtej pory, dopóki my się nie pojawiłyśmy, nikt nie podchodził do drzwi. Przejrzałam też poprzednie siedemdziesiąt dwie godziny, nie zauważyłam jednak niczego podejrzanego. Ci z EDD może wygrzebią coś więcej.

– Napisz natychmiast do McNaba i przyślij tu na górę ekipę sprzątaczy.

Eve zaczęła przeszukanie od sypialni McEnroyów. Znajdowały się tu jeszcze bardziej miękkie, wysmakowane barwy, wisiały też jeszcze bardziej wysmakowane dzieła sztuki. Choć zagłówek łóżka miał kształt rozpostartego pawiego ogona, już pokrywające go miękkie, materiałowe obicie miało przyjemny brzoskwiniowy kolor, o kilka odcieni jaśniejszy niż puszysta narzuta, która z kolei była o wiele jaśniejsza niż ułożone na niej, zaaranżowane elegancko poduszki.

Zastanawiająca wydała się Eve jedynie obrotowa kamera, ustawiona na trójnożnym statywie pośrodku pokoju.

Sprawdziła ją i zauważyła, że była ustawiona tak, by włączać się i reagować na polecenia głosowe. Nie znalazła w jej pamięci żadnych obrazów. Wyszła z powrotem na korytarz i zawołała do droida:

– Proszę tutaj na górę!

– Oczywiście – odrzekł, po czym natychmiast wspiął się po schodach i ruszył za nią do sypialni.

Wskazała na kamerę.

– Czy ona zawsze tutaj stoi? – spytała.

– Nie. Nigdy wcześniej nie widziałem tego urządzenia.

– Tutaj czy w ogóle?

– W ogóle, pani porucznik.

– Okej. Możesz wrócić na dół. Oczekuj na dalsze polecenia.

Eve sprawdziła szuflady w szafkach nocnych z polerowanego metalu; znalazła tam czytniki internetowe, które odłożyła dla ekipy informatyków EDD, w szafce bliżej okna kondomy, a polerkę do paznokci i emulsję do rąk w tej bliżej wejścia do łazienki.

Nie znalazła nigdzie żadnych zabawek seksualnych ani związanych z seksem dodatków.

Interesujące.

Zaciekawiona odwinęła narzutę i przeciągnęła ręką po pościeli, nachyliła się nad nią, powąchała. Wszystko świeże, pachnące lekko lawendą.

Ponownie wyszła z pokoju i podeszła do droida.

– Mam pytanie odnośnie do pościeli w głównej sypialni. Kiedy była wymieniana?

– Wczoraj rano. O dziesiątej.

– Czy pan McEnroy poprosił o zmianę pościeli? Czy dzieje się tak zazwyczaj?

– Kiedy pan McEnroy zostaje sam w mieszkaniu, pościel jest zmieniana codziennie.
– A wtedy, kiedy są wszyscy?
– Dwa razy na tydzień.
– Gdzie znajduje się pościel zdjęta wczoraj rano?
– Została zabrana do pralni.
– Niedobrze. Peabody, zaczniemy od sypialni głównej.
– McNab jest już w drodze. Ekipa techników-czyścicieli będzie tu na górze za dwadzieścia minut. A niech mnie!... – zaklęła policjantka, kiedy weszły do sypialni i zobaczyła kamerę.
– Ehm! Kamera obrotowa, ustawiona na aktywację głosową, na samym środku sypialni. Pościel zmieniana dwa razy w tygodniu, kiedy żona jest z nim, codziennie, gdy wyjeżdża.

Peabody przygryzła wargę zamyślona.
– Zwabiał do łóżka, które dzielił z własną żoną, jakieś swoje asystentki i wszystko nagrywał? – rozważała na głos.
– Tego właśnie będę się musiała dowiedzieć. Idę o zakład, że ma tu gdzieś poukrywane stosowne zabawki. Zacznij szukać w jego garderobie. Ja muszę przeprowadzić rozmowę z żoną.

Zaczęła od wykonania telefonu do ośrodka wczasowego, gdzie uzyskała potwierdzenie, że Geena McEnroy, jej dwie córki oraz ich guwernantka Frances Early są obecnie gośćmi ośrodka. Dowiedziała się też, kiedy się zameldowały i kiedy zamierzały wyjechać.

Następnie wybrała numer telefonu, który podał jej droid, gotowa poinformować najbliższych zamordowanego o zaistniałej tragedii.

Geena odebrała po trzecim sygnale. Miała zablokowaną transmisję obrazu.

– Halo? Kto tam? – spytała zaspanym głosem.
– Czy rozmawiam z Geeną McEnroy?
– Tak. Przy telefonie.
– Mówi porucznik Eve Dallas z nowojorskiej policji.
– Kto taki?! O mój Boże! – W głosie kobiety zabrzmiało przerażenie. Natychmiast się włączył przekaz wideo, ukazując bardzo ładną zaspaną kobietę ze zmierzwionymi brązowymi włosami i niebieskimi wystraszonymi oczami. – Czy było włamanie?

– Nie. Droga pani McEnroy, z przykrością muszę poinformować, iż mąż pani nie żyje. Jego ciało zostało odnalezione dzisiaj nad ranem. Proszę przyjąć moje kondolencje z powodu straty małżonka.

– Co? Co takiego?! O czym pani mówi? To niemożliwe! Rozmawiałam z Nigelem wczoraj po południu. Już będąc tutaj. T-to znaczy tam pewnie był już wieczór. Musiała zajść jakaś koszmarna pomyłka!

– Przykro mi, pani McEnroy, ale taka jest prawda. Pani mąż został zamordowany dzisiejszej nocy, mniej więcej o trzeciej nad ranem, i został oficjalnie zidentyfikowany.

– Ale to niemożliwe. Sama pani mówiła, że nie było żadnego włamania. O tej godzinie Nigel musiał być już w domu, w swoim łóżku.

– Zgodnie z informacjami otrzymanymi od waszego domowego droida oraz nagraniami z kamer monitoringu, mąż opuścił wasz apartament przy ulicy Dziewięćdziesiątej Pierwszej Zachodniej wczoraj wieczorem, kilka minut po dwudziestej pierwszej. Jego ciało zostało odnalezione całkiem niedawno. – Nie ma potrzeby informowania jej teraz o drastycznych szczegółach, pomyślała Eve. – Powtórzę jeszcze raz: jest mi bardzo przykro z powodu utraty przez panią współmałżonka.

– Jednakże... – Dezorientacja, coraz większe zdenerwowanie, ciągłe niedowierzanie zaczęły się mieszać i przeradzać w szok, a ten z kolei w smutek i żal. – Co takiego się właściwie wydarzyło? Co się stało Nigelowi? Wypadek?

– Nie, pani McEnroy. Pani mąż został zamordowany.

– Zamordowany?... Zamordowany?!... Ależ to niedorzeczne! – Jej głos przeszedł nieomal w pisk, ale po chwili udało się jej opanować. Przysłoniła usta dłonią. – Jak? Kto? Dlaczego?

– Pani McEnroy, najlepiej by było, gdyby wróciła pani do Nowego Jorku. Dopiero rozpoczęliśmy dochodzenie. Czy jest ktoś, z kim mogłabym się jeszcze skontaktować teraz w tej sprawie?

– Ja... Nie... Ja... Chwileczkę...

Obraz na wyświetlaczu rozmazał się, kiedy Geena najprawdopodobniej wybiegła z sypialni z komórką w dłoni. Eve dostrzegła w przelocie skrawki widoków z pokoju dziennego: nasycone, tropikalne kolory, odrobina księżycowego światła, odbijająca się w szybach okien, a w końcu wąska, długa stopa z paznokciami pomalowanymi w kolorze bladoróżowym.

– Francie! – Ochrypły szept był wstrząsający. Łzy dopiero napływały, stwierdziła Eve. – Boże mój! Francie! Potrzebuję cię!

– Już nie śpię! Już wstaję! – Światło się zapaliło. – Źle się czujesz, kochana?

Eve mogła tylko przypuszczać, że Geena rzuciła telefon na łóżko śpiącej na nim kobiety, po czym usiadła i zalała się łzami.

Na wyświetlaczu telefonu pojawiło się przerażone oblicze jej towarzyszki, kobiety rasy mieszanej w wieku lat około pięćdziesięciu, o orzechowych oczach, ciskających wściekłe spojrzenia.

– Kto przy telefonie? – spytała.

– Mówi porucznik Eve Dallas z Nowego Jorku...

– Och, akurat! Czytałam książkę i oglądałam film. Dallas jest... – Orzechowe oczy zamrugały, a potem zostały przetarte i wreszcie zobaczyły swoją rozmówczynię. – Dobry Boże! Co się stało?! Kto nie żyje?

Mówiąc to, przekręciła się na bok, na ekranie pojawiło się mocnej budowy ciało opięte różową – nie bladoróżową, lecz wściekle różową – koszulą nocną z brykającym białym jednorożcem na piersi.

– No już dobrze, Geeno, uspokój się, już dobrze. Przyniosę ci szklankę wody. Zajmę się wszystkim, dobrze? Co się stało? – zwróciła się z pytaniem do Eve, najwyraźniej przemieszczając się po pokoju.

– Nigel McEnroy nie żyje. Został zamordowany dzisiaj nad ranem.

– O mój Boże! Jak... Albo lepiej proszę teraz o tym nie mówić.

Z tego, co Eve mogła dostrzec, zorientowała się, że kobieta znalazła się w aneksie kuchennym, wrzuciła do szklanki kilka kostek lodu i dolała wody gazowanej do pełna.

– Ona mnie potrzebuje. Dziewczynki mnie potrzebują. Jakoś to przeczekamy. One go kochały. Wszystkim się zajmę tu na miejscu. Wrócimy do Nowego

Jorku najszybciej, jak to możliwe. Czy to się stało w mieszkaniu?

– Nie.

– W porządku. Wyruszymy w drogę powrotną, jak tylko uda mi się wszystko dograć.

– Poproszę o pani dane.

– Francie... To znaczy Frances – poprawiła się. – Frances Early. Uczę dziewczynki. Muszę się zająć Geeną.

– Proszę się ze mną skontaktować, kiedy tylko przyjedziecie do Nowego Jorku.

– Geena to zrobi. Na pewno zdąży się już wtedy wziąć w garść, choćby dla dziewczynek. Teraz muszę do niej iść.

Kiedy kobieta się rozłączyła, Eve zmieniła ustawienia telefonu i wykonała szybkie rozeznanie co do osoby Frances Early.

– Guwernantka... – zaczęła czytać, kiedy weszła do pomieszczenia będącego raczej czymś w rodzaju przebieralni obojga małżonków aniżeli garderobą któregoś z nich. – Frances Early, zamężna jeden raz, jeden rozwód, bezdzietna. Wiek: pięćdziesiąt sześć lat, zajmuje się edukacją dzieci, dwadzieścia dwa lata nauczała w szkole publicznej; urodzona i wychowana w Nowym Jorku. Siedem lat spędziła jako guwernantka starszej córki McEnroyów, potem obu. Podróżuje razem z rodziną, gdziekolwiek wyjeżdżają. Zamieszkuje razem z McEnroyami lub ze swoją siostrą, kiedy są w Nowym Jorku, ma swoje pokoje w ich londyńskim apartamencie, ma też miejsce zakwaterowania w każdej z ich pozostałych rezydencji. Jej były mąż raz był oskarżony o napaść z pobiciem, lecz został uniewinniony. Sprawia wrażenie osoby solidnej, na której można polegać.

– Nie znalazłam tutaj niczego podejrzanego, jedynie mnóstwo naprawdę ładnych ubrań należących do niej i do niego, a w części z toaletką sporo kosmetyków doskonałej jakości. Jest tu jednakże jeszcze sejf – Eve zaczęła mówić do dyktafonu.

Obejrzała skrytkę dokładnie, zastanawiając się, czy zdoła ją otworzyć – a uczył ją tego mistrz wśród włamywaczy (były mistrz), który, tak się akurat złożyło, został jej mężem.

Chyba to sejf z biżuterią – pomyślała. – Żona na pewno znała szyfr, więc on nie chowałby tutaj niczego, co chciałby ukryć przed jej oczami. Wspólnie używana przestrzeń.

Dam sobie z tym spokój – postanowiła. – Zajmę się lepiej jego gabinetem.

Ruszyła dalej korytarzem, zatrzymując się na chwilę przed pokojem, który należał bez wątpienia do dwóch sióstr. Cały w różach, bieli i falbaniastych ozdóbkach. Urządzony wybitnie dziewczęco. W jednej jego części ustawione były naprzeciw siebie dwa biurka, w drugiej znajdowały się różne gry i zabawki.

Trzeci pokój z kolei zidentyfikowała jako pokój guwernantki. Narzuta na łóżko w jaskrawy kwiatowy wzorek wskazywała na upodobanie do kolorów – te przypuszczenia potwierdziła garderoba z ubraniami w jasnych, przyjemnych barwach.

Na jednej ze ścian wisiała duża korkowa tablica z przypiętymi do niej wieloma pracami dzieci, tworzącymi całą wystawę. Na stole przy oknie stały trzy fotografie przedstawiające siostry i ich nauczycielkę wraz z rodziną.

Zwracała się do pani McEnroy po imieniu, a nawet –

jeśli tego wymagała sytuacja – *per* kochanie. Stanowi nierozerwalną część rodziny – podsumowała swoje rozważania Eve – a ludzie, którzy do tej części należą, znają rodzinne sekrety.

Będzie chciała przeprowadzić rozmowę z Frances Early.

Poszła dalej. Minęła pokój, który służył za klasę do nauki i miejsce do zabawy obu córek, potem coś w rodzaju saloniku, gdzie wspólnie spędzały czas, dalej oddzielną jadalnię, a na końcu gabinet McEnroya.

Nie było oddzielnego gabinetu dla żony ani nawet przeznaczonego dla niej kącika do pracy – jak zauważyła – za to gabinet jej męża zajmował spektakularną przestrzeń i równie spektakularnie został urządzony. Ten widok z okien, biurko, fotel, sofa, dzieła sztuki, zgromadzone tu urządzenia do przechowywania danych oraz systemy komunikacji!

Wszystko z najwyższej półki – rozmyślała – jak przystoi człowiekowi tak zamożnemu i z jego pozycją.

Wkrótce odnalazła terminarz: złamała kod dostępu; komputer firmowy: złamała kod dostępu; komunikatory: również złamała kod dostępu.

Ostrożny facet, nawet w swoim własnym mieszkaniu.

Szuflady w biurku – każda zamknięta na klucz i zakodowana.

Szafa z zamkiem wymagającym przeciągnięcia kartą dostępu i wprowadzenia kodu cyfrowego.

Zaczęła od niej.

Otworzyła swoją walizeczkę z polowym zestawem do przeprowadzania oględzin miejsc powiązanych z przestępstwami. Wyjęła pewien przyrząd, który dostała od Roarke'a, i zabrała się do roboty.

Słyszała, jak ekipa techników-czyścicieli wchodzi do mieszkania, słyszała rozmawiającą z nimi Peabody. Zignorowała ich obecność.

Uda się jej to zrobić i niech ją diabli, jeśli McEnroy nie po to tak zabezpieczył swoje biuro, żeby ukryć tu pieprzone dyski pamięci i inne nośniki danych.

Dziesięć minut później, kompletnie sfrustrowana, była o krok od poddania się i właśnie kopnęła z całej siły w diabelne drzwi. Chwilę później musiała jednak wziąć się w garść.

Usłyszała serdeczne powitanie McNaba: „Cześć, dziewczyno!", i podwoiła wysiłki.

I niech ją szlag trafi, jeśli po tak długim dłubaniu przy zamku przekaże zadanie złamania szyfru jakiemuś świrowi z wydziału informatyki EDD. Już ona im pokaże!

Zacisnęła tylko zęby, słysząc zbliżający się ku niej szelest podeszew jego aerobutów.

– Cześć, pani porucznik! – McNab znalazł się tuż przy niej.

– Zacznij od urządzeń informatycznych – zarządziła. – Otwórz na miejscu to, co zdołasz, zrób szybki przegląd, oznacz i skopiuj wszystko. Szlag! Szlag! Szlag! Otwórz się, do jasnej cholery! – syknęła w stronę sejfu. – To, czego nie zdołasz otworzyć, zabierz do siedziby waszego wydziału.

– Tak jest! Hej, masz ten magiczny czytnik kodów szyfrujących! Czy to nie ten słynny TTS-5?

– Skąd, do diabła, mam to wiedzieć? I przestań chuchać mi do ucha.

– Wygląda na to, że kod został złamany, ale...

Naraz z jej gardła wydobył się taki dźwięk, że nawet wściekły pies by się cofnął. Ale McNab przysunął się jeszcze bliżej.

Kiedy na urządzeniu zamigotała zielona lampka, huknął ją otwartą dłonią w ramię.

– Dobra robota! – pochwalił.

– Nieźle, kuźwa, co? – rzekła zadowolona z siebie i za pomocą karty dostępu załatwiła resztę.

Zdawała sobie sprawę, że McNab pewnie zrobiłby to dwa razy szybciej. A Roarke? Ten pewnie przebiłby się przez zabezpieczenia, wykorzystując jedynie swój cholerny irlandzki czar.

Tak czy owak, udało się jej!

Otworzyła drzwi, za którymi kryły się karty pamięci, dyski oraz inne akcesoria niezbędne w dobrze zorganizowanym biurze – a sprawa, w której prowadziła dochodzenie, obejmowała również kamerę w sypialni, jak też zamkniętą na trzy spusty wewnętrzną szafkę.

– Jezu Chryste! Co to jest, do cholery? Czy on tu przechowuje pieprzone klejnoty koronne?

– Tym razem to zwykły zamek zapadkowy – wtrącił McNab. – Wystarczy go wyłamać.

– Żadnego niszczenia cudzej własności! – warknęła Eve.

Wydobyła ze swojej walizeczki zestaw wytrychów, podarowanych jej przez Roarke'a. Miała zdecydowanie lepszą rękę do otwierania zamków na zwykły klucz niż tych z elektroniką i odblokowała wewnętrzną szafkę w niecałe pięć sekund.

Kiedy otworzyła drzwiczki, McNab aż cicho gwizdnął.

– Ale jazda! Raj dla miłośników wszelakich perwersji.

– Wiedziałam!

– Gościu mógłby z tym spokojnie otworzyć własny sex shop. – Mówiąc to, McNab wcisnął obie dłonie do dwóch z wielu kieszeni szerokich fioletowych spodni, wyglądających jakby były wypełnione plutonem.

Nie mogła się nie zgodzić. Przebiegła szybko wzrokiem po kolekcji kajdanków wyłożonych miękkim futerkiem, wibratorach, olejkach i emulsjach nawilżających, pierścieniach nakładanych na penisa, nasutnikach, akcesoriach służących do delikatnego drażnienia różnych części ciała, jedwabnych sznurach, przepaskach na oczy, piórkach, ogromnym zapasie prezerwatyw, wspomagaczach erekcji, przeróżnych żelach i innych specyfikach.

Wskazała gestem na buteleczkę, podpisaną drukowanymi literami: ROHYPNOL. Na innej widniał napis KRÓLICZEK, na następnej, mniejszej: DZIWKA.

– Skurwysyn! Dysponował niewielkimi podróżnymi fiolkami. Szedł do klubu, zabierał ze sobą fiolkę, po czym brał na cel jakąś dziewczynę. Następnie przywoził ją tu ze sobą i robił z nią, co mu się żywnie podobało. Wiersz Lady Justice nie odbiegał od rzeczywistości.

– Wiersz…?

– Do tego też kiedyś dojdziemy, McNab. Teraz bierz się do komputerów!

– Już się robi! – Mężczyzna odsunął się od szafy. Był szczupłym facetem o przyjemnej twarzy i długich jasnych włosach spiętych w kucyk, w płatkach uszu nosił srebrne kółka. – Te wszystkie zabawki, no wiesz, to jedna sprawa. Nikomu nie wadzą ani nie szkodzą, o ile obie strony czerpią z tego przyjemność. Jednakże te medykamenty… To przesrana sprawa.

– Tak. A teraz i on ma przesrane.

Cokolwiek McEnroy zrobił, gdziekolwiek bywał, teraz należał do niej.

Wyszła z gabinetu, zamieniła parę słów z dowodzącym ekipą sprzątaczy, po czym podeszła do Peabody od tyłu.

– Wezwijmy na przesłuchanie jego nowojorskiego zastępcę – zaordynowała. – To najlepszy sposób, żeby poznać zwyczaje McEnroya, rozkład jego dnia, przyjaciół i znajomych oraz zajęcia na boku, o ile był powtarzalny w swoich zachowaniach.

– Lance Po – przeczytała Peabody z ekranu swojego podręcznego komputera, kiedy doszukała się odpowiednich informacji. – Lat trzydzieści osiem, mężczyzna rasy mieszanej. Pięć lat temu ożenił się z Westleyem Schuppem. Pracuje w nowojorskim oddziale od jedenastu lat, przez ostatnie cztery był prawą ręką ofiary. – Kiedy już zjeżdżały windą na dół, dodała z zachwytem: – Ależ luksusowo i ze smakiem urządzony apartament!

– Taaa... Takie sprawiał wrażenie. Przytulny, cichy, wszystko z najwyższej półki. Na biurku miał zdjęcia żony i córek. Trzy metry od zamkniętej szafki, pełnej zabawek seksualnych, fiolek z pigułkami gwałtu oraz buteleczek z różnymi środkami odurzającymi. A to, do cholery, świadczy o całkowitym braku klasy.

– Więc, cholera jasna, gość nie tylko zdradzał żonę w ich własnym łóżku, ale też faszerował swoje ofiary środkami oszałamiającymi! – oburzyła się Peabody.

– Trudno uwierzyć, że posiadając te wszystkie medykamenty... a nie każda buteleczka była pełna... ani razu żadnego nie użył. Musimy sprawdzić, czy jego asystent wie, dokąd zamierzał się udać zeszłego wieczoru i z kim, o ile w ogóle, był umówiony na jakieś spotkanie.

Wyszły wprost na tętniącą życiem ulicę Nowego Jorku. Nad ich głowami hałasowały sterowce reklamowe, warczały silniki samochodów, obok przepływały fale obcych ludzi. Na chodniku nie leżało już teraz żadne ciało, nie pozostał nawet ślad, że kiedykolwiek tu było.

Wewnątrz budynku – zupełnie inna historia. Do wszystkich drzwi pukali policjanci mundurowi, ekipa techników-czyścicieli przeczesywała mieszkanie McEnroyów, a specjalista informatyk przekopywał się przez wszystkie udokumentowane i zachowane w plikach rodzinne informacje, jak również zarejestrowane rozmowy telefoniczne, przez wszystko, co wyszukiwali w internecie, przez wszystkie zdjęcia, które pozostawili na jakimkolwiek urządzeniu.

Śmierć odsłania wszelkie sekrety.

Kiedy Eve usiadła za kółkiem, Peabody podała jej adres asystenta.

– Dla jego żony i dzieci będzie to trudna podróż powrotna do domu – rzuciła policjantka mimochodem.

– O tak! Czy wiedziała? – zaczęła się zastanawiać Eve. – Może, a może nie wiedziała, co trzymał pod kluczem w szafce w swoim gabinecie, tylko jak mu się udało ukryć przed nią te wszystkie zdrady? Facet nie jest aż taki seksowny, no może tylko w sypialni, którą dzieli ze swoją małżonką. Nie zdradzał jej przypadkiem. Jak mogła o tym nie wiedzieć?

– Niektóre kobiety po prostu ufają bezgranicznie, a niektórzy faceci są mistrzami kamuflażu.

– Nikt nie jest w tym aż tak dobry. – Eve pokręciła głową.

Ruszyła szybko do przodu i wymusiła pierwszeństwo, wpychając się w sznur aut.

Po i jego mąż mieszkali w centrum nad grecką restauracją.

– Porządny spacer do pracy, o ile Po wybierał ten rodzaj przemieszczania się – myślała Eve na głos.

Zadzwoniła do drzwi znajdujących się na poziomie ulicy, i po chwili z intercomu dobiegło wesołe:

– Witajcie!

– Tu porucznik Dallas i detektyw Peabody, nowojorska policja. Musimy zamienić kilka słów z panem Po.

– Taa, jasne, a Roarke jest już tutaj na górze i zajada bajgle. To ty, Carrie?

– A jednak porucznik Dallas. Czy rozmawiam z Lance'em Po?

– Hm… No, tak. Ale że porucznik Dallas? Poważnie?…

– Poważnie. Musimy pogadać.

Eve usłyszała w tle krótką wymianę zdań i śmiechy. „Mówi, że nazywa się Eve Dallas. To pewnie Carrie".

Po chwili rozległ się brzęczyk domofonu i kliknął odblokowany zamek drzwi wejściowych.

W wąskim, ciasnym holu zauważyły drzwi do jeszcze węższej windy, której Eve za nic nie powierzyłaby swojego życia, nawet gdyby Po zamieszkiwał na ostatnim piętrze drapacza chmur. Na górę prowadziły równie wąskie schody.

Kiedy zaczęły się po nich wspinać, usłyszały odgłos otwierających się na piętrze powyżej drzwi i męski głos:

– Zabrzmiało to dość przekonująco, Carrie, ale… – Facetowi stojącemu w progu głos uwiązł w gardle.

Okazał się Azjatą, rasy mieszanej, o wysportowanej, smukłej sylwetce i wzroście nieco powyżej metra siedemdziesięciu. Trzydziestoośmiolatek wyglądał znacznie młodziej, niż wskazywała na to jego metryka. Miał kruczoczarne włosy, uczesane w krótkie, skręcone dredy, zdobione złotymi pasemkami. Ubrany w schludny, niebieski garnitur o metalicznym połysku oraz czerwony krawat w niebieskie grochy.

Jego oczy, prawie tak samo złote jak pasemka, nieomal wyłaziły mu z orbit.

– A niech mnie cholera! A niech to... Wes! To naprawdę ta świruska Eve Dallas!

– Weź się uspokój, Lance. – Na klatkę schodową wyszedł drugi mężczyzna o czarnej skórze, barczysty, z ogoloną na łyso głową, ubrany w spłowiałe dżinsy i czerwony T-shirt z długimi rękawami. Zrobił wielkie oczy, a potem położył dłoń na ramieniu Po i westchnął: – No i tak, ty sukinsynu!

Przyjrzał się Eve uważniej. W jego tęczówkach pojawił się niepokój.

– Jezu! Ktoś nie żyje.

– O mój Boże! Czy ktoś zginął? – zawtórował mu Po.

– Możemy wejść?

– Boże! Moja mama! Moja mama...

– Nie o nią nam chodzi, panie Po, ani też o nikogo z pańskiej rodziny. Jesteśmy tutaj ze względu na wasze szefostwo.

– Coś się stało Sylvii?! – Mężczyzna uniósł nagle ręce i złapał dłoń swojego partnera.

– Nie. Sprawa dotyczy Nigela McEnroya.

– Pan McEnroy nie żyje?!

– Chcielibyśmy wejść do środka.

– Ach! Tak! Przepraszam, przepraszam! – Mężczyzna odsunął się na bok. – Proszę, wejdźcie. Twój widok zrobił na mnie... na nas, piorunujące wrażenie. Obaj jesteśmy waszymi wielkimi fanami. Nie tylko książki i filmu, choć byłaś w nim magiczna, ale obaj śledzimy wasze poczynania, odkąd ty i Roarke jesteście razem... a jesteśmy wielkimi fanami również jego... i to twoja praca, i to, jak super się ubierasz, i te wywiady z tobą, kiedy cię dopadną z kamerą! Jesteśmy...

– Zaczynasz gadać od rzeczy, słonko. – Schupp dał Po kuksańca łokciem pod żebra, a potem uścisnął dłoń najpierw Eve, a następnie Peabody. – Siadajcie, proszę! Nie mamy wprawdzie takiej kawy jak wasza, ale...

– Nie trzeba, dziękujemy.

Pokój dzienny, choć niewielki, wywarł na Eve wrażenie o wiele bardziej przytulnego i wygodniej urządzonego niż salon McEnroyów. Jedną ścianę zajmowała granatowa kanapa z wysokim oparciem, a nad nią – bezpośrednio na ścianie – została narysowana czarno-biała grafika, przedstawiająca zabudowania Nowego Jorku. Naprzeciw niej stały fotele z obiciami w wielobarwne paski w żywych kolorach. Dzięki ławce obitej ekoskórą było więcej miejsca do siedzenia. Wnęka po lewej otwierała się na przyjemnie urządzony, niewielki aneks kuchenny i jadalnię.

– Chyba zadzwonię i poproszę o zastępstwo. Uczę sztuki i jestem trenerem piłki nożnej – wyjaśnił Schupp. – W szkole wyższej – dodał. – Zrobić ci herbatę, Lance?

– Jeśli możesz, to chętnie. Jestem po prostu... To na pewno nie był wypadek. Jak już mówiłem, jesteśmy waszymi fanami, więc wiemy, że zajmujecie się zabójstwami. Czy to był napad rabunkowy?

Mówiąc to, wskazał fotel, Eve zajęła jeden, a Peabody usiadła na stojącym obok. Po wybrał kanapę.

– Nie – odpowiedziała Eve. – Czy był pan asystentem pana McEnroya?

– Mhm. Tak. Dużo podróżuje, więc kiedy go nie ma w Nowym Jorku, czyli tak naprawdę mniej więcej przez pół roku, oddziałem zarządza Sylvia Brant. Znaczy się pan McEnroy i jego partnerzy biznesowi dalej kierują wszystkim, ale Sylvia jest jak gdyby kapitanem statku podczas jego nieobecności. Czy powinienem ją poinformować?

– Tym też my się zajmiemy. Czy znał pan rozkład zajęć pana McEnroya?

– Jasne! Na pamięć. Dzisiaj rano o dziesiątej spotkanie z głównym kandydatem na stanowisko dyrektora działu marketingu w firmie Grange United z Nowego Jorku, o jedenastej…

– Co z wczorajszymi?

– A, prawda. Przepraszam!

Nazwiska, godziny spotkań i ich tematy padały z ust Po jak seria z karabinu maszynowego. Schupp przyniósł mu w tym czasie duży kubek herbaty. Kubek i kwiatowy zapach przywiodły Eve na myśl Mirę. Pomyślała, że już niedługo będzie omawiała tę sprawę z najlepszą psycholożką nowojorskiej policji, sporządzającą portrety psychologiczne morderców.

– A więc żadnych spotkań z kolacją? Żadnych umówionych wcześniej wieczornych zajęć? – uściśliła.

– Dokładnie. Skończył pracę w biurze tuż przed osiemnastą. Jego żona wraz z córkami wyjechały na ferie wiosenne na Tahiti. O Jezu, Wes! Te małe słodkie dziewuszki!

Schupp ujął dłoń Po i uścisnął ją lekko.

– Czy moglibyśmy się dowiedzieć, co się właściwie stało? – spytał.

– Pan McEnroy został zamordowany dzisiaj nad ranem. Z zebranych do tej pory dowodów wynika, że opuścił swój apartament tuż po dwudziestej pierwszej. Morderstwo zostało popełnione w innym miejscu, a ciało podrzucono przed wejściem do budynku, w którym mieszkał. – Mówiąc to, bacznie obserwowała obu mężczyzn. – Istnieje domniemanie, że czynu dokonała kobieta lub też ktoś działający w imieniu kobiet, które pan McEnroy mógł... wykorzystać.

Po i jego partner wymienili wymowne spojrzenia.

– Nie wyglądacie na specjalnie tym zaskoczonych – rzekła Eve. – Wyjaśnijcie nam dlaczego.

3

– Zawsze mi to powtarzałeś – mruknął Po.

– Jak cię widzą, tak cię piszą. Miał w sobie coś... coś z gracza, z rasowego gracza – zaczął Schupp, zwracając się do Eve. – Widziałem go tylko kilka razy, ale miał w sobie to coś. Powiedz im, Lance.

– No cóż. To tylko przeczucia i głównie moje obserwacje. Jest jednak pewien wyjątek: dobrze wiem, że uderzał do dwóch dziewczyn z personelu naszej firmy, zajmujących niższe stanowiska. Jedna z nich poskarżyła się kierowniczce działu kadr i bum! przestała u nas pracować. Chodziły słuchy, że słono jej za to zapłacił. A co do Sylvii... Do niej zawsze się odnosił z należnym respektem, ale... Widzicie, ona jest trochę starsza i zapewne skopałaby mu tyłek, gdyby się do niej przystawiał. Tak czy owak, przemówiła mu do rozumu, postraszyła, że osobiście sporządzi skargę. Nieźle się wówczas ścięli... a działo się to mniej więcej rok temu. Chodził potem nabuzowany, co dało się zauważyć, ale przestał polować na firmowym poletku, jeśli łapiecie, o czym mówię.

– Jasne, łapiemy. Dlaczego Sylvia nie wniosła skargi?

– Sądzę, że głównie ze względu na jego żonę i dzieci. Zrobiłaby to, gdyby nie przestał, lecz...

– Nie jest pan nielojalny, panie Po – Peabody włączyła się do rozmowy. – Do śmierci pańskiego zwierzchnika najprawdopodobniej doprowadziły jego zachowania i zwyczaje. Rodzina powinna się dowiedzieć, kto był sprawcą, a to, co nam pan powie, pomoże w jego odnalezieniu.

– Nigdy go nie lubiłem – wypalił nagle Po. – Uwielbiałem jednak swoją pracę i Sylvię, i wszystkich moich współpracowników. Poza tym nieczęsto bywał na miejscu. Traktował mnie dobrze. Złego słowa nie mogę na niego powiedzieć.

– Byłeś jego asystentem, mój drogi. Lepszego nie mógł sobie wymarzyć.

– Trochę przesadzasz. – Mężczyzna się uśmiechnął. – Jestem dobry w tym, co robię, i lubię swoją pracę. On, to znaczy pan McEnroy, nie sprawdził się w roli dobrego męża. Uwielbiał dziewczynki i było to jasne jak słońce. Sądzę, że w pewien sposób kochał też swoją żonę. Miał jednak w sobie to coś, o czym już wspomniał Wes. Poza tym, no cóż... Zdarzyło się wiele takich poranków, zwłaszcza kiedy jego żona i córki wyjeżdżały z miasta, że wchodził do biura z miną „właśnie kolejną przeleciałem". Wcale się z tym nie krył.

– Czy kiedykolwiek próbowano się na nim odegrać?

– W sensie, żeby go napaść i pobić? Nie. Chyba że ktoś go szantażował, wysyłając coś na jego prywatny numer telefonu czy mejl. Do wszystkiego poza tym mam dostęp. Szczerze? Nie sądzę, żeby kiedykolwiek czuł się zastraszany. Zawsze wyglądał na... na zadowolonego z siebie, w pełni usatysfakcjonowanego. Jedyny raz, kiedy go widziałem nabuzowanego, to wtedy z Sylvią. Mógłbym przysiąc, że ona nigdy nikogo nie skrzywdziła. Rozprawiła się z nim w pełni profesjonalnie, a poddał się tylko dlatego, jak sądzę, że wiedział, że była gotowa to zrobić.

– Zna pan może jakieś kluby, do których chadzał po pracy?

– Może i tak. – Poprawił się na siedzeniu, najwyraźniej czując się niekomfortowo. – Organizowanie mu czasu po pracy również należy... należało do moich obowiązków. Wtedy, kiedy był w Nowym Jorku i kiedy gdzieś wyjeżdżał. Niektóre lokale dają małe upominki lub proponują udogodnienia, szczególnie jeśli wymaga się prywatności czy zamawia lożę dla VIP-a. Przechowywał pamiątkowe łupy z kilku miejsc w szufladzie swojego biurka.

– Prosiłam o konkretne nazwy, jeśli pan pamięta.

– Lola's Lair, Seekers, This Place, Fernando's. Z tego, co pamiętam, zazwyczaj chadzał do tych. Mogło być ich więcej, ale nie widziałem suwenirów z innych klubów.

– Bardzo nam to pomoże w śledztwie.

– Nie wiem, co powinienem teraz zrobić? – Mężczyzna rozłożył ręce, a potem złapał się za łokcie. – Czy powinienem iść do pracy?

– Zabieramy wszystkie komputery i inne urządzenia pana McEnroya do analizy.

– Wydaje mi się, że trzyma... trzymał telefon, drugi, prywatny, w zamkniętej na klucz lewej górnej szufladzie biurka. Nie mam do niej dostępu, ale widziałem, jak kilka razy rozmawiał w swoim gabinecie z innego telefonu. Ach! Miał tam też kilka ubrań na zmianę. Czasem mnie prosił, żebym mu zaniósł noszone poprzedniego dnia do pralni, wiedziałem więc, że przebierał się w pracy.

– Wie pan może, czy przyprowadzał dziewczyny wieczorami do swojego gabinetu?

– Nie sądzę. Mamy tam ochronę, firmę, która zajmuje się sprzątaniem. Zdarzało się, że dawał mi do rozliczenia faktury za pokój w hotelu. Wpływały od czasu do czasu, kiedy pani McEnroy przebywała akurat w Nowym Jorku. Wiedziałem, co wyprawiał – przyznał Po, wpatrując się w kubek z herbatą. – Był jednakże moim szefem.

– Panie Po, a może podwieziemy pana do pracy? Właściwie jest to nasz kolejny przystanek.

Mężczyzna spojrzał na Eve, potem na swego partnera i spytał:

– Czy na pewno powinienem to zrobić? Powinienem tam jechać?

– Prawdę mówiąc, panie Po – rzekła Peabody – mógłby nam pan pomóc, oprowadzając nas po biurze.

Na twarzy przesłuchiwanego odmalowała się ulga, jak gdyby dzięki wytyczeniu mu kierunku dalszych działań mógł ze spokojem przystąpić do wykonania zadania.

– Okej, niech więc i tak będzie – zgodził się.

– Jadę z wami! – Schupp wytrzymał spojrzenie Eve bez mrugnięcia okiem. – Nie tylko znam ludzi, z którymi pracuje Lance, ale też z wieloma z nich się zaprzyjaźniłem. Mogę być pomocny.

Eve doszła do wniosku, że jest on równie solidny i opanowany, jak jego spojrzenie, i skinęła przyzwalająco głową.

– W porządku. Jest pan gotów jechać teraz zaraz? – zwróciła się do Po.

– Mhm, jasne. Tak sądzę. – Mężczyzna podszedł do drzwi, podniósł leżącą tam skórzaną torbę na ramię i przełożył pasek przez głowę. – Dzięki, Wes.
– Nie ma sprawy.
Kiedy wszyscy znaleźli się na dole, już w aucie, Schupp westchnął ciężko.
– Może w obecnej sytuacji nie powinienem tego mówić, ale aż mi skóra cierpnie na karku na samą myśl o jeździe z Dallas i Peabody.
– W dodatku w policyjnym radiowozie. – Na ustach Po igrał blady uśmiech. – Nawet jeśli jest mi trochę niedobrze… nie żeby od razu miało mnie skręcić, ale…
– W porządku. – Peabody odwróciła się lekko do tyłu i posłała mu wspierający uśmiech. – Jesteś w szoku, więc to zupełnie normalne. Ale skoro jedziesz radiowozem, powinieneś jakoś to przetrzymać.
Gdy tylko policjantka skończyła mówić, Eve ruszyła z miejsca i wbiła się w sznur wolno jadących aut, po czym wyprzedziła ciasnym łukiem wlokący się maxibus miejski i przeleciała na żółtym świetle w ostatnim ułamku sekundy, nim zapaliło się czerwone.
Twarze kilku pieszych, którzy już mieli wejść na pasy, wykrzywiały grymasy wściekłości.
– Ja cię!… – chciał zakląć Schupp pod nosem i złapał Po za rękę.
Eve wcisnęła się na żyletkę pomiędzy dwie taksówki ekspresowe, przeleciała tuż obok roweru, zapewne obrzucona propozycją dokonania żywota w męczarniach, aż wreszcie wtoczyła się na parking podziemny wieży ze szkła i stali, gdzie mieściła się kwatera główna Roarke'a.
Tablice rejestracyjne jej samochodu zostały zeskanowane przez czytnik systemu ochrony, szlaban się

otworzył i monotonnym głosem poinformował, na którym poziomie znajduje się miejsce zarezerwowane dla policji.

Zaparkowała na wyznaczonym postoju kilka minut po tym, jak ruszyła spod domu Po i Schuppa.

– Ale jazda! – wyrwało się Po; zachichotał i dodał: – To lepsze niż film.

– Witaj w naszym świecie – powiedziała do niego Peabody.

– Nasza firma mieści się na dwudziestym drugim piętrze. Mam kartę dostępu, dzięki której możemy się tam dostać bez zatrzymywania.

Ja też mam – pomyślała Eve, ale skinęła głową przyzwalająco.

– To się dobrze składa. Musimy przeszukać gabinet pana McEnroya i porozmawiać z panią Brant. Potrzebne mi są nazwiska obu kobiet, o których pan wspomniał. Tych, które były molestowane przez pańskiego szefa.

– Ech, wiedziałem, ale wyleciało mi z głowy. Zaraz, zaraz... Jasmine... Jasmine Quirk! Nie znałem jej zbyt dobrze. Była u nas dość krótko. Złożyła wypowiedzenie po trzech tygodniach od rozpoczęcia pracy. A ta druga... Leah Lester... też nie wytrzymała wiele dłużej: może ze trzy miesiące. Na odchodnym zrobiła awanturę i w ten właśnie sposób Sylvia się dowiedziała, co zaszło. Tak się przynajmniej domyślam. Leah i Jasmine odeszły mniej więcej w tym samym czasie. – Wezwał windę za pomocą karty dostępu. – Ja nie mam pojęcia, gdzie są teraz, ale Sylvia może to wiedzieć.

– Okej.

Jazda do góry przebiegała gładko – jak należało się

spodziewać w nieruchomości wybudowanej przez Roarke'a i do niego należącej – a kiedy włożyła do czytnika windy i swoją kartę, podróż przebiegła w tempie zaiste ekspresowym.

Drzwi rozsunęły się bezszelestnie. Weszli bezpośrednio do małego, ze smakiem urządzonego holu recepcyjnego firmy Perfect Placement. W strefie dla gości ustawione zostały ciemnobrązowe fotele, pięknie się prezentujące na bladozłotym tle. Na ścianie za ladą recepcji pyszniła się nazwa firmy. Napis miał łukowaty kształt. Kształt kontuaru z kolei stanowił odbicie łuku napisu. Recepcję obsługiwały dwie osoby, kobieta i mężczyzna, oboje ubrani na czarno.

– Dzień dobry, Lance! – Kobieta uśmiechnęła się do niego, równocześnie trzymając przy uchu słuchawkę telefonu. – Cześć, Westley, miło cię widzieć!

– Ach! Czy jest może Sylvia?

– A czy kiedykolwiek jej nie zastałeś? – Jej uśmiech przygasł, kiedy dojrzała za ich plecami Eve i Peabody. – Czy coś się stało? – zwróciła się do nich z pytaniem.

– Musimy porozmawiać z Sylvią – odrzekła Eve.

– Pójdziemy prosto do niej, okej?

Nie czekając, Po odwrócił się do szklanych drzwi i otworzył je, mimo że recepcjonistka oświadczyła:

– Uprzedzę ją.

Jak zauważyła Eve, wejście prowadziło do sali z wieloma stanowiskami pracy, wydzielonymi przepierzeniami, gdzie siedziały już pracowite mróweczki – urzędnicy najniżsi rangą. W powietrzu unosił się zapach kiepskiej kawy i tanich wypieków.

Za zakrętem korytarza mieściły się biura kierownictwa, niektóre otwarte, niektóre zamknięte. Minęli jeszcze jeden zakręt i zobaczyła większe gabinety urządzone jeden bardziej odlotowo od drugiego. Słyszała odgłosy pisania na klawiaturze komputerów i dzwonki telefonów.

Po zatrzymał się przed chyba najbardziej niesamowicie urządzonym gabinetem.

Za biurkiem siedziała atletycznie zbudowana kobieta o szerokich, mocnych ramionach. Miała krótkie, czarne włosy ozdobione kunsztownie srebrnymi pasmami. Pisała na klawiaturze komputera bezwzrokowo, błyskawicznie przebierając palcami. Nie odrywając oczu od monitora, powiedziała:

– Poczekaj chwilę, Lance. Muszę to wysłać najszybciej, jak to możliwe.

– Sylvio...

– Dziesięć sekund – mruknęła, a jej palce wciąż fruwały nad klawiaturą. W końcu zastygła w bezruchu, i tylko jej czarne, przenikliwe oczy przebiegły raz jeszcze po tekście na ekranie. – Wysłane! – oznajmiła tryumfalnie po chwili, po czym się wyprostowała i podniosła wzrok na przybyszów. – O! Cześć, Wes! Teraz możecie mi powiedzieć, o co chodzi.

– Chciałabym zamknąć drzwi – oznajmiła Eve, pokazując jej swoją odznakę policyjną.

– Brzmi złowieszczo. – Kobieta wyprostowała się jeszcze bardziej. – Czy mogłabym zobaczyć z bliska pani identyfikator?

Eve podeszła do niej i uprzejmie zaprezentowała odznakę. Sylvia przyglądała się blaszce uważnie dłuższy czas.

– Jasna cholera! – wyrwało się jej w końcu. – Ktoś zabił Nigela!

– Co za domyślność! Jestem pod wrażeniem, pani Brant!

– W moim gabinecie znalazły się dwie policjantki z wydziału zabójstw oraz asystent Nigela ze swoim mężem. Nie sądzę, żeby odwiedziła mnie pani tylko po to, żeby jakoś sobie urozmaicić wolny czas w ciągu dnia. Prawdę mówiąc, pięć minut temu próbowałam się skontaktować z Nigelem. Nie odebrał, nie przysłał nawet wiadomości wideo. Usiądź, Lance. – Wstała i wciąż mówiąc, podeszła do niego, wzięła go pod rękę i poprowadziła do fotela. – Jesteś okropnie blady. Usiądźcie wszyscy. Dajcie mi sekundkę, żebym mogła przyswoić sobie tę wiadomość.

– Całkiem nieźle to pani idzie – zauważyła Eve.

– Tym się zazwyczaj zajmuję. Co się stało? Kiedy? Dlaczego? Odpowiedź na ostatnie pytanie nie będzie dla mnie trudna do zrozumienia, o ile to był wypadek lub napad.

– Zechce mi to pani wyjaśnić?

– Nigel, mężczyzna mający kochaną, inteligentną żonę i dwie śliczne córeczki, mężczyzna, który rozkręcił firmę przynoszącą mu wielkie dochody, umożliwiające wygodne życie i podróże, nie umiał utrzymać swojego fiuta w spodniach. Jeżeli jakiś mąż, chłopak, brat lub ojciec nie rozkwasił mu czaszki, mogła to uczynić jedna z kobiet, którą zaciągnął do łóżka i wykorzystał. Nie minął nawet rok, odkąd go o tym uprzedzałam.

– A co z panią, pani Brant? Czy panią też molestował?

Z piersi Sylvii wyrwał się gorzki śmiech.

– Proszę mi się lepiej przyjrzeć. – Rozłożyła ręce, równie mocne i umięśnione jak reszta jej ciała. – Mam sześćdziesiąt trzy lata i jestem płaska jak deska. Wprawdzie znaleźliby się tacy, którzy określiliby mnie mianem przystojnej, nikt jednak nie wpadłby na to, by powiedzieć o mnie seksowna, młoda czy naiwna.

– Jak dla mnie jest pani piękna – odezwał się Schupp, na co kobieta się uśmiechnęła.

– Nie bez powodu mówiłam Lance'owi, że sprzątnął mi ciebie sprzed nosa – skomentowała i odwróciła się do Eve. – Nie, pani porucznik. Nigel nie był zainteresowany moją osobą w ten sposób. Poza tym jestem zbyt cenna dla firmy. Polował na młodsze, okrąglejsze i lepiej wyposażone, zazwyczaj też na te z niską pozycją. Nie minął rok, odkąd stało się dla mnie jasne, że zaczął polować na firmowym poletku. Postraszyłam go konsekwencjami prawnymi, moją rezygnacją oraz porozmawianiem z jego żoną, kobietą, którą bardzo lubię.

– Nie spełniła pani żadnej ze swoich gróźb?

Dały się u niej zauważyć pierwsze oznaki napięcia: zaczęła pocierać dwoma palcami miejsce pomiędzy brwiami.

– Nie. Nie zrobiłam tego, ponieważ zaprzestał polowań w tym akurat lasku i zgodził się zapłacić dwóm kobietom, o których się dowiedziałam, okrągłą sumkę pieniędzy ze swojego prywatnego konta. Mógł mnie zwolnić, aczkolwiek nie byłoby mu łatwo to zrobić tak całkiem bez powodu. Jestem zbyt cenna dla firmy, gdyż moja praca generuje wysokie zyski, a poza tym narobiłabym mu takiego smrodu, że popamiętałby mnie do końca życia. Dobrze to wiedział. – Zamilkła na chwilę, westchnęła i wstała. – Potrzebuję łyka prawdziwej, mocnej kawy. Myślę, że wszyscy równie chętnie się napiją.

Poszła do niewielkiego aneksu kuchennego i zaprogramowała swojego AutoChefa, czyli ekspresowego kuchcika, który nie tylko parzył kawę, lecz również wydawał szybkie posiłki.

– Zanim zacznę odpowiadać na pytania, których od was oczekuję, daję wam moją pełną zgodę na podanie wszystkiego do wiadomości publicznej. Niezmiernie szanowałam i niezmiennie podziwiałam wyczucie Nigela w sprawach biznesowych. Stworzył cholernie dobrą firmę i był jej kołem napędowym. Posiadał umiejętności i determinację, był kreatywny, miał zdolność przewidywania. Podziwiałam tę część jego osobowości oraz kawałek wyposażony w prawdziwy zmysł jasnowidzenia, dzięki któremu potrafił umiejscowić właściwą osobę na właściwym miejscu. – Podała wszystkim kawę. Przyniosła jeszcze na tacy śmietanki do kawy oraz zamienniki cukru. – Mogę z pewnością stwierdzić, że był wspaniałym ojcem, a jego córeczki uwielbiały go i kochały miłością czystą i szczerą. Geena, jego żona... Trudno mi pojąć, jak kobieta tak pozytywna i inteligentna jak Geena mogła nie wiedzieć, co wyprawiał jej małżonek, ale ja też się tego nie domyślałam aż do afery sprzed roku, a przecież idiotką nie jestem. Wierzę, że kocha... kochała go bezgranicznie. Jestem pełna podziwu dla mężczyzny, który dawał powody, by kochać go w ten sposób. – Zamilkła na krótką chwilę. – A co do pozostałych aspektów jego życia... Cóż... Uważam, że był nikczemny i podły. Obie dziewczyny, które przyszły do mnie na skargę, utrzymywały, że wywierał na nie presję, wykorzystywał swoją pozycję w firmie. Jedna z nich twierdziła, że wrzucił jej coś do drinka, najprawdopodobniej pigułkę gwałtu. On oczywiście wszystkiemu zaprzeczał, kiedy na niego naskoczyłam, ale bezczelnie kłamał. Czułam to. W końcu zgodził się na warunki, które mu przedstawiłam.

– Doceniam tak szczere wyznanie – powiedziała Eve. – Poproszę jednak o informacje, gdzie była pani zeszłej nocy. Szczególnie interesują mnie godziny pomiędzy dwudziestą pierwszą a czwartą nad ranem.

– Och, ale… pani porucznik, nie może pani… – wtrącił się Po.

– Ciii! – Sylvia pogroziła mu palcem. – Policja musi to wiedzieć. Wyszłam z pracy zaraz po Nigelu, a potem udałam się na kolację do restauracji Opta razem z moim mężem, naszym starszym synem oraz jego narzeczoną. Mieliśmy rezerwację na godzinę dziewiętnastą. Sądzę, że lokal opuściliśmy około dwudziestej drugiej. Ja z Rayem wzięliśmy taksówkę i pojechaliśmy prosto do domu. Oboje położyliśmy się do łóżka i zasnęliśmy jeszcze przed północą. Dzisiaj rano o szóstej czterdzieści pięć wyszłam do klubu fitness poćwiczyć, a w biurze zameldowałam się około ósmej czterdzieści. Mamy w naszym budynku mieszkalnym monitoring – dodała. – Może pani sprawdzić, kiedy wróciliśmy z Rayem wczorajszego wieczoru i o której wyszłam ja sama dziś rano. – Znów zamilkła na moment. – Podłości Nigela miały niejedno oblicze – kontynuowała swój wywód. – Czuję się zdruzgotana na myśl o jego córeczkach. Straciły tatusia, a cokolwiek o tym myślę i jakkolwiek się czuję, one potrzebują przecież ojca.

– W porządku. Czy Jasmine Quirk oraz Leah Lester są kobietami, które zgłosiły się do pani ze skargą, że są molestowane, i zaakceptowały następnie warunki ugody? – spytała Eve.

– Tak.
– Przepraszam cię, Sylvio, ale ja... – wtrącił się ponownie Po.
– Lance, nie bądź takim panikarzem. To śledztwo w sprawie morderstwa. Trzeba powiedzieć prawdę. Wszystko, co się wie. Zażądałam, żeby Nigel zapłacił każdej po sto tysięcy dolarów amerykańskich, dał im solidne referencje i więcej się z nimi nie kontaktował. Gdyby nie dotrzymał któregokolwiek z punktów umowy, spełniłabym swoje groźby. Obie dziewczyny również na to przystały, inaczej wszystko przybrałoby zgoła inny obrót. Pragnęły tylko więcej się tu nie pojawiać.
– Sto tysięcy wydaje się niewielkim zadośćuczynieniem za gwałt – zauważyła Eve.
– Tak. Też się z tym zgadzam. – Sylvia przygryzła usta. – Nie były w stanie niczego udowodnić. Żadna z nich. Same nie wiedziały, co tak naprawdę się z nimi działo. Obie. Jasmine na przykład wiedziała, że w czymś uczestniczyła, czuła, że zrobiła coś nie tak, i chciała jak najszybciej o tym zapomnieć. Przeprowadziła się do Chicago, gdzie miała kogoś z rodziny. Leah natomiast była wściekła, co zrozumiałe, lecz odmówiła podania mi jakichkolwiek wiarygodnych szczegółów. Z tego, co wiem, wciąż mieszka w Nowym Jorku. Pracuje w jakiejś międzynarodowej korporacji finansowej. Może powinnam była pójść z tym do jej rodziców lub nawet na policję, niestety nie miałam żadnych dowodów rzeczowych, tylko słowa dwóch dziewczyn, które chciały jak najprędzej o tym zapomnieć i żyć dalej. – Ściskała przez chwilę nasadę nosa. – Wydawało mi się, że w tamtym czasie zrobiłam to, co było dla nich najlepsze. Sama nie wiem. Po prostu nie wiem.

– Czy pani się orientuje, kto przejmie jego udziały w firmie?

– Jego żona i córki, jak sądzę. Naprawdę nie mam pojęcia. Geena gdzieś wyjechała z dziewczynkami. Boże! Co za bajzel!

– Wie pani może coś o innych kobietach, które nękał?

– Skoro już wiem o Leah i Jasmine, mam prawo podejrzewać, że było ich więcej. Ale nikt inny do mnie nie przyszedł ani nie złożył skargi, a proszę mi wierzyć, że od tamtej chwili miałam oczy i uszy szeroko otwarte. Jestem pewna, że Nigel zdawał sobie sprawę z tego, iż ostro zareaguję, jeśli znów zacznie się zabawiać z pracownicami naszego biura.

– W porządku, pani Brant. Musimy uzyskać dostęp do jego gabinetu, aby go przeszukać. Zabierzemy komputery i inne należące do niego urządzenia do naszego wydziału techniki operacyjnej EDD.

– Boże! Wszystkie dane klientów! Tyle danych wrażliwych! – Zacisnęła mocno powieki. – Udostępnię wam oczywiście wszystko, co zaoszczędzi czas obu stronom, muszę jednak chronić swój tyłek, poproszę więc o oficjalny nakaz. Powinnam poinformować wspólników.

– Z nimi również chciałybyśmy porozmawiać.

– Oczywiście. Mogłabym, o ile zajdzie taka potrzeba, zaaranżować telekonferencję lub nawet konferencję holograficzną. Żaden ze wspólników nie przebywa obecnie w Nowym Jorku. Cokolwiek myślę o Nigelu, pani porucznik, był jednak moim pracodawcą i miał rodzinę, którą bardzo lubiłam. Wiem, że wszyscy tu, w biurze, będą z wami chętnie współpracować i w miarę możliwości pomagać. Tylko odnalezienie mordercy i jak najszybsze zamknięcie sprawy zapewni spokój jego rodzinie.

– Dam znać co z konferencją. Tymczasem dziękuję za współpracę i poświęcony mi czas, pani Brant. Teraz poproszę pana Po, żeby zaprowadził nas do gabinetu pana McEnroya. Ludzie z EDD zorganizują przewóz komputerów i innych urządzeń elektronicznych. Zaraz się zajmę załatwieniem nakazu przeszukania.

Opuścili pokój Sylvii i poszli korytarzem aż pod imponujące dwuskrzydłowe drzwi prowadzące do gabinetu pana McEnroya. Położony na samym końcu, za gabinetem pani Brant i znajdującym się tuż obok, zajmowanym przez Po, stanowił coś w rodzaju najdoskonalszego zwieńczenia całości. Połączony był z pełnowymiarową łazienką, kącikiem wypoczynkowym oraz aneksem kuchennym z AutoChefem – robotem przyrządzającym napoje i posiłki – lodówką i barkiem. Z okien roztaczał się obłędny widok na Nowy Jork.

– Nie dysponuję kodami dostępu ani do jego prywatnych zasobów, ani do zamykanej szafki pod biurkiem – zaczął Po.

– Zajmiemy się tym.

– Mogę udostępnić wam firmowe zasoby, mejle i tym podobne. Mam wszystkie potrzebne hasła, jeśli to coś pomoże.

– Na pewno pomoże – odrzekła Eve. – Peabody! Skontaktuj się z Reo i poproś o sporządzenie nakazu, a potem dzwoń do tych z EDD.

– Tak jest!

– Jeśli będę przydatny, żeby wyjaśnić cokolwiek z danych...

– Kody na razie wystarczą. Będzie nam potrzebny dostęp i do pańskich urządzeń biurowych.

– Nie ma sprawy! Mogę je uruchomić, jeżeli chcecie.

– Dziękuję. Kiedy już pan wszystko uruchomi, proszę sobie zrobić przerwę. Jeśli będziemy pana potrzebować, damy znać.

– Poczuje się lepiej, gdy się czymś zajmie – rzekł Schupp.

– Też tak sądzę. Wes dobrze mnie zna. Może będę mógł pomóc Sylvii. Jeśli się czymś zajmę, nie będę nikomu wchodzić w drogę.

– Proszę! Już i tak bardzo nam pan pomógł, panie Po. Pomogliście obaj z panem Schuppem.

– Wciąż to wszystko wydaje mi się takie nierealne – mruknął pod nosem Po, po czym otworzył komputer firmowy, notebook oraz kalendarz elektroniczny. – Przynajmniej częściowo nierealne. Przypuszczam, że wkrótce się to zmieni.

Gdy wyszedł, by zrobić to samo w swoim biurze, Eve zaczęła się przyglądać zamkniętej szufladzie. Po chwili wyciągnęła z kieszeni komórkę, która zasygnalizowała nadejście wiadomości tekstowej.

> Wjedź do mnie na górę. Mogę ci udostępnić niektóre dane dotyczące twojej ofiary.

Oczywiście, że jest w stanie to zrobić – pomyślała Eve. Roarke zapewne dowiedział się o tym, że przekroczyła próg jego nieruchomości, zaraz po wjechaniu na parking. Do tej pory spokojnie mógł zebrać wszystkie mniej lub bardziej dostępne dane dotyczące zamordowanego najemcy.

To było warte zrobienia małej przerwy.

Mam jeszcze parę spraw do załatwienia tutaj na dole, łącznie ze sforsowaniem zamka. Kiedy tylko skończę, przyjdziemy do ciebie.
Potrzebujesz pomocy przy zamku?

Może i tak – pomyślała, ale odpisała:

Nie obrażaj mnie.

Ponieważ stało się to teraz sprawą honorową, usadowiła się wygodnie w fotelu i zabrała do pracy.
— Nakaz jest w przygotowaniu – oznajmiła Peabody. – McNab już do nas jedzie. Złożył raport, że dwie noce wcześniej McEnroy wrócił do swojego apartamentu przed północą i nie był sam.
— Kobieta? – zaciekawiła się Eve, odrywając na chwilę wzrok od zamka.
— Duecik. Dwie blond dziewczyny. McNab twierdzi, że wyglądały na nieźle sponiewierane. Alkohol, narkotyki albo i jedno, i drugie. Opuściły budynek mniej więcej w podobnym stanie punkt czwarta nad ranem.
— Nie marnował ani chwili, odkąd żona wyjechała. Co za typ!
Niespecjalnie tym zdziwiona Eve wróciła do rozpracowywania upartego zamka.
— Facet był palantem, który myślał fiutem. Tak czy siak, jak tylko ci z EDD wyślą transport po urządzenia z apartamentu, zjawią się tutaj.
— A niech cię szlag trafi! – zaklęła Eve.
— Hę?

– Nie ciebie. Zamek. Już myślałam, że go cyknęłam. Niestety, ma podwójne zabezpieczenie.

Zaciekawiona Peabody stanęła nad Eve, żeby się lepiej przyjrzeć robocie.

– Podwójne zabezpieczenie przy zwykłej szufladzie w biurku? – zdziwiła się. – W środku muszą być niezłe skarby.

– Też o tym samym pomyślałam. – Poczuła na ciele pierwsze krople potu. – Idź lepiej przejrzeć rzeczy Po, i nie stój tu tak nade mną jak kat nad dobrą duszą.

– Jasne, ale McNab już jedzie i będzie mógł...

Słysząc niski pomruk wydobywający się z gardła Eve, Peabody natychmiast skierowała się do gabinetu obok.

Eve, uprzytomniwszy sobie, że ścieka jej po karku kolejna strużka potu, wpadła w jeszcze większą wściekłość. Przecież umie, do diabła, otworzyć tę cholerną szufladę. Da radę ją sforsować!

Przechowywał tu na pewno jakiś szajs – myślała, męcząc się z opornym zamkiem – jego żona nigdy nie przychodziła do biura grzebać w jego rzeczach, a do swojego asystenta miał pełne zaufanie. Był w końcu szefem i doszedł do wniosku – najprawdopodobniej słusznego – że nikt nie śmie ruszyć niczego, co zostało przez niego zamknięte.

A teraz, kiedy już nie żył, wszelkie jego nadzieje się zdezaktualizowały.

– A żeby cię jasna cholera i sto tysięcy diabłów!
– Jest aż tak źle?

Podniosła wzrok. Stał tam on, a jakże!

To było do przewidzenia.

W progu zobaczyła Roarke'a. Wysoki i szczupły,

ubrany w marynarkę prawdziwego rekina biznesu – w najgłębszych odcieniach grafitu, lecz jeszcze nie czarną – w koszuli o najjaśniejszym z odcieni szarości tak gładkiej, że nawet mucha wpadłaby na niej w poślizg, plus krawat z materiału tkanego ręcznie: delikatny, artystycznie wykonany wzór w kolorze burgunda na szarym tle.

Czarne włosy, gęste i jedwabiste, wiły się wokół jego twarzy tak pięknej, że wydawało się, iż uformowana została pocałunkami aniołów – z kilkoma końcowymi klepnięciami, wykonanymi przez samego czorta, żeby dodać mu nieco diabelskiej aparycji. Jego niemożliwie niebieskie oczy uśmiechały się tylko do niej.

Poszept Irlandii w tonie głosu dopełniał kompleksowego pakietu wyposażenia.

Wycelowała w niego palec wskazujący.

– Nie! – oznajmiła niezwykle zdecydowanym tonem głosu.

Oparł się więc niedbale plecami o futrynę i czekał.

Nagłe pojawienie się męża oraz świadomość, jak łatwo mógłby ją zawstydzić natychmiastowym rozprawieniem się z zamkiem, spowodowały, że podwoiła wysiłki. Może i część z tych kropel potu spłynęła wzdłuż jej kręgosłupa, ale w końcu zamek się poddał.

– Zrobione! – zawołała.

– Moje gratulacje, pani porucznik!

– Miał podwójne zabezpieczenie.

– Coś podobnego! – Brwi Roarke'a powędrowały w górę. Wszedł do gabinetu. – Co takiego trzymał w tajemnicy szef agencji headhunterów?

– To sprawa policji.

Tylko się uśmiechnął, a potem pochylił, żeby ucałować czubek jej głowy tymi swoimi idealnie wykrojonymi ustami.

– Ta sprawa policji może obejmować również dane, które otrzymasz ode mnie, o ile oczywiście zechcesz. Media nie przekazały jeszcze żadnych istotnych informacji na temat jego śmierci, ale skoro się tutaj znalazłaś, zapewne było to morderstwo.

– Owszem, morderstwo. Przy okazji dość paskudne. – Wyjęła z szuflady dwa telefony, notatnik i kilka przenośnych dysków pamięci. – Zamknij drzwi, asie.

Grzecznie wrócił do wejścia, lecz zamiast je zamknąć, najpierw wyjrzał na korytarz.

– Dzień dobry, Peabody! – przywitał się z dziewczyną, którą zauważył przy wejściu do sąsiedniego gabinetu.

– Cześć, Roarke!

Rozejrzawszy się starannie, wrócił do Eve. Przysiadł bokiem na biurku.

– Caro prześle ci kopię pozyskanych przeze mnie danych – zaczął, mówiąc o swojej asystentce, osobie równie godnej zaufania, co wydajnej. – Zanim je otrzymasz, mogę ci zdradzić, że McEnroy i jego firma mają swoją siedzibę główną tutaj od mnie więcej sześciu lat. Początkowy okres najmu wynosił pięć lat. Potem przedłużyli umowę na kolejne pięć. Mija właśnie pierwszy rok. Zawsze terminowo regulują wszystkie opłaty. Korzystają również z naszego nocnego serwisu sprzątającego, usług IT oraz obsługi konserwacyjnej. Wprawdzie przy aranżacji wnętrz współpracowali z własnymi dekoratorami, lecz zatrudniają naszych specjalistów od utrzymania zieleni, kupują w naszej kwiaciarni, piekarni i innych placówkach handlowo-usługowych.

– Znałeś go osobiście?
– Nie, ale co się słyszy, to się słyszy.
– A co takiego się słyszało?
– Lubił grywać w golfa i w tenisa, uprawiać żeglarstwo i seks. Jego żona nie zawsze była jego partnerką, kiedy poświęcał czas któremukolwiek z owych sportów. Zwykle w tym celu wybierał najbardziej ekskluzywne kluby. Daj mi godzinkę, a będę ci mógł powiedzieć, gdzie zamawiał garnitury i obuwie dla siebie, gdzie kupował biżuterię... O cokolwiek spytasz. – Roarke rozejrzał się po pomieszczeniu. – Nie był tak dyskretny, jak może to sugerować wystrój jego gabinetu.

– Więc to, że zdradzał żonę, nie było żadną tajemnicą? – zdziwiła się Eve.

– Cóż, był mimo wszystko właścicielem firmy ze stosowną reputacją, a przy tym cieszył się sławą kogoś o nadzwyczajnych umiejętnościach idealnego kojarzenia klientów, toteż jego ciemne sprawki pomijano milczeniem. On zaś w tej swojej działalności częściej pomijał interes żony niż klientów.

– Wygląda na to, że ktoś się z tym nie zgadzał.
– I dlatego musiał zginąć?
– Wskazują na to zebrane do tej pory dowody. Ten ktoś, kto się z tym nie zgadzał, podrzucił dzisiaj nad ranem jego obnażone zwłoki, okaleczone i wykastrowane, dokładnie naprzeciwko wejścia do budynku, w którym mieszkał.

– W takim razie – rzekł oględnie Roarke – był to dość dotkliwie wyrażony sprzeciw.

– Żebyś wiedział. Ktokolwiek to był, przekonanie McEnroya, że nie podobają się mu... albo raczej jej... jego zainteresowania pozalekcyjne, zajęło trochę czasu.

Zebrane do tej pory dowody wskazują na to, że owe zainteresowania obejmowały również otępianie namierzonych kobiet poprzez podawanie im pigułek gwałtu. Niektóre z nich pracowały w jego firmie.

– No, no! Nieźle. – Mężczyzna wstał i zaczął się przyglądać widokom miasta zza okna. – „Ciemne sprawki"... Czy nie do tego doszło i tym razem? Podejrzewasz jego żonę?

– Mało prawdopodobne, a przynajmniej nie jest w to bezpośrednio zamieszana. – Trzeba brać pod uwagę współmałżonka, pomyślała Eve. Zawsze. – Była z dwójką ich dzieci na Tahiti. Potwierdziłam to, zanim ją jeszcze o czymkolwiek poinformowałam. Właśnie wraca. Ktokolwiek to zrobił, a istnieje pewne prawdopodobieństwo, że żona była w to zamieszana, zostawił wiersz i podpisał go „Lady Justice".

– Wiersz, mówisz... O, co za poetyczny podpis! – Odwrócił się do Eve. – Intrygujące.

– Można tak powiedzieć. – Udało się jej właśnie sprawdzić, że telefony i elektroniczny notes były chronione hasłami. Ponieważ miała męża pod ręką, zarządziła bez wahania: – Zabezpiecz dłonie! – Następnie wyjęła pojemnik ciśnieniowy z płynną gumą z walizki oględzinowej. – I złam hasła w tych tutaj urządzeniach. Proszę.

Przyjrzał się tubie z rezygnacją.

– Nie cierpię tego, ale niczego innego nie mam – westchnął.

Rozprawił się z powierzonym zadaniem w bardzo krótkim, wkurzająco krótkim czasie. Eve najpierw sprawdziła zawartość notesu.

– Trzymał tutaj plany zajęć żony i obu córek – rzekła. –

Podróże, lekcje muzyki, bla, bla, bla... Nawet daty przyjęć piżamkowych z innymi dzieciakami. Dlaczego dzieciaki teraz mają przyjęcia piżamkowe? Kiedyś zwyczajnie się bawiły i już.

– Pojęcia nie mam, ale z tego, co widzę, był ojcem bardzo zaangażowanym w wychowanie córek. Sumienny i obowiązkowy mąż... przynajmniej w tym obszarze... A może posiadanie tych wszystkich informacji pozwalało mu bardziej efektywnie organizować jego własną wersję przyjęć piżamkowych?

Eve dokładnie to samo przyszło do głowy.

– Może chodziło mu i o jedno, i o drugie. Jego grafik zajęć i z jednej strony rodzina, a z drugiej praca. No i te jego „o wiele ciemniejsze sprawki". Mam rację? Popatrz tylko tutaj. Tu są daty, godziny i nazwy klubów, barów czy innych jaskiń rozpusty. Tu masz Nowy Jork, Londyn, Paryż, Chicago, Los Angeles i tak dalej. Wszystko starannie zapisane i udokumentowane.

Roarke pochylił się, kładąc dłoń na jej ramieniu.

– Wygląda to tak, jakby się starał nie chodzić dwa razy z rzędu do tego samego miejsca. Nazwy są wymieszane i te same znajdują się daleko jedna od drugiej. Sądząc po liczbie lokalizacji oraz po datach, facet był poważnie uzależniony.

– Mamy tu imiona kobiet... bez nazwisk... przy niektórych datach widnieją dwa, a nawet i trzy imiona. Lubił więc wszystko sobie dokładnie zanotować dla pamięci. Jezu! Patrz! Zapisywał tutaj, kiedy dosypywał im narkotyków, jakiego rodzaju, dokąd zabierał je potem, czy musiał im zapłacić i jeśli tak, to kiedy i ile.

– Może Lady Justice miała rację, że w ten sposób szukała sprawiedliwości? – zasugerował Roarke.

– Dla morderstwa nie ma żadnego usprawiedliwienia. To nie ma nic wspólnego z wymiarem sprawiedliwości. – Eve zatrzasnęła elektroniczny notatnik. – McNab zaraz tu przybędzie i zajmie się jego komputerami i innymi urządzeniami z nośnikami pamięci. Zawsze mi służy pełną pomocą w ogarnianiu sprzętu.

– Rozumiem, że ja do niczego ci się już nie przydam.

Eve, zerknąwszy na zamknięte drzwi, za którymi pilnie pracowała Peabody, podniosła się z krzesła i poszukała wargami jego warg. Namiętnie się pocałowali.

– Zawsze jesteś przydatny – powiedziała – ale muszę się jeszcze udać do wielu miejsc i przepytać kilka osób. Powinnam też przejrzeć informacje, które mi przesłała Caro. Na pewno się przydadzą.

– W takiej sytuacji spróbuję wykazać moją przydatność na innym polu. Do zobaczenia wieczorem! – Spojrzał w stronę dysków pamięci. – Sądzisz, że mógł nagrywać niektóre z dokonanych gwałtów? Mówię: gwałtów, bo inaczej tych jego zabaw nazwać nie można.

– Cóż, nie byłoby to dla mnie żadnym zaskoczeniem. Miał przecież kamerę ustawioną pośrodku sypialni. Kamerę obrotową, ustawioną na trójnożnym statywie, sterowaną głosem. Zabieram wszystkie dyski. Przejrzę je u mnie w komendzie głównej. Dziękuję ci za pomoc.

– Teraz już z tym, co pozostało, poradzisz sobie sama. Uważaj na siebie! – dodał, a kiedy wyszedł na korytarz, zawołał jeszcze „Do widzenia!" w stronę Peabody.

Tak też się stało. Sama otworzyła wszystko, co Roarke jej zostawił.

Będę jednak musiała posiedzieć nad tym nieco dłużej – pomyślała.

4

Kiedy tylko wyszedł Roarke, wróciła Peabody.
– Przejrzałam wszystko z grubsza – zaczęła. – Nic specjalnego. Same sprawy firmowe, plany spotkań, kontakty... Wszystko, czego się można spodziewać po asystencie prezesa. Prowadził oddzielny rejestr spotkań prywatnych szefa oraz jego prywatnych kontaktów. Każdą rzecz oznaczyłam do zabrania przez ekipę wydziału techniki operacyjnej.
– Bardzo dobrze. Można powiedzieć, że denat swoje sprawy prywatne prowadził osobno. Jego prywatny grafik spotkań zawierał spis regularnych wizyt w kilku klubach, a w notesie miał dokładnie zapisane imiona kobiet, daty, jakich narkotyków czy medykamentów użył, dokąd je zabrał po tym, jak nafaszerował je środkami odurzającymi.
Zazwyczaj miękkie spojrzenie Peabody stwardniało na kamień.
– Jezu! Co za oślizły typ! – syknęła.
– Taa... Teraz jest to jednakże nasz oślizły typ. Porozmawiamy najpierw z pracownikami tu, w firmie. Zobaczymy, czy uda się nam jeszcze coś z nich wyciągnąć.

Spróbuj się umówić na rozmowy z dwiema ofiarami denata, o których już wiemy. Sprawdźmy, czy Quirk w ciągu kilku ostatnich dni odwiedzała Nowy Jork. Spróbuj się również dowiedzieć, gdzie aktualnie się znajdują jego wspólnicy.

Kiedy skończyły przesłuchania w biurze firmy, Eve wiedziała już, że Brant miała poprawny obraz sytuacji: jej groźby sprawiły, że McEnroy wycofał się z polowań na firmowym poletku.

Podczas jazdy windą do garażu Eve zastanawiała się głośno, od czego powinna zacząć.

– Mamy kobietę, która przyznała się… lub raczej twierdzi, że McEnroy zachował się wobec niej niestosownie, a zdarzyło się to mniej więcej rok temu. Tak przynajmniej zeznała. Utrzymuje, że po fakcie całkowicie się wycofała z jakichkolwiek żądań wobec szefa.

– Ultimatum Sylvii Brant.

– Pasuje. Nie zgłosiła tego na policję, kiedy zaprzestał niecnych praktyk. Przynajmniej tak twierdzi. Przesłuchajmy ją, Peabody. Wciągnij ją na naszą listę. Potem będziemy musiały porządnie się przyjrzeć innej grupie, gdzie również mógł prowadzić te swoje polowania. Klientkom firmy.

– Taa… Wyobrażam to sobie. „Och, czy chciałaby pani się zatrudnić na tym stanowisku? Sprawdzę osobiście pani kwalifikacje…" Co za oślizły typ! – powtórzyła Peabody z odrazą, kiedy wyszły z windy i ruszyły w stronę samochodu.

Usadowiwszy się za kółkiem, Eve sprawdziła czas na naręcznym zegarku wielofunkcyjnym.

– Podzielimy między siebie przesłuchania wspólników – rzekła. – Zacznijmy jednak od rozmowy z Leah

Lester. Wprowadź do nawigacji adres miejsca jej zatrudnienia.

Peabody spełniła jej prośbę i zaczęła opowiadać, czego się dowiedziała do tej pory.

– Przeszukałam pobieżnie dostępne informacje na temat Allie Parker. Nie ma żadnych raportów, odkąd zaprzestał polowań w firmie. Czysta kartoteka, żadnych zmian w finansach, które wskazywałyby na szybki awans na stanowisko kierownicze. Przyszła do pracy jako planistka produkcji zaraz po liceum. Teraz już drugi rok pracuje jako asystentka. Okresy pracy się zgadzają, nie uważasz? Jest nowa, McEnroy wtacza się do biura, widzi świeże mięsko, lekko ją podszczypuje tu i tam. Zanim odważy się na więcej lub zanim jeszcze świeże mięsko zdecyduje, jak zareagować, Brant najeżdża na niego i wtedy McEnroy postanawia zmienić teren polowań.

– Zgadzam się. W jego notesie nie było żadnej Allie, lecz na liście została. Przesłuchamy następnie wszystkich z listy. Trzeba sprawdzić, czy dokonywał jakichś płatności na konto swoich ulubionych klubów. To tam jego zabójca czy raczej zabójczyni go poderwała. Prawdopodobnie najpierw długo go śledziła.

Peabody robiła notatki podczas jazdy.

– Teraz rozumiem – rzekła w końcu – przynajmniej mniej więcej, dlaczego dziewczyny z jego firmy, do których się dobierał, zdecydowały się przyjąć pieniądze i odejść. Jednakże... Powiedz sama, co byś zrobiła, gdyby sam prezes albo twój szef próbowali cię łapać za tyłek?

– Kiedy zaczynałam pracę, pewien detektyw, zresztą niższego stopnia, próbował mnie osaczyć w szatni. Przycisnął mnie plecami do szafki, złapał jedną ręką za pierś, a drugą za krocze. Wówczas dopiero zaczynałam praktykę pod okiem Feeneya w wydziale zabójstw i właśnie wróciliśmy po długim śledztwie w terenie. Trwało około stu godzin. Ów detektyw wszedł do środka, kiedy się przebierałam. Potężny gość, dupek, jakich mało, wymyślił sobie, że w ten sposób się do mnie dobierze.

– Jezu! Dallas! Zgłosiłaś to zajście Feeneyowi?

– Nie musiałam. Zdążyłam rozkwasić dupkowi nos i posiniaczyć mu jaja, kiedy Feeney usłyszał hałasy dochodzące z szatni i wszedł do środka. Detektyw Popapraniec zaczął pieprzyć, jak to niby ja rzuciłam się na niego z pazurami i dostałam jakiegoś szału. Kiedy tak gadał, oskarżał mnie, ja myślałam tylko o tym, że pracuję w wydziale zabójstw dopiero od kilku tygodni, jestem totalnym żółtodziobem, a ten gość ma złotą odznakę, więc znajduję się na straconej pozycji. Dlaczego ktokolwiek miałby mi uwierzyć, skoro to on jest cały zakrwawiony, a ja nie mam nawet zadrapania. Tak więc ja się zastanawiałam, Popapraniec nawijał, a Feeney bez słowa przywalił mu w żołądek, aż tamten runął na glebę.

– Ale jazda!

To dziwne – nagle zdała sobie sprawę Eve. – Od tamtej pory nigdy nie wspominałam tego incydentu, a teraz widzę wszystko jasno jak na dłoni.

– Byłam na wpół rozebrana, w bieliźnianej koszulce z rozerwanym ramiączkiem, a Feeney odwraca się, stawia nogę w ciężkim bucie na klacie dupka i zwraca się do mnie. Patrzy mi przy tym w oczy, prosto w oczy, i prosi, żebym mu powiedziała, co się wydarzyło, więc opowiadam. Potem każe mi się ubrać i zaczekać w jego gabinecie. Tak też zrobiłam, ale przyznam, że o mało się wtedy nie sfajdałam z nerwów.

Taaa... – pomyślała – jasno jak na dłoni.

– Niczego w życiu nie pragnęłam bardziej niż pracy w wydziale zabójstw. Nie miałam wtedy pojęcia, czy dostanę pisemną naganę, czy mnie wywalą, a może mój szef zamiecie wszystko pod dywan, jakby się nic nie stało, i powie mi, żebym również o wszystkim zapomniała. – Eve zerknęła na Peabody. – Musiałam przejść nad wszystkim do porządku dziennego, odznaka policyjna była dla mnie ważniejsza niż duma.

– Rozumiem to – mruknęła półgębkiem Peabody. – Naprawdę to rozumiem.

– Po chwili wszedł Feeney, wygrzebał gdzieś z głębin swojej szafy z segregatorami pieprzoną butelkę whisky, nalał po odrobinie do dwóch kubków, w których zwykle pijał kawę, kazał mi usiąść i zaczął nawijać, że koniecznie muszę napisać oficjalny raport w tej sprawie i że koniecznie muszę porozmawiać o tym incydencie z Mirą. Rety! Tego mi tylko jeszcze brakowało! Wzbraniałam się, ale nie chciał o niczym słyszeć. W końcu się zgodził, że nie będzie rozdmuchiwał incydentu, bo wie, że mogłoby się to odbić na mnie rykoszetem, i że muszę jakoś przez to przejść, a on będzie trzymał moją stronę. Powiedział mi jeszcze, że odeśle detektywa Popaprańca na wcześniejszą emeryturę. „Nikomu – jak się wyraził – ale to naprawdę nikomu nie wolno tknąć żadnego z moich ludzi". Na koniec kazał mi się napić i zamknąć temat, gdyż na pewno nie był to ostatni raz, kiedy zostałam zmuszona stłuc jaja jakiemuś pojebowi.

– Kocham Feeneya! – Peabody szybko zamrugała powiekami zwilgotniałych nagle oczu. – To jest gość!

– Taaa! – westchnęła przeciągle Eve. Dostrzegła błyszczącą w promieniach słońca strzelistą sylwetkę wieżowca w samym centrum miasta, w którym mieściła się siedziba firmy Universal Financial zatrudniającej Leah Lester. – Faktem jest – zaczęła mówić, szukając miejsca do zaparkowania – że gdyby nie wziął mojej strony, musiałabym przełknąć to, co bym musiała, aby utrzymać się na stanowisku i pozostać w wydziale zabójstw. Mogłabym skopać jaja chamowi, lecz bez wsparcia Feeneya niewiele więcej bym zdziałała. Tamtego wieczoru pokazał mi, co czyni prawdziwego policjanta, co czyni prawdziwego szefa, a nawet co czyni z człowieka prawdziwego człowieka, jak teraz o tym myślę.

Wtem Eve zakręciła pod kątem prostym tak nagle, że Peabody pisnęła jak mały wystraszony piesek. Następnie ich auto przecięło całą szerokość ulicy, zygzakiem wymijając inne samochody, i z piskiem opon zahamowało na wypatrzonym wolnym miejscu parkingowym.

– Udało się! – zawołała triumfalnie Eve.

– Może chociaż malutkie ostrzeżenie następnym razem! – fuknęła Peabody i natychmiast wysiadła. Stanęła na chodniku, uniosła twarz do słońca i westchnęła: – Naprawdę czuć wiosnę w powietrzu. W drodze do domu zatrzymam się przy stoisku z kwiatami i kupię cały pęk żonkili. Hej! Powinnam też kupić bukiet do pracy!

– Tylko spróbuj! Przygotuj się na to, że będziesz go musiała zjeść.

Czekał je dłuższy spacer, skrzyżowanie i przejście na drugą stronę ulicy. Peabody, nic sobie z tego nie robiąc, prawie podskakiwała z radości w swoich różowych kowbojkach.

– Założę się, że smakują jak wiosna – rozmarzyła się.

– Będziesz miała okazję to sprawdzić – burknęła Eve.

Przeszły po pasach razem z grupką pieszych, których mogło cieszyć – lub nie – że w powietrzu czuć już było nadchodzącą wiosnę. Większość jednak chyba zbyt się spieszyła, żeby to zauważyć.

Do gigantycznego, lśniącego w słońcu biurowca prowadziły szklane drzwi – ze szkła pancernego – a za nimi rozciągało się obszerne, wyłożone kafelkami lobby z solidną ochroną. Żeby nie komplikować sprawy, Eve wyciągnęła swoją odznakę i podstawiła ją pod nos jednemu z trzech ochroniarzy.

– Na które piętro jedziemy, Peabody?
– Sześćdziesiąte pierwsze. Firma Universal Financial.
– Możecie zdeponować tutaj waszą broń.
– Mowy nie ma! – oświadczyła Eve, w dalszym ciągu nie chcąc utrudniać. – Proszę zeskanować nasze odznaki i przeprowadzić identyfikację. Jesteśmy z nowojorskiej policji. Chodzi o prowadzone śledztwo.

Ochroniarzowi się to nie spodobało. Przygryzł cienkie wargi, ale zeskanował odznaki i zweryfikował ich autentyczność.

– Jeśli się upieracie przy zatrzymaniu broni, wymagane jest udzielenie wam eskorty.
– Ja zabiorę je na górę, Jim. – Z biur ochrony budynku wyszła jakaś kobieta. Zaprosiła je gestem w stronę sekcji z windami. – Jim zawsze się wszystkiego czepia – wyjaśniła, kiedy odeszły nieco dalej. – Nic do was nie ma.
– W porządku.

Pracownica ochrony przeciągnęła kartę przez czytnik zewnętrzny windy, a potem weszła do kabiny razem z Eve i Peabody. Następną osobę, która chciała wejść za nimi, powstrzymała zdecydowanym ruchem ręki.

– Przykro mi, ale proszę zaczekać na kolejny kurs – powiedziała.

Kiedy drzwi się za nimi zamknęły, znów przeciągnęła kartę przez czytnik wewnętrzny.

– Pojedzie w ekspresowym tempie – poinformowała je. – W innym wypadku dotarcie na sześćdziesiąte pierwsze piętro o tej porze dnia mogłoby nam zająć ze dwadzieścia minut.

– Dziękujemy za troskę!

– Hej, i my, i wy staramy się dbać o bezpieczeństwo ludzi, no nie? Tak czy owak, znam pewną policjantkę. Hmm... Tak naprawdę dopiero niedawno się poznałyśmy, ale służy w pani wydziale, pani porucznik. Nazywa się Dana Shelby.

– Shelby jest dobrą policjantką.

– Proszę jej przekazać pozdrowienia od Londy. Sześćdziesiąte pierwsze piętro! – oznajmiła i wyszła na korytarz, kiedy drzwi kabiny się rozsunęły. – Proszę chwilę zaczekać. Wyjaśnię sprawę z ochroną firmy Universal.

Podeszła do kontuaru i zamieniła parę słów z jedną z osób stojących za ladą recepcji. Kilku biznesmenów siedziało na miękkich kanapach w poczekalni urządzonej w eleganckich szarościach i czerni. Wszyscy byli zajęci pracą na urządzeniach podręcznych. Kolejni, ubrani w nie mniej eleganckie garnitury, wciąż wchodzili i wychodzili z różnych pomieszczeń, do których drzwi widoczne były z holu.

Pachniało miejscem zdecydowanie uprzywilejowanym: drogimi perfumami i prawdziwą skórą.

Nie minęła minuta, a z bocznych drzwi wyszedł mężczyzna o kanciastej szczęce i ogolonej na łyso głowie, ubrany w czarny garnitur. Zmierzył szybkim spojrzeniem obie policjantki, a potem podszedł do Londy.

– Ja je zabiorę dalej. Dzięki, Londo.

– Nie ma sprawy, Nick! – Kobieta pożegnała się gestem przypominającym niedbały salut i ruszyła z powrotem do windy. Ochroniarz podszedł do Eve i Peabody.

– Nick Forret, szef ochrony firmy Universal – przedstawił się. – W czym mogę pomóc?

– Musimy porozmawiać z Leah Lester.

Kiwnął głową.

– Czy pani Lester jest dzisiaj w pracy? – zwrócił się z pytaniem do osoby za kontuarem recepcji.

– Zaraz sprawdzę, panie Forret. Chwileczkę... Jej telefon firmowy jest zajęty, wysyła informację, aby jej nie przeszkadzać.

– Proszę jej więc nie przeszkadzać – odrzekł Forret i odwrócił się w stronę innych drzwi. – Zaprowadzę panie do gabinetu pani Lester. Czy spodziewacie się jakichś komplikacji, pani porucznik?

– Raczej nie. Pani Lester może posiadać pewne informacje, istotne dla prowadzonego przez nas śledztwa.

Daleko nie musiały iść. Eve zdążyła odnotować w pamięci, że Lester awansowała i nie pracowała już we wspólnej sali, lecz dostała oddzielny gabinet. Jego drzwi były zamknięte, a nad futryną mrugała czerwona lampka z podświetlanym napisem: „Nie przeszkadzać". Forret zignorował to, zastukał energicznie i otworzył.

Kobieta za biurkiem wystawiła w górę palec wskazujący tak, żeby nie było go widać w kamerce połączenia wideo, i kontynuowała rozmowę niezwykle spokojnym tonem:

– Absolutnie, panie Henry, tak, jest to całkowicie zrozumiałe. Będę bardzo zadowolona, mogąc przedyskutować z panem te zagadnienia jutro, tak jak to było zaplanowane.

Eve nie przerwała rozmowy. Czekała spokojnie, rozglądając się po wnętrzu pomieszczenia. Było mniejsze niż jej gabinet w komendzie, lecz miało zdecydowanie większe okno. Żadnych dodatków ani innych ozdóbek – podobał jej się tak surowy wystrój.

– Oczekuję z niecierpliwością spotkania z panem i bardzo dziękuję za danie mi szansy na zaprezentowanie naszej oferty jako członka grupy Universal Financial.

Dokładnie w tej samej chwili, kiedy się rozłączyła, profesjonalnie spokojny wyraz jej twarzy uległ zmianie.

– Niech to cholera! – syknęła wkurzona. – Nie widzieliście czerwonej lampki nad drzwiami? Od wielu tygodni pracuję nad umówieniem spotkania twarzą w twarz z Abnerem Henrym!

– Porucznik Dallas, detektyw Peabody. – Forret przedstawił je i natychmiast zniknął za drzwiami.

Aby to bardziej uwiarygodnić, Eve zaprezentowała swoją odznakę.

– Nowojorska policja, pani Lester. Musimy pani zająć jedną chwilę.

– Policja?! – Irytacja przeszła w zdumienie, a w następnej sekundzie podskoczyła wprost do paniki. – Moi rodzice?! Brat?! Co... – Kobieta zerwała się z krzesła.

– To nie ma nic wspólnego z pani rodziną.

– Frankie! – Tym razem przycisnęła rękę do serca i opadła z powrotem na krzesło. – O Boże!

– Frankiego też to nie dotyczy – dodała Eve. – Jesteśmy tutaj w sprawie związanej z Nigelem McEnroyem.

Pobladła nagle twarz znów się zaróżowiła – przyjemna twarz, zauważyła Eve, więcej niż ładna, nieco podmalowana, z ustami dokładnie pociągniętymi koralową szminką. Zmienił się również wyraz jej przejrzystych, niebieskich oczu. Zrobiły się zimne jak lód.

– Nie chcę mieć nic wspólnego ani z tym osobnikiem, ani z jego firmą. Nie mam również nic do powiedzenia na jego temat – wypaliła. – Już od ponad roku nie jestem u niego zatrudniona. A teraz przepraszam bardzo, lecz…

– Nigel McEnroy nie żyje.

Coś błysnęło w zimnych oczach Lester, cała nagle zwiotczała i opadła na oparcie krzesła, głęboko westchnęła i przeciągnęła dłonią po dokładnie wystylizowanej grzywie rudych włosów ozdobionych złotymi pasmami.

– Nie żyje? Jak… Boże! Jak ja się z tym czuję? – szepnęła. – Nie wiem, jak się czuję… W ogóle nie jest mi przykro – wymamrotała. – To, że nie jest mi przykro, nie jest żadnym przestępstwem.

Będę zmierzać do sedna sprawy – zdecydowała w duchu Eve.

– Proszę mi powiedzieć, gdzie była pani między dwudziestą pierwszą w dniu wczorajszym a czwartą rano dzisiaj?

– Dlaczego… Jezu! Czy on został zamordowany? Został zamordowany i obie patrzycie teraz na mnie. – Lester zamknęła na chwilę oczy, potem wzięła małą czerwoną piłkę z blatu biurka i zaczęła ją ściskać w dłoni. – Przeszłość zawsze cię dopadnie, cokolwiek byś robiła. Ktoś go zamordował i w ten sposób dopadła jego. A teraz dopadła i mnie.

– Proszę odpowiedzieć na pytanie, gdzie spędziła pani tę noc.

– Ja?... Byłam z Frankiem mniej więcej od dwudziestej do północy. Dopiero niedawno zaczęliśmy się spotykać na poważnie. Zjedliśmy kolację w restauracji Roscoe's, potem wpadliśmy posłuchać muzyki do klubu Blue Note. Odprowadził mnie do domu. Taki on jest: zawsze odprowadza mnie do domu. Weszłam do mieszkania około północy. Od razu się położyłam, oczywiście sama. Taka już jestem, ale czuję się bliska tego, aby coś w swoim życiu zmienić. Wyszłam do pracy dziś rano około ósmej. – Odłożyła piłeczkę, wstała i odwróciła się do okna. – McEnroy nie żyje, a mnie wcale nie jest przykro z tego powodu. Był wybrykiem natury i parodią ludzkiej istoty. Pewnie pani to wie lub przynajmniej rozumie, dlaczego ja tak uważam, w innym razie nie byłoby pani tutaj. Powinnam się bać, jak sądzę. Czy powinnam się bać, że pani tu jest? – Odwróciła się z powrotem przodem do Eve. – Nie. Nie boję się. Jestem tylko wkurzona, że przez to wszystko do mnie wraca, a tak bardzo się starałam zapomnieć i prawie mi się udało. – Znowu usiadła. – Przypuszczam, że już rozmawiałyście z Sylvią. Z panią Brant – uściśliła.

– Zostałyśmy poinformowane o domniemanym, niezgodnym z literą prawa zachowaniu pana McEnroya w stosunku do pani oraz innych kobiet zatrudnionych w jego firmie.

– Domniemanym... – Jej oczy na chwilę przygasły i w ułamku sekundy na nowo rozgorzały wściekłością. – Jasne! Domniemanym! Wzięłyśmy sobie pieniądze i odeszłyśmy w siną dal. Ja i Jasmine. A więc na zawsze zdarzenie to pozostanie czymś „domniemanym"! Nawet gdybyśmy nie miały... Jak możesz udowodnić, że zdarzyło się coś, co pamiętasz jak przez mgłę?

Eve rozumiała ją aż za dobrze. Wiedziała, jaka bezradność nadchodzi potem. Odsunęła jednak te myśli na bok i wróciła do pełnienia swoich służbowych obowiązków.

– Poinformowała pani panią Brant, że pan McEnroy odurzył panią i wykorzystał seksualnie.

– Zgwałcił mnie. Reszta się zgadza. Dobrze to wiem, niestety, nie jestem w stanie tego udowodnić. Sylvia mi uwierzyła, to znaczy nam: mnie i Jasmine, i położyła temu kres. Owszem, przyjęłyśmy pieniądze. Można to nazwać zadośćuczynieniem czy może rekompensatą. Może próbą przekupstwa. Gówno mnie to zresztą obchodzi. Bo co to właściwie było? Drobna zapomoga, byśmy mogły stanąć na nogi i zacząć od nowa, znów przesypiać w miarę spokojnie całe noce, znaleźć nową przyzwoitą pracę. Brant przekonała go, że musi nam zapłacić.

Eve nie miała nic przeciwko wybuchowi złości Lester. Ta złość uświadomiła jej, że to świetna okazja do wyciągnięcia z kobiety czegoś ważniejszego.

– Czy jest pani w kontakcie z panią Quirk? – zapytała.

– Przeprowadziła się do Chicago. Tutaj nie mogła zostać, a tam ma rodzinę. Jesteśmy w kontakcie, choć nie tak ścisłym jak dawniej. Przez pewien czas uczęszczałyśmy na zajęcia terapeutyczne tej samej grupy wsparcia. To ona mnie przekonała, żebym zaczęła tam chodzić. Może nawet pomogło. Niedola lubi towarzystwo. – Zamilkła na chwilę. – Odeszłam... – odezwała się ponownie i usiadła. – Odeszłam, mając świadomość, że kwota, którą mi zapłacił, była dla niego sumą nieznaczną. Nic nieznaczącą, powtarzam.

– Czy pani Brant zmusiła was do przyjęcia pieniędzy i odejścia z pracy?

– Nie. Chciała załatwić wszystko do końca. My nie za bardzo.

– Nie rozumiem.

– On miał nagrane filmy. Nie powiedziałyśmy o tym Sylvii, bo... my po prostu... Nie byłyśmy gotowe do rozmowy na ten akurat temat. Nagrał filmy z nami obiema. Każdą z osobna, nie razem – dodała szybko. – Jasmine przyznała się, że nakręcił z nią film, kiedy ja opowiedziałam jej o nakręceniu filmu ze mną.

– Czy teraz byłabyś już w stanie o tym opowiedzieć? – spytała Peabody miękko, łagodnym tonem głosu.

– Ech! Udało mi się w końcu przekroczyć pewną granicę. Pamiętam, że ocknęłam się tamtej nocy u niego w mieszkaniu, w jego łóżku. Nie pamiętałam, jak się tam znalazłam. Tak naprawdę w ogóle nie pamiętam, co się działo tamtej nocy. Wiedziałam jednak, że z własnej woli nigdy bym z nim tego nie zrobiła. Było to dla mnie jasne jak słońce i mówiłam mu o tym. Postraszyłam nawet, że zgłoszę nękanie na policję. A potem znalazłam się naga w jego łóżku. Kiedy się obudziłam, chora ze wstrętu, zawstydzona i upokorzona, on miał już przygotowany film, nakręcony ze mną. Puścił mi. Byłam tam, w tym pokoju, i uprawiałam z nim seks.

Leah musiała odwrócić wzrok, lecz nie po to, by walczyć z napływającymi łzami – jak zauważyła Eve – lecz by opanować narastającą wściekłość.

– Nie wyglądałam na taką, która zwyczajnie tego chce, lecz na dziko napaloną. Oświadczył mi, że jeśli tylko spróbuję komuś powiedzieć, że tego nie chciałam, zrujnuje mnie. Miał prawników, pieniądze, nagrania. Nigdy i nigdzie nie dostałabym już pracy na godziwym stanowisku w sektorze finansowym. Potem kazał mi się ubrać i spadać. Tamtego popołudnia jego żona wracała do domu z jakiegoś wyjazdu.

Zapadło milczenie.

– Tylko mi nie mówcie, że powinnam była pójść z tym na policję! – wybuchła, a w jej oczach w końcu pokazały się łzy. – Przecież miał ten film.

– Leah! – Peabody przemówiła takim tonem głosu, który według Eve mógł płynąć prosto z jej serca. – Nie przyszłyśmy tutaj po to, żeby mówić, co powinnaś była zrobić. Miał nad tobą pełną władzę, i to nie tylko w tamtej chwili.

– Złamał mnie, a ja nic z tym nie zrobiłam.

– Nie jest to prawdą – poprawiła ją Peabody. – Poszłaś do swojej szefowej.

– Nie od razu. Myślałam, że jakoś sobie sama z tym poradzę, no wiecie... będę udawać przed sobą, że nic się nie stało, szczególnie kiedy wyjechał do Londynu i nie musiałam codziennie go oglądać. Któregoś dnia weszłam do naszej łazienki w pracy. Była tam Jasmine. Wymiotowała. Nie znałam jej za dobrze, ale fatalnie się czuła, więc spytałam ją, czy może przynieść jej wody albo pomóc wrócić do domu. Wtedy wyrzuciła z siebie wszystko: że musi się chyba zwolnić i wyjechać, bo uprawiała seks z panem McEnroyem, ale tak naprawdę niczego nie może sobie przypomnieć. A teraz rzyga i oskarża o całe to zajście siebie samą. Wtedy zdałam sobie sprawę, że zrobił jej to samo co mnie. Powiedziałam jej o tym. Chyba ją wówczas w pewien sposób wykorzystałam, bo tak strasznie się pochorowała i była taka roztrzęsiona, że pozwoliła mi przejąć inicjatywę. To właśnie wtedy poszłyśmy do Sylvii.

– Wydaje mi się, że pomogłyście sobie nawzajem. To nie jest wykorzystywanie. To udzielanie wsparcia.

– Może i tak. Wiem tylko, że starałam się o tym zapomnieć i prawie mi się udało. Teraz skurczybyk nie żyje, a ja jestem podejrzana. Pewnie powinnam wziąć adwokata.

– A chce pani adwokata? – spytała Eve.

Lester posłała jej spojrzenie pełne nieznośnego wręcz znużenia.

– Wówczas będę musiała przechodzić przez to wszystko od początku. Powiedzieć o wszystkim komuś jeszcze…

– Potrzebne nam są pełne dane twojego chłopaka i kontakt do niego. Musimy zweryfikować zeznania o miejscu pobytu z zeszłej nocy. Możemy mu powiedzieć, że sprawdzamy rutynowo wszystkie kontakty w pewnej sprawie.

– On wie o McEnroyu. Nie czułam się gotowa na seks… A kiedyś naprawdę to lubiłam. Aż do tamtego poranka. Chciałam nawet kochać się z Frankiem, lecz cóż… Nie byłam gotowa, więc przyznałam się dlaczego. Teraz czeka. Nazywa się Frank Carvindito. Pracuje jako redaktor w wydawnictwie Vanguard Publishing i jest czadersko niesamowitym facetem.

– Okej. Czy może nam pani powiedzieć, jaki ostatni obraz sprzed obudzenia się w sypialni McEnroya pozostał w pani pamięci?

– Och! No pewnie! Myślałam o tym z milion razy. Wezwał mnie do swojego gabinetu i, sukinsyn jeden, jeszcze przeprosił. Powiedział, że zdawał sobie sprawę z tego, że zachował się niestosownie, że źle odczytał sygnały, że byłam już wówczas cenionym członkiem zespołu. Wyłożył mi to wszystko, a ja przyjęłam jego przeprosiny. Uwielbiałam tam pracować, więc przyjęłam je. I ta kawa, którą mnie poczęstował, kiedy zaczął mówić o pracy. Pamiętam jak przez mgłę, że wyszłam z gabinetu razem z nim. Wydaje mi się, że już wtedy prawie wszyscy wyszli do domu. Pamiętam, że dziwnie się czułam: jakbym się upiła, ale tak na przyjemnie, rozumiecie? Pełny luz. Potem siedziałam razem z nim na tylnym siedzeniu samochodu. Jego ręce błądziły po moim ciele, a ja nie miałam nic przeciwko temu. Dał mi jeszcze coś do wypicia i potem film mi się całkiem urwał. Od tamtej chwili niczego nie pamiętam. Mam tylko kilka przebłysków... jakbym na chwilę budziła się ze snu... lecz żadnych konkretów.

– W porządku. – Eve wstała. – Dziękujemy za współpracę i poświęcony nam czas.

– I to wszystko?

– Przynajmniej na razie. Zweryfikujemy informacje, które nam przekazałaś. Jeśli się okaże, że wszystko pasuje, i nie ty go zabiłaś, nie masz się czego obawiać.

– Hm. To dobra wiadomość. – Kobieta zmusiła się do rozciągnięcia ust w uśmiechu.

Eve zamilkła, oczekując, że tamta podniesie wzrok i wreszcie na nią spojrzy.

– Jestem policjantką i dlatego ci to wszystko mówię – powiedziała. – To, co ci zrobił, to był ewidentny gwałt. Najpierw cię odurzył, potem zgwałcił, a następnie szantażował! To jego należy winić, każdy jego czyn, każdy krok, a nie ciebie. A kiedy się dowiedziałaś, że zrobił to samo innej, odważyłaś się stanąć w jej obronie.

– Ja... – Leah musiała zamilknąć i przełknąć łzy. – Dzięki. Doceniam to. Teraz będziecie musiały wysłuchać tego, co ma do powiedzenia Jasmine, choć przebywa ona obecnie w Chicago. Nie naskakujcie na nią zbytnio, proszę. Zawsze będzie nieco przewrażliwiona na tym punkcie, bo w dalszym ciągu gdzieś głęboko w jej podświadomości tkwi przeświadczenie, że przynajmniej połowicznie sama spowodowała całe zajście. Przy tym wszystkim, by znieważyć ją jeszcze bardziej, pominął ją przy awansach, o których decyzje podejmował niedługo potem. Kolejna szpila, prawda?

– Będziemy o tym pamiętać. – Eve podeszła do drzwi i zatrzymała się przy nich. – Wciąż uczęszczasz na terapeutyczne zajęcia grupy wsparcia?

– Ja? Prawdę mówiąc, już nie. Odkąd zaczęliśmy się spotykać z Frankiem na poważnie i zdałam sobie sprawę, że potrafię żywić cieplejsze uczucia w stosunku do mężczyzn, jakoś tak samoistnie odpuściłam. Jasmine znalazła podobną grupę wsparcia w Chicago. Sądzę, że u niej ta trauma zostanie na całe życie.

– Kto organizował zajęcia terapeutyczne? Te, na które uczęszczałyście razem.

– Fundacja Kobiety Kobietom. Sądziłam, że zajęcia będą równie głupie jak ta nazwa, ale jednak pomogło. Poleciałam biegiem na następne spotkanie. – Uśmiechnęła się blado. – To było dla mnie coś jak wzięta z marszu szczepionka uodparniająca.

Wyszły z gabinetu Lester, zostawiając ją wpatrzoną w dal, ściskającą miarowo czerwoną piłeczkę.

– Zdumiało mnie, że była w stanie mówić o tym tak wprost i bezpośrednio – zauważyła Peabody, kiedy zjeżdżały windą w dół.

– Mhm. Musimy zweryfikować jej zeznania. Wyrzucę cię teraz gdzieś na rogu po drodze do kostnicy.

– Uwielbiam, gdy tak robisz.

– Zestawisz zeznania Lester z zeznaniami jej chłopaka. Skontaktujesz się z Jasmine Quirk, przesłuchasz ją i również zweryfikujesz jej zeznania. Umów spotkanie z małżonką denata, dowiedz się, czy informatycy z wydziału techniki operacyjnej znaleźli coś nowego na skonfiskowanym sprzęcie. Sporządź raport, prześlij kopie do mnie, Whitneya i do Miry. Zdobądź wszystko, czego będziemy potrzebować do śledztwa, i zorganizuj przeszukanie wszelkich nieruchomości mieszkalnych oraz biur należących do denata.

– Na całym świecie?

– To chyba jasne. Sprawdź też wszelkie dostępne informacje o tej grupie.

– O jakiej grupie? – Peabody zgubiła się w końcu w nadmiarze poleceń.

– Pamiętasz kuzynkę męża naszej psycholog Miry? Tajne stowarzyszenie kobiet będących ofiarami gwałtów zmieniło się w grupę zabójczyń-mścicielek. Możliwe, że coś podobnego mamy i tutaj, więc rzuć, proszę, okiem na grupę wsparcia fundacji Kobiety Kobietom. Skontaktuj się z firmą transportu miejskiego obsługującą przewozy ofiary, z jego kierowcą, a może coś jeszcze znajdziesz w notesie Po. Nie wierzę, by chciał ryzykować jazdę taksówką w celu przewiezienia Lester z biura do swojego mieszkania. Podobna sytuacja zapewne wiąże się z wieczornym wyjściem. Gdy wyruszył wczorajszego wieczoru na polowanie do klubu, raczej nie pojechał tam transportem publicznym.

– Odnoszę wrażenie, że łatwiejszym zadaniem będzie wizyta w kostnicy i oglądanie okaleczonego, martwego ciała.

– Zdobądź stopień porucznika, a wtedy będziesz mogła wydawać komendy. – Eve zaparkowała na chwilę za skrzyżowaniem. – Wysiadka!

– W ten sposób przynajmniej raz będę miała okazję złapać jakiegoś ulicznego przestępcę, nim dotrę do komendy – marudziła Peabody, gramoląc się z samochodu.

Kiedy Eve wymuszała pierwszeństwo, włączając się z powrotem do ruchu, Peabody już biegła najkrótszą drogą po wózek na zakupy.

Tymczasem porucznik Dallas szukała odpowiedzi na kłębiące się w jej głowie pytania.

Czy jedna osoba, działając w pojedynkę, mogła otumanić McEnroya, ubezwłasnowolnić go, przetransportować do nieznanego na razie miejsca, torturować go, okaleczyć, a potem zabić i przetransportować zwłoki na miejsce, w którym zostały odnalezione?

Nie było to niemożliwe, aczkolwiek bardziej prawdopodobna wydawała się Eve pewnego rodzaju współpraca.

Alternatywa? Czy McEnroy mógł opuścić swoje mieszkanie i z własnej woli udać się do tego jeszcze bliżej nieznanego miejsca, mając w perspektywie seks? Tam zabójca – czy może zabójczyni – obezwładnia go, unieruchamia i robi resztę, a w końcu przetransportowuje ciało na miejsce, gdzie zostaje potem odnalezione. Jeżeli tak to wyglądało, byłby to mocniejszy argument za tym, że działała w pojedynkę, wciąż jednak...

*

Nawet kiedy szła długim, białym korytarzem kostnicy, obracała w głowie różne prawdopodobne scenariusze wydarzeń. W każdym z nich uderzało ją jedno: morderstwo, metoda działania oraz ofiara zostały skrupulatnie dobrane i zaplanowane.

Przeszła przez dwuskrzydłowe wahadłowe drzwi i znalazła się w sali, gdzie pracował Morris, szef patologów sądowych. Zastała go siedzącego na wysokim stołku przy jednym ze swoich długich blatów roboczych. Wpatrywał się zamyślony w monitor komputera, zagryzając sojowymi chipsami.

Wciąż miał na sobie przezroczysty kombinezon ochronny, przez który prześwitywały stylowy stalowoniebieski garnitur i koszula z kołnierzykiem o wyłogach w szpic w tej samej tonacji kolorystycznej. Dobrał do niej krawat w ciepłym kolorze brzoskwiniowym, a w długi warkocz czarnych włosów wplótł sznur ozdobny w identycznym kolorze.

Siedział, bujając się na stołku.

– Jakiż przyjemny dzień mamy dzisiaj, żeby sobie pożyć – zażartował. – A gdzie się podziewa nasza niezrównana Peabody?

– W centrali. Weryfikuje dane i takie tam. – Eve podeszła do stalowego stołu sekcyjnego, gdzie wciąż leżało ciało McEnroya, otwarte idealnie symetrycznym cięciem w kształcie litery Y. – Temu tutaj dzionek skończył się źle.

– Źle, długo i boleśnie.

– Dostałeś już może wyniki toksykologii?

– W tej sekundzie. – Morris wstał, podszedł do chłodziarki i wyjął stamtąd dwie puszki pepsi. Podał jedną Eve, a sam otworzył drugą.

– Dzięki!
– Jestem tu, by ci służyć informacją. Godny pożałowania pan McEnroy miał we krwi śladowe ilości rohypnolu, zmieszanego z drinkiem martini extra dry. Oraz nieco znaczniejsze ilości narkotyku, potocznie nazywanego Black Out, zaćmienie. Obie te substancje, lub raczej skutki ich działania, mogły całkowicie osłabnąć, nim zaczęły się tortury. – Przerwał, by się zastanowić. – Najpierw podano mu pigułkę gwałtu i to go otumaniło, a potem dostał środek całkiem zwalający z nóg, tak żeby można go było spokojnie dowieźć tam, gdzie on lub ona, a może oni chcieli go dowieźć. Pigułka gwałtu? Morderca zapewne uważał ją za narzędzie wymiaru sprawiedliwości. McEnroy sam jej używał najchętniej podczas tego, co wygląda mi na seryjne gwałty. Ech! – westchnął. – Mamy więc zły koniec złego człowieka. Następna sprawa to ślady po więzach na nadgarstkach. Widzisz tutaj?
– Mhm. Wystarczająco wyraźnie.
– Został powieszony za nadgarstki, z rękami nad głową, jak zresztą sama wydedukowałaś jeszcze na miejscu znalezienia ciała. Jego ciężar spowodował, że kajdanki wbiły się głęboko w skórę, stanowił również znaczne obciążenie dla pasów rotacyjnych barków, kończyn górnych i ramion. Jak to również spostrzegłaś, nie ma ani śladu ran, które by miał, gdyby się bronił. Nie był w stanie nawet podjąć próby obrony. Obrażenia na twarzy pochodzą i od jakiegoś ciężkiego narzędzia, i od paralizatora, najprawdopodobniej elektrycznego poskramiacza w formie ostro zakończonej szpicruty. W większości to samo mamy na klatce piersiowej, plecach i nogach. Niektóre rany pochodzą z przypalania paralizatorem, przykładanego koniuszkiem do ciała, jak od dźgnięcia

strzykawką, inne są podłużne, jakby ktoś go obijał batem raz za razem. Każda z nich była dla niego potwornie bolesna. Poskramiacz musiał być ustawiony na bardzo wysokie napięcie prądu elektrycznego, żeby wywołać tak głębokie poparzenia. – Działając rutynowo, Morris wziął do ręki dwie pary mikrogogli i jedną podał Eve. – Tortury, w których wyniku powstają tak rozległe rany, musiały trwać od trzech do czterech godzin. Musiał tracić i odzyskiwać przytomność. Miał ślady soli trzeźwiących na nozdrzach i wewnątrz nich.

– Nie ma żadnej radochy z torturowania nieprzytomnego człowieka.

– No nie ma. Wciąż jeszcze żył, kiedy jego genitalia zostały odcięte, zresztą z wprawą, za pomocą jakiegoś bardzo ostrego narzędzia.

– Ktoś po przeszkoleniu medycznym? Może użył skalpela? – podsunęła Eve.

– Przeszkolenie medyczne jest niewykluczone. Może to też być ktoś z dłuższą praktyką chirurgiczną. Pewna ręka w każdym razie. Użyte narzędzie to jednak nie skalpel. Powinnaś raczej szukać noża z lekko zagiętym ostrzem mniej więcej od środka długości klingi. Popatrz tutaj. – Włożył gogle i nachylił się nad ciałem. Eve uczyniła to samo. – Sprawca nie wahał się. – Morris pokazał jej dokładnie, gdzie ma patrzeć. – Brak oznak zatrzymania i powtórnego rozpoczynania cięcia, pozostał jednak ślad po lekkim wygięciu ostrza, które przeszło tuż przy nasadzie penisa. – Zademonstrował wykonanie cięcia, przeciągając dłonią w powietrzu. – Ręka z narzędziem uniesiona w górę, zamach, cięcie. Śmiertelne ostrze. Mam pewne podejrzenia, że z ornamentem. Być może był to sztylet ceremonialny.

– To by nawet pasowało. W ten sam sposób odcięto jądra. Nie zamierzała mu pozostawić żadnych atrybutów męskości.

– Kara dla gwałciciela. Myślisz, że zrobiła to jedna z jego ofiar lub ktoś z nimi powiązany?

– Skłaniam się ku takiej opcji. Przynajmniej jak do tej pory. Czytałeś wiersz?

– Tak. Lady Justice. No cóż! W końcu „nie zna piekło furii takiej…"*.

– Jeśli jest jakieś piekło, to on się obecnie w nim smaży i istnieje pewna szansa, iż dotrze do niego, że owej straszliwej furii są tam całe oceany. – Eve zdjęła gogle i odłożyła je na bok. – Poproszę o opinię. Czy kobieta mogłaby zrobić coś takiego, w dodatku sama?

Popijał pepsi zamyślony.

– Denat nie jest potężnym mężczyzną – rzekł w końcu. – Wysoki, ale szczupły. Kobieta silna i wystarczająco zdeterminowana… Powiedziałbym, że tak. Jest to możliwe.

– Ale podwiesić go za nadgarstki?… Może użyła jakiegoś systemu wielokrążków i lin?

– Jest to możliwe. Również pochylni oraz wózka transportowego, żeby go wyjąć i włożyć z powrotem do samochodu. Powiedziałbym, że to duży wysiłek fizyczny, lecz… napędzany tą straszliwą, piekielną furią.

– Taa… – Eve wskazała na ranę po odciętych genitaliach. – Wydaje mi się jednak, że piekielna furia nie bywa zwykle tak precyzyjna. Dzięki za pepsi!

---

* Fragment cytatu z *The Mourning Bride* (*Panna młoda w żałobie*) Williama Congreve'a. Cały cytat: *Niebo nie zna wściekłości takiej, jak miłość w nienawiść zmieniona, ni piekło nie zna furii takiej, jak kobieta wzgardzona* (źródło: Wikicytaty).

– Zawsze do usług! Ciesz się słońcem, kiedy tylko możesz.

– Mhm. Tak właśnie zrobię – powiedziała i opuściła kostnicę.

– No cóż, Nigelu! – Morris popatrzył na leżące przed nim ciało. – Co powiesz na to, żebyśmy cię teraz zamknęli?

5

Kiedy Eve wróciła do sali wydziału zabójstw, pierwsze, co jej się rzuciło w oczy, to był krawat *du jour* Jenkinsona. Najwyraźniej to jego sposób na celebrowanie wiosny, która jest tuż-tuż – pomyślała. – Pasowałby do lasu żonkili Peabody.

Kwiatki z krawatu Jenkinsona wydawały się nasączone kwasem siarkowym. Ich tło stanowiła seledynowa łączka.

Zamrugała powiekami i czym prędzej się odwróciła, żeby ocalić oczy.

– Peabody! Do mojego gabinetu! – wezwała swoją partnerkę.

Już w gabinecie, z seledynowym pasem wciąż przecinającym pole widzenia, ruszyła do AutoChefa.

W końcu prawdziwa, dobra kawa!

– Raport napisany i wysłany! – zameldowała Peabody, rzucając tęskne spojrzenie w stronę automatycznego kuchcika.

– Przestań żebrać wzrokiem, tylko bierz tę kawę.

– Dzięki! Rozmawiałam z Jasmine Quirk, a potem napisałam ten dodatek. Nie ma jej nazwiska na żadnych dokumentach podróżnych. Sprawdziłam, że wczoraj do osiemnastej naszego czasu brała udział w spotkaniu w pracy. Sprawdziłam również, że potem wraz z koleżanką, z którą wynajmuje pokój, przyjaciółką rodziny, uczestniczyły w imprezie urodzinowej jej brata od dwudziestej do dwudziestej trzeciej naszego czasu. Następnie obie razem wzięły taksówkę i wróciły do miejsca swego zamieszkania. – Peabody westchnęła do kubka z kawą. – Ona cały czas siedziała cicho i nie robiła żadnych afer, więc wstrząsnęło nią to wyraźnie mocniej niż Lester. Potem podała mi swoją wersję tego, co doświadczyła z McEnroyem. Jego postępowanie nie odbiegało od schematu. Różnica polegała jedynie na tym, że jego żona przebywała akurat w noc gwałtu w Nowym Jorku, więc Jasmine ocknęła się sama w pokoju hotelu Blake. Zostawił jej dysk pamięci z filmem. Z uprawianym z nią seksem.

– Hę… Co za szarmancki gość.

– O, tak! Jasne! Alibi Lester jest wiarygodne, a techniczni z EDD robią postępy. Sprawdziłam miejską firmę przewozów osobowych, która zazwyczaj obsługiwała McEnroya. Nie zamawiał ich usług poprzedniej nocy. – Peabody zajrzała do notatek. – Z tego wynika, że podczas swoich polowań musiał korzystać z innej, prywatnej firmy, i dzwonić do niej z prywatnego telefonu. McNab już to sprawdza. – Zamilkła i upiła łyk kawy. – To załatwione. Następne: pani McEnroy ląduje mniej więcej za godzinę. Kontaktowałam się z nią kilka razy, ale głównie rozmawiałam z guwernantką jej dzieci. Ona, czyli wdowa po McEnroyu, chce porozmawiać z nami najszybciej, jak to będzie możliwe, lecz ani nie chce zostawiać córek samych, ani też narażać ich na słuchanie tej rozmowy, prosi nas wobec tego, żebyśmy to my złożyły jej wizytę dziś późnym wieczorem po dwudziestej pierwszej, kiedy dzieci będą już w łóżkach.

– W porządku – zgodziła się Eve. – Ogarnę to. – Koniecznie muszę wziąć ze sobą mojego cywilnego eksperta opiniodawcę, pomyślała. – Muszę się zająć sporządzeniem mapy oraz księgi zbrodni. Ty się zajmij przeglądaniem dysków pamięci i notesu McEnroya, które znalazłam w szufladzie jego biurka. Pobierz je z magazynu dowodów. Zacznij przepytywać personel i klientów, czy znają może kobiety o imionach tam występujących. Zostaje jeszcze przesłuchanie wspólników, które powinnyśmy przeprowadzić osobno.

– Zajmę się tym – powiedziała służbiście Peabody.

Eve zasiadła do szczegółowego przejrzenia jej raportu oraz raportów ekipy czyścicieli i Morrisa – z wstępnych oględzin zwłok. W przerwie szybko napisała wiadomość do Roarke'a.

> Muszę przesłuchać wdowę po McEnroyu po 21.00 –
> na jej prośbę. Mogłabym posłużyć się wsparciem jakiegoś sprytnego, bogatego gościa. Zainteresowany?

Czytając raporty, dopisywała na marginesie własne spostrzeżenia i dodała kilka informacji od siebie. Potem zabrała się do stworzenia księgi zbrodni. Kiedy wstała, by zająć się tablicą, jej komórka zasygnalizowała nadejście wiadomości zwrotnej.

> Spotkajmy się o dziewiętnastej trzydzieści w pubie
> U Nally, West 84 pomiędzy Columbus a Amsterdam.
> Sprytny, bogaty gość postawi ci najpierw kolację.

Pub U Nally? – pomyślała. – Cóż, przynajmniej nie brzmi pretensjonalnie.

Odpisała:

Będę na bank.

Skończyła wstępne opracowanie tablicy zbrodni i zaprogramowała zaparzenie większej ilości kawy na czas przemyśleń i rozważań. Tymczasem wróciła Peabody, stukając obcasami kowbojek, z kasetką pełną dowodów rzeczowych.

– Punkt dla McNaba – oznajmiła. – Zidentyfikował właściciela numeru telefonu, z którego ktoś kilkakrotnie dzwonił na komórkę znalezioną w szufladzie biurka ofiary. Ostatni raz o godzinie siedemnastej dwanaście wczoraj. Dwuminutowa rozmowa z niejakim Olivierem Printzem oraz potwierdzenie tekstowe dotyczące limuzyny, która miała zostać podstawiona pod wejście do apartamentowca McEnroya na godzinę dwudziestą trzecią piętnaście. – Odstawiła kasetkę na biurko Eve. – I punkt dla mnie – dodała, kreśląc w powietrzu palcem wskazującym znak ptaszka, oznaczającego wykonaną czynność. – Za skojarzenie, że Printz to kierowca, który zazwyczaj woził McEnroya, kiedy ten korzystał z usług przedsiębiorstwa przewozowego Urban Ride.

– Wynika z tego, że Printz brał kursy na czarno. – Eve wydrukowała jego zdjęcie z bazy danych ewidencyjnych mieszkańców Nowego Jorku i dodała je do tablicy. – Musimy z nim porozmawiać. Najlepiej by było zrobić to tutaj na miejscu. Wezwać go jako potencjalnego świadka zbrodni. Koniecznie tu, na komendę. –

Odbezpieczyła zamek kasetki. – Przy okazji zamknij drzwi.

– Będziesz teraz przeglądać zawartość dysków pamięci?

– Mhm. Zamierzam przejrzeć jeden wybrany losowo, więc zamknij, proszę, drzwi.

Peabody już bez zbędnych pytań skinęła głową i wykonała polecenie.

Eve wsunęła jeden z dysków do swojego komputera i włączyła odtwarzanie filmu.

Monitor ożył i oczom policjantek ukazała się sypialnia McEnroya ze schludnie zaścielonym łóżkiem. Spoza kadru dało się słyszeć dwa głosy: męski i kobiecy.

– Nie, wejdźmy tutaj – powiedział McEnroy, pojawiając się w zasięgu kamery.

Na szyi mężczyzny, lubieżnie się o niego ocierając, wisiała rudowłosa dziewczyna pod trzydziestkę.

– Gdziekolwiek. Dokądkolwiek.

Wziął ją za nadgarstki i ustawił twarzą do kamery.

– Czego chcesz, Jessico? – spytał.

– Ciebie. Chcę ciebie.

– Bardziej niż kogokolwiek i czegokolwiek innego?

– Tak, tak! Nigelu, proszę! Nie mogę się doczekać.

– Bardziej niż stanowiska w firmie Broadmoore?

– Bardziej niż czegokolwiek.

– Pokaż mi. Rozbierz się dla mnie.

Miała na sobie prostą czarną sukienkę, ściągniętą szerokim srebrnym paskiem i srebrne sandałki na cienkiej, wysokiej szpilce. Jej ciało drżało, a ręce się trzęsły, kiedy zdjęła z siebie wszystko prócz biustonosza i stringów.

– Nie ruszaj się! – polecił jej i wyszedł poza zasięg kamery, a ona, cała drżąca, przesuwała tymi trzęsący-

111

mi się dłońmi po swoim nagim ciele, błagając go, by jej dotknął.

Pojawił się znowu w kadrze, tym razem z dwoma kieliszkami wina.

– Coś do picia – powiedział.

– Nie potrzeba mi wina, tylko ciebie. Och, Boże! Nigelu, proszę!

– Pij!

Pewnie dodał jej czegoś więcej – pomyślała Eve, kiedy rudowłosa posłusznie wykonała polecenie.

– Tyle na razie wystarczy. – Odstawił jej kieliszek. – A teraz na kolana, Jessico. Najpierw ja. Przecież chcesz sprawić mi przyjemność, prawda?

Wykonała polecenie, opuściła mu spodnie, a kiedy robiła mu dobrze, on powoli popijał wino.

Eve oglądała dobre pół godziny, jak wziął ją do łóżka, gdzie zaczęła szlochać z pragnienia, jak zaczął ją pytać – och, jak uprzejmie i miło! – czy lubi mocniejsze doznania i czy może ją przywiązać do prętów wezgłowia łóżka. Zgadzała się ze wszystkim i błagała o więcej.

Przewinęła do końca, kiedy mężczyzna stał już w szlafroku, najwyraźniej odświeżony po prysznicu, a rudowłosa zalegała w łóżku, blada, z podpuchniętymi oczami.

– Ubieraj się i spadaj! – rzucił w jej stronę.

– Co takiego? Nie czuję się najlepiej. Jest mi…

– Skończyłem z tobą. Możesz złapać taksówkę za rogiem albo iść do metra.

– Nie wiem, gdzie jestem. – Kobieta rozejrzała się wokół, wciąż półprzytomna, lecz posłusznie wstała i chwiejąc się na nogach, włożyła ubranie. – Za rogiem, mówisz…

– Dokładnie. – Wziął ją pod ramię. – Wsiądziesz do windy i zjedziesz na poziom garażu podziemnego, rozumiesz?

– Na poziom garażu – powtórzyła jak automat.

– Wyjdziesz z budynku, skręcisz w lewo i dojdziesz do skrzyżowania. Tam jest postój taksówek. W Broadmoore na pewno się sprawdzisz, Jessico. Masz talent.

– W Broadmoore.

Na tym film się kończył. Po kilku sekundach zaczął się następny. Ta sama sypialnia, ten sam scenariusz, tylko inna rudowłosa.

Eve zatrzymała odtwarzanie.

A więc miał swój ulubiony typ urody.

Wstała i już miała zaprogramować kolejną kawę, gdy w ostatniej chwili zmieniła napój na wodę. Zimną.

Ponownie otworzyła drzwi do gabinetu. Przejrzenie wszystkich dysków zajmie wiele godzin.

W notesie elektronicznym McEnroya znalazła trzy dziewczyny o imieniu Jessica, jedną Jessie i również jedną Jess.

Otworzyła folder zatytułowany „Perfect Placement" i wyszukała dane dotyczące firmy Broadmoore i kobiety o imieniu Jessica.

Okazało się, że Broadmoore to firma specjalizująca się w projektowaniu i wyposażaniu kuchni i łazienek o wysokim standardzie. Siedzibę główną mieli w Upper East Side, a Jessicę zatrudnili jako dyrektora do spraw marketingu zeszłej jesieni, korzystając z pośrednictwa Perfect Placement.

Kończyła właśnie przeglądać wstępnie kartotekę Alden, gdy wróciła Peabody.

– Printz zaraz tu będzie – oświadczyła.

– Doskonale. Wiesz, McEnroy miał ulubiony typ urody kobiet. Lubił rudowłose.
– Quirk jest brunetką.
– Na zdjęciu sprzed roku nie była. Miała rude włosy. Mam nagranie z rudą Jessicą Alden na dysku pamięci. On nigdy się nie spieszył, starał się podprowadzać je jak najbliżej pod oko kamery. Lubił, żeby go błagały, a kiedy czuł się zaspokojony, praktycznie rzecz biorąc, wykopywał je na ulicę. Z tego, co widziałam, dał jej dwie dawki narkotyków, drugą, gdy już znaleźli się w sypialni, żeby przypadkiem nie otrzeźwiała. Przyprowadź ją.
– Dobrze. Słuchaj… Mogłabym zarezerwować salę konferencyjną i wziąć kilka dysków, żeby je przejrzeć.
– Zrób to. Notuj imiona, jeśli tylko ich użyje, nazwy firm czy mniejszych podmiotów, które może wymieniać. Sprawdzaj je od innej strony, przyciskaj do muru. Jeśli nie odniesie to skutku, spróbuj użyć aplikacji do rozpoznawania twarzy. Przejrzyj to pobieżnie – dodała Eve. – Nie ma sensu oglądać wszystkiego, jeśli działał według tego samego schematu. Nie potrzebujemy dowodów przeciwko niemu, bo nie żyje. Musimy tylko zidentyfikować jego ofiary. Ruszaj do roboty. – Wskazała gestem kasetkę. – Na każdym z dysków jest nagranych po kilka filmów. Kiedy Printz dotrze do komendy, zrobimy przerwę. Potem Alden. Jeśli to zagra, będziemy mogły porozmawiać z wieloma ofiarami gwałtów jako podejrzanymi o dokonanie morderstwa, więc bądź na to gotowa.

Może jednak przejrzę teraz jeszcze kilka nagrań – zdecydowała Eve, ponownie zamknęła drzwi i usiadła z kawą przed monitorem komputera. Przeglądając filmy pobieżnie, tak jak doradziła Peabody, zidentyfikowała dwie kolejne dziewczyny, a jedną oznaczyła do przepuszczenia przez program do identyfikacji twarzy.

Zamknęła wszystko, słysząc pukanie do drzwi.

W progu stał detektyw Trueheart, radosny jak skowronek.

– Przepraszam, pani porucznik – zaczął – ale Olivier Printz już przybył na spotkanie.

– Świetnie. Zaprowadź go do pokoju przesłuchań i daj znać Peabody. Ja potrzebuję jeszcze chwilę.

– Pewnie. Czy mam zamknąć drzwi?

– Nie. Zostaw otwarte.

Umieściła dyski z powrotem w kasetce z dowodami rzeczowymi, oznaczyła ten, który przejrzała w całości, ponownie zamknęła kasetkę i wpisała kod zabezpieczający. Zanim wyszła na salę główną wydziału zabójstw, skompletowała kilka dokumentów i włożyła je do papierowej teczki, którą wzięła ze sobą.

– Printz czeka w pokoju przesłuchań B, pani porucznik. Peabody już nadchodzi.

– Dziękuję, Trueheart.

Eve wstąpiła jeszcze do łazienki, by złapać chwilę oddechu. Najpierw opłukała twarz zimną wodą, a potem stała przez moment, czekając, aż przestanie ją męczyć fala lekkich nudności.

Natknęła się na Peabody tuż przed drzwiami pokoju przesłuchań.

– On nie jest osobą podejrzaną – zaczęła Eve – może być jednak zamieszany w organizowanie obrzydliwego hobby McEnroya. Jeżeli się to potwierdzi, przyprzemy go do muru. Przede wszystkim zaś wyciągnijmy z niego, dokąd go wczoraj zawiózł.

– Czy mogę być tą złą? Kiedy oglądałam nagrania...

– Będziesz prowadzić przesłuchanie.
– Naprawdę?! – Peabody aż podskoczyła z radości.
– Jezu, Delia! To tylko przesłuchanie, a nie rożek z lodami za to, że byłaś grzeczną dziewczynką. Prowadzisz je i już. – Machnęła ręką z teczką na swoją partnerkę i otworzyła drzwi.
– Panie Printz! – zaczęła Peabody z ponurą miną, witając go skinieniem głowy. – Dziękujemy za wyjątkowo szybkie przybycie.
– Pojęcia nie mam, o co chodzi. Nie przypominam sobie, żebym był świadkiem jakiegoś morderstwa.

Policjantka skinęła powtórnie głową i zajęła miejsce naprzeciw Printza.

Jak na kierowcę limuzyny jest całkiem przystojny – pomyślała Eve. – Schludny, ogolony na gładko, elegancko ubrany, dobrze po czterdziestce.

Oparł splecione dłonie na stole. Jego kamienna twarz nie wyrażała żadnych uczuć.

– Jestem detektyw Peabody, a to porucznik Dallas. Będziemy nagrywać przesłuchanie.
– Przesłuchanie?!... Nagrywać?... – Zdenerwował się lekko.
– Tak. – Peabody tu nacisnęła, tam kliknęła, fachowo zabierając się do pracy. – Nagrywamy. Porucznik Dallas Eve oraz detektyw Peabody Delia prowadzą przesłuchanie Printza Oliviera. Czy wie pan o śmierci jednego z pańskich stałych klientów?
– Co takiego?!... – Jego jeszcze przed chwilą beznamiętne oblicze wyrażało teraz osłupienie. – Kogo?!...
– Nie ogląda pan wiadomości w telewizji ani nie słucha informacji w mediach, panie Printz?

– Oczywiście, że to robię, ale dzisiaj od rana woziłem klientów. O Boże! Czy to pani Kinder? Ostatnio wyglądała na okropnie osłabioną.

– Nie. Nigel McEnroy.

– Pan McEnroy nie żyje?! – Teraz dla odmiany zbladł jak ściana.

– Został zamordowany we wczesnych godzinach rannych – powiedziała Peabody tym samym rzeczowym tonem głosu. – Trochę to obciąża i pana. Nierejestrowany przejazd. Podjechał pan po niego pod jego apartamentowiec.

– Ja... Ja... O mój Boże!

– Proszę nam podać, gdzie pan był między dwudziestą pierwszą wczoraj późnym wieczorem a czwartą rano dzisiaj, panie Printz?

– Ja... ja... – Uniósł rękę, jakby chciał zatrzymać ruch uliczny. – Czy to się wydarzyło w klubie? Wysłał mi wiadomość tekstową, że już mnie nie potrzebuje, a zazwyczaj... – Zamilkł.

– Zazwyczaj co? – Zażądała odpowiedzi, a jej głos smagał jak uderzenia bata. – Jeśli przeszła panu przez głowę choćby najdrobniejsza myśl, żeby skłamać, za chwilę wyląduje pan w celi aresztu z zarzutami współudziału w popełnieniu przestępstwa wielokrotnego gwałtu.

– Czego!? – Oczy nieomal wyszły mu z orbit. – Gwałtu!? To jakiś obłęd!

– Gadaj, gdzie byłeś, Printz, albo odczytam ci twoje prawa i bardzo szybko zrobi się bardzo poważnie.

– Zabrałem pana McEnroya o dwudziestej pierwszej piętnaście, albo coś koło tego, spod jego domu, jego apartamentowca. Zawiozłem go do This Place. Tak się nazywa klub. Zawiozłem go tam, on wysiadł, a ja pojechałem do domu. Powiedział mi, że napisze, kiedy będzie gotowy wracać, lecz przesłał mi wiadomość, że nie będę mu już potrzebny. Byłem w domu z żoną i dwójką dzieci. Spędziłem całą noc aż do rana w swoim domu. Nigdy nikogo nie zgwałciłem! Jestem bardzo rodzinnym człowiekiem. Mam córkę.

– Więc po prostu stałeś i nic nie robiłeś, kiedy McEnroy faszerował kobiety narkotykami, a potem je gwałcił?

– Nie wiem, o czym pani mówi. – Uniósł drżącą rękę do kołnierzyka i rozluźnił węzeł krawata. – Przysięgam na Boga, że nie wiem, o czym pani mówi.

– Ile razy zabierałeś pana McEnroya w towarzystwie kobiety spod klubu i wiozłeś ich do jego domu lub do hotelu Blake?

– Tego nie mogę powiedzieć. – Printz zaczerpnął ze świstem powietrza. – Często. Często, ale on ich przecież nie gwałcił. Nigdy bym nie tolerował takiego zachowania! Dziewczyny może i wyglądały na lekko napite, ale to w końcu nie mój biznes. McEnroy zdradzał swoją żonę. Absolutnie nie popieram takiego zachowania, ale to doprawdy nie moja sprawa. – Zapadła chwila ciszy.

– Zdrady osoby, która cię zatrudnia, to nie twoja sprawa? – spytała Peabody.

Zaczerwienił się i trochę jakby przykurczył.

– Wiem, że nie powinno się pracować bez rejestracji zgłoszeń. Wielu z nas tak robi, co oczywiście niczego nie usprawiedliwia. Pan McEnroy był dobrym klientem, zawsze dawał wysokie napiwki i… i… był bardzo przekonujący. Moja córka za dwa lata idzie na studia, a czesne…

Z wyrazem zaciętości na twarzy Peabody rozgoniła jego wymówki jak chmarę komarów.

– Ile ci płacił za przymykanie oczu na to, że krzywdził kobiety?

– Nigdy do czegoś takiego nie doszło! Nigdy! Wychodził z różnych klubów z różnymi kobietami, ale żadna z nich nigdy się mu nie opierała. Szły z nim chętnie. Nie wciągał ich na siłę do samochodu, nie stawiały oporu, kiedy wysiadali, i szły dalej razem z nim. Zazwyczaj, że tak powiem, były na niego strasznie napalone.

Peabody wbiła w Printza lodowate spojrzenie i spytała:

– Czy już po wszystkim, kiedy McEnroy kończył z nimi, odwoził pan owe napalone kobiety do ich domów czy też w inne miejsca?

– Nie. Nigdy. Proszę posłuchać: kiedy wybierał się do klubu, dostawałem pięćset dolarów za wieczór. To kupa kasy za dwa krótkie przejazdy, ale nawet dziesięć razy tyle nie byłoby wystarczające, gdybym wiedział, że komukolwiek dzieje się krzywda. Którejkolwiek z kobiet, które przyprowadzał do mojego samochodu, jeśli to panią interesuje. Wsiadały, a potem zasuwałem otwór w ściance ekranowej pomiędzy moją kabiną a częścią dla pasażerów. Zwykle o to prosił, chcąc mieć całkowitą prywatność. Zawsze jednak wysiadały same i na własnych nogach szły razem z nim tam, dokąd je prowadził.

W końcu odezwała się też Eve:

– Czy kiedykolwiek odbierałeś go lub odwoziłeś w inne miejsce niż do klubu, skąd zawsze wychodził z kobietą, która nie była jego żoną?

– No pewnie! Pewnie, że tak. Woziłem go do re-

stauracji i do biura. To wszystko będzie można znaleźć w przejazdach rejestrowanych w firmie przewozowej. Nigdy, przenigdy nie widziałem, żeby kogokolwiek potraktował siłowo. Mogę przysiąc na moje życie. Zawsze był bardzo uprzejmy.
– A one zawsze były odrobinę nietrzeźwe?
– Ja... Wydaje mi się, że można tak to określić. Przewożenie ludzi z miejsca na miejsce to moja praca. Wiele z nich mogło być na lekkim gazie. Może nawet większość. Moja praca polega na odwiezieniu ich w bezpieczne miejsce. Jeżdżę jako profesjonalny kierowca od dwunastu lat. Można to łatwo sprawdzić. Nikt jeszcze nie narzekał na moje usługi. Pan McEnroy poprosił mnie o świadczenie mu takich usług dodatkowo i zastrzegał, żeby to zostało między nami. Była to niewłaściwa decyzja z mojej strony i mogę przez to stracić pracę na etacie, ale do tego akurat się przyznaję z pełną odpowiedzialnością.

Eve opadła na oparcie krzesła i zerknęła na Peabody.
– Okej, panie Printz. Mogłabym iść o zakład, że ma pan spis odbytych prywatnie kursów. Będzie pan musiał się przez niego przekopać i pokazać nam czas, daty i lokalizacje, kiedy woził pan McEnroya na czarno.
– To mogę zrobić. Tak. To mogę spokojnie zrobić.

Kiedy wreszcie wypuściły godzącego się na wszelką współpracę, acz głęboko wstrząśniętego Printza, Eve popatrzyła spod oka na swą partnerkę.
– Ja tam mu wierzę – powiedziała na to Peabody. – Skreślamy go z listy podejrzanych. Widział to, co pewnie dostrzegali inni: mężczyznę z lekko nietrzeźwą kobietą, w luźnym nastroju po wizycie w klubie, wyruszających gdzieś dalej, żeby uprawiać szalony seks.

– Printz popełnił ten sam błąd, co większość ludzi. Oczywiście, że łamie się przy tym jakieś reguły, ale kogo to obchodzi. Pieniądze zawsze się przydadzą. Na pewno nie jest ani mordercą, ani gwałcicielem. A w innym wypadku?

– Jak to: w innym wypadku? – Peabody zrobiła wielkie oczy.

– Dlaczego McEnroy nie przesłał Printzowi z klubu wiadomości tekstowej, żeby po niego przyjechał, jak to było wcześniej umówione? Tak jak robił zawsze?

– Ach, okej! Widocznie morderca go przekonał, żeby poszli na piechotę. A może miał własny transport?

– Sądzę, że bardziej to drugie. Gdyby poszli na piechotę, zobaczyłoby ich więcej ludzi, a po co mieliby się afiszować? Schemat, Peabody! Dlaczego ostatnim razem McEnroy nie trzymał się schematu? Dlaczego oddalił swojego kierowcę z samochodem, jeśli jego działania sprowadzały się do tego, że to on zawsze miał nad wszystkim kontrolę? – Eve zastanowiła się chwilę.

– Może znał osobę, która go zamordowała, i ufał jej? – myślała na głos Peabody. – Wiadomość od niego Printz otrzymał tuż przed północą, więc McEnroy był już prawdopodobnie o tej porze pozbawiony przytomności, a wiadomość została wysłana przez mordercę, czyli…

– …wszystko było starannie zaplanowane – weszła jej w słowo Eve. – Ona… bo mordercą na pewno była kobieta… musiała zabrać McEnroya na z góry upatrzone miejsce. To ona tym razem przejęła kontrolę. A jak McEnroy zwabiał kobiety do swojego samochodu, by je zabrać do uprzednio przygotowanego miejsca?

– Dawał im jakiś narkotyk. Podrzucał im w klubie otumaniające lekko prochy. Karty się odwróciły. Ta, która go zamordowała, zastosowała jego własne metody.

– Podała mu środek oszałamiający – zgodziła się Eve. – Dodała jeszcze coś podczas jazdy. Morris pobrał próbki i przesłał na toksykologię. Jak tylko porozmawiamy z Jessicą Alden, sprawdzimy klub This Place. Może się nam poszczęści i uda się pozyskać wizerunek jego morderczyni.

– Cały czas szczęście nam sprzyja – mruknęła Peabody, sprawdziwszy swój policyjny komunikator. – Alden właśnie przyszła.

– Zostaniemy w tej sali. Idź i przyprowadź ją tutaj.

– Przyniosę dla siebie jakiś napój gazowany. – Peabody wstała. – Chcesz coś zimnego do picia?

– Pepsi będzie okej. Zapytaj również Alden, czy chciałaby się czegoś napić. Daj jej, o cokolwiek poprosi. Zacznijmy tym razem przyjaźnie.

To rzekłszy, Eve najpierw schowała do teczki z aktami najświeższe wydruki zawierające informacje pozyskane od Printza, a potem skoordynowała spisane przez siebie notatki z oznaczeniami czasu zaistniałych zdarzeń, które zanotowała wcześniej, podczas oglądania filmu nagranego kamerą przez McEnroya. Alden została zabrana o dwudziestej pierwszej trzydzieści spod La Cuisine – restauracji w dzielnicy Upper West. Zajście nastąpiło we wrześniu zeszłego roku.

Jak to mogło wyglądać? – zastanawiała się. – Zabiera kandydatkę na jakieś stanowisko na kolację (najpierw rozmowa, potem gwałt), wsypuje jej małe co nieco do drinka, odprowadza do limuzyny, gdzie podczas jazdy do domu częstuje kolejnym zaprawionym czymś drinkiem. Wchodzą do holu, do windy, która wiezie ich do penthouse'u, tam prowadzi ją na górę do sypialni, w której przygotowana jest kamera.

Eve usiadła i zerknęła na swoje odbicie w weneckim lustrze.

Doszła do wniosku, że wygląda nieco blado, ale pracowała przecież nad tą sprawą od samego świtu. No i oczywiście zapomniała zabrać czegoś do przekąszenia na lunch. – E, nie. Po prostu obawiałam się, że i tak niczego nie przełknę – poprawiła się.

Muszę to zmienić – obiecała sobie. Nie miała zamiaru wpaść w pułapkę współuzależnienia. Nie pozwoli rozjątrzyć się starym ranom. Nie pozwoli wspomnieniom z dawnych lat przysłonić obiektywnej oceny wydarzeń.

Miała zadanie do wykonania.

Kiedy drzwi się uchyliły, leżała przed nią otwarta teczka, jakby właśnie sprawdzała jej zawartość. Zatrzasnęła ją, kiedy Peabody zamknęła drzwi za Alden.

Rudowłosa dziewczyna o krągłych kształtach miała na sobie dobrej jakości garnitur w kolorze bladoniebieskim oraz czółenka na wysokim obcasie w kwiatowy wzór. Twarz nosiła wyraz rozdrażnienia.

– Pani porucznik. Pani Alden. – Peabody przedstawiła je sobie.

Nie czekając na zaproszenie, Jessica usiadła i postawiła na stole puszkę z napojem gazowanym.

– Przybycie tutaj skomplikowało mi bardzo rozkład dnia – zaczęła bez ogródek. – Słyszałam już najnowsze wiadomości na temat Nigela McEnroya. Jestem w szoku. Nie możecie przepytywać wszystkich, którzy kiedykolwiek przewinęli się przez Perfect Placement!

Może jednak nie będzie tak miło, jak to zaplanowałam – pomyślała Eve, otwierając z trzaskiem puszkę pepsi, którą wręczyła jej Peabody.

– Ależ nie wszystkich, nie, nie! – przerwała kobiecie. – Tylko tych, którzy według nas mogli mieć jakiś powód, żeby życzyć McEnroyowi śmierci.

– Dlaczego, na litość boską, miałabym życzyć mu śmierci? Ledwo znałam faceta. Wprawdzie szukałam zatrudnienia, korzystając z pośrednictwa jego firmy, ale współpracowałam głównie z Sylvią Brant. Nie wydaje mi się, żebym rozmawiała z McEnroyem więcej niż trzy, może cztery razy.

Na ustach Eve pojawił się najlżejszy z kpiarskich uśmieszków.

– Zrobiłaś o wiele więcej podczas pewnego spotkania w dniu osiemnastego września zeszłego roku.

– Co takiego?!

– Kolacja w La Cuisine. Otworzyła się jakaś klapka?

– La Cuisine? – Jessica ściągnęła brwi. Spojrzenie piwnych oczu ze złotymi kropeczkami nagle stało się puste. – Ach, tak! – Na twarz powrócił wyraz rozdrażnienia. – Oczywiście, wrzesień zeszłego roku. Byłam jedną z dwóch kandydatek na stanowisko w firmie Broadmoore. On, czyli McEnroy, był akurat w Nowym Jorku i miał rozważyć nasze kandydatury. Mnie zaprosił na kolację biznesową. Na kolację biznesową – powtórzyła i potarła lewą ręką prawe ramię. W górę i w dół.

– Po owej „kolacji biznesowej" udałaś się razem z nim do jego mieszkania.

– Nigdy bym czegoś takiego nie zrobiła! – obruszyła się. Jej policzki spąsowiały. – Czy pani mi tu imputuje, że przespałam się z nim, żeby dostać pracę? To nie tylko kłamstwo! To jawna obraza! Ciężko zapracowałam na swoje obecne stanowisko. Nie sypiam, z kim popadnie, ani też nie wdrapuję się na wyższe stanowiska przez łóżko. W dodatku on jest żonaty i ma dzieci, a ja byłam w poważnym związku.

– Co w takim razie zrobiłaś po tamtej kolacji biznesowej?

– Ja?... Poszłam do najbliższego skrzyżowania. – Z trzaskiem otworzyła swoją puszkę jednym szybkim ruchem. – Dotarłam do najbliższego skrzyżowania, wzięłam taksówkę i pojechałam do domu. Od tamtego wieczoru ani nie widziałam Nigela McEnroya, ani z nim nie rozmawiałam. Odkąd... pojechałam do domu.

– Czy pamiętasz cokolwiek sprzed tamtej chwili, kiedy szłaś na postój taksówek? Popatrz na mnie! – zażądała Eve. – Ostatnie, co pamiętasz!

– Ja... cóż... nie czułam się zbyt dobrze. Nerwy, to wszystko. Stanowisko, na które kandydowałam... to był dla mnie bardzo duży awans, więc się bardzo denerwowałam. Sprawa sprzed kilku miesięcy. – Wyrzuciła te słowa z siebie równie energicznie, jak otworzyła puszkę. – Dlaczego miałabym pamiętać każdy detal tamtego spotkania?

– Rozumiem, że nic nie pamiętasz – odparła Eve już nieco łagodniejszym tonem głosu. – Nie pamiętasz lub pamiętasz jak przez mgłę sam moment wychodzenia z restauracji. Nie pamiętasz nawet, jak wsiadłaś do limuzyny, która już czekała na McEnroya.

– Nie pamiętam – powtórzyła kobieta z drżeniem w głosie. – To byłoby nieprofesjonalne. Wzięłam taksówkę i pojechałam do domu.

– Ale już jest po wszystkim, Jessico. – Ton głosu Eve jeszcze bardziej złagodniał. – Nie tylko tobie kazał to zrobić. Byłaś jedną z wielu.

Wiem, jak to jest – myślała Eve. – Blokuje się wspomnienia, wyrzuca wszystko z głowy, żeby móc żyć dalej. Wiem, jak to jest, kiedy wspomnienia wracają, kiedy wybudowany mur się rozpada i wszystko ląduje lawiną na twoich barkach.

– Nie mam pojęcia, o czym pani mówi.

Eve nachyliła się do Peabody i szepnęła jej do ucha:

– Zamów Mirę, jeśli jest akurat wolna, lub kogokolwiek innego, kogo poleci jako terapeutę pomagającego ofiarom gwałtów.

Peabody wstała i natychmiast wyszła.

– On ci podał pigułkę gwałtu. – Eve wypowiedziała to szybko. Tak jest najlepiej. – Nie zrobiłaś niczego nieprofesjonalnego, niczego złego. Nie zrobiłaś niczego, ponieważ nafaszerował cię narkotykami. Tak samo postępował z innymi kobietami.

– Próbuje pani powiedzieć, że... że podał mi pigułkę gwałtu, a potem mnie zgwałcił? Nie, nie, nie! Przecież bym coś pamiętała! – upierała się zdesperowana Jessica. – Pamiętałabym! Nie wymigałby się tak łatwo! Zgłosiłabym to na policję. Ja...

Eve wstała, obeszła stół i usiadła obok niej.

– Nafaszerował cię narkotykami, więc niczego nie pamiętasz jasno, a wszelkie urywki, które zapamiętałaś, potem wyparłaś.

– Chce mi pani przez to powiedzieć, że zarekomendował mnie na to stanowisko, ponieważ mnie zgwałcił?

– Nie, nie. Nic podobnego! Powinno się obejmować stanowiska zgodnie ze swoimi kwalifikacjami. Jedno nie może mieć nic wspólnego z drugim. Te urywki, które zostały ci w pamięci... Wmówiłaś sobie, że było to zdenerwowanie czy też dziwne wytwory wyobraźni.

– Tak... Pamiętam jakiś pokój i stada ptaków, które wyfruwają z foteli, tłuką się chaotycznie po całym pokoju i drą, ile sił. Ktoś jest we mnie, a ja nie mogę tego powstrzymać. Nie chcę tego powstrzymać, ale również krzyczę ile sił. – Schwyciła mocno Eve za rękę. – Kiedy usłyszałam, że nie żyje... Kiedy usłyszałam o tym w dzisiejszych wiadomościach, to... to poczułam przez chwilę... poczułam satysfakcję. To było coś okropnego. Ale ja naprawdę nie pamiętam. Niczego nie jestem pewna.

Eve pomyślała o filmie. Nie teraz – zdecydowała.

– Przeprowadziłyśmy już kilka rozmów z paroma kobietami. Robił to też innym kobietom. Działał według schematu, Jessico. Czy rozmawiałaś z kimkolwiek o tamtej nocy? O tym, jak źle się czułaś, jak wzięłaś potem taksówkę i pojechałaś do domu?

– Nie, nie rozmawiałam o tym nawet z Chadem. Wstydziłam się, ponieważ sądziłam, że musiałam się czymś struć podczas kolacji i może zachowywałam się dziwnie. Nie mogłam sobie przypomnieć... Myślałam, że coś było w tym, co zjadłam, a może to tylko nerwy. Powiedziałam Chadowi, że wszystko poszło doskonale, nie chciałam jednak wchodzić w szczegóły. Wszystko zepsułam. Skłamałam. Wtedy pierwszy raz go okłamałam. – Zamknęła oczy. Zacisnęła mocno powieki. – Mówiłam mu potem i inne rzeczy. Planowaliśmy wspólne życie. Szukaliśmy większego lokum, żeby wspólnie zamieszkać, ale po tamtej nocy nie mogłam znieść jego dotyku, nie mogłam znieść jego głosu, nie mogłam ścierpieć nawet jego zapachu. Nie mogłam znieść jego bliskości, więc go odepchnęłam. Utraciliśmy bezpowrotnie to, co było między nami. – Teraz już zaczęła płakać. Łzy bezgłośnie spływały jej po policzkach, a ona, przełykając je, mówiła dalej: – Dostałam pracę i oświadczyłam mu, że muszę się teraz skoncentrować na mojej karierze. Powiedział mi, że złamałam mu serce. Co powinnam zrobić?

– Czas najwyższy przepracować traumę. – Eve podniosła wzrok na Peabody, która właśnie wróciła.

– Mira – rzekła tylko tamta, a Eve skinęła głową.

– Mamy kogoś, kto ci pomoże.

– Mogę cię tam zaprowadzić. – Peabody wyciągnęła do niej rękę. – Możesz pójść tam ze mną.

– Muszę w końcu wypowiedzieć to na głos. – Po wzięciu kilku głębszych oddechów Jessica otarła łzy z twarzy. – Zostałam zgwałcona. Nigel McEnroy zgwałcił mnie. A teraz czuję mdłości.

– Zatrzymamy się po drodze w damskiej toalecie. Chodźmy. Wezmę twoją wodę.

Ze współczuciem i energią, która w Eve wzbudziła niekłamany podziw, Peabody objęła Jessicę ramieniem w talii i wyprowadziła ją z pomieszczenia.

Ponieważ Eve również zrobiło się trochę niedobrze, podniosła się z krzesła. Chciała jak najszybciej znaleźć się w swoim gabinecie, za zamkniętymi drzwiami i choć przez dziesięć minut posiedzieć z głową na swoim biurku, żeby odetchnąć i dojść do siebie.

Kiedy szła przez salę główną wydziału zabójstw, Santiago wyskoczył zza biurka i krzyknął do niej:

– Hej, szefowo! Carmichael i ja mamy pewną sprawę, którą chcielibyśmy z tobą przegadać. – Zawahał się,

widząc wyraz jej twarzy. – Dobrze się czujesz? – zaniepokoił się.
– Dobrze. Zaraz dojdę do siebie.
– Możemy to zrobić później.
– Teraz też będzie okej. Chodźmy! I tak muszę jeszcze przejrzeć dowody w prowadzonej przeze mnie sprawie.

Poszła do swojego gabinetu, przygotowała więcej kawy i zrobiła to, co miała do zrobienia.

6

Klub This Place nigdy nie otwierał oficjalnie swoich podwoi przed dwudziestą – a każdy, kto zjawiał się tu przed dwudziestą pierwszą, mógł paść ze zmęczenia i nie dotrwać do jego zamknięcia. Eve udało się z miejsca umówić na rozmowę z personelem zarządzającym.

– Gdyby jakimś cudem wpuszczono mnie do środka – zauważyła Peabody – w tak ekskluzywnym miejscu nie byłoby mnie stać nawet na drinki.

– Na szczęście nie będziesz musiała wysupłać kasy na ani jednego. – Eve podsunęła swoją odznakę pod skaner ochrony przy wejściu.

Zamek szczęknął i drzwi otworzyły się z cichym szelestem.

Mężczyzna, który im otworzył, miał na pewno ponad metr dziewięćdziesiąt wzrostu. Potężnej budowy facet – wystraszyłby każdego – z wygoloną lewą stroną głowy dla wyeksponowania widniejącego tam tatuażu: krwawiącego serca. Włosy z prawej strony – farbowane na śnieżnobiało – sięgały ramienia.

Jego wzrok przewiercał na wylot niczym zielone promienie lasera. Na szyi nosił kieł oprawiony w srebro.

Uwagę zwracały paznokcie pomalowane na kolor równie czarny jak opinający jego ciało garnitur.

– Szanowne panie! – rzekł do nich głosem śpiewnym jak fletnia. – Witajcie w This Place.

– Ja mam stopień porucznika – przedstawiła się Eve. – A ta pani to detektyw. – Wskazała na Peabody.

– Witam niezmiennie serdecznie! – Odszedł na bok i zaprosił je gestem do środka. – Jestem Maxim Snow, gospodarz tego miejsca, pozostający do waszych usług, oraz menedżer tego przybytku. Jeśli wziąć to wszystko pod uwagę, sądzę, że mogę być bardzo pomocny.

Jaka chęć do współpracy! – pomyślała Eve. – I to mimo że klub nie należy do Roarke'a!

Sprawdziła już wcześniej.

– Dziękujemy za dobre chęci – odparła.

– Nie ma za co. Pan McEnroy odwiedzał nas regularnie, choć nie za często, a był przy tym wysoko cenionym u nas gościem, więc jeśli tylko będziemy w stanie pomóc w wykryciu sprawcy tej haniebnej zbrodni, wszyscy tu służymy pomocą.

Poprowadził je w głąb sali. Podłoga pod ich stopami skrzyła się w blasku świateł. Cokolwiek wylało się lub wypadło na nią podczas nocnej imprezy – czy to drinki, czy jakiekolwiek wydzieliny pochodzące z ludzkiego ciała – wszystko to zostało skrzętnie uprzątnięte.

Stoliki i kapsuły lśniły. Ich zapewniające prywatność poszycia zostały rozsunięte; można było dostrzec wygodne żelowe siedziska w kształcie kręgów.

W powietrzu unosił się zapach nieskalanej niczym czystości.

– Prowadzi pan bardzo porządny lokal, panie Snow.
– Pod każdym względem. Doskonale wiemy, jak to

robić. Oczywiście nasz klub naprawdę błyszczy dopiero nocą. Czy mogę prosić okrycia pań?

– Nie zabawimy tu długo. Jest okej – odrzekła Eve.

Zaprowadził je do stolika, przy którym zgromadzili się pracownicy klubu.

– Czy możemy zaoferować paniom coś orzeźwiającego do picia? Kawę, latte, wodę gazowaną?

– Dziękujemy, nie – odparła Eve, nim Peabody zdążyła cokolwiek zamówić.

– Cóż, więc... Pozwólcie, że was sobie przedstawię. Porucznik Dallas, detektyw Peabody z nowojorskiej policji, a tu mamy po kolei: Tee DeCarlo, szefowa kelnerów, Edmund Mi, obsługa przy wejściu, a to Lippy Lace oraz Win Gregor, barmani na kondygnacji, na której pan McEnroy zamówił kapsułę zeszłego wieczoru. Siadajcie, proszę.

Stanowili nieco dziwną zbieraninę bardzo różniących się od siebie ludzi. Snow wyglądał jak gangster, postrach Nowego Jorku. DeCarlo, ze ściągniętymi w kulisty kok na czubku głowy jasnymi blond włosami i twarzą wiecznie wykrzywioną w grymasie złości, z drobnym, ale mocnym ciałem, ubrana w postrzępiony dres. Obok niej Mi o skórze w kolorze złotego pyłu, w obcisłym czarnym podkoszulku bez rękawów, naciągniętym na muskularne, pokryte tatuażami bary sportowca. Barmani usiedli obok siebie. Lace, młoda, ładniutka, czarnoskóra, ściągnęła kędzierzawe włosy w spektakularnie puszysty koński ogon; sportowy podkoszulek i szorty do biegania odkrywały całkiem nieźle umięśnione nogi. Gregor, może nawet jeszcze ładniejszy, grał frymuśnego: podmalował sobie oczy, podkreślając i tak już długie rzęsy.

- Dziękujemy wam wszystkim za przybycie – zaczęła Eve, na co DeCarlo prychnęła pod nosem.
- Ejże, Tee! – Snow klepnął ją z widoczną atencją. – Bądźże miła!
- Nie lubię glin! – Jej głos, dokładnie odwrotnie niż jego, brzmiał chropawo jak syrena okrętowa we mgle. – Powinnaś przyjść do roboty na czas... Tak zwykle mawiają gliny. Nie cierpię glin.
- Tee, facet nie żyje.
- Codziennie jacyś ludzie giną, co nie? Gdyby tak pozwolić złym ludziom codziennie kogoś zabić, te dwie niedługo nie miałyby nic do roboty.

Z tym nie mogę się nie zgodzić – pomyślała Eve.

- Jeśli pozwolisz, chciałybyśmy jednak móc wykonywać swoje obowiązki, tak żebyś ty mogła stąd wyjść cała i zdrowa – odpowiedziała głośno. – Znałaś Nigela McEnroya?
- Nigdy nie mówiłam, że go znałam, co nie? Takie kobiety jak ja go nie interesowały. Może i przyjrzałby się dłużej komuś takiemu jak Lippy, lecz lubił głównie białe. Rudowłose białe dziewczyny.
- Widywałaś go z kobietami? Z rudowłosymi?
- Moja robota nie polega na przyglądaniu się kto z kim, dopóki ktoś nie chce, by go obsłużyć, ale ślepa nie jestem, co nie? Zawsze, ilekroć przychodził, wcześniej rezerwował kapsułę dla VIP-ów i zawsze korzystał z autozamawiania. Napiwki dawał przyzwoite, nie powiem, jeśli tylko miał powód skorzystać z usług kelnera. Przychodził, robił przegląd klientek, czasem posyłał drinka jakiejś dziewczynie, która wpadła mu w oko, albo od razu ją zagadywał. Wcześniej czy później zabierał upatrzoną zdobycz do stolika w kapsule. A potem –

wcześniej czy później – ona wychodziła razem z nim z klubu.

– Widziałaś tę, która wyszła z nim zeszłej nocy?
– Jakaś rudowłosa babka. – Barmanka wzruszyła ramionami. – Jak zawsze. Nie zostawił tym razem żadnego napiwku w kapsule, mimo że musieliśmy tam po nich posprzątać.

– Widziałaś go, kiedy wychodził?
– Mignął mi gdzieś przez moment. Mamy listę oczekujących na kapsuły dla VIP-ów, więc musimy w mgnieniu oka doprowadzać je do porządku.

– Kto kogo prowadził? McEnroy kobietę czy kobieta jego? Nie jesteś ślepa – przypomniała jej nie bez złośliwości Eve. – Masz swój rozum. Obserwowałaś kapsułę, bo wiedziałaś, że jeśli już wszedł tam z kobietą, to zwykle nie spędzał w niej wiele czasu. Drink, czasem dwa i zaraz wychodzili. Mam rację?

– Może. Może faktycznie wyglądało to tak, jakby raczej to ona go prowadziła, a nie on ją, jak zazwyczaj. Był jednak całkiem żywy i zdrowy, kiedy stąd wychodził, więc to, co się wydarzyło potem, w ogóle mnie nie obchodzi.

– Możesz ją opisać?
– Rudowłosa babka z wielkimi cyckami.
– Wysoka? niska? biała? rasy mieszanej?
– Na to nie zwróciłam uwagi. Dlaczego miałoby mnie to interesować?

– O której godzinie wyszli? Kiedy sprzątnęłaś kapsułę?
– Jeezzzu! Jak niby miałabym to zapamiętać?
– To akurat mogę sprawdzić – wtrącił się Snow. – Przeproszę was na chwilę.

– Teraz ty. – Eve wskazała na barmana o imieniu Mi. – Ty obstawiasz drzwi.

– Tak, psze pani.

– Pani porucznik. O której przyszedł McEnroy?

– On ma elektroniczną kartę wstępu. Jest na liście naszych stałych klientów. Nie mogę wam podać dokładnej godziny, ale było jeszcze wcześnie. Raczej po dwudziestej pierwszej, a na pewno przed dwudziestą drugą.

– Widziałeś, jak wychodził razem z kobietą?

– Ująłbym to raczej tak jak Tee: mignął mi w przelocie. Wyglądałem później nawet dwa razy na zewnątrz, bo jego samochód nie podjechał pod drzwi wyjściowe. Do tej pory zawsze podjeżdżała po niego limuzyna, a potem dopiero wychodził, ale tym razem jego auto nie podjechało, a on razem z rudowłosą wsiadł do innego wozu, który zatrzymał się nieco dalej.

– Jaki to był samochód?

– Na pewno nie limuzyna. Raczej zwykły miejski, ale specjalnie się nie przyglądałem. Byłem zajęty, a nie zwraca się takiej uwagi na wychodzących, kiedy jest mnóstwo chętnych do wejścia, i to tym trzeba się dokładnie przyglądać.

– Możesz mi opisać tamtą kobietę?

– Powiedziałbym, że przystojna. Szopa rudych włosów, no i... cóż... miała rewelacyjne ciało. Wpuszczamy kobiety tego typu do środka, bo biznes się kręci właśnie dzięki nim. No i, niech ją cholera, wsunęła mi do ręki dwa banknoty. Sądzę, że mogła być Francuzką. Powiedziała, no wiecie, *merci*, kiedy ją wpuściłem do środka.

– Czy widziałeś tę kobietę kiedykolwiek wcześniej, przed wczorajszym wieczorem?

– Nie sądzę, ale tak naprawdę trudno powiedzieć.

– Byłby pan chętny popracować z policyjnym rysownikiem?

– Może i tak, ale chodzi o to, że co noc widuję całe gromady świetnych babek. Tę zapamiętałem tylko dlatego, że zagadała z francuska i dała mi dwa banknoty. Przyznaję, wziąłem je, ale i bez tego miałem zamiar ją wpuścić.

Błąd? – zastanowiła się Eve. – A może zrobiła to rozmyślnie?

– O której godzinie przyszła?

– Wydaje mi się, że około dwudziestej drugiej trzydzieści, ale głowy nie dam. Wiem, że wyszli jeszcze przed północą, bo mam wtedy przerwę, a akurat przyszedł Blick na zastępstwo. Wtedy właśnie zauważyłem kątem oka tę rudowłosą wychodzącą z McEnroyem i pomyślałem, że długo się nie pobawiła za te dane mi dwa banknoty, ale wyglądało, że dostała to, po co przyszła. – Mi wzruszył szerokimi barami, po czym zamilkł i ściągnął brwi w zamyśleniu. – Och! Teraz jak sobie przypominam tę scenę... wydaje mi się, że pan McEnroy mógł być rzeczywiście trochę nietrzeźwy.

– Skąd takie wrażenie?

– No cóż... Kiedy go widuję wychodzącego... nie zawsze, ale jeśli już... zawsze obejmuje ramieniem idącą z nim kobietę, która wygląda, jakby nieco za dużo wypiła. No, wiadomo jak. Tym razem uderzyło mnie, że było dokładnie na odwrót.

Eve doszła do wniosku, że Mi, stojąc na bramce, zauważał znacznie więcej, niż sądził.

– Jednak umówię cię z naszym policyjnym rysownikiem. Peabody, znajdź Snowa i sprawdźcie nagrania z kamer przy wejściu pomiędzy... powiedzmy... dwudziestą pierwszą trzydzieści a północą.

Policjantka już miała wstać, gdy wrócił Snow.

– Mam tę informację dla was. Pan McEnroy zwolnił stolik o dwudziestej trzeciej pięćdziesiąt trzy. Zamówił martini w barze, w twoim terminalu, Lippy, o dwudziestej pierwszej dwadzieścia dziewięć, wodę gazowaną z cytryną o dwudziestej drugiej piętnaście, a potem jeszcze dwa kieliszki martini z automatu w kapsule o godzinie dwudziestej trzeciej dwadzieścia sześć.

– Dziękuję. Byłabym bardzo wdzięczna za pokazanie detektyw Peabody nagrań z kamery przy drzwiach oraz sporządzenie kopii dla nas.

– Oczywiście. Proszę ze mną, pani detektyw. Może jednak zaproponowałbym coś do picia? Może kawę?

– Hmm. Nie miałabym nic przeciwko latte z mlekiem odtłuszczonym.

Eve zignorowała ich, zajęta przyglądaniem się Lace.

– Czy McEnroy kiedykolwiek uderzał do ciebie? – spytała.

– Nigdy na serio. Właściwie nie. Drobny flirt i owszem, ale nie na poważnie. Dokładnie tak, jak mówiła Tee. Lubił białe dziewczyny. Rudowłose. Dobrze zbudowane rudowłose dziewczyny.

– Przepraszam, że się wtrącam – odezwał się Gregor – ale zawsze podchodził do Lip, nawet kiedy oboje staliśmy za kontuarem. Nawet wtedy, kiedy stała do niej długa kolejka.

– Nie szkodzi. A więc miałaś z nim do czynienia zdecydowanie częściej niż Gregor.

– Tak. Muszę to przyznać. Jeśli zaś szedł do któregoś z pozostałych barów, zawsze wybierał barmankę, nie barmana. Często stroiliśmy sobie z tego żarty. Wie pani, jak to jest. Zeszłej nocy nie zauważyłam, żeby sobie kogokolwiek przygruchał. Tak naprawdę nie widziałam go wcale po tym, jak przyszedł na początku do mojego baru na górnej kondygnacji zamówić najpierw martini, a potem wodę, ale... Tak sobie myślę, że mimo wszystko można to podciągnąć pod jego rutynowe zachowanie: przychodzi i jak zauważyła również Tee, krąży wokół, upatrując ofiary, po czym kupuje drinka w barze. Kolejne zamawia już przez automatyczny podajnik: zwykle są to dwa napoje, czasem trzy. Potem płaci i zostawia napiwek w gotówce. Szczerze mówiąc, nie przypominam sobie, żebym obsługiwała jakąś Francuzkę zeszłej nocy.

– A ty? – Eve zwróciła się z pytaniem do Gregora.
– Nie, skąd. Gadałem z dwiema blondynami ze Szwecji, z parką z Tokio, ale nie podeszła do mnie żadna samotna Francuzka, a przynajmniej nie zeszłej nocy.

– Czy zdarzało się, że kupował dziewczynie drinka przy barze? – Eve wróciła do odpytywania DeCarlo.
– Pewnie. Od czasu do czasu. Zostawiał wysokie napiwki, mimo że nie przychodził co tydzień. Niekiedy mijały całe tygodnie i dopiero się pokazywał, ale takiego gościa się pamięta.

– Kiedy kupował dziewczynie drinka w barze... to czy dostrzegłaś kiedykolwiek, żeby potem jej zachowanie jakoś zauważalnie się zmieniało?

– Nie bardzo rozumiem pytanie.
– Czy wyglądała jak lekko naćpana po tym, jak wypijała podanego jej przez McEnroya drinka? Może bardziej się do niego kleiła?

– Chwila moment. Niech no pomyślę... – Kobieta

trzasnęła dłonią w stół. – Znaczy się, próbuje pani powiedzieć, że mógł im wrzucać coś do drinków? – Olśniło ją.

– Niczego nie próbuję powiedzieć. Ja tak twierdzę.

– Nie! Jezu! – Lace chwyciła Gregora za rękę. – Nie! Ja nigdy nie zauważyłam, żeby to robił. Przenigdy! Jezu, Win!

– Nie wyglądasz na specjalnie tym zszokowanego, Gregor – zwróciła się Eve do barmana.

Patrząc na policjantkę, chłopak wypuścił wstrzymywane powietrze i zaczął mówić:

– Nigdy go na tym nie przyłapałem, ale... No wie pani... Facet nieźle wyglądał, był dobrze ubrany, ale do wyglądu gwiazdora filmowego trochę mu brakowało. Rozumiemy się? Zastanawiałem się niejeden raz nad tym, jak on to robi, że za każdym razem, gdy tylko namierzy jakąś dziewczynę, ta zgadza się z nim pójść. Wczoraj najpierw kręcił się obok takiej jednej, ale potem Tee... czy jedna z kelnerek... no ktoś tam napomknął coś, że chyba wyszedł z inną. Nigdy nie myślałem, że... ale teraz...

– Nie można ot tak, bez niczego, mówić o kimś takich rzeczy – oburzyła się DeCarlo. – Tylko gliny tak robią. Puszczają jakieś gówniane teksty o ludziach.

– Zgromadziliśmy zeznania wielu kobiet, które McEnroy faszerował różnymi świństwami, a potem gwałcił. Wasz klub był jednym z terenów jego polowań.

– Jesteśmy zobowiązani zwracać uwagę na podobne zachowania. – Grymas nieprzejednania na twarzy DeCarlo nieco zelżał. – Oczekuje się od nas, że zapewnimy klientom bezpieczeństwo, reagując natychmiast, jeśli ktokolwiek będzie próbował podkładać komukolwiek innemu jakieś gówno.

– Był w tym dobry – wyjaśniła Eve. – Najpierw mała dawka tutaj czy w innym klubie, albo uprzednio wybranym przez niego miejscu. Minimalna, lecz wystarczająca do lekkiego otumanienia.

– Tego nie zauważyłam – mruknęła barmanka pod nosem. – Nigdy bym go o to nie podejrzewała... Wyrażał się tak ładnie, tak wyszukanie! I był taki szarmancki, no wie pani. Uważałam go za uwodziciela, to pewne, ale nigdy za kogoś takiego! Snow! – Wstała, odpychając się rękami od stołu, kiedy zobaczyła menedżera wracającego z Peabody. – Ona mówi, że ten skurwysyn podawał kobietom pigułki gwałtu nieomal pod moim nosem. Cholera!

– Co takiego? – Mężczyzna położył wąską dłoń o długich palcach na ramieniu DeCarlo i wbił w Eve spojrzenie o mocy lasera. – Macie na to dowody?

– Owszem, mamy. Nie uważamy przy tym, aby pani DeCarlo lub ktokolwiek inny z pańskiego personelu przykładał do tego rękę. Tym razem jesteśmy zdania, że pan McEnroy popełniał te czyny w pojedynkę.

– Win, bądźże człowiekiem i przynieś Tee coś na uspokojenie z mojego biura. A ty siadaj! – zwrócił się do DeCarlo i posadził ją z powrotem na krześle. – To nie twoja wina.

– Ja tego nie widziałam, a mam przecież oczy, do cholery! Wiem, na co zwracać uwagę, a niczego nie zauważyłam!

– Korzystał zawsze ze stolików ukrytych pod kapsułami – tłumaczyła Eve. – Był niezły w te klocki, a przy tym działał bardzo ostrożnie. Chadzał do wielu klubów i restauracji, działał według utartego schematu. Z tego, co wiemy, nikt niczego nie zauważał. Widzieli jedynie kobietę, która nieco za dużo wypiła, wychodzącą z własnej woli w towarzystwie mężczyzny.

– Teraz, kiedy już o tym wiem, kiedy go sobie przypominam, widzę to – mamrotała pod nosem DeCarlo. – Cholerny skurwysyn!

– Ja również. Dopiero kiedy wiesz... – tu Mi rozłożył ręce – ...jesteś w stanie to dostrzec. Dopiero kiedy wiesz, wszystko widzisz... Wczorajszego wieczoru jednakże sprawa miała się inaczej: było dokładnie na odwrót.

– Myślisz, że mu czegoś dosypała? – wtrąciła DeCarlo. – I chwała jej za to. Szlag by to trafił!

– Osoba, która dosypała mu czegoś do drinka, na tym nie skończyła. Zamordowała go! – podkreśliła mocniejszym tonem Eve. – A nasza praca, praca mojej partnerki i moja, polega na tym, żeby ją odnaleźć i postawić przed sądem, tak by sprawiedliwości stało się zadość.

DeCarlo znów prychnęła niezadowolona i burknęła:

– I właśnie dlatego nie cierpię glin.

Kiedy ponownie wyszły przed budynek, w którym mieścił się klub, Eve popatrzyła w górę na kamerę nad wejściem.

– Znaleźliście coś na nagraniach z monitoringu? – spytała.

– Mamy jej postać przy drzwiach, ale głupia nie jest – odrzekła Peabody. – Nie mamy widoku jej twarzy. Ani jednego ujęcia, na którym byłoby dobrze widać całą twarz. Tylko niezwykle obfita fryzura i cała postać morderczyni. Na tej podstawie będziemy mogli określić jej wzrost i wagę. Myślę też, że Yancy będzie miał sporo roboty z dopracowaniem szczegółów podczas pracy z ochroniarzem wpuszczającym klientów do klubu.

– Zorganizuj to i dostarcz mi jej najlepszy możliwy wizerunek. Skopiuj na mój komputer. Musimy teraz wybrać się do kilku następnych klubów z listy McEnroya i sprawdzić, czy uda się coś tam wyszperać. Zostaje jeszcze restauracja, w której naszprycował Alden. – Sprawdziła godzinę. – Potem masz wolne. Jeśli tylko informatycy z EDD wynajdą cokolwiek, przesyłaj natychmiast do mnie.

*

Kiedy Eve pozbyła się Peabody, pojechała do pubu, który wybrał Roarke. Upolowała wolne miejsce na drugiej kondygnacji parkingu nieopodal, zbiegła na poziom ulicy i wmieszała się w tłum pieszych, by dojść do pubu znajdującego się w połowie drogi do następnego skrzyżowania.

Zobaczyła, że przed wejściem do lokalu stoją trzy wąskie stoliki, i to właśnie jeden z nich Roarke zarezerwował dla nich. Chyba jeszcze na to odrobinę za zimno? – przemknęło jej przez myśl. Na szczęście powietrze ogrzewał tarasowy promiennik ciepła. Przyszła trochę za wcześnie, zamówiła więc czarną kawę i zabrała się do przeglądania swoich notatek, dopisując najświeższe spostrzeżenia.

– Wciąż zawzięcie w robocie – rzekł Roarke, zajmując miejsce naprzeciwko.

– Mamy sporo tropów, a to oznacza, że wiele z nich trzeba ze sobą powiązać. Dlaczego jeszcze nie jesteś właścicielem klubu This Place?

– A nie jestem?

– Tak się składa, że nie jesteś.

Uśmiechnął się do niej.

- A chciałabyś, żebym był?
- Nieszczególnie. Zdziwiłam się tylko, że urządzony jest równie stylowo i z klasą jak oba twoje kluby. W obu oczywiście byłam, więc mam porównanie.

Znów się do niej uśmiechnął, lecz tym razem zauważyła, że się jej przygląda.
- Oj tam, to był niezwykle długi dzień – próbowała zbagatelizować.
- A nadejdzie ich jeszcze więcej. Wypijmy piwo i zjedzmy coś.
- Kawa mi wystarczy.
- W ten sposób długo nie pociągniesz. Jesteś skonana i nie wątpię, że czujesz się tak przez większą część dnia. Małe piwo dla ciebie. Na pewno ci nie zaszkodzi. Sugeruję, żebyś wzięła do niego rybę z frytkami. Jest tutaj naprawdę wyśmienita.

Piwo może choć częściowo złagodzić ciągłe podenerwowanie – pomyślała – a ryba z frytkami? Czemu nie.
- Okej, pasuje – zamknęła temat.

Kiedy on składał zamówienie, ona uprzątnęła notatki, a gdy potem po prostu ujął jej dłoń, ciężar, który pracowicie niosła na barkach cały dzień, spadł w jednej chwili.
- Traktował to jak swoje hobby czy ulubiony sport, a przynajmniej ja tak to widzę. Wiem, że to było chorobliwe. Nikt normalny tak bardzo nie ryzykuje, czy to na polu prywatnym, czy to na polu zawodowym. Nikt nie potrzebuje mieć takiej władzy nad kobietami ani nie czerpie takiej satysfakcji z wykorzystywania ich w taki sposób, w jaki on je wykorzystywał, nie czując potem obrzydzenia do siebie. A on traktował to jak… jak swoje hobby. Bardzo poważnie traktowane hobby. Tak jak

niektórzy podchodzą do uprawiania golfa czy twórczości rękodzielniczej, czy czegokolwiek innego. Gdyby jeszcze żył, klnę się na wszystko, że jeśli tylko udałoby mi się go dorwać, już on by zobaczył, jak to jest.

– Wiedzieć to wszystko i rozumieć to pani praca, pani porucznik. Tak samo do pani obowiązków należy odnalezienie jego zabójcy. – Te oczy, te niemożliwie niebieskie oczy wpatrywały się w nią z szacunkiem. Widziały wszystko. – Okazywanie współczucia kobietom, które wykorzystał, niczego w tym nie zmienia. – Zamilkł na chwilę. – Współczucie zaburza obiektywizm spojrzenia.

– Mam to gdzieś! – prychnęła Eve. – Jeżeli odczucia, wchodzenie w relacje i wykazywanie się zrozumieniem nie są częścią mojej pracy... Powiedz mi w takim razie, dlaczego droidy nie prowadzą śledztw? – Siedziała z marsową miną, nie odzywając się, kiedy kelner przyniósł im piwo. – Istnieje jednak pewna cienka granica, a przy niektórych sprawach trudno się nie opowiedzieć po jednej czy po drugiej stronie.

– Ty dysponujesz idealnie wyważoną równowagą – wtrącił Roarke.

– Cholera mnie bierze przy tej sprawie. Robił to od lat, mając władzę i pieniądze. Wykorzystywał, molestował i upokarzał kobiety po to tylko, by się podniecić i załatwić sobie orgazm. Wkurza mnie, że ktoś mógł zadecydować, że zostanie w tej sprawie oskarżycielem, sędzią i katem. Wkurza mnie, że w czyjejś głowie mogła powstać myśl, że odebranie komuś życia to akt heroizmu. Ona... Bo to musi być kobieta lub grupa kobiet... Więc owa „ona" torturowała go i zabiła, i jeszcze śmie to nazywać wymierzaniem sprawiedliwości! – Choć widać było po niej znużenie, jej spojrzenie stwardniało jak u rasowej policjantki. Jak zawsze. – W żadnym razie tego, co zrobiła, nie można tak nazwać, do cholery! Teraz McEnroy ma to z głowy, nieprawdaż? Cierpiał przez kilka godzin, a teraz już wszystkie jego czyny są poza nim, podczas gdy prawdziwy wymiar sprawiedliwości wtrąciłby go do więzienia i pozbawił go tej jego władzy i pieniędzy na lata.

Roarke słuchał jej cierpliwie i potakiwał głową, popijając wolno swoje piwo.

– Był taki czas – rzekł w końcu – nie tak dawno temu, zanim spotkałem na drodze swego życia moją panią porucznik, że stanąłbym po stronie zabójczyni.

– Dobrze to wiem – mruknęła w kufel.

– Fakt, że w tej chwili skłaniam się bardziej ku twojemu spojrzeniu na sprawę, wciąż mnie zadziwia, ale taka jest prawda. Widzę również... tylko dlatego, że tak dobrze cię znam... co naprawdę siedzi w głębi serca i umysłu mojej jedynej. Musisz koniecznie odsunąć to na bok, inaczej niczym się nie będziesz różnić od tej, którą ścigasz.

W pierwszej chwili zaczęła stawać okoniem, potem się wykręcała, jak umiała, wreszcie machnęła ręką i zajęła się piciem piwa.

On jednakże za dobrze znał swoją policjantkę, swoją żonę, swoją kobietę – i nie odpuszczał.

– Byłaś terroryzowanym dzieckiem i w końcu musiałaś odebrać komuś życie, by uratować swoje. Cierpiałaś z tego powodu mocniej i dłużej, niż chcesz to przed sobą przyznać.

– Wiem, co to znaczy stanąć przed koniecznością dokonania takiego wyboru.

Nagle wezbrała w nim furia, lecz wiedział, że wybuch nie byłby teraz dobrym rozwiązaniem, opanował się więc i dokończył już rozsądniejszym tonem głosu:

– Wiesz, że to bzdury. W twoim wypadku nie było to działanie na zasadzie wyboru, działanie zaplanowane czy też wcześniej skalkulowane. Nie było to nawet działanie podjęte pod wpływem impulsu. To był ułamek sekundy: będę żyć lub zginę. Ogromnie mi przykro, Eve, że miałaś takie dzieciństwo i że stajesz w jej obronie, tak jak stanęłabyś w przypadku każdej ofiary.

– Wiem, że to była samoobrona. Wiem, że masz rację.

– Gdybyś wciąż nie doświadczała tych chwil wewnętrznych konfliktów, nie byłabyś policjantką ani też kobietą, którą jesteś. A jak wiesz, szaleję z miłości za tą kobietą, którą jesteś, mimo że jest policjantką.

Wreszcie się uśmiechnęła, westchnęła ciężko i nagle się ożywiła.

– Coś takiego! – krzyknęła. – A niech to szlag! Patrz! Para, która przechodzi obok nas: on po czterdziestce, beżowa marynarka, około metra osiemdziesięciu wzrostu... Powiedz im, żeby tu zaczekali, zaraz mu przyniosę z powrotem jego portfel.

Z tymi słowy przeskoczyła przez niski murek oddzielający ogródek od chodnika i pobiegła, klucząc pomiędzy przechodniami, za ulicznym złodziejaszkiem, zmierzającym spokojnie w stronę najbliższego skrzyżowania.

Klepnęła go w bark.

– Hej, kolego! Masz dzisiaj wyraźnie zły dzień – powiedziała, gdy spojrzał na nią przez ramię. Kiedy rzucił się do ucieczki, podstawiła mu nogę, on zaś potknął się o nią i runął jak długi na chodnik.

– Zdecydowanie zły dzień, kolego – powtórzyła, po czym wykręciła mu obie ręce za plecy i zatrzasnęła na nich kajdanki. – Hm. To był całkiem udany fikołek i chwyt również niczego sobie – mruknęła do siebie.

– Ratunku! Na pomoc! – wydarł się koleś, na co Eve tylko przewróciła oczami i wyjęła odznakę policyjną. Tłum opływał ich jak rwący nurt wyspę na rzece.

Kieszonkowiec, skoro tłukł się i szarpał, pewnie spróbowałby uciec nawet w kajdankach, docisnęła więc jego tyłek do ziemi nogą i zadzwoniła po mundurowych.

W czasie kiedy się z nim rozprawiała, Roarke zaprosił parę do swojego stolika i postawił im kawę po irlandzku.

– Pani porucznik, przedstawiam Jeannie i Marka Horchowów z Toledo. Przyjechali do Nowego Jorku świętować swoją piętnastą rocznicę ślubu.

– Okej – zaczęła Eve. – Panie Horchow...

– Nic nie poczułem! Pojęcia nie mam, kiedy wyciągnął mi ten portfel.

– To codzienne zajęcie tego złodziejaszka. Ma w tym wprawę. Obawiam się, że będziecie musieli się udać na piętnasty posterunek policji, żeby odzyskać swoją własność. Miał przy sobie kilka innych skradzionych rzeczy. Funkcjonariusz was tam podwiezie i pomoże załatwić formalności.

– O rety! – Jeannie, blondynka cała w lokach, wpatrywała się w Eve szeroko otwartymi oczami.

– Przepraszam za niedogodności.

– Ależ nic nie szkodzi. Nawet byśmy nie wiedzieli, że coś nam się przytrafiło, prawda Mark? Po prostu szliśmy sobie ulicą i... Jesteśmy pani dozgonnie wdzięczni! Jak to miło! – Obejrzała się za siebie, kiedy za ich plecami zaparkował przy krawężniku czarno-biały radiowóz. – Przejedziemy się nawet samochodem policyjnym. Ale będzie, jak opowiemy o tym dzieciakom!

Mark roześmiał się krótko, wstał i wyciągnął do Roarke'a rękę na pożegnanie.

– Jesteśmy wam bardzo wdzięczni. Dziękuję, pani porucznik. – Podał rękę również Eve. – Szalenie podobał się nam się film *Dziennik Icove'a*. Kto by przypuszczał, że zostaniemy uratowani przez Dallas i Roarke'a!

– Ale będzie, jak opowiemy o tym dzieciakom! – powtórzyła Jeannie.

Eve odczekała, aż wsiądą do radiowozu, a potem przeskoczyła z powrotem przez murek, bo tak było szybciej. Kiedy usiadła, kelner postawił przed nią kolejny mały kufel piwa.

– Tamto poprzednie za bardzo się już nagrzało – wyjaśnił Roarke. – A ty zaledwie je tknęłaś.

– Okej. – Tym razem przypięła się do kufla i wypiła duszkiem. – Już mi lepiej! – Radośnie się uśmiechnęła.

– Wiedziałem, że dobrze ci zrobi!

7

Ciało nakarmione, emocje okiełznane. Eve mogła ruszać z mężem do penthouse'u McEnroya.

– Jak masz zamiar rozmawiać z wdową? – spytał żonę w trakcie jazdy.

– Muszę ją wpierw wyczuć. Ją i guwernantkę jej dzieci. Ze wstępnych rozmów, które przeprowadziła Peabody, wynika, że ta kobieta opiekuje się i dziećmi, i ich matką. Mieszka razem z całą rodziną McEnroyów od lat. Wydaje się czysta, lecz o ile obie nie są idiotkami, muszą cokolwiek wiedzieć. Przecież McEnroy notorycznie ją zdradzał.

– Zdarzają się małżonkowie, którzy przymykają oko na zdrady. Z wielu powodów.

– Owszem, zdarzają się. – Eve zwróciła swój przenikliwy wzrok na Roarke'a. – Ja osobiście przywiązałabym takiego typa nagiego do łóżka, a następnie zawiązałabym mu fiuta na supeł po uprzednim nasmarowaniu go miodem, który przywabiłby wielkie czerwone mrówki ze słoja trzymanego specjalnie na takie okazje. Wysypałabym je prosto na tego jego zawiązanego ptaka. Taka już jestem! – dodała, kiedy drzwi windy się rozsunęły.

– Cała ty – westchnął Roarke.

– A potem skoczyłabym do jakiegoś lokalu, gdzie grają tango, i zatańczyłabym.

– Przychodzi mi na myśl Argentyna.

– No i dobra. Udają, że nie widzą tylko tchórze, idioci albo tacy, co to zawsze twierdzą, że za cholerę nie uwierzą w podobne banialuki.

– Ty na pewno nie zaliczasz się do żadnej z tych grup.

– Ty również.

– Potwierdzam. Zrobiłbym to samo temu, z kimkolwiek moja uwielbiana żoneczka by mnie zdradziła. A potem wykupiłbym do ostatniego ziarenka całą kawę wszechświata i spaliłbym ją razem ze wszystkimi istniejącymi krzakami kawy.

– Co za chory pomysł! – fuknęła Eve. – Chory i nieludzki.

– No cóż! Taki już jestem! – Ujął jej dłoń i ucałował, a zaraz potem zadzwonił do drzwi penthouse'u McEnroyów. – Może po tym wszystkim dziwnie to zabrzmi, ale cieszę się, że my to my.

Usłyszeli głos automatu:

Państwo McEnroyowie są nieosiągalni. Prosimy o uszanowanie prywatności rodziny w tym trudnym czasie.

Kiedy komunikat wybrzmiał, Eve uniosła swoją odznakę do oka kamery i rzekła:

– Porucznik Dallas Eve z konsultantem cywilnym Roarkiem. Jesteśmy umówieni.

Proszę czekać.

Eve spokojnie czekała, aż jej twarz zostanie zeskanowana i zweryfikowana. Nie trwało to długo. Po chwili drzwi się otworzyły. Rozpoznała Frances Early, tę samą, której zdjęcie portretowe wydrukowała sobie z bazy danych identyfikacyjnych. Kobieta po pięćdziesiątce, mocno zbudowana, atrakcyjna, rasy mieszanej. Zmęczone orzechowe oczy najpierw poddały ocenie postać Eve, a dopiero potem zdecydowały o wpuszczeniu ich do środka.

– Pani porucznik, pani McEnroy jest jeszcze na górze z dziećmi. Proszę wejść i zaczekać.

Eve wyczuła unoszące się w salonie resztki zapachu proszku używanego przez ekipę techników-czyścicieli z wydziału zabójstw, mimo że cały pokój został idealnie przez nich sprzątnięty i nie pozostał ani ślad bytności policji.

– Poinformowałam panią McEnroy, że już jesteście. To zrozumiałe, że dzieci są zrozpaczone. Matka zostanie z nimi, póki nie zasną. Czy mogę czymś służyć podczas oczekiwania?

– Dziękujemy, niczego nam nie trzeba. Żeby zaoszczędzić trochę czasu i nie zajmować was dłużej, niż to konieczne, proponuję zacząć od rozmowy z panią.

– Ze mną? – Kobieta zdziwiła się w pierwszej chwili. – Ano tak. Oczywiście. Usiądźcie, proszę. Mam nadzieję, że będziecie dla mnie wyrozumiali. Ja też jestem nieco tym wszystkim podłamana.

– To zrozumiałe. Czy była pani w zażyłych stosunkach z panem McEnroyem?

Francie usiadła, przygładziła dłonią przycięte na boba równo ze szczęką ciemnobrązowe włosy. Jej paznokcie – lśniące jaskrawym różem, jak zauważyła Eve – pozostawały w jawnym kontraście z resztą dość konserwatywnego ubioru: białą bluzką koszulową i czarnymi spodniami.

– Jestem u McEnroyów już od ośmiu lat. Uczę i wychowuję ich latorośle, pomagam się nimi zajmować, podróżuję razem z dziećmi i Geeną, czyli panią McEnroy.

– Czy pozostawała pani w zażyłych stosunkach z panem McEnroyem? – Eve powtórzyła pytanie.

– Żyjemy tu wszyscy jak jedna rodzina – mówiąc to, Francie rozłożyła szeroko ręce.

Nie była to odpowiedź na postawione pytanie, ale wystarczyła Eve do wyrobienia sobie zdania na temat tego, co o tym myśleć.

– Pan McEnroy został w Nowym Jorku, podczas gdy pani wraz z jego żoną i dziećmi udałyście się na ferie wiosenne na Tahiti. Czy tak się działo zawsze?

– W związku z odpowiedzialną pracą i ciągłymi podróżami w sprawach biznesowych pan McEnroy zwykle dołączał do rodziny w trakcie wyjazdów. Czasami podróżował sam. Jeździłam razem z nimi jako nauczycielka, żeby dziewczynki nic nie traciły z lekcji podczas dłuższych wojaży. Oczywiście kiedy zaczynałam pracę u McEnroyów, Breen była jeszcze za mała, żeby się uczyć. Najczęściej podróżowaliśmy między Nowym Jorkiem a Londynem, ale często towarzyszyłyśmy też panu McEnroyowi i w innych przedłużających się wyjazdach.

– Albo i nie – weszła jej w słowo Eve. – Mam tu na myśli, że pan McEnroy często przebywał sam, bez żony i dzieci, zarówno w Nowym Jorku, jak i w Londynie czy Paryżu, czy też gdziekolwiek indziej zawiódł go plan wyjazdów służbowych.

– Oczywiście. – Francie splotła zadbane dłonie i wsparła je na kolanie. – Taka już była natura jego biznesów. Dzięki temu jego córki doskonale sprawują się w podróży. Chcę tu również zaznaczyć, że pan McEnroy był bardzo oddanym ojcem. Zwykle starał się tak ustawiać skomplikowany grafik wyjazdów, aby jak najczęściej przebywać razem z nimi, a kiedy wypadały ich urodziny, święta Bożego Narodzenia czy inne dni, które świętowali razem, zawsze zabierał je ze sobą. Był kochającym ojcem, bardzo zaangażowanym w wychowanie córek.

– A czy był równie kochającym i zaangażowanym w związek małżonkiem?

Kobieta poprawiła się na krześle, odczekała chwilę, a potem spojrzała Eve w oczy i powiedziała:

– Wolałabym, żebyście wszelkie sprawy bezpośrednio dotyczące ich małżeństwa omawiali z panią McEnroy.

– Przed chwilą twierdziła pani, że jest częścią ich rodziny. Pytam więc teraz panią o opinię, jak od kuchni wyglądało małżeństwo McEnroyów.

– Nie zamierzam rozsiewać plotek o moich pracodawcach. Ani o rodzinie.

– To śledztwo w sprawie o morderstwo, a nie wieczorek z plotkami. Była pani świadoma, że McEnroy miewał często, nieomal nałogowo seksualne pozamałżeńskie... przygody?

Twarz Francie stała się nieprzenikniona, lecz kostki jej splecionych palców rąk widocznie zbielały.

– Zmusza mnie pani do mówienia obrzydlistw o mężczyźnie, który przyjął mnie do swojej rodziny, kiedy byłam samotna.

– Proszę panią jedynie o pomoc w prowadzonym przesłuchaniu i o wyznanie prawdy o mężczyźnie, który został zamordowany. Chcę, żeby mi pani pomogła odnaleźć zabójcę pani pracodawcy, zabójcę, który pozbawił męża kobietę, którą pani najwyraźniej bardzo lubi, a jej dzieci pozbawił ojca.

– Ich życie prywatne nie powinno na tym ucierpieć. – Orzechowe oczy Francie zaszły łzami.

– Niestety, przestało być prywatne już w tym momencie, kiedy skatowanego zabito. Zrobiła to osoba, która oskarżyła go o wielokrotne gwałty.

Słysząc to, Francie aż przysłoniła usta dłonią.

– Oskarżanie kogokolwiek o coś tak potwornego jest okrutne, tym bardziej że nie może on się już bronić przed takimi oskarżeniami.

– Gwałty mamy już potwierdzone, pani Early. Wielokrotne. Szedł na rekord.

– O mój Boże! Mój Boże! – Wstała, podeszła do szerokiego okna i zasłoniła rękami twarz. Następnie wróciła na swoje miejsce i zerknęła z nadzieją w stronę schodów. – A więc mówi mi pani, że pracowałam, mieszkałam i spędzałam wakacje z mężczyzną, który…

– Wiedziała pani, że zdradzał żonę. Prawda? Sądzę, że ona się pani zwierzała, choć osobiście nie zauważyła pani żadnych oznak.

– Jest ogromna, przeogromna różnica. Nie mam obowiązku potwierdzać cudzołóstwa, ale mogę powiedzieć i mam prawo tak uważać, że to nie moja sprawa. Powinni się z tym mierzyć małżonkowie. To dotyczy wyłącznie ich. Jednakże gwałt nie jest... One mogły kłamać. – Na jej twarzy malowała się nadzieja, że to, co mówi, jest prawdą. – Mogły kłamać, żeby wyłudzić pieniądze.

– McEnroy wszystko nagrywał, a nagrania zachował – powtórzyła Eve. – Działał rutynowo, miał ulubiony typ ofiary. Skonfiskowaliśmy pigułki gwałtu, które przechowywał w zamkniętej szafce w swoim biurze.

Guwernantka znów splotła dłonie tak mocno, że z kostek palców odpłynęła krew.

– Twierdzi pani... Och! Jeśli się okaże, że pani kłamie, zrobię wszystko, żeby zabrali pani odznakę! Twierdzi pani, że Nigel wrzucał kobietom narkotyki do drinków i potem je gwałcił... To ją zniszczy, to zniszczy Geenę. I tak jest już cała roztrzęsiona, ale to... Czy mogłaby pani jej tego nie mówić? Kochała go i wierzyła, że przestał... że przestał ją zdradzać. Uwierzyła mu i wcześniej, lecz tym razem była tego całkowicie pewna. Była taka szczęśliwa!

– Nie ma takiej możliwości, żeby to przed nią ukryć. Ponieważ było w to wplątanych tak wiele kobiet, nie da się nic zrobić, żeby sprawa nie wyciekła do mediów.

– Co chcecie przede mną ukryć?

Na szczycie schodów stała Geena McEnroy. Jedną ręką ściskała wypolerowaną na błysk poręcz schodów, a drugą przyciskała do serca. Miała na sobie prostą czarną sukienkę. Kolor żałoby podkreślał jej delikatne piękno. Wszystko w niej wydawało się kruche: od brązowych włosów, ściągniętych z tyłu głowy w ścisły kok, przez długą szyję po drobnokościstą budowę ciała. Jej błękitne oczy napuchły od płaczu, nieumalowane usta drżały.

Kolorowe były jedynie jej paznokcie, lśniące z oddali krwistą czerwienią.

– Dziewczynki? – spytała Francie.

– Śpią. W końcu zasnęły. – Geena zaczęła powoli schodzić, chwiejąc się przy każdym kroku.

Roarke wstał, podszedł do schodów i ruszył w górę.

– Pozwoli pani, że jej pomogę. – Wziął ją pod rękę.

– Wszystko wydaje mi się tak nierealne... jakbym, robiąc krok w dół, mogła się potknąć i spaść z kuli ziemskiej gdzieś w niebyt.

– Strasznie mi przykro! – rzekł Roarke. Pomógł jej usiąść w fotelu. – Przynieść może wody?

– Ja... Francie?

– Musisz się napić herbaty. – Guwernantka wyjęła z kieszeni mały breloczek z pilotem. – Przez cały dzień prawie nic nie wzięłaś do ust. – Ton jej głosu stał się stanowczy.

Mądry ruch – pomyślała Eve. Geena wyglądała tak, jakby jej trzeba było przypominać o konieczności wciągania powietrza do płuc, a potem o jego wydychaniu.

Kiedy przybyła droidka, Francie zamówiła herbatę.

– Cały dzbanek. Ja też się napiję, a może i nasi... goście zechcieliby po filiżance?

– Mówiłaś... – Pani domu rozglądała się wokół nieprzytomnie. W końcu jej wzrok zatrzymał się na Eve. – Nie mogę sobie przypomnieć, kim pani jest.

– Porucznik Dallas, pani McEnroy...

– Ach tak, oczywiście. Dziewczynki prosiły mnie i prosiły, żebym puściła im film, ten o klonach, więc w końcu uległam. Wydawał mi się zbyt okrutny i przerażający jak dla dzieci. Są jeszcze za małe. Nie chciałam ich narażać na... Ale teraz? Och, Boże! Co teraz będzie?...

– Tak mi przykro z powodu pani straty, pani McEnroy. Wiem, że to bardzo trudny dla pani czas, ale musimy zadać kilka pytań.

– Nic z tego nie rozumiem. Jak możecie mi zadawać pytania, skoro ja sama niczego nie rozumiem? Dziewczynki wciąż pytają i pytają, dokąd pojechał ich tata i dlaczego nie może wrócić. Dlaczego musiał umrzeć? Czy był chory? Czy skądś spadł? Nie znam odpowiedzi na żadne z tych pytań. Co ja mam im odpowiedzieć?

– To już od pani zależy.

– Ale ja sama nie wiem. Wspomniała pani o kimś... Nie rozumiem, dlaczego ktokolwiek miałby go skrzywdzić. Czy to był napad rabunkowy? Czy to...

– Nie sądzimy, żeby motywem mogła być kradzież. – Musisz się z tym zmierzyć, pomyślała Eve, obserwując droidkę, która przyprowadziła właśnie barek na kółkach z herbatą oraz zastawą do jej podania. Przeciąganie sprawy jedynie przedłuży ból. – Pani mąż został zabity w nieznanym jeszcze miejscu, a potem jego ciało przetransportowano tutaj i porzucono przed wejściem do budynku. Prześledziliśmy trasę jego przemieszczania się podczas tego wieczoru, kiedy zmarł. Opuścił wasz apartamentowiec około godziny dwudziestej pierwszej osiemnaście. Zamówił limuzynę, która go zawiozła do klubu o nazwie This Place, gdzie zarezerwował kapsułę dla VIP-ów. Stolik ukryty pod kapsułą zapewniał całkowitą prywatność.

– Na-a... spotkanie biznesowe. – Mówiąc to, Geena się zająknęła, wzrokiem błagając Eve o potwierdzenie jej przypuszczeń.

– Nie, to nie było spotkanie biznesowe. Sprawdziliśmy już, że pan McEnroy uczęszczał systematycznie do klubu This Place oraz kilku innych miejsc w celu nagabywania kobiet i przymuszania ich do czynności seksualnych.

– To kłamstwo! – Jej policzki zalała fala mocnej czerwieni. – Nie życzę sobie, żeby zniesławiała pani mojego męża, ojca moich dzieci! Nie życzę sobie tego!

Ślepa i głucha – pomyślała Eve. – Całkowicie, tragicznie zaślepiona.

– Mamy wszystko udokumentowane, posiadamy dowody i zeznania z pierwszej ręki na to, co robił i gdzie to robił, a w wielu przypadkach i z kim. Była pani świadoma, jakie upodobania miał mąż, pani McEnroy. Próbując chronić męża, chroni pani i jego zabójcę. Znalezienie go i postawienie przed sądem to mój zawód, moja powinność, moje posłannictwo.

– Myślisz, że dbam o twoje powinności? – Jej głos stawał się coraz bardziej piskliwy, a policzki coraz bardziej purpurowe. – Chcesz zniszczyć reputację człowieka ze względu na swoją powinność? Chcesz zniszczyć jego rodzinę?

– Twój mąż polował na kobiety dla sportu – odszczeknęła się jej Eve. – Bawił się nimi jak zabawkami. Faszerował je narkotykami, a w wielu przypadkach zaciągał do waszego łóżka, nagrywając cały seks i gromadząc filmy w prywatnej biblioteczce. Upokarzał kobiety, pokazując im później nagrania, a poza tym służyły mu jako zabezpieczenie przed ewentualnymi oskarżeniami przeciwko niemu. Czy nie byłaś tego świadoma?

– Łżesz! – syknęła tamta jak jadowita żmija o przerażonych oczach. – Łżesz jak pies!

– Geeno! – odezwał się miękko Roarke, nie bacząc na to, że Francie podeszła do fotela, na którym siedziała

Geena, usiadła na oparciu i objęła swoją chlebodawczynię ramieniem. – To okropny czas dla ciebie i horrendalny szok. Spadają na ciebie ciosy, jeden po drugim. Ktoś zabił twojego męża, wypaczając sens wymierzania sprawiedliwości, i urządził przy okazji krwawą jatkę. Powodem poczynań pani porucznik jest chęć wymierzenia sprawiedliwości zgodnej z prawem. Pani porucznik stanie murem za twoim mężem i zrobi wszystko, żeby odnaleźć tego, kto zabrał go tobie i twoim dzieciom.

– Ona mówi o nim same okropności.

– Bardzo go kochałaś, dlatego jest ci z tym trudniej. Bardziej boli to, że nie był ci wierny. A mimo to byłaś w stanie zrozumieć, że bez względu na swoje upodobania kochał ciebie i wasze dzieci.

– Kochał! Pewnie, że kochał! – Teraz już całkiem się popłakała i łkając, ukryła twarz w ramionach Francic. – Nie był idealny. Nikt z nas nie jest idealny. Miał swoje słabostki, ale udało mu się je zwalczyć. Zwalczył je dla mnie, dla dziewczynek. Przestał to robić. Przysiągł na wszystko, że przestał.

– Napij się herbatki. – Francie wyplątała się delikatnie z objęć, nalała filiżankę i wmusiła ją w Geenę. – A teraz otrzyj łzy i pij.

– Wiecie, on był takim atrakcyjnym mężczyzną, że kobiety lgnęły do niego jak muchy do miodu – rzekła płaczliwie Geena, osuszając oczy chusteczką higieniczną. – A że miał do nich słabość, cóż… czasami… czasami nie mógł się im oprzeć. Zawstydzało go to, ale walczył ze sobą. W zeszłym roku odnowiliśmy przysięgę małżeńską i od tamtej pory był mi wierny. Przysiągł, że jest mi wierny. Nigdy nie używał narkotyków, nigdy nawet nie tknął nielegalnych substancji odurzających. Nie miał żadnej potrzeby, żeby dosypywać je kobietom. Przyciągał kobiety jak magnes.

Eve odczekała chwilę, aż Geena zamilknie, i spytała:

– Czy rozmawiałaś z kimś kiedykolwiek o tym aspekcie waszego małżeństwa? O trudnościach, które miałaś, gdy wierność męża zawiodła?

– Z nikim. Tylko z Francie – poprawiła się natychmiast i sięgnęła po dłoń swojej powierniczki, po czym mocno ją ścisnęła. – Jest dla mnie jak członek rodziny. Jest nawet kimś więcej niż moja własna matka.

– A z kimkolwiek innym? Z przyjaciółką, terapeutą, lekarzem?

– To była wyłącznie nasza wewnętrzna sprawa. To jest wyłącznie nasza wewnętrzna sprawa. Nic nikomu do tego. Jeśli będzie pani w dalszym ciągu twierdzić, że zrobił to wszystko, że podawał narkotyki kobietom, że przyprowadzał je do naszego mieszkania, oskarżę panią o zniesławienie. Słyszy mnie pani? Pójdę do pani bezpośredniego przełożonego i wywali panią z roboty na zbity pysk!

Eve pozwoliła się jej wykrzyczeć i rozładować furię. Spełnianie obowiązków – pomyślała – nie zawsze jest miłe i przyjemne.

Raczej rzadko się zdarzało, że bywało na odwrót.

– Może chciałaby pani zobaczyć któreś z nagrań męża? Lubił krągłe, rudowłose kobiety. Trzymał pod kluczem w biurze pigułki gwałtu i inne środki odurzające. Czy kiedykolwiek podał ci je, za twoją zgodą lub bez?

Na twarzy Geeny najpierw odbił się szok, a z policzków odpłynęła cała krew. Jej wzrok jednak zhardział.

– Jak śmiesz! – wrzasnęła.

– To nie jest odpowiedź. – Eve nie dała się wyprowadzić z równowagi.

– Absolutnie nie! Mój mąż mnie kochał! Dlaczego próbujesz zniszczyć wszystko, co mi pozostało po nim w pamięci?

– Ktoś znał jego zwyczaje, jego rutynowe działania, i użył tej wiedzy, by doprowadzić do jego śmierci. Jeśli ty nikomu o tym nie powiedziałaś, zrobił to ktoś inny. Być może jedna z kobiet, które wykorzystał, szukała odwetu i zemściła się na nim. Jeśli kłamiesz lub ukrywasz przede mną jakieś informacje związane ze śledztwem, utrudniasz jego prowadzenie. Jeśli wiedziałaś cokolwiek lub co gorsza pomagałaś mu w podawaniu narkotyków i środków odurzających w celu seksualnego wykorzystywania kobiet i teraz temu zaprzeczasz, jest to równoznaczne z utrudnianiem śledztwa – wyrecytowała Eve.

– Twierdzę, że zmyślasz. Ambicje tak cię zaślepiają, że jesteś gotowa oczernić dobrego człowieka, wspaniałego męża, cudownego ojca dzieciom, byle tylko zaspokoić te swoje chore ambicje. – Geena zerwała się na równe nogi, a furia znów przywróciła rumieńce jej policzkom. – Żądam, żebyście w tej chwili opuścili mój dom! Dopilnuję, żebyście zostali odsunięci od tego śledztwa, a może nawet wyrzuceni z nowojorskiej policji za tak bezwzględne rozkręcanie spirali nienawiści wobec mojego małżonka.

– Geeno! – zaczęła Francie, lecz wdowa potrząsnęła tylko wściekle głową.

– Zabierz ich stąd! – syknęła. – Każ im się wynosić! – powtarzała jak nakręcona, a w końcu rzuciła się do schodów i wbiegła jak szalona na górę.

– Bardzo przepraszam za nią. – Francie mocno splotła dłonie. – Nie jest sobą, co zrozumiałe. Porozmawiam z nią, lecz zapewniam: o niczym nie wiedziała. Był taki czuły, tak kochający w stosunku do niej i do dziewczynek.

– Pani jednakże wiedziała.

– Ale nie o narkotykach! Przysięgam! Geena jest dla mnie jak córka, a dziewczynki traktuję jak własne wnuczki. Gdybym wiedziała, powiedziałabym jej. Znalazłabym jakiś sposób. Pozwoliłam sobie uwierzyć, że wrócił na właściwą drogę i stał się jej wierny, pojawiały się jednakże sygnały, które zignorowałam tylko dlatego, że Geena i dziewczynki były takie szczęśliwe. – Francie zamilkła i zasłoniła oczy dłońmi, pomasowała powieki, a potem opuściła ręce i znów zaczęła mówić. – Nie mam co do tego cienia wątpliwości: powiedziała wam całą prawdę, taką, jaką znała. Wierzyła mu bez zastrzeżeń i gdyby wiedziała cokolwiek o jakichś innych kobietach, komu by o nich powiedziała jak nie mnie? Te iluzje były jej potrzebne do życia, pani porucznik, więc po prostu mu wierzyła. – Wstała. – Porozmawiam z nią. Zrobię, co w mojej mocy.

– Jeszcze jedno pytanie. Czy rozmawiała pani na temat McEnroya z kimkolwiek innym?

– Z czegokolwiek Geena mi się zwierzała, pozostawało między nami. W przeszłości raz po raz nadużywał jej zaufania. Nie umiałabym, nie mogłabym. Nigdy bym tego nie zrobiła.

– Dziękuję za poświęcony nam czas.

– Zapewne będzie chciała go zobaczyć – napomknęła Francie, kiedy już odprowadziła ich do drzwi. – Jeśli nie jutro, to w miarę szybko. Musi go zobaczyć.

– Zorganizuję to.

Eve wyszła na klatkę schodową i ściągnęła windę.

– Tylko mi nie mów, że byłam dla niej za ostra – rzekła do Roarke'a.

– No cóż… Owszem, byłaś ostra, ale musiałaś przecież się dowiedzieć, prawda?

– Dowiedzieć się czego?

– Czy wiedziała, co wyczyniał, czy grała w tym jakąś rolę jawnie, czy też wszystko przemilczając. Może wiedziała, w końcu miała dość i pomogła zorganizować jego zabójstwo? A może była w zmowie z tym kimś, kto zrobił to dla niej?

Eve nie skomentowała tych przypuszczeń. Wmaszerowała, milcząc, do windy z dłońmi wciśniętymi w kieszenie spodni.

– A teraz już wiesz – dokończył Roarke i nacisnął guzik kondygnacji z parkingiem. – Więc przestań być taka ostra w stosunku do siebie za to, że wykonujesz swoją pracę.

– A ty jeszcze ją głaskałeś i poklepywałeś. – Eve posłała mu ponure spojrzenie.

– Trochę mi było jej żal, naprawdę. Tak jak i tobie. Jednakże ja nie musiałem na nią naskakiwać, bo nie na tym polega moja praca. Wydawało się wystarczająco jasne, że należy do osób, które potrzebują wesprzeć się na czyimś ramieniu, nawet kiedy jest dobrze, a już na pewno, kiedy jest źle. Miała do tego guwernantkę swoich dzieci, która pełni funkcję kogoś w rodzaju matki zastępczej, mimo to zdawało mi się, że z mężczyzną będzie lepiej współpracować. Czy byłem w błędzie?

– Nie. – Eve wypuściła powietrze przez zaciśnięte usta. – Masz stuprocentową rację i dlatego właśnie jesteś imperatorem biznesu całego wszechświata. Potrafisz ocenić człowieka szybko i bezbłędnie. A w tym przypadku? Babka jest z facetem, który ją nałogowo zdradza, nie ma tam miłości, choć to też nie do końca jest prawda. Może i była odrobina uczucia, to jasne, lecz zachowując się w ten sposób, tak naprawdę unika się określania własnych potrzeb, nie traci się poczucia bezpieczeństwa, nie musisz zastanawiać się, co, do cholery, robić dalej. Jak o niej myślę, zapalają mi się wszystkie możliwe czerwone lampki.

– Po tym, co usłyszałaś, przynajmniej masz pewność, że nie przyłożyła ręki do jego śmierci.

– Jeśli nie obserwujesz działań małżonka, i to bardzo dokładnie, należysz do grona tych głupich. Ona jednak na liście głupich współmałżonek znajduje się najniżej, jak tylko można. Nic nie wiedziała o pigułkach gwałtu. Mogę się założyć, że żywiła pewne podejrzenia względem męża, iż dalej ją zdradza, ale odepchnęła je od siebie. Inaczej w przypadku prochów. Była wstrząśnięta tą informacją i choć chwilę później uciekła od nas, wiem, że przyjęła ją do wiadomości i uwierzyła, że tak było naprawdę.

– Sądzę, że masz rację – odparł Roarke, idąc w stronę samochodu. Zasiadł za kółkiem i odwrócił się do Eve. – Dlatego tak mocno temu zaprzeczała. Gdyby przyjęła tę prawdę do wiadomości, nie mogłaby dłużej wierzyć w to, że spędzała życie u boku dobrego człowieka i w dodatku go kochała. Był nie tylko niewiernym mężem, ale i gwałcicielem i spryciarzem bez skrupułów. Poza tym sprowadzał swoje ofiary do ich wspólnego mieszkania, do ich łóżka. Jak ona mogła z tym żyć? Jak mogła przejść nad tym do porządku dziennego i dalej pozwalać mu być wzorem dobrego ojca dla swoich córek?

Zmęczona do granic możliwości Eve pozwoliła głowie opaść bezwładnie na zagłówek fotela.

– W sumie na tym etapie może sobie akceptować, co jej się żywnie podoba.

– Ona ci nie da spokoju – ostrzegł ją Roarke. Wyjechał z garażu pod budynkiem. – Fundamenty jej życia tego się domagają.

– Może i tak. Jakoś to przetrzymam.

– Nie mam co do tego wątpliwości. – Milczał, pozwalając jej przemyśleć sprawę, dopóki nie dojechali pod bramę ich posesji. – Lubimy w żartach opowiadać sobie, co jedno by zrobiło drugiemu, gdyby to drugie się mu sprzeniewierzyło, i muszę przyznać, że zawsze mnie prześcigasz w kreatywności. Jednakże oboje wiemy, że nigdy tego nie zrobimy. Jesteśmy sobie wierni nie tylko ze względu na to, że się kochamy. To również wzajemny szacunek. Nierozerwalna więź.

– Wiem to. Mogę ci też obiecać, że jeśliby ci kiedykolwiek przyszło do głowy przetestować mnie, będę o wiele kreatywniejsza. Zapewniam cię.

– To również wiem. – Wyszczerzył do niej zęby w szerokim uśmiechu, kiedy wjeżdżali w otwartą bramę.

Dom zbliżał się coraz bardziej, rósł w oczach. Witały ich oświetlone okna. Wieże i wieżyczki dachu pięły się strzeliście ku nocnemu, czystemu, zimnemu niebu. Ta kwietniowa noc przenikała chłodem.

To nasz dom – myślała – już nie tylko budynek, który postawił, lecz prawdziwy dom. To my razem, we dwoje, uczyliśmy się, jak go uczynić naszym miejscem na ziemi.

– Na początku, kiedy się tu przeprowadziłam, sądziłam, że długo nie wytrzymam. Pamiętasz? „Jezu, co ja sobie wyobrażałem", jęczałeś. Albo zaczynałeś narzekać na pracę, na złe godziny, a ja wtedy zaczynałam ci wtórować i narzekać na niedogodności bycia żoną władcy imperium. A potem wszystko zaczęło się nam rozłazić.

Odwróciła się do męża, kiedy zajechał pod dom, pochyliła ku niemu i ujęła jego twarz obiema dłońmi. Pocałowała go.

– Jak to miło się mylić – powiedziała. – Miewałam takie chwile, kiedy zaczynałam się obawiać, że mnie porzucisz, nie mogąc zaakceptować tego, kim jestem, kim byłam, co uczyniłam. To miło, tak, to bardzo miło się mylić.

Kiedy wysiedli z samochodu, Roarke obszedł go i wziął ją za rękę.

– Mimo wszystko zorientowałem się, że jednak ciebie mam, po kocie.

– Po kocie? Nie rozumiem.

– Przeprowadziłaś się tutaj razem z Galahadem. Pamiętasz? Potraktowałem to jako dobry omen.

– A może po prostu chciałam zrzucić odpowiedzialność za niego na twoje barki?

– Nie! – odrzekł krótko Roarke i wszedł razem z nią do środka.

W holu strząsnęła płaszcz z ramion i rzuciła go na ozdobny słupek poręczy przy schodach, podczas gdy Roarke odwiesił swoje odzienie wierzchnie do szafy. Rozebrawszy się, Eve znieruchomiała na środku przestronnego, cichego westybulu.

– Jakiś problem? – zdziwił się Roarke.

– Chcę tylko sprawdzić, czy Summerset nie pojawi się nagle w polu widzenia.

Mężczyzna wzniósł oczy ku niebu, dobrze obeznany ze zwyczajem naskakiwania przez Eve na jego majordomusa, i zaczął wchodzić po schodach.

– Dałem mu znać, że wrócimy później, a obiad zjemy gdzieś na mieście. Wieczór jest na tyle chłodny, że chyba włączę kominek. Odnoszę wrażenie, że chciałabyś jak najszybciej się zająć tworzeniem mapy i księgi zbrodni.

– O, tak! A co więcej, muszę jeszcze przejrzeć przynajmniej kilka filmików McEnroya. Chcemy zidentyfikować kobiety, dowiedzieć się o nich wszystkiego, a potem po kolei je przesłuchać. Już zleciłam londyńskiej policji przeszukanie jego tamtejszych biur oraz mieszkania. Nadeszły najnowsze kopie nagrywanych przez niego filmów.

Udali się do jej gabinetu. Roarke podszedł do kominka i zaprogramował płomień na niskie grzanie. Kocur, rozciągnięty jak długi na szezlongu Eve, przekręcił się na brzuch i przeciągnął.

– Nie przesłuchiwałaś jeszcze jego partnerów biznesowych?

– Jestem umówiona na jutro.

Galahad łaskawie zeskoczył na podłogę i zbliżywszy się do Eve, otarł o jej nogi. Pochyliła się, aby go podrapać.

– Gdybym to ja zamierzała kogoś zabić, a mieszkała gdzieś indziej, próbowałabym dokonać zabójstwa właśnie w Nowym Jorku w celu zatarcia śladów. Muszę pójść również tym tropem.

– Może pomogę ci to sprawdzić, jak już będziesz z tym gotowa? – Mały oportunista Galahad podszedł teraz do Roarke'a i tak długo kręcił mu się między nogami, aż ten w końcu porządnie go wygłaskał. – Mam teraz parę spraw do załatwienia, ale daj mi znać, kiedy tylko będziesz chciała, żebym ci pomógł.

– Tak zrobię, dzięki.

Kiedy Roarke zniknął w swoim położonym tuż obok gabinecie, Eve zaprogramowała cały dzbanek kawy. Nalała sobie wielki kubek i zabrała się do tworzenia mapy zbrodni.

Popijąc kawę, uzupełniała rozrys o ostatnio otrzymane informacje. Od czasu do czasu zerkała na Galahada, który znów się wyciągnął na jej szezlongu.

– Wiesz co, on miał rację, a to spora niespodzianka – powiedziała do kota. – Wcale nie wrzuciłam mu ciebie na głowę, żeby go dobić. Nic z tych rzeczy. Przywiodłam nas oboje do prawdziwego domu. Ty po prostu szybciej się tu zadomowiłeś.

Kiedy skończyła z mapą i księgą zbrodni, zajęła się plikiem przesłanym z Londynu. Stwierdziła, że jakaś bardzo pomocna policjantka w stopniu detektywa-inspektora dołączyła szczegółowy opis słowny. Zidentyfikowała hotel, w którym McEnroy się zatrzymywał, sporządziła raport z przesłuchań personelu pracującego w klubach, które McEnroy wyszczególnił w swoim notesie. Londyńska wersja znajdowała się również w zamkniętej szufladzie szafki w jego tamtejszym biurze.

Owa policjantka skonfiskowała nielegalne substancje, komputery i inne urządzenia z nośnikami pamięci.

Ten sam schemat działania.

Co więcej, detektyw-inspektor Lavina Smythe przejrzała cały tuzin filmów i przepuściła skopiowane wizerunki kobiet przez program identyfikujący twarze.

Eve otrzymała kompletną listę osób, z którymi należało przeprowadzić rozmowy. Stanowiła ona załącznik do kompleksowo opracowanego raportu. Smythe zakończyła go tak:

> Ponieważ Nigel McEnroy został zamordowany w Nowym Jorku, w chwili obecnej jest prowadzone w jego sprawie pośmiertne postępowanie za posiadanie i stosowanie narkotyków oraz substancji odurzających, za gwałty, wymuszenia i uprowadzenia, które nastąpiły w Londynie. Zorganizujemy przesłuchania osób zamieszanych w opisane wyżej postępowanie, a następnie prześlemy kopie raportów. Rekomenduje się przesyłanie nam do wglądu wszelkich zebranych w tej sprawie informacji.

– Ma to pani jak w banku, pani detektyw-inspektor Smythe – mruknęła pod nosem Eve i natychmiast napisała tekst w tym samym duchu, po czym dołączyła go do swojego raportu i przesłała mejlem do Londynu, a następnie wydrukowała otrzymane zdjęcia identyfikacyjne, które przesłała jej Smythe. Wszystkie kobiety były rudowłose. Umieściła je na mapie w sekcji, którą zatytułowała LONDYN.

Później udała się do gabinetu Roarke'a, który pracował tam na swoim komputerze, wprowadzając jakieś zmiany do dziwacznego schematu.

– Mam dwanaście nazwisk kobiet z Londynu, jeślibyś chciał wiedzieć – powiedziała.

Oderwał wzrok od ekranu i spojrzał na Eve.

– Szybko poszło.

– Londyn odwalił całą robotę. Jest tam pewna pani detektyw-inspektor Smythe. Z tego, co udało mi się odczytać między wierszami, ona patrzy na to tak, jakbym to ja miała ciało podejrzanego, a ona dane wielu kobiet, jego ofiar. Potencjalnie podejrzanych, ale jednak ofiar. Oczekuje, że wymierzony zostanie sprawiedliwy wyrok. Mamy się wymieniać najistotniejszymi informacjami. Mogę mieć tylko nadzieję, że Paryż i pozostałe miasta zaoferują współpracę na równie wysokim poziomie.

– Już prawie skończyłem, więc…
– Więc co możesz mi powiedzieć?
– Naprawdę chcesz wiedzieć? – Uśmiechnął się leciutko.

Popatrzyła na duży monitor naścienny, linie proste, krzywe, mikroskopijne notatki i jakieś liczby.

– Jednak nie.
– No cóż… W takim razie podrzuć mi jakieś dane, a ja będę sprawdzać przepływy informacji.
– Smythe zapewne również to zrobi, ale…
– W Londynie jest właśnie środek nocy, więc będzie miała te informacje najwcześniej jutro rano, kiedy wstanie z łóżka.
– Nie będę się teraz zastanawiać nad głupimi strefami czasowymi. Prześlę ci zdjęcia identyfikacyjne.

Wróciła za biurko, najpierw przesłała zdjęcia, a potem dolała sobie kawy i włączyła kolejne nagranie, znalezione w gabinecie McEnroya.

Tym razem zobaczyła pokój hotelowy, który musiał być wynajęty wcześniej, inaczej nie dałoby się tam ustawić kamery. Jeszcze jedna rudowłosa, co Eve wcale nie zdziwiło; wiek dziewczyny wahał się gdzieś na pograniczu pełnoletności. Cały czas chichotała w drażniąco wysokich tonach. Mówił do niej: Rowan, włączył muzykę i kazał tańczyć.

Eve zastopowała film i najpierw powiększyła twarz dziewczyny, a potem zarządziła głosowo identyfikację twarzy.

„Akcja potwierdzona"– usłyszała.

Przewinęła taniec, a następnie striptiz w poszukiwaniu wnoszącego coś do sprawy dialogu. Zanotowała czas nagrania, kiedy wylał coś ze szklanej fiolki do kieliszka wina, a potem podał go dziewczynie.

Gdy wypiła do dna, skończyły się radosne chichoty. Zaczęły się rozpaczliwe jęki i próba obrony przed atakiem mężczyzny. Eve przełączyła obraz na dzielony na pół ekran, kiedy rzucił dziewczynę na łóżko i położył się na niej.

Na drugiej części ekranu pokazała się młoda, ładna twarz Rowan Rosenburg, wiek: dwadzieścia jeden lat. Przeliczyła, że musiał ją zgwałcić dwa tygodnie po jej dwudziestych pierwszych urodzinach. Studentka szkoły muzycznej Juilliard w Nowym Jorku – zanotowała Eve. Mieszka w Nowym Jorku od dwóch lat. Pochodzi z Vermont.

Przejrzała nagranie do końca i włączyła głos, kiedy McEnroy kazał Rowan się ubrać i zmykać jak grzecznej dziewczynce. Wyglądała na zużytą i wyplutą, ale wbiła się posłusznie w błyszczącą wieczorową sukienkę. Kiwała głową, mając wciąż przymglone oczy, kiedy wyjaśniał jej, którędy iść – daleko od hotelu, jak zauważyła Eve – i jak dojechać metrem z powrotem do klubu.

Kiedy wyszła, McEnroy od razu wziął do ręki komórkę.

– Wiadomość dla Geeny. Cześć, kochanie! Za chwilę spróbuję się wymknąć z tego nudnego spotkania. Powinienem dotrzeć do domu za mniej więcej godzinę.

Może zrobimy małe spustoszenie w kuchni? Przekąsimy coś o północy. Jestem głodny jak wilk. Do zobaczenia wkrótce.

Odłożył telefon i popatrzył z krzywym uśmieszkiem w stronę kamery.

– Kamera stop! – zarządził.

Eve puściła następny film.

Zanim Roarke wszedł ponownie do jej gabinetu, zdążyła przejrzeć sześć nagrań. Zidentyfikowała wszystkie ofiary.

Rzucił tylko okiem na jej twarz i bez słowa podszedł do barku z winami.

– Ja pracuję – powiedziała.

Nic nie odrzekł. Milcząc, odkorkował butelkę i nalał dwa kieliszki.

– Ile ci jeszcze zostało do obejrzenia? – spytał.

– O wiele za dużo.

Postawił kieliszek na jej blacie roboczym.

– Mam dla ciebie te dane – powiedział. – Może dałabyś mi trochę filmów do przejrzenia. Wykonałbym identyfikację ofiar i co tam jeszcze potrzeba.

– Nie mogę. To byłoby nie w porządku. – Poddała się jednak i wzięła kieliszek. – Nie wolno mi udostępniać tego rodzaju nagrań osobom prywatnym, nawet tobie. Te kobiety… To byłoby naruszenie ich prywatności, choć prawdę rzekłszy, i tak już jest po ptakach. Mimo wszystko uważam, że nie byłoby to w porządku.

Skinął głową i przyjrzał się ciekawie jej mapie zbrodni.

– W czym ci mogę pomóc? – spytał.

– On je upokarzał. – Upiła długi łyk wina. – Pełną satysfakcję dawało mu nie seksualne zaspokajanie się w obrzydliwy sposób, ale głównie to, że mógł je przy tym upokarzać.

– Masz oczywiście rację. Gdyby chodziło mu tylko o seks, mógł wynająć i zapewne wynająłby profesjonalistkę. Zamówić licencjonowaną panienkę do towarzystwa, która spełniałaby wszystkie jego wymagania. W tym wypadku jednakże działaliby na równych prawach, bo jest to jednak rodzaj partnerstwa. – Odwrócił się do żony. – W czym mogę ci pomóc?

– Mógłbyś wziąć te sześć, które już zidentyfikowałam, i sprawdzić je. Zweryfikuj podróże, zatrudnienie, czy mieszkały same, czy miały współmałżonka lub partnera czy partnerkę. Potem sprawdź je od innej strony: czy leczyły się z powodu urazów fizycznych czy psychicznych po dniu, w którym je zaatakował. Bo przecież to były ataki, do cholery!

– Owszem, zgadzam się z tobą.

– Zabójczyni musiała z kimś współdziałać... – mamrotała Eve. – Cholera!... To niemożliwe, żeby samotna kobieta sobie sama poradziła z wyciągnięciem ciała z bagażnika. Przywiozła go samochodem, lecz kto siedział za kierownicą? Czy mogła wszystko zawierzyć zautomatyzowanym systemom? Przywiozła go pod jego rezydencję i porzuciła na środku chodnika. Robiła to wszystko sama? Jakoś tego nie kupuję. Z kim była aż tak blisko? Z inną ofiarą McEnroya? Z siostrą? mężem? ojcem? bratem? Na pewno z kimś, do kogo miała pełne zaufanie.

– Będę to miał na względzie, kiedy się do nich zabiorę. Prześlij mi dane.

– Roarke... – Westchnęła ciężko, gdy zdała sobie

sprawę, że nie pamięta, co chciała mu powiedzieć. – Doceniam i dziękuję za pomoc.

Odstawiła kieliszek z winem i włączyła kolejny film.

*

Kiedy Eve ciężko pracowała, równie zajęta była Lady Justice.

Na pierwszy ogień poszedł cudzołożnik – myślała, sprawdzając powtórnie w lustrze swe odbicie. Tym razem wybrała perukę z krótkimi, nastroszonymi włosami w kolorze miodowego blondu z szafirowoniebieskimi pasmami. Do oczu dobrała szafirowoniebieskie soczewki. Ten sam kolor miała opinająca ją elastyczna bluzeczka, sięgająca pępka. Dużo czasu – naprawdę dużo czasu – zajęło jej zabarwienie skóry na kolor kawy z odrobiną mleka, *mocha riche*. Do górnych zębów dokleiła nakładkę, która dawała efekt lekkiego przodozgryzu. Usta powiększyła specjalnym żelem, a potem pomalowała je krwistoczerwoną szminką. Na stopy włożyła sandałki na grubej podeszwie i wysokich szpilach, cienkich jak ostrze skalpela.

Thaddeus – pomyślała – lubi wysokie kobiety.

Musiała zrobić pauzę, przysiąść na chwilę, gdyż nawet wspomnienie jego imienia doprowadzało ją do furii. Kiedy się uspokoiła, poleciła swojemu droidowi przyprowadzić samochód. Zanim wyszła, sprawdziła jeszcze na monitorze, co robi jej ukochana babcia.

Smacznie śpi. Dyżuruje przy niej pielęgniarka-droidka.

Włamanie się do telefonu Thaddeusa Pettigrewa okazało się bułką z masłem. Jedyne, co stało na przeszkodzie, to nagła zmiana jego planów. Dziwka, z którą mieszkał, wyjechała dzień wcześniej, więc cudzołożnik zamówił inną panienkę na dzisiejszy wieczór, a nie na jutrzejszy, jak to planował.

Zmiana własnych planów nie sprawiła jej żadnych trudności. Bez problemu również odwołała zamówioną na wieczór kurwę i sama zajęła jej miejsce.

Może i trzęsły się jej nieco ręce na kierownicy, gdy do niego jechała, ale nie mogła zawieść. Czy już nie udowodniła, że daje radę?

Zatrzymała się przed wejściem do domu. Thaddeus, trzymający się ściśle swoich przyzwyczajeń, wyłączył wszystkie kamery zewnętrzne, tak na wszelki wypadek, gdyby dziwce, z którą mieszkał na co dzień, zachciało się nagle sprawdzać nagrania z monitoringu.

Wścibscy sąsiedzi zobaczą to, co ona chciała, żeby zobaczyli.

– Dobry wieczór, Thaddeusie! – Zniżyła ton głosu tak, by przypominał chrzęszczący żwirem pomruk. – Jestem Angelique.

Wyciągnęła do niego rękę, a kiedy ją ujął, cały w lansadach – och, jak czarująco! – wpompowała narkotyk w jego dłoń z ministrzykawki ukrytej w swojej dłoni.

– Wejdź, proszę!

– Weszłabym z największą przyjemnością, lecz... – obserwowała jego wiotczejącą twarz – ...tam czeka na nas samochód. Chodź ze mną! Zaplanowałam wieczór pełen niesamowitych atrakcji.

– Ja z tobą – powtórzył automatycznie.

– Zamknij drzwi, Thaddeusie.

Wykonał posłusznie polecenie i podreptał za nią do samochodu. Już w środku, gdy droid siedział za kierownicą, wioząc ich z powrotem w stronę centrum, podała Thaddeusowi kieliszek wina z wmieszanym narkotykiem.

– Wypij do dna! – rozkazała. – To twoje ulubione czerwone.

– Dziękuję, ale trochę dziwnie się czuję.

– Wino na pewno dobrze ci zrobi. – Podstawiła mu kieliszek do ust i przechyliła.

Kiedy powieki mu opadły, nie zdołała się powstrzymać: przyciągnęła go do siebie i zaczęła całować w usta. Wygięła się z rozkoszy, gdy resztką sił gładził jej piersi.

W końcu utuliła mężczyznę w ramionach, kiedy narkotyk całkowicie go obezwładnił.

8

Roarke chciał powiedzieć Eve, że powinna się przespać, ale w końcu dał spokój. Stwierdził, że będzie lepiej, jeśli sama opadnie z sił przy tej pracy, i być może wówczas sen – gdy już nadejdzie – będzie spokojniejszy.

Sprawdził kobiety, których nazwiska mu wcześniej przesłała. Dokładnie przestudiował ich życiorysy, zastanawiał się, czy któraś z nich mogłaby dokonać morderstwa.

Studentki, kobiety biznesu, szefowe, asystentki, specjalistki z różnych dziedzin.

Niektóre zamężne, niektóre nie. Część zamieszkiwała na stałe w mieście, inne były przyjezdne.

Rowan Rosenburg, dwudziestojednolatka, najmłodsza z nich, i Emilie Groman, trzydziestosześcioletnia – najstarsza.

Jak do tej pory – dodał w myślach.

Eve podesłała mu cztery następne, a kiedy z nimi skończył, wstał, żeby sprawdzić, jak ona się czuje.

Siedziała przed swoim ogromnym biurkiem z kotem na kolanach, wpatrując się w mapę zbrodni.

– Zrobiłam sobie przerwę – powiedziała. – Na ostatnim filmiku, który obejrzałam, kobieta zaczęła przytomnieć, kiedy z nią kończył. Rozpłakała się, więc znów jej podał narkotyk. Wlał jej go do gardła na siłę. Potem ją ubrał i nawijał cały czas, że bawiła się cudownie, lecz impreza dobiegła końca i musi wracać do domu. Powiedział jej wreszcie, gdzie ma złapać taksówkę. Nie mam pojęcia, jak od niego wyszła, bo ledwo się trzymała na nogach, a on wyłączył wcześniej kamerę.

– Cecily Freeman?

– Tak.

– Pracuje w branży IT. Z tego, co wykopałem, wiem, że była rekrutowana poprzez Perfect Placement na stanowisko w sieci hoteli Windsor szesnaście miesięcy temu. Krótko po objęciu tej funkcji zapisała się na terapię. Ma dwadzieścia pięć lat i jest lesbijką.

– Wszystkie kobiety są dla niego tylko obiektami cielesnymi, których wolę należy złamać, istotami, które należy wykorzystać i upokorzyć. Więcej nie jestem w stanie dzisiaj przyswoić.

– No i dobrze. Potrzebujesz snu.

– Freeman... – Zrzuciła kota z kolan i wstała. – Zaczynała już z tego wychodzić, poszła na terapię. Mogła pamiętać więcej niż pozostałe ofiary McEnroya. A za to, co zapamiętała, mogła chcieć zapłaty.

– To możliwe. – Roarke tak nią pokierował, że doszli do windy. – Ma sto sześćdziesiąt trzy centymetry wzrostu i waży nieco ponad pięćdziesiąt kilo. Na pewno potrzebowałaby kogoś do pomocy. – Ucałował ją w czubek głowy. – A może jednak wypilibyśmy coś na uspokojenie? – zaproponował, kiedy weszli do sypialni.

Kot wpadł do pokoju tuż za nimi i jednym długim susem umieścił swe puchate ciałko na ich łóżku.

– Myślałam właśnie o jakimś środku uspokajającym... – odwróciła się do męża, wtulając w jego objęcia – ...lecz nie tego rodzaju.

– Najdroższa Eve! Jesteś wykończona. – Otoczył ją ramionami.

– Niedawno miałam kryzys. Ale teraz? Muszę jednak to poczuć... muszę sobie przypomnieć, czym może być seks. Czym powinien być, jeśli dwie osoby coś dla siebie znaczą. Muszę ci to okazać. – Musnęła jego usta swoimi ustami. – A ty musisz to okazać mnie.

Ucałował jej skroń, po czym zaprogramował przytłumienie świateł i rozpalenie ognia w kominku. W miękkim świetle pełgających płomieni odsunął się z wolna nieco do tyłu i nie odrywając wzroku od oczu Eve, zaczął jej odpinać szelki taktyczne z bronią.

Moglibyśmy nawzajem uleczyć swoje dolegliwości – pomyślał, odkładając szelki na bok.

Potrzebował takiego podarunku tak samo jak i ona.

Zdjął marynarkę i krawat już wcześniej, w swoim gabinecie, teraz zaczęli sobie nawzajem rozpinać guziki koszul. Gdy ześlizgnęły się na podłogę, skierował ją w stronę łóżka, a potem posadził łagodnie i zdjął buty.

Wyciągnęła do niego ręce i przygarnęła do siebie, a wtedy kot wydał niezadowolony pomruk, przepełzł bliżej brzegu łóżka i zeskoczył na podłogę.

Roześmiała się, widząc to, i wtuliła w Roarke'a jeszcze mocniej. Ich usta się spotkały.

Najpierw powoli i delikatnie, potem coraz bardziej i bardziej się zatracając, obdarzając się nawzajem czułością, gdy pocałunek zaczął się pogłębiać.

Poddała się mu całkowicie. Przeszło jej jeszcze przez myśl, jak udało się jej przeżyć te wszystkie trudne, czarne dni bez niego u boku. Mając to: ramiona, które zawsze ją obejmą i utulą, serce, które bije tuż przy jej sercu – czuła się tak, jakby świeciło dla niej ciepłe, trwałe i stałe światło, światło, dzięki któremu zawsze odnajdzie drogę w ciemnościach lub gdy nadejdą cięższe czasy.

Położyła dłoń na jego sercu, myśląc: to, to, właśnie to! Wiedziała, że oddał jej swoje serce. To, że oddawał je na nowo każdego dnia, zmieniało cały świat wokół.

Zatopili się oboje w pocałunkach. Eve przeciągnęła palcami po jego twarzy, wdychała jego zapach.

Właśnie to – pomyślała ponownie – właśnie to jest czymś, co ma znaczenie. To trzyma przy życiu. To lśni ciepłym blaskiem.

Wkrótce zapomnieli o wszelkich obrzydliwościach świata.

Ogień przyjemnie trzaskał w kominku, łóżko westchnęło. Ściągnął jej przez głowę kuloodporny podkoszulek taktyczny i zaczął błądzić dłońmi po jej smukłym ciele, po subtelnych krągłościach.

Przesunął ustami po mocnej linii szczęki, po niewielkim dołeczku w brodzie i dalej w dół, wzdłuż linii szyi aż do miejsca, w którym bił jej puls.

Wiedział, gdzie dotykać i jak dotykać, ażeby ten puls przyspieszył, wzmocnił się. Kiedy tak się stało, gdy jej palce przeczesywały włosy na jego głowie, zaczął błądzić ustami po piersiach, obsypując je pocałunkami delikatnymi jak szept.

Zdawało jej się, że jest w półśnie; wymówiła cicho jego imię. Dryfowała miękko na falach czułości, którą ją obdarowywał, sama równie czule gładząc dłońmi jego nagie ciało.

Z wolna budowali pragnienie, drobnymi gestami dokładając kolejne subtelne warstwy pożądania. Kiedy drgnął, a ich spojrzenia się spotkały, Eve przysunęła się ku niemu. Ujęła jego twarz w obie dłonie, a wtedy on delikatnie się w nią wsunął.

Uczucie radości – tak proste, tak pierwotne – przepłynęło przez nią jak rzeka ogrzana w promieniach słońca.

Pochylił swoje usta ku jej ustom; palce ich rąk się splotły. Zatracony w niej bez reszty, szeptał po irlandzku słowa, które płynęły wprost z jego serca w strumieniu radości.

Nawet kiedy opadli miękko na łóżko, nie rozluźnili chwytu.

Wtedy pokazał jej, jak to się robi, a ona pokazywała to jemu.

Nieco później, gdy zwinęła się w kłębek obok niego razem z kotem – wkurzoną kulką futra – usadowionym w dole jej pleców, Roarke poczuł, jak zapada w sen.

– A teraz, *a ghrá* – szepnął – tylko spokojnych snów dzisiaj!

*

Kiedy Eve pogrążała się we śnie, Lady Justice czekała właśnie, aż ucichnie kolejny krzyk. Nie chciała się spieszyć.

Wstała, rozstawiła nogi, jedną rękę wsparła na biodrze, drugą uruchamiała ładowanie elektrycznego poskramiacza. Jej oczy gorzały pod maską.

– No i co, nie jesteś takim znów wielkim facetem teraz, co, Thaddeusie?

Trząsł się cały, z ust ciekła mu krew zmieszana ze śliną, sącząca się z przegryzionego języka. Uniósł głowę.

– Dlaczego to robisz? – jęknął. – Dlaczego?

– Dlaczego? Niech no pomyślę… – Postukiwała palcem w policzek, trzymając głowę przekrzywioną na bok. – Bo mogę. Bo na to zasłużyłeś!

Zdzieliła go poskramiaczem po brzuchu i obserwowała atak konwulsji, który nastąpił potem, obserwowała, jak jego nagie ciało szarpie się i kołysze bezwładnie, zwieszając się na łańcuchach.

– Musiałeś się nieźle namęczyć, Thaddeusie, żeby wypracować sobie taki kaloryferek na brzuchu, hę? Musiałeś zadbać o sylwetkę, chcąc dmuchać wszystkie te dziwki, co?

Po twarzy spływały mu strumyki krwi, zlewając się z potem, po nogach ściekał mocz.

– Błagam! Przestań! Proszę! Zapłacę ci, dam, cokolwiek zechcesz. Mam pieniądze. Mam mnóstwo pieniędzy. Mogę…

– Doprawdy? – Wściekłość wybuchła w niej jak nagły ogień od pioruna. – Skąd wziąłeś te swoje pieniądze, ty kłamliwy cudzołożniku, ty złodziejska kanalio!!! – darła się wniebogłosy, ze wszystkich sił batożąc jego ciało raz za razem elektrycznym poskramiaczem, aż krzyki, wyrywające się z jego piersi, przeszły w nieludzkie wycie, a w końcu w charczące pojękiwania.

Musiała odejść na chwilę na bok, żeby ochłonąć. To nie miało być uczynione w ataku złości, w napadzie szału – napomniała się – lecz na chłodno: sprawiedliwość wymierzona z zimną krwią.

– Wyznaj wszystko! Przyznaj, że jesteś nic niewartym ścierwem! Przyznaj, że jesteś kłamcą. Niewiernym mężem. Przyznaj, że zdradzałeś i okradłeś żonę, kobietę, która cię kochała i miała do ciebie pełne zaufanie.

Przyznaj, że nawet teraz chciałeś zdradzić dziwkę, którą wziąłeś sobie do łóżka, nie zważając na więzy małżeńskie. – Chwyciła go za włosy i mocnym szarpnięciem uniosła głowę do góry. – Przyznaj się do tego wszystkiego, a przestanę. Puszczę cię wolno.

– Przyznaję się do wszystkiego – wyszeptał zrezygnowany. Jego głowa opadła na bok, więc smagnęła go poskramiaczem leciutko, nieomal pieszczotliwie.

– Powiedz to! Przyznaj się!

– Przyznaję się.

– Do czego się przyznajesz, Thaddeusie? Wyartykułuj to w końcu! Słowo po słowie!

– Ja... Powtórz, co mam powiedzieć. Błagam! Zrobię, cokolwiek zechcesz!

– Powiedz, że jesteś bezwartościowym gnojem.

– Jestem bezwartościowym gnojem.

Głowa znowu opadła mu na bok, więc musiała go ponownie zdzielić poskramiaczem w policzek. Jego krzyk przeciął powietrze jak szpony jastrzębia ciało ofiary.

Wcale jej to nie ruszyło.

– Powiedz, że jesteś niewiernym skurwysynem.

– Jestem niewiernym skurwysynem.

Słowa, ledwo słyszalne, zniekształcone, usatysfakcjonowały ją.

– Kłamcą.

– Tak, tak. I kłamcą. – Mocno się rozkaszlał. Z trudem łapał powietrze. – Pić! Błagam! Pić! Daj mi wody! Błagam! Miej litość!

– Złodziej. Mów! Ale już! – wykrzykiwała w euforii. – Jesteś złodziejem. Zdradzającym, kłamliwym złodziejem, który okradł żonę, żeby żyć teraz za jej pieniądze z dziwką!

– O… okra… dłem własną żonę – wystękał ostatkiem sił.

– Zdradzałeś ją, okłamywałeś, okradłeś, porzuciłeś ją, jakby była nic niewarta. Powtórz!

Z wysiłkiem wyszeptał to, co mu kazała.

Ponownie odeszła na bok, pozostawiając go podwieszonego za ręce do sufitu, półprzytomnego, ledwie żywego. Wróciła z wiadrem i nożem.

– A teraz wypowiedz jej imię. Imię kobiety, którą zdradziłeś.

– Darla – wymamrotał. Otworzył zapuchnięte oczy. – Proszę, wypuść mnie teraz. Powiedziałaś, że pozwolisz mi odejść.

– Ja mówiłam coś takiego? Ja? Powiedz jeszcze raz, jak mam na imię! Głośno i wyraźnie poproszę!

– Darla.

– Popatrz no teraz na mnie! – Uśmiechała się do niego z politowaniem. – Patrz mi w oczy! Wiesz co, Thaddeusie? Skłamałam.

Ujęła w dłoń nóż.

*

Komunikator policyjny Eve wyrwał ją ze snu. Gdy szukała go dłonią po omacku, Roarke zadysponował włączenie oświetlenia pokoju z mocą dziesięciu procent.

– Blokuję transmisję wideo. Melduje się Dallas.

> Wiadomość dla porucznik Dallas Eve. Okaleczone ciało mężczyzny znalezione przy ulicy Vandam numer dwadzieścia sześć. Możliwe powiązania z poprzednim morderstwem. Funkcjonariusze policji już są na miejscu.

– Potwierdzam odbiór! Ruszam w drogę. Proszę się skontaktować z detektyw Peabody Delią. Bez odbioru.

– Kurwa! Kurwa! Kurwa! – Wyskoczyła z łóżka.

Kiedy kot żałośnie miauczał, ona pobiegła do łazienki i wzięła szybki prysznic. Trzydzieści sekund później znalazła się z powrotem w pokoju. Roarke wcisnął jej w rękę kubek z kawą, a sam zamknął się w łazience.

– Pojadę z tobą! – poinformował żonę.

– Nie ma takiej potrzeby, żebyś...

– Jadę z tobą.

Zamiast wdawać się w sprzeczkę, weszła do kabiny osuszacza do ciała i stojąc w podmuchach ciepłego powietrza, dużymi łykami popijała kawę.

Następnie szybkim krokiem ruszyła do garderoby i na łapu-capu dobrała strój. Wszystko czarne, żeby nie tracić czasu na zastanawianie się.

Kiedy dopinała paski szelek taktycznych, Roarke wsuwał już pasek w szlufki. Wyglądał bardzo elegancko w czarnych spodniach i stalowoszarym swetrze.

– Ja będę prowadził, a ty sprawdź, kto mieszka przy Vandam dwadzieścia sześć.

Teraz również nie zaprotestowała. Kiedy wychodzili z pokoju, Galahad obrzucił ich znudzonym spojrzeniem swoich dwukolorowych oczu, ziewnął, po czym obrócił się na drugi bok i zapadł z powrotem w sen.

Eve zbiegła na dół, złapała w locie płaszcz i od razu rozpoczęła wyszukiwanie informacji.

– Pod tym adresem mieści się jednorodzinna rezydencja Thaddeusa Pettigrewa oraz Marcelli Horowitz. Skoro zostało tam podrzucone ciało mężczyzny, zapewne należy do zamieszkałego tam rzeczonego Thaddeusa Pettigrewa. Jest właścicielem domu.

Roarke zdążył już zdalnie zaordynować wyprowadzenie z garażu i podstawienie samochodu przed wejście do domu, więc kiedy stanęli w progu, pojazd wolno dotoczył się do schodów i stanął. Wyszli w ciemność i przejmujący chłód.

On usiadł za kółkiem i od razu zaprogramował dwie czarne kawy we wbudowanym w deskę rozdzielczą AutoChefie. Gdy ruszył w stronę bramy, Eve już wlewała w siebie kolejną kawę. Nie chciało mu się czekać, aż brama się rozsunie, więc zarządził przelot górą.

– Sprawdzam, czy mogę znaleźć jakieś wspólne punkty zaczepienia, czy to osobiste, czy biznesowe, z McEnroyem. Tak czy inaczej, czy znajdę coś, czy nie, zabiła dwie osoby w dwa dni. To była doprawdy szybka robota. Bardzo szybka robota.

– Okaleczone zwłoki mężczyzny, podrzucone pod drzwi jego rezydencji? Już widzę podobieństwa.

– Hmm... No tak. Mam tutaj jakiegoś Pettigrewa, zatrudnionego w londyńskim oddziale firmy McEnroya, ale nosi imię Mirium i nie ma żadnych koneksji z Thaddeusem. Denat był prawnikiem, współwłaścicielem w kancelarii Moses, Berkshire, Logan & Pettigrew. Wygląda na to, że specjalizował się w finansach, prawie rzeczowym, sprawach dotyczących własności nieruchomości i tym podobnych. Rozwiedziony, bezdzietny. Jego była mieszka w dzielnicy Upper East. – Eve kontynuowała przeszukiwanie baz danych. – Może nie nosić nazwiska Pettigrew.

– Podobieństwa są – powtórzył Roarke.

– Słuchaj dalej: Vandam. Spokojna okolica zamieszkana przez wyższą klasę średnią. Pettigrewa stać było na dom w takiej dzielnicy, bo zgarnął niezłą prowizję w swojej firmie adwokackiej, kiedy mieli dobry rok. A nieoczekiwany przypływ gotówki zbiegł się z rozwodem. Czyżby dostał sporą sumkę w rozliczeniu z żoną? Piętnaście i sześć dziesiątych miliona dolarów piechotą nie chodzi.

Dała sobie chwilowo spokój z dalszym przeszukiwaniem internetu. Lepiej znaleźć się na miejscu zbrodni bez żadnych teorii spiskowych czy wstępnie wyrobionego zdania, które by skłaniało ku któremuś z możliwych wyjaśnień.

Od razu, gdy tylko Roarke zaparkował za policyjnym radiowozem, Eve spostrzegła, że dzielnicowi zdążyli już ogrodzić miejsce zbrodni. Wysiadając, zauważyła wychodzących zza rogu Peabody i McNaba. Szli szybko w jej stronę, głośno stukając obcasami.

Uniosła swoją odznakę i przeszła pod taśmą, wykonując głęboki skłon.

– Moja partnerka oraz detektyw z wydziału techniki operacyjnej EDD – powiedziała, wskazując na zbliżającą się parę. Sama zajęła się oględzinami ciała. – Proszę o złożenie raportu – zwróciła się do policjanta.

– Na telefon alarmowy dziewięćset jedenaście zadzwoniono o trzeciej czterdzieści trzy nad ranem, pani porucznik. Byliśmy na miejscu o trzeciej czterdzieści pięć. Moja partnerka właśnie odprowadza do domu tego mężczyznę, który zadzwonił na policję. Przechodził tędy, wyprowadzając psa na spacer, i natknął się na ciało. Zabezpieczyliśmy miejsce odnalezienia ciała oraz zatrzymaliśmy świadka, dzwoniliśmy też i pukaliśmy do drzwi tego budynku, ale bezskutecznie. Świadek po-

187

wiedział, że denat może być jego mieszkańcem, lecz stuprocentowej pewności nie ma. Nazywa się Preston Di-Silva. Ten, który znalazł zwłoki.

– Peabody! – Eve zwróciła się do swojej partnerki, która do nich podeszła. – Przejmiesz tego dzwoniącego na dziewięćset jedenaście.

– Świadek jest obecnie z funkcjonariuszką Markey, pani detektyw – poinformował Peabody dzielnicowy. – Jego szczeniak był strasznie nakręcony i przeszkadzał, więc Markey poszła z nimi pod adres Vandam numer dwadzieścia dwa.

– Rozumiem. – Peabody spojrzała w dół na ciało, a potem z powrotem na Eve. – Dwóch za dwie.

Pewnie tak – pomyślała Eve i wzięła do ręki walizeczkę oględzinową, którą podał jej Roarke. Kucnęła przy denacie i zaczęła od jego identyfikacji. Tu bez zaskoczenia – rozważała dalej i zaczęła mówić na głos:

– Ofiara została zidentyfikowana jako Pettigrew Thaddeus, zamieszkały w Nowym Jorku pod adresem Vandam numer dwadzieścia sześć. McNab, Roarke! Wy zajmiecie się domem. Przeszukajcie go. Sprawdźcie nagrania z kamer monitoringu wokół domu. Mieszkał z kobietą. Horowitz Marcella. Jeśli jest w środku, zatrzymajcie ją tam. Dajcie mi tylko znać, czy jest i czy wszystko z nią w porządku.

Dopiero gdy odeszli, Eve zajęła się szczegółowymi oględzinami nieboszczyka.

– Na ciele widocznych jest wiele poważnych ran spowodowanych przypalaniem skóry, pręg, rozcięć, ran szarpanych oraz obrażeń innego rodzaju. Rany na nadgarstkach sugerują użycie kajdanków. Obie kości ramienia uległy przemieszczeniu. Są wykręcone z panewek stawów barkowych. Narzędzie tortur do potwierdzenia przez lekarza sądowego. Przypuszczalna przyczyna śmierci: utrata krwi spowodowana odcięciem genitaliów. – Eve przerwała na chwilę. – W porównaniu z metodami zastosowanymi w przypadku McEnroya widoczna eskalacja okrucieństwa, aczkolwiek sposób zadawania ran wykazuje również podobieństwo. Tak jak w przypadku McEnroya do ciała została przytwierdzona kartka z wierszem.

Wszystko posiadł, lecz coraz więcej chciał,
Więc zdradzał dziwkę po dziwie.
Lubieżny, kłamliwy dziad, żył zachłannie i chciwie.
Pieniądze, seks i władza – takie kredo miał.
W końcu osądziłeś go Boże
I teraz siebie tylko winić może.
Lady Justice

Eve wyjęła torebkę ewidencyjną z zestawu oględzinowego, odczepiła kartkę z wierszem i wrzuciła ją do środka, zabezpieczając dowód.

McNab wybiegł z domu w swoich aerobutach z wzorkiem w kratkę.

– Dom jest czysty, pani porucznik – zameldował. – Nikogo nie ma w środku, ale wygląda na to, że ktoś tu oczekiwał czyjejś wizyty w sypialni głównej. Pali się w kominku, narzuta jest zdjęta z łóżka, poza tym odkorkowana butelka wina, dwa kieliszki, no i... kilka zabawek erotycznych ułożonych w rządku przy łóżku.

– Masz dłonie zabezpieczone gumą w płynie?

– Jasne.
– Pomóż mi go obrócić.

Podszedłszy do ciała, McNab wrócił do raportowania zastanej w domu sytuacji.

– Jest tam też droid domowy, ale zdezaktywowano go około dziewiętnastej. Kamery monitoringu zostały wyłączone godzinę później. Roarke właśnie przegląda nagrania, lecz od dwudziestej na żadnej z nich nic nie ma. Jezu! – jęknął, kiedy obrócili ciało twarzą do dołu. – Ktoś był na niego nieźle wkurzony.

– Wyżywała się na nim jeszcze bardziej niż na McEnroyu. Spaliła mu odbyt, wpychając tam poskramiacz. Z pierwszą ofiarą nie posunęła się aż tak daleko. Teraz nie robiła przerw między kolejnymi atakami. Widoczna poważna eskalacja przemocy. – Eve podniosła walizeczkę z zestawem oględzinowym i przestawiła bliżej swoich stóp. – Zaczekaj na Peabody. Mógłbyś? Zanim wróci, wezwij ekipę czyścicieli z furgonetką. Chcę jeszcze rzucić okiem na wnętrze domu ofiary.

– Centralka monitoringu znajduje się na parterze na tyłach domu, za kuchnią. Stacja dokująca droidów również.

Eve skinęła tylko głową i ruszyła w stronę domu.

Miłe miejsce – pomyślała – ładnie utrzymany, trzykondygnacyjny budynek z elewacją z czerwonego piaskowca. Ochrona i wszelkie zabezpieczenia najwyższej klasy.

Żadnych śladów włamania.

I żadnych śladów stosowania przemocy w holu wejściowym. Dalej widoczny długi, wąski korytarz. Po lewej od wejścia lekko wyglądająca konsolka ze smukłym wazonem, pełnym świeżych kwiatów.

– Denat był bardzo dobrze zbudowanym mężczyzną – powiedziała do dyktafonu. – Gdyby ktoś jego wzrostu i o takiej masie ciała został zaatakowany w holu i próbował walczyć, z pewnością zostałyby tu jakieś ślady.

Poszła dalej korytarzem z pokojami po prawej i lewej. Spostrzegła elegancki pokój dzienny po prawej z wieloma śladami kobiecej ręki – tak przynajmniej według niej to wyglądało. Mnóstwo poduszek, bukiety świeżych kwiatów, pochłaniacze kurzu. Duży telewizor na ścianie w pokoju po lewej oraz wbudowany barek sugerowały męskiego lokatora wnętrza.

– Żadnych śladów zmagań czy walki wręcz, żadnych śladów kradzieży. – Eve nagrywała swoje spostrzeżenia.

Dalej elegancko urządzona jadalnia i mała bawialnia, która nie wyglądała na to, żeby ktokolwiek często zabawiał tutaj kogoś rozmową.

W kuchni sterylnie czystej i białej z wieloma lśniącymi dodatkami ze stali nierdzewnej – co przywiodło Eve na myśl laboratorium – stał Roarke wpatrzony w droida, przypominającego wyglądem ich Summerseta: srebrnosiwe włosy, koścista twarz, czarny frak.

Roarke przeniósł wzrok na Eve.

– Sprawdzam, czy ktoś przy nim majstrował, ale nie wygląda na to. Mogę go uruchomić, jeślibyś chciała.

– Chcę.

Uruchomił robota manualnie. Źrenice ciemnych oczu zalśniły światłem stanowiącym namiastkę życia.

– Proszę zeskanować odznakę – poleciła Eve droidowi. – To policyjne śledztwo.

– Domagam się przedstawienia nakazu przeszukania, który daje wam dostęp do domu – wyrecytował humanoid.

– Nie jest potrzebny. Nie w przypadku, gdy zwłoki właściciela Thaddeusa Pettigrewa leżą przed wejściem.

– Rozumiem. Nieszczęśliwy wypadek.

– Taa... Założę się, że gdyby żył, przyznałby nam rację. Kiedy ostatnio widziałeś pana Pettigrewa lub z nim rozmawiałeś?

– Pan Pettigrew wyłączył moje usługi o dziewiętnastej trzynaście zeszłego wieczoru.

– Czy zwykle tak robi?

– Nie jest to nic nadzwyczajnego. Pan Pettigrew zjadł lekką kolację. Zasiadł do posiłku o osiemnastej dwadzieścia pięć, a zakończył o osiemnastej pięćdziesiąt osiem. Przykazał mi się zdezaktywować zaraz po zakończeniu sprzątania kuchni i jadalni.

– Czy był sam?

– Tak.

– Gdzie jest Marcella Horowitz?

– Panna Horowitz opuściła dom wczoraj rano o godzinie dziesiątej osiemnaście. Udała się na trzydniowy wyjazd w towarzystwie swojej matki, siostry i przyjaciółki do ośrodka spa Water's Edge Resort w Hilton Head.

– Czy wyjazd był wcześniej zaplanowany?

– Początkowo wyjazd był planowany na dzisiejszy poranek, ale okazało się, że można dodatkowo wykupić jeszcze jeden dzień, więc pojechały już wczoraj.

– Potrzebny mi numer jej telefonu. – Po otrzymaniu go dalej przepytywała droida. – Czyjej wizyty oczekiwał wczorajszego wieczoru pan Pettigrew?

– Nie zostałem uprzedzony o jakichkolwiek planowanych wizytach w domu pana Pettigrewa ani na wczorajszy wieczór, ani na dzisiejszy.

– Dlaczego kamery monitoringu są wyłączone?
– Nie mam takich informacji.

Droidy bywają pomocne – pomyślała Eve, ale czasami są cholernie wkurzające przez tę swoją dokładność.

– Czy pan Pettigrew przyjmował w swoim domu inne kobiety, kiedy panna Horowitz wyjeżdżała z miasta?

– Nie mam takich informacji.

– Czy zanosiłeś do sypialni butelkę wina i dwa kieliszki, zanim zdezaktywowałeś swoje usługi?

– Nie.

Ta rozmowa do niczego nie prowadzi – doszła do wniosku Eve i zarządziła:

– Możesz się wyłączyć.

– Przejrzałem wcześniejsze dostępne nagrania z kamer monitoringu – powiedział Roarke, kiedy droid zamarł w bezruchu. – Mam tu Pettigrewa, który przyjeżdża do domu o siedemnastej dwadzieścia. Jest sam. Ponadto żadnej aktywności: nikt nie wszedł, nikt nie wyszedł z domu od chwili, kiedy kobieta, zapewne pani Horowitz, opuściła dom w dniu wczorajszym o godzinie dziesiątej rano. Droid wyszedł razem z nią, niosąc walizkę. Wrócił chwilę później z pustymi rękami. Pettigrew opuścił budynek niedługo przed dziewiątą. Pożegnali się z panią Horowitz całkiem namiętnym pocałunkiem tuż pod okiem kamery.

– Okej. Idę teraz na górę do sypialni – powiedziała Eve do męża. – Ty mógłbyś sprawdzić telefon domowy: czy rozmawiał z kimś, czy kogoś może zaprosił.

– Mogę to równie dobrze zrobić z sypialni – odparł Roarke i poszedł za Eve tylną klatką schodową na górę. – Najwyraźniej spodziewał się gorącej randki z seksem, lecz sądząc po wyglądzie sypialni, nie doszła ona do skutku. Przynajmniej nie tutaj.

Eve weszła do sypialni urządzonej w różach i błękitach, przeładowanej kiczowatymi ozdóbkami. Obok łóżka stało coś w rodzaju dekoracyjnej klatki bez górnej pokrywy. Eve domyśliła się, że był to szkielet stanowiący podparcie dla dekoracyjnej piramidy z poduszek, układanej na łóżku. Szerokie łoże, z czterema pozłacanymi smukłymi słupkami w narożnikach, było starannie zaścielone. Imponujące różnorodnością zabawki erotyczne poukładano równie starannie na szafce nocnej przy łóżku.

Na pozłacanym stoliku kawowym w części wypoczynkowej sypialni stała butelka wina – odkorkowana, lecz pełna – oraz dwa kieliszki. W kominku – szklanym kole wbudowanym w błękitną ścianę – pełgał mały ogień.

Męski jedwabny szlafrok leżał rzucony na ukos w nogach łóżka.

– Wygląda na to, że miał dokładnie zaplanowany wieczór – stwierdziła Eve. – Według mnie mogło być tak: ktoś, na kogo czekał, a może nawet nie czekał, ale zaprosił go już do środka, wyciągnął go z domu bez żadnego oporu z jego strony. Może ten ktoś dał mu ukradkiem jakiś zastrzyk już w drzwiach domu lub podczas wchodzenia na górę, zanim gospodarz miał okazję rozlać wino do kieliszków. Bardziej prawdopodobne, że zrobił to już na dole. Po co wlec się z nim na dół i znów przed dom? Przecież musiał, a raczej musiała, wyciągnąć go przed dom, zaprowadzić do samochodu i zawieźć tam, gdzie można go było torturować przez kilka godzin.

– W domowym telefonie nie ma zarejestrowanych żadnych połączeń w dniu wczorajszym – rzekł Roarke. – Jest potwierdzenie zamówienia samochodu z firmy przewozowej dla Horowitz i rozmowa z jej matką, jak się domyślam, skoro mówi do niej „mamo". Miała telefon ustawiony na głośnomówiący, podczas gdy sama zajęta była ubieraniem się. Gadały na temat zabiegów w spa i temu podobnych bzdetów. Bardzo radośnie.

– Taa... Ktokolwiek go zabił, wiedział, że będzie sam w domu. Był to ktoś, kogo znał lub kto znał rozkład jego zajęć, a także plany Horowitz.

Eve usłyszała charakterystyczny odgłos kroków Peabody, wchodzącej na górę po schodach. Odwróciła się.

– Świadek całkowicie się rozkleił – zaczęła policjantka. – On i jego żona, dwoje dzieci, dopiero niedawno kupili tego szczeniaka. Jaki słodziak, mówię wam! Tak czy siak, teraz nadeszła jego kolej na wyprowadzenie psa z samego rana. Taką umowę rodzina miała między sobą. Powiedział mi, że szedł nieomal we śnie, gdy nagle pies zaczął się nakręcać, szarpać na smyczy, szczekać i skomleć na zmianę.

– Wyczuł zapach ciała.

– Dobrze kombinujesz. Świadek schylił się, żeby wziąć szczeniaka na ręce, i wtedy dostrzegł zwłoki. Natychmiast zadzwonił na policję, stał obok na chodniku, dopóki nie przyjechał patrol. Powiedział, że nie znał dobrze ani Pettigrewa, ani Horowitz. Tylko z widzenia. Tak, żeby machnąć sobie ręką na powitanie czy skinąć głową, gdy się zobaczyli z daleka. Dosłownie przed chwilą – mówiła Peabody dalej – funkcjonariuszka Markey znalazła kolejnego świadka, stukając do drzwi okolicznych domów. Sąsiadka twierdzi, że jest prawie pewna, iż widziała Pettigrewa wsiadającego około godziny dwudziestej pierwszej do samochodu z jakąś kobietą.

– Rudowłosą?

– Nie. Twierdzi, że miała krótkie, brązowe lub może nawet blond z ciemniejszymi pasemkami. Niebieskimi, fioletowymi albo czarnymi. – Peabody wzruszyła ramionami, dobrze wiedząc, że niektórzy świadkowie nie rejestrują w pamięci kolorów albo nie zwracają na nie uwagi. – Było już ciemno, a poza tym specjalnie się nie przyglądała.

– Ale Pettigrewa z kobietą zauważyła?

– Nie jest pewna, a przynajmniej nie na sto procent, bo kiedy wyjrzała, ten już częściowo schował się w samochodzie. Za to samochód… czarny, może granatowy, a może ciemnoszary… stał dokładnie naprzeciw wejścia do ich domu.

– Porozmawiamy z nią jeszcze. Albo może lepiej ty idź porozmawiać z nią teraz. Może uda ci się wycisnąć z niej więcej, niż powiedziała Markey. Ja spróbuję się skontaktować z jego partnerką.

– Tak jest!

– Musiał mieć biuro w domu. – Eve zwróciła się tym razem do Roarke'a. – Skoro już tu jesteś, pomożesz je przeszukać. Może trzymał jakieś swoje sekrety pod kluczem, tak jak McEnroy.

– Bardzo lubię szukać czyichś sekretów.

Eve usiadła i po raz drugi w ciągu dwóch dni obudziła dzwonkiem telefonu kobietę, przekazując jej bardzo złe wiadomości.

– Ehm… Halo? Słucham?

– Czy Marcella Horowitz przy telefonie?

– Tak. A co? Kto mówi?

– Panno Horowitz, tu mówi porucznik Dallas z nowojorskiej policji. Czy może mi pani podać aktualne miejsce swojego pobytu?

– To jakiś żart? Jestem w łóżku. Co pani sobie wyobraża! Jest... no proszę... jest dopiero szósta rano, do cholery! Kto przy telefonie? Złożę na panią doniesienie do przełożonych.

– Panno Horowitz! – Eve przysunęła swoją odznakę do kamerki telefonu. Marcella zablokowała przekaz wideo od swojej strony, lecz odznaka identyfikacyjna Eve była u niej na wyświetlaczu doskonale widoczna. – Muszę z żalem poinformować, że pan Thaddeus Pettigrew nie żyje. Moje kondolencje. – Wzięła głęboki oddech. – Wiem, że to, co mówię, jest okropne. Proszę odblokować przekaz wideo.

Na wyświetlaczu pojawiła się kobieta z burzą blond włosów, ściągająca z głowy maseczkę przysłaniającą oczy podczas snu.

– Słuchaj no...

– Panno Horowitz! – Eve ponownie uniosła swoją odznakę do kamerki. – Znajduję się obecnie w domu, w którym zamieszkiwała pani razem z panem Pettigrewem. Jestem śledczym prowadzącym dochodzenie w tej sprawie. Oficjalnie zidentyfikowałam ciało pana Pettigrewa. Jeszcze raz powtarzam, że bardzo mi przykro z powodu pani straty.

– Nie wierzę w ani jedno pani słowo!

A jednak uwierzyła – pomyślała Eve. Widziała to w zszokowanym wyrazie jej oczu, kiedy kobieta, ubrana w czerwoną jedwabną nocną koszulkę, odrzuciła na bok kołdrę i wyskoczyła z łóżka. Obraz widoczny na wyświetlaczu podskakiwał, kiedy nieszczęśnica wybiegła z sypialni i zaczęła włączać głosowo kolejne lampy, aż w końcu zawołała matkę.

– Dobry Boże, Marci! – Kobieta w różowej piżamie usiadła na łóżku. – Co się dzieje, do licha!

– Ona mówi, że jest z policji! Ona mówi, że Thad nie żyje! Mamo! – łkała Marcella.

– Daj mi ten telefon! Kto mówi?

– Szanowna pani, tu porucznik Eve Dallas, nowojorska policja. Z przykrością muszę poinformować, że pan Pettigrew został zabity dzisiaj we wczesnych godzinach rannych.

– To jakieś kłamstwo, mamo!

– Ucisz się na chwilę, skarbie! Idź obudzić swoją siostrę i Claudię. Idź już!

Pochlipując, Marcella wybiegła poza zasięg kamerki telefonu.

– Jak to się stało? – spytała kobieta w różowej koszuli.

– Bardzo mi przykro, ale nie jestem upoważniona do przekazywania tych informacji. Z kim mam przyjemność?

– Bondita Rothchild.

– Pani Rothchild, najlepiej by było, gdybyście się panie spakowały i czym prędzej wróciły do Nowego Jorku.

– Powiedziała pani, że Thad został zabity. Nie powiedziała pani, że zmarł, lecz że „został zabity". Czy był jakiś wypadek? Tyle na pewno może mi pani powiedzieć.

O wiele bardziej zrównoważona niż jej córka – pomyślała Eve.

– Nie, to nie był wypadek. Jestem z wydziału zabójstw – wyjaśniła.

– Och! Dobry Boże! – Odwróciła wzrok w stronę, skąd dochodziły podniesione głosy i szlochy. – Tak. Wrócimy najszybciej, jak się da. Muszę kończyć, żeby się nią zająć i jakoś ją uspokoić.

– Proszę się ze mną skontaktować, kiedy tylko ustalicie czas powrotu do Nowego Jorku. Jestem porucznik Eve Dallas z komendy głównej policji.

– Tak, tak. Muszę już kończyć. Marci...

Wyłączyła się.

Eve schowała telefon i przystąpiła do przeszukiwania garderoby Pettigrewa i panny Horowitz. Większość czasu zajęło jej włamanie się do sejfów z biżuterią. Przynajmniej sobie potrenowałam otwieranie – pomyślała, kiedy się okazało, że oba zawierają to, do czego zostały przeznaczone. Żaden z nich nie miał jakichś bardziej specjalistycznych zabezpieczeń.

W sejfach znajdowała się biżuteria, zegarki wielofunkcyjne, trochę gotówki.

Następnie zeszła na parter, gdzie w gabinecie pana domu przed jego potężnym komputerem siedział Roarke.

Tutaj nie widać już kobiecej ręki – pomyślała Eve. Jeszcze jeden barek, tym razem mniejszy, bordowa skórzana kanapa, za mała, żeby się na niej wyciągnąć i przespać. Ogromne biurko i równie solidna stacja robocza z komputerem, służącym do komunikowania się i przechowywania danych.

Duży telewizor na bocznej ścianie, dwa fotele i stolik, na pozostałych ścianach oprawione w ramki awanse pana domu oraz nagrody zamiast obrazów czy innych dzieł sztuki.

– Mam coś dla ciebie – zaczął Roarke.

– Jakieś sekrety?

– To, o czym ci teraz powiem, na pewno trzymał w głębokiej tajemnicy. Utrzymywał w miarę regularne kontakty z firmą o nazwie Dyskrecja, oferującą licencjonowane panie lub panów do towarzystwa na telefon. Raz czy dwa razy w miesiącu składał zamówienie i robił przelew. Być może kobieta, z którą ostatnio mieszkał, wiedziała o tym, lecz sądząc po okolicznościach, śmiem w to wątpić. A co więcej… – ciągnął, choć Eve koniecznie chciała się wtrącić – …zamówił licencjonowaną panienkę do towarzystwa na wczorajszy wieczór i już ją opłacił. Potem nastąpił przelew zwrotny, tak jakby wizyta została odwołana. Opłacił ją dwa dni temu, a odwołał wczoraj po południu.

– Odwołał?…

– Poproś technicznych z EDD, żeby się lepiej temu przyjrzeli i dokładnie sprawdzili jego kontakty. Wiesz, co ja osobiście o tym sądzę po pobieżnym wglądzie w jego połączenia? Ktoś włamał się na jego konto.

– Teraz to zaczyna mieć sens. Tak. To ma sens… – mruczała Eve pod nosem, chodząc w tę i z powrotem po pokoju i układając sobie wszystko w głowie. – Jeśli morderczyni włamała się do jego systemu, musiała wiedzieć, że Horowitz wyjeżdża z miasta, a on zamówił sobie licencjonowaną pannę do towarzystwa na wieczór. Odczekała chwilę, a następnie odwołała tę wizytę i przyjechała sama zamiast niej. Dlaczego nie miałby otworzyć jej drzwi i wpuścić do środka, skoro czekał na jakąś kobietę? Przecież miał zaplanowany wieczór, przygotował nawet wino i łóżko. – Obróciła się nagle na pięcie i stanęła twarzą w twarz z mężem. – Możesz mi zlokalizować miejsce pobytu hakera?

– Postaram się. Chodzi o miejsce, z którego włamano się do systemu. Zajmie mi to trochę czasu. Czy to ktoś niezły w te klocki? Cóż... Gdybym ja był na miejscu tego hakera, użyłbym niezarejestrowanego laptopa i przeprowadził całą akcję z jakiejś odległej lokalizacji. Warto jednak rzucić okiem.

– Zgadzam się, zgadzam. Rzućmy na to okiem.

– Jest jednak coś jeszcze, co nie jest tajemnicą, a stanowi jednak pewnego rodzaju niespodziankę. – Odczekał chwilę, aż skupiła uwagę tylko na nim. – Piętnaście milionów z okładem sprzed dwóch lat. Dostał je ode mnie.

– Co takiego?! – Wybałuszyła oczy na męża, kompletnie zaskoczona. – Dlaczego nie powiedziałeś mi wcześniej, że go znasz?

– Bo go nie znam... Nie znałem. – Roarke rozłożył ręce, wzruszając ramionami, i wstał. – Kilka lat temu nabyłem małą firmę, jak to mam w zwyczaju. No, może bardziej wchłonąłem. Transakcja została przeprowadzona przez prawników i brokerów. Nie zajarzyłem, dopóki nie zacząłem przeglądać plików. Firma nazywała się Data Point. Prywatny koncern produkujący droidy i różne inne skomplikowane urządzenia elektroniczne.

Eve rozpoznała w mimice twarzy męża irytację, która pojawiała się zawsze, ilekroć nie miał stuprocentowej kontroli nad każdym detalem swojej transakcji.

– Muszę jeszcze raz to posprawdzać – kontynuował Roarke. – Z tego, co pamiętam, prawnik reprezentujący firmę Data Point skontaktował się z jednym z moich prawników, przedstawiając mu ofertę jej sprzedaży. Okazała się interesująca. Firma wyglądała na solidną, została wystawiona za dobrą cenę, rzekłbym nawet, że za cenę okazyjną. Powodem był, jak dłużej o tym myślę, rozwód właścicieli, lecz mogę się mylić. Muszę to sprawdzić. Tak czy owak, Roarke Industries nabyło tę firmę. Wchłonęło ją wraz z jej aktywami.

Komplikuje to nieco sprawy, ale też ma pewne zalety – pomyślała Eve. – Zalety wykorzystam, a komplikacjami zajmę się później.

– Czy kiedykolwiek miałeś okazję go poznać? – spytała. – Denata czy też rozwodnika – uściśliła.

– Nie biorę udziału osobiście w takich transakcjach. Przy tak niewielkich, jak już wspominałem.

– Piętnastomilionowa transakcja to dla ciebie mały pikuś? – Zmrużyła oczy, nie dowierzając.

– Właściwie w sumie poszły dwadzieścia dwa. Wygląda na to, że jego była żona dostała siedem. Wszystko zostało załatwione przez pełnomocników i adwokatów stron, ponieważ nawet w całości był to mały dodatek do majątku mojej firmy. Owszem, solidny i trwały, lecz ani specjalnie konkurencyjny, ani też zbyt ważny.

– Chcę, żebyś mi dostarczył wszelkich możliwych informacji dotyczących tej transakcji. W wierszu morderczyni wspomniała coś o chciwości czy też zachłanności. On dostał dwa razy więcej niż była żona, a to już może być jakimś motywem zbrodni. Seks, chciwość, władza. Mamy tu seks z licencjonowanymi dziewczynkami do towarzystwa, a potencjalnie również wymianę żony na Horowitz. Mamy i chciwość, i pieniądze. Pozostaje nam tylko władza. – Spojrzała na naręczny zegarek wielofunkcyjny. – Zamierzam przeprowadzić rozmowę z jego byłą żoną, najlepiej wyrywając ją z porannego snu. Ludzie nie mają włączonych wszystkich systemów obronnych mózgu w chwili, gdy ich ściągasz z łóżka. Muszę zgarnąć Peabody i się tym zająć. Potrzebujesz podwózki?

– Równie dobrze mogę to załatwić po swojemu. Udam się prosto do mojego biura i odnajdę szczegóły tej transakcji. Zżera mnie ciekawość, co też się za nią kryje.

– Przekaż mi natychmiast, czego się dowiesz, gdy tylko uda ci się czegokolwiek dowiedzieć – poleciła mu Eve w sposób niezamierzenie zabawny.

Podszedł do żony, uścisnął ją i ucałował.

– Obiecuję, że tak uczynię – przyrzekł. – Każ Auto-Chefowi zainstalowanemu w samochodzie przygotować sobie i naszej Peabody coś do zjedzenia.

Eve, nieco rozkojarzona, odwróciła się za siebie i popatrzyła na miejsce pracy Pettigrewa.

– Przyślę tu McNaba. Niech zabierze komputer. – Nachmurzyła się, spoglądając znów na męża. – Nie jesteś ubrany do biura.

– Tak się składa, że mam tam w szafie ze dwa garnitury na wszelki wypadek. Zadbaj o moją panią porucznik i daj mi potem znać, że dobrze ją nakarmiłaś.

– Mhm. Jasne – mruknęła Eve, ruszając w stronę drzwi. Obejrzała się jeszcze raz za siebie i powiedziała do Roarke'a: – To dobra informacja. Może zanim stąd wyjdziesz, zdołasz rozglądnąć się za sejfem? Te do przechowywania biżuterii już odnalazłam w sypialni głównej, ale może mają inne? Być może z czymś, co nas bardziej zainteresuje.

– Przynajmniej będę miał dobrą zabawę.

9

Eve zderzyła się w drzwiach gabinetu z Peabody, która właśnie miała zamiar wejść do środka.
– Opowiesz mi o wszystkim w samochodzie.
– Okej. Dokąd jedziemy?
– Porozmawiać z byłą żoną zamordowanego. Mam kilka nowych informacji. Mów, co masz, a potem ja przekażę ci swoje.
– Okej. Mogłabym najpierw poprosić o kawę?
– A więc dwie kawy. – Słowa Roarke'a rozbrzmiały jej echem w uszach. Wkurzające, pomyślała, lecz nie do uniknięcia. – W moim samochodowym AutoChefie znajdziesz też coś do zjedzenia. Jakieś kanapki czy coś.
Peabody aż odrzuciło ze zdumienia. Zamrugała powiekami.
– Chcesz c... c... oś zjeść?! – wystękała.
– Wybierz coś prostego i zacznij wreszcie opowiadać – poleciła Eve.
Peabody, cała rozochocona jak zawsze, kiedy miała w perspektywie jakąś przekąskę, i zawsze chętna do pomocy, zaczęła przeglądać menu wbudowanego ekspre-

sowego kuchcika, równocześnie zdając raport z tego, czego się dowiedziała.

– Świadek zdarzenia bardzo chętnie współpracowała, lecz po ciemku niewiele było widać. Podeszła do okna, żeby je zamknąć, i wtedy właśnie rzuciła okiem na ulicę. Wcześniej otworzyła, chcąc przewietrzyć pokój, a zabrała się do zamykania, gdy poczuła wieczorny chłód. Zobaczyła samochód i kogoś, kto wsiadał do środka. Najprawdopodobniej Pettigrewa, ale niezbyt wyraźnie, i sylwetkę kobiety wysokiej, mocnej budowy... lecz to tylko niejasne wspomnienie. Postać ubrana była w obcisły kostium z bardzo głębokim dekoltem. Włosy miała krótkie, ciemnoblond lub brązowe, z ciemniejszymi pasmami. Fioletowymi lub czarnymi. Chyba.

– Powinna przysiąść z Yancym.

– Powiedziała, że to zrobi, ale naprawdę tylko zamykała okno i zaraz potem odwróciła się i wyszła z pokoju. Nie wie też, jaki to był samochód. Męczyłam ją o to dość długo, lecz jedyne, co mogła o nim powiedzieć, to to, że był ciemnego koloru. Po prostu nie ma pewności. Twierdzi, że raczej nie kompaktowe. I chyba nie limuzyna. Nie umiała nawet dokładnie określić godziny, bo krzątała się po domu zajęta drobnymi pracami. Musiała minąć dwudziesta pierwsza, gdyż jej dziecko leżało już w łóżku, a zawsze kładzie je spać właśnie przed dwudziestą pierwszą, okno zaś było od pokoju dziecięcego. Zamknęła je, powiedziała dziecku dobranoc i wyszła.

Nie zawsze można dopytać się o wszystkie szczegóły – pomyślała Eve. – Przyjmujesz do wiadomości to, co ci mówią.

- Trzeba sprawdzić, czy Yancy skończył tworzyć portret pamięciowy sprawcy pierwszego zabójstwa – odezwała się. – Może chociaż to popchnie sprawę, jeśli pokażemy go świadkowi.

– Jak już mówiłam, kobieta chętnie współpracuje – odparła Peabody. – Nieźle ją wystraszył ten trup dokładnie po drugiej stronie ulicy, naprzeciw jej domu. A ty co masz?

– Dowiedziałam się, że konkubina denata przebywała ze swoją matką, siostrą oraz z przyjaciółką w ośrodku wypoczynkowym ze spa i jeśli wszystkie nie są w to zamieszane, nie zostaną jej postawione żadne zarzuty, bo nie wydaje mi się, żeby taka osoba jak ona mogła obmyślić i zaplanować oba morderstwa: to i McEnroya. Mimo to przyjrzymy się jej. – Eve zerknęła w dół, gdy Peabody wybierała program na wbudowanym w deskę rozdzielczą AutoChefie. – Właśnie wracają do Nowego Jorku. Wykryliśmy, że lubił wynajmować licencjonowane kobiety do towarzystwa. Robił to co kilka tygodni i właśnie na wczorajszy wieczór zarezerwował jedną z nich.

– Niezły strzał! W obcisły kostium z głębokim dekoltem mogła być ubrana licencjonowana prostytutka – dodała Peabody. – Albo jakaś babka, która chciała wyglądać jak zdzira.

– Powiedziałabym, że raczej to drugie. A jeszcze lepsze jest kolejne odkrycie Roarke'a: stwierdził, że to ona się włamała do komputera Pettigrewa i na kilka godzin przed umówionym spotkaniem odwołała je mejlem.

– No to mamy dwa niezłe strzały. Wybrałam kanapkowy omlet. – Podała Eve małą, chrupiącą przekąskę. – Jajka, ser i bekon.

– Dzięki. – Eve wzięła ją do ręki i odgryzła kawałek.

Smaczne to, pomyślała. – Istniała hipoteza, że wdowa po McEnroyu i konkubina Pettigrewa zawiązały spisek i zrobiły swoje, każda zabijając partnera drugiej. Rozpatrywaliśmy tę wersję, ale nie wydaje się ona prawdopodobna. – Zamyśliła się. – Kto w takim razie prowadził samochód? – dodała i odgryzła drugi kęs. – Ktoś musiał go przecież prowadzić, bo jazda na autopilocie byłaby tu zbyt ryzykowna. Ktoś musiał też pomóc przenieść ciało. A wreszcie – ktoś dysponował ustronnym, całkiem prywatnym miejscem, gdzie mógł w spokoju odwalić całą zaplanowaną robotę.

– No i ten włam – rzekła Peabody między jednym kęsem a drugim. – Ktoś przy tym wszystkim musiał być niezłym hakerem. Wynajmiesz kogoś z zewnątrz, to masz kolejną osobę, która wie, a to zwiększa ryzyko. Mam rację?

– To już są kwestie bardzo indywidualne. – Manewrując między samochodami, Eve popijała łyczkami kawę. – Specyficzne dla danej jednostki. Mężczyźni, którzy zdradzają swoje partnerki. W wypadku McEnroya dochodzą jeszcze wielokrotne gwałty. U Pettigrewa to seks na telefon. Obaj sprowadzają obce kobiety do własnej sypialni. McEnroy opętany jest otumanianiem kobiet narkotykami i ich poniżaniem. Pettigrewa charakteryzuje chciwość. Zgarnął dla siebie lwią część pieniędzy z kasy, którą otrzymali po rozwodzie ze sprzedaży firmy. Musieli być współwłaścicielami. Szczegóły wkrótce będę miała od Roarke'a. To on kupił tę ich cholerną firemkę.

Słysząc to, Peabody nieomal zakrztusiła się swoją przekąską.

– Co takiego?! – zdumiała się. – On znał denata?

– Nie, ale dotrze do najdrobniejszych szczegółów transakcji.

– Wy to macie dobrze ze sobą! – jęknęła z pewną zazdrością Peabody.

– McEnroy i Pettigrew... Każdy z nich prowadził inne życie, gdzieś jednak był punkt styczny, a my musimy go tylko odnaleźć. Według jakiego klucza morderczyni dobiera swoje ofiary? Skąd wie, że obaj zdradzali? W odpowiedzi na to pytanie tkwi rozwiązanie zagadki – mamrotała pod nosem Eve. – Tu gdzieś musi znajdować się ów punkt styczny. A może zabójczyni była jedną z ofiar McEnroya? Ale przy tym przebiegu zdarzeń?... Chyba niekoniecznie. Muszę to skonsultować z Mirą.

– Zorganizuję to, Dallas. Na razie mamy dwa do dwóch. Ciekawe, czy pójdzie na hat tricka.

– Tego trzeciego na pewno już wybrała. – Eve poszła nieco dalej w rozważaniach. – Poznała jego słabostki i bez wątpienia wykorzysta tę wiedzę. Będzie żonaty, rozwiedziony lub poważnie zaangażowany.

Tyle wiedziała. Tyle wiedziała, lecz w niczym nie było to pomocne.

– Pettigrew musiał mieć kogoś, kogo mógł zdradzać. Obaj byli hetero... – mówiła Eve. – Czy to miało dla niej jakieś znaczenie? Czy w ten sam sposób zareagowałaby na kogoś będącego w związku z osobą tej samej płci? Kogoś, kto zdradzałby partnera z osobą tej samej płci? Pytanie dla Miry.

– Morderczyni musi być atrakcyjną kobietą. – Peabody wyłożyła swoje zdanie, przeżuwając kanapkę (mniam! ale pycha!) i równocześnie próbując rozpracowywać osobę zabójcy. – Ewentualnie jest w stanie zrobić się na atrakcyjną. McEnroy wybierał tylko bardzo atrakcyjne kobiety. Rudowłose. Może ona również jest rudowłosa, a by zwabić Pettigrewa, założyła perukę? A może miała perukę i w pierwszym, i w drugim przypadku? Jak słusznie zauważyłaś, musi mieć nieograniczoną możliwość korzystania z jakiegoś odosobnionego miejsca z ograniczonym dostępem z zewnątrz, musi mieć również transport. Z całą pewnością ma przynajmniej jedną całkowicie zaufaną osobę, która jej pomaga. Przewozi z miejsca na miejsce, pomaga w transporcie ciała. Co najmniej jedna osoba musi ją w tym wspierać.

– Któraś z tych kobiet jest tak uzdolnioną hakerką, że jej umiejętności zrobiły wrażenie nawet na Roarke'u – włączyła się Eve. Zatrzymała się na czerwonym świetle i zaczęła nerwowo postukiwać palcami w kierownicę. – A te wiersze? Robi z tego coś w rodzaju teatralnej scenki rodzajowej. Mam rację? Chce przez nie podkreślić, że wymusza zachowania zgodne z prawem. Oni sobie na to zasłużyli, a tu jest napisane, w jaki sposób. – Naciskała co chwila mocno gaz i lawirowała między samochodami. – To raczej zemsta z powodów osobistych. Musiała znać ich obu albo przynajmniej jednego z nich. Być może zna któregoś ze swojej listy i jeszcze na niego nie uderzyła. Uważam, że wśród tych mężczyzn jest jeden, od którego wszystko się zaczęło, ten, który wzniecił w niej chęć podjęcia tej krucjaty zemsty, tej wendety po śmierć. Była na tyle nakręcona po pierwszym ataku, że natychmiast zajęła się Pettigrewem, kiedy ten tylko z powodu wyjazdu Horowitz przełożył umówione spotkanie na wczorajszy wieczór, czyli o jeden dzień wcześniej. Z tego wynika, że miała wszystko zaplanowane i przygotowane już dawno, skoro jeden dzień nie grał dla niej żadnej roli.

– Rany boskie! – przeraziła się Peabody. – Zaraz zaatakuje następnego ze swojej listy. Będzie to robić, dopóki nie zazna satysfakcji.

– Tu raczej nie chodzi o satysfakcję. – Eve z ponurą miną wyprzedziła szerokim łukiem wlokący się miejski maxibus i wcisnęła tuż przed pospieszną taksówkę RapidCab. – Według mnie ona... bo ja wiem... beznamiętnie odznacza kolejnych na liście, o ile taka lista powstała. Na pewno coraz bardziej się rozkręca i nakręca.

Przedzierała się teraz przez śródmiejskie korki w stronę Upper East Side. Walczyła o każdy metr, jakby się przebijała przez oporny mur z cegieł. Robiła, co mogła, żeby zignorować wybuchy radosnych, świergotliwych melodyjek, okraszających krykliwe anonsy reklamowe: *Wiosenne wyprzedaże! Najnowsze topowe trendy w modzie!*, aż wreszcie udało jej się dotrzeć do dzielnicy najbogatszych i najbardziej uprzywilejowanych: Carnegie Hill. Jechała przez światek wyprowadzaczy psów, opiekunek do dzieci i prywatnych szoferów. Wreszcie zajechała przed dwuskrzydłową bramę z kutego żelaza ze stacją ochrony obiektu, wbudowaną w słupek obok podjazdu.

Przez ażur wrót, o rzut kamieniem od chodnika, zobaczyły wysoki, rozłożysty budynek z elewacją z białego piaskowca, wysokimi, wąskimi oknami, balkonami z dekoracyjnymi balustradami i dostojnym kolumnowym portykiem.

– Aaaach! – Peabody najpierw jęknęła z zachwytu, ale szybko się poprawiła: – Nie jest to jednak pałac Eve

Dallas. Mimo wszystko robi wrażenie. Musiała się nieźle obłowić na sprzedaży tej swojej firmy.

– To dom jej babki. Po rozwodzie była pani Pettigrew zamieszkała ze swoją babcią.

Rezydencja Callahanów jest obecnie niedostępna dla gości – wygłosił formułkę automat ochrony.

– Porucznik Dallas, detektyw Peabody, nowojorska policja – powiedziała Eve do mikrofonu. – Musimy porozmawiać z Darlą Pettigrew w związku z prowadzonym dochodzeniem.

Podstawiła odznakę policyjną pod oko kamery w celu zeskanowania.

Pani Pettigrew nie jest obecnie dostępna.

– To zróbcie coś, żeby była dostępna – prychnęła ze złością – bo wrócę tutaj z nakazem doprowadzenia na przesłuchanie w komendzie głównej policji. Proszę zeskanować odznakę!

Mrugnęło czerwone światełko skanujące.

Pani Pettigrew zostanie poinformowana o przybyciu porucznik Dallas Eve. Proszę wjechać powoli na dziedziniec.

Skrzydła bramy bezszelestnie rozsunęły się na boki.

Eve wjechała do środka i zaparkowała przed szerokim kolumnowym portykiem.

– Kim jest ta jej babcia? – zaczęła się dopytywać Peabody, kiedy wysiadły z samochodu. – Ależ tu jest hiperwytwornie!

– Jakaś aktorka. Eloise Callahan.

Peabody zatrzymała się jak wryta, oniemiała wprost z wrażenia. – Eloise Callahan? TA Eloise Callahan?!

– Ta, która tutaj zamieszkuje – odparła Eve, niezbyt zorientowana w zawiłościach świata filmowego i prawdę mówiąc, w ogóle nim niezainteresowana. Podeszła do łukowatych dwuskrzydłowych drzwi wejściowych i nacisnęła guzik wideofonu.

– Jezu! Dallas! Eloise Callahan to nie jest jakaś tam zwykła aktorka. To legenda kina! – Peabody była tak tym podekscytowana, że przycisnęła bezwiednie rękę do serca. – Odebrała chyba z milion nagród filmowych. Oscary, Tony, Emmy i co tam jeszcze. Była też nieprzejednaną aktywistką. Wykorzystywała swoją sławę i siłę przebicia do pomagania, stawała na czele marszów protestacyjnych organizacji Professional Parents Act czy marszów poparcia dla zakazu posiadania broni. Moja babunia maszerowała z nią w jednym szeregu. Mówiła mi, że ludzie ją namawiali, aby kandydowała na urząd prezydenta, ona jednakże...

Peabody przerwała monolog, kiedy drzwi się otworzyły.

Droidka – Eve skonstatowała w jednej chwili. Tyle że wyjątkowa, zaprojektowana tak, by udawać trzydziestokilkuletnią kobietę. Szczupła, atrakcyjna, ciemne włosy, czarne oczy.

– Pani porucznik, pani detektyw, zapraszam do środka.

Weszły do wysokiego, przestronnego foyer. Nad ich głowami wisiał ogromny kandelabr z kryształami w kształcie wydłużonych sopli w odcieniu lodowego błękitu.

Antyki o powierzchni wykończonej na wysoki połysk: długie stoły, eleganckie krzesła, dzieła sztuki: akwarele w miękkich kolorach – Eve pomyślała od razu, że Roarke'owi by się tu spodobało.

– Pani Pettigrew zejdzie na dół najszybciej, jak to będzie możliwe. Czy mogę wziąć okrycia pań?

– Dziękujemy, ale nie skorzystamy.

– Proszę za mną do salonu, gdzie będziecie panie mogły poczekać.

Do pokoi prowadziło przejście pod szerokimi arkadami holu wejściowego. W przestronnym salonie w ocenie Eve spokojnie zmieściłoby się z pięćdziesiąt osób. Antyki, pastelowe kolory i mnóstwo świeżych kwiatów.

W kominku oflankowanym smukłymi, rzeźbionymi kolumienkami płonął niewielki ogień. Nad paleniskiem, nad grubą belką z pełnego drewna, wisiał obraz przedstawiający kobietę z dziesięć lat młodszą niż tutejsza pokojówka-droidka – a przynajmniej na tyle oszacowała ją Eve – oraz mężczyznę mniej więcej cztery, pięć lat od niej starszego.

Para na obrazie miała niespotykanie piękne oblicza. On stał z tyłu, obejmując ją w pasie. Ona jego dłonie przykryła swoimi. Miała na sobie białą suknię. Suknię ślubną – dotarło w pewnej chwili do Eve. Udrapowana biała tkanina bez żadnych ozdób spływała w dół do kostek. Jasne, gęste włosy opadały jej kaskadami na ramiona. Wianek ze świeżych kwiatów zdobił głowę odchyloną nieco do tyłu i wspartą na ramieniu mężczyzny. Czerń jego garnituru pozostawała w mocnym kontraście z bielą sukni.

Oboje uśmiechnięci, patrzyli gdzieś w dal i wyglądali

na nieprawdopodobnie szczęśliwych. Równie szczęśliwych co pięknych.

– Czy zechcecie panie wypić kawę razem z madame Pettigrew? – spytała pokojówka.

– Z przyjemnością. Bardzo dobry pomysł!
– Proszę usiąść. Wkrótce do was dołączy.

Peabody odczekała, aż droidka wyszła, i prawie bez tchu, z nieomal nabożną czcią wyszeptała:

– To ona! To ta Eloise Callahan! Jezu! Ależ ona jest wspaniałą aktorką! A ten facet obok niej to Bradley Stone. Niesamowite love story. On również był aktorem. Spotkali się na planie filmowym i zakochali w sobie od pierwszego wejrzenia. Wzięli ślub i doczekali się kilkorga dzieci. Wydaje mi się, że byli ze sobą jakieś dwanaście, może nawet piętnaście lat.

Eve w ogóle to nie zainteresowało, ponieważ nie miało żadnego odniesienia do prowadzonego przez nią śledztwa. A może jednak odnajdzie jakiś trop?

– W love story coś poszło nie tak? – spytała kurtuazyjnie.

– Hm. Niby tak. Stone zmarł. Był akurat na planie filmowym gdzieś na południu kraju, jak pamiętam, i jakiś facet... wydaje mi się, że któryś ze statystów... przyniósł prawdziwy rewolwer i zaczął strzelać. Na planie było akurat kilkoro dzieci. Stone zasłonił jedno z nich własną piersią. Przyjął wszystkie strzały.

– Był prawdziwym bohaterem. – Eve odwróciła się w stronę kobiety, która stanęła w drzwiach prowadzących do arkadowego holu. – Moja babcia nie wyszła powtórnie za mąż. Jestem Darla Pettigrew. Witam panie! – powiedziała i weszła do pokoju. Przywitała się z nimi, podając każdej rękę na powitanie. – Przepraszam, że musiałyście czekać, ale nie byłam stosownie ubrana.

Na pewno teraz już była – pomyślała Eve, patrząc na kobietę w czarnych spodniach i jasnoszarym swetrze. Długie brązowe włosy miała rozpuszczone. Opadały jej luźno na plecy. Ściągnęła je tylko opaską do tyłu, odsłaniając całą twarz. Nałożyła wprawdzie nieco makijażu, lecz wyglądała na przemęczoną.

– Nie szkodzi. Jestem porucznik Dallas, a to moja partnerka, detektyw Peabody.

– Tak. Wiem. Moja babcia będzie niepocieszona, że ominie ją spotkanie z wami. *Dziennik Icove'a* to jej ulubiony film z zeszłego roku. Miała nadzieję, że weźmie udział w ceremonii wręczania nagród, niestety, bardzo źle się wtedy czuła. Siadajcie, proszę, i powiedzcie, co was do mnie... Och, dzięki Bogu! – Roześmiała się nisko, z lekką chrypą, kiedy droidka weszła, niosąc tacę z kawą. – Kawa! Dziękuję ci, Ariel. Postaw tacę tutaj. Wiem, że obie pijacie kawę. Widziałam na filmie. Oglądałam go kilka razy, odkąd zaczęłam się opiekować moją babcią – dodała, usiadła i zaczęła nalewać kawę do filiżanek. – Zimą złapała zapalenie płuc i bardzo długo dochodzi do siebie po chorobie. Wciąż jest słaba, potrzebuje porządnego wypoczynku.

– Mam nadzieję, że szybko dojdzie do siebie – powiedziała współczująco Peabody. – Podziwiam jej pracę na wszystkich frontach. Prawdę mówiąc, moja własna babcia maszerowała wraz z nią na czele pierwszego protestu ulicznego w Waszyngtonie Wschodnim. A może wtedy był to jeszcze Waszyngton DC?

– Coś takiego! Wpadnie w zachwyt, kiedy o tym usłyszy. – Darla podała Eve kawę czarną, a dla Peabody przyszykowała nieco słabszą, rozcieńczoną wodą, po amerykańsku. Do swojej dodała łyk śmietanki. – No dobrze. Ariel mówiła mi, że chcecie ze mną porozmawiać w sprawie prowadzonego przez was śledztwa. Muszę przyznać, że jestem podenerwowana i zaaferowana. Czy to oznacza coś w rodzaju kłopotów?

Zamiast odpowiadać na pytanie, Eve zaczęła prosto z mostu:

– Była pani żoną Thaddeusa Pettigrewa.

Przez twarz Darli przebiegł grymas, który równie dobrze mógł być oznaką bólu. Zacisnęła na chwilę usta.

– Tak. Byłam – odrzekła. – Rozwiedliśmy się dwa lata temu.

– W zgodzie?

– Niezupełnie. Czy istnieje coś takiego jak rozwód przeprowadzony w zgodzie i przyjaźni? Byliśmy małżeństwem jedenaście lat, razem przez trzynaście. Nieszczęśliwa trzynastka, jak sądzę.

– Czy to on chciał zakończyć małżeństwo?

– Tak. To zbyt bolesny temat dla mnie, pani porucznik. Zbyt osobisty. – Jej usta się ściągnęły, oczy zwęziły w szparki, nawet głos stwardniał. – Nie rozumiem, dlaczego mnie pani o to pyta.

– Pan Pettigrew nie żyje.

– Co takiego?! – Twarz Darli nagle stała się nieprzenikniona, nie wyrażała żadnych uczuć. – To nie może być... Co się stało?

– Został zabity we wczesnych godzinach rannych. Czy może mi pani powiedzieć, gdzie pani była między godziną dwudziestą pierwszą wczoraj wieczorem a czwartą rano w dniu dzisiejszym?

– Ja? Gdzie byłam? – Jej filiżanka z kawą zatrzęsła się

tak mocno na spodeczku, że Peabody natychmiast sięgnęła ręką przez stół, by ją przytrzymać.

– Gdyby była pani tak miła i podała nam swoje miejsce pobytu pomiędzy godziną dwudziestą pierwszą wczoraj a czwartą dzisiejszego poranka?

– Thaddeus... – Przycisnęła obie dłonie do ust i zaczęła się kołysać w przód i w tył. – Thaddeus. Ale czy na pewno? Nie, nie, to niemożliwe! Musieliście się pomylić.

– To nie pomyłka.

– Ale jak... Nie, nie! Jak to się stało, że nie żyje?

– Został zamordowany.

Ręce opadły jej bezwładnie. Złapała się mocno za brzegi siedziska krzesła.

– O mój Boże! Mój Boże! Tamta kobieta! Czy zrobiła to tamta kobieta?

– Która kobieta?

– Ta, dla której mnie zostawił, oczywiście. – Zaczęła się szykować do wstania, ale się zachwiała i znów usiadła, blada jak śmierć. – Marcella Horowitz.

– Pani Horowitz przebywała poza miastem w czasie, gdy zginął. To zostało potwierdzone. Teraz chciałabym potwierdzić pani alibi, pani Pettigrew.

– Myślicie, że to ja go skrzywdziłam? Że to ja go zabiłam? Kochałam go! – Przycisnęła rękę do serca. – Mimo tego, co mi zrobił. Kochałam go. Był miłością mojego życia. – Z oczami pełnymi łez popatrzyła w górę na obraz. – Pod tym względem jestem jak moja babcia. My kochamy na zawsze. Jak to się stało? Jak to możliwe, że coś tak okropnego mogło się przydarzyć Thaddeusowi?

Nawet widząc pełne niedowierzania oczy na pobladłej twarzy, Eve nie dała za wygraną.

– Poproszę o pani alibi, pani Pettigrew – nie odpuszczała.

– Tutaj. Byłam tutaj. – Darla wzięła serwetkę z tacy i otarła łzy. – Rzadko wychodzę z domu. Wspominałam już, że babcia nie czuje się najlepiej. Zajmuję się nią przede wszystkim ja.

– Czy ktoś był z panią?

– Moja Busia, oczywiście. Pielęgniarka, opiekująca się nią w ciągu dnia, wychodzi o siedemnastej. Jest bardzo zadowolona z postępującego powrotu do zdrowia babci. Wczoraj po południu wyszłyśmy nawet razem na krótki spacer, po którym pielęgniarka pomogła jej wziąć kąpiel. – Kobieta zamilkła i na chwilę pogrążyła się we wspomnieniach. – Nie do wiary! To wprost nie do wiary! Och, Thaddeus, Thaddeus! – jęknęła żałośnie.

– Co się działo po wyjściu pielęgniarki? – Eve naprowadziła ją na właściwy tor rozważań.

– Zjadłyśmy kolację około osiemnastej, jak sądzę. Busia była już bardzo zmęczona. Ostatnio tak łatwo się męczy. To ją drażni, bo zawsze wiodła szalenie aktywne życie. Około dwudziestej położyła się już do łóżka i oglądała jakiś film. Zapadła w trakcie oglądania w drzemkę, lecz ja dalej siedziałam obok, gdyż chciałam obejrzeć film do końca. Następnie poszłam do swojego pokoju, żeby poczytać. Mam intercom przy łóżku, więc słyszę, kiedy nie może spać albo źle się czuje. Zanim sama zasnęłam, sprawdziłam jeszcze raz, czy dobrze śpi. Sądzę, że w okolicach północy. Obudziłam się nagle około trzeciej nad ranem. Nie wiem dlaczego. Może coś usłyszałam? Lecz kiedy poszłam sprawdzić co to za hałas, wszystko było w porządku. Spała, więc wróciłam do łóżka. – Zapadła krótka cisza, po czym zaczęła znów mówić, z trudem opanowując wzmagający się szloch: – Nie wychodziłam z domu, odkąd poszłyśmy na tę popołudniową przechadzkę z Donnalou. To ta pielęgniarka. Och, Thaddeus... – jęknęła i wtedy z jej podkrążonych, podpuchniętych oczu znów ciurkiem polały się łzy. – Nie mogę w to uwierzyć. Czy obudziłam się, bo wyczułam... To absurdalne podejrzenia. Wiem, że to dziwne, obudziłam się jednak i poczułam, że stało się coś złego. Myślałam, że to coś z Busią. – Chlipnęła. – Och, Thaddeus! – Dźwignęła się z trudem z fotela. – Przepraszam. Wybaczcie mi, ale muszę was opuścić na minutkę. Potrzebuję dosłownie jednej chwili – powiedziała i wybiegła z pokoju.

– Rety! Nieźle ją to dziabnęło – stwierdziła współczująco Peabody.

– Tak myślisz? – spytała Eve chłodno i cynicznie. – Jesteś przez kawał swojego życia z facetem, który postanawia cię rzucić dla młodszej spódniczki i zabiera ci lwią część pieniędzy ze sprzedaży firmy będącej waszą współwłasnością... I prawdopodobnie nie chciałaś jej w ogóle sprzedawać, tak jak i nie pragnęłaś rozwodu. Czy byłabyś w stanie dalej bezkrytycznie go kochać?

– Hę... Raczej nie. – Peabody była skłonna przyznać rację szefowej. – Niektórzy ludzie nie potrafią jednak zapomnieć o przeszłości ani się od niej odciąć. Trzymają się wspomnień, jakby wciąż mieli nadzieję, że uda się im odwrócić bieg wydarzeń. Wyobraź sobie, że Roarke wykręca ci jakiś podobnie głupi numer. Nie potrafiłabyś ot tak wyłączyć tego, co do niego czujesz.

– Może i nie. Na pewno obdarłabym go ze skóry, usmażyła w żywym ogniu i rzuciła wilkom na pożarcie.

– Uff! – Peabody upiła solidny łyk kawy. – Większość jednak żyje dalej ze złamanym sercem. Myślę, że...

Zaniemówiła, kiedy w jednej ze ścian zauważyła odsuwające się na bok panelowe drzwi, które odsłoniły postać kobiety. Weszła do salonu.

Eloise Callahan nie była już pełną wigoru panną młodą z obrazu nad kominkiem, ale jak na swoje ukończone jakiś czas temu dziewięćdziesiąt lat trzymała się całkiem nieźle. Jej włosy wciąż w tym samym odcieniu blondu – utrzymywane w doskonałej kondycji i wciąż tym samym kolorze zapewne z dużą pomocą fryzjera i farby, jak się domyśliła Eve – okalały miękkimi loczkami niezmiennie piękną twarz. To piękno zdawało się być obecne w niej całej, odbijało się w jej oczach koloru lodowego błękitu, podobnego do kryształów kandelabru nad jej głową.

Wyglądała krucho, cerę miała nieco zbyt bladą i najwyraźniej nie zdołała ukryć tego nawet pod nałożonym profesjonalnie makijażem. Ubrana była w rozwiewającą się przy każdym kroku lekką różową tunikę i czarne szerokie spodnie z połyskliwego jedwabiu.

Peabody skoczyła na równe nogi.

– Och, och! Pani Callahan! – wyjąkała.

– Witam, detektyw Peabody! – Jej głos brzmiał melodyjnie; niósł się gładko i miękko w stronę gości, gdy kroczyła wolno i dostojnie przez pokój. – Co za niespodzianka! Ariel powiedziała mi, że mamy gości, i w końcu się przyznała, kto przyszedł z wizytą. Jestem waszą zagorzałą fanką! Eve Dallas! A niech mnie! – Uścisnęła najpierw dłoń Peabody, potem Eve i w końcu zasiadła w fotelu. – Chciałabym podziękować wam obu za to, co robicie dla miasta, które kocham. Przyjechałam tutaj, by się w nim zatracić, gdy utraciłam miłość mego życia. Czyż nie byliśmy piękni? – Spojrzała wymownie na obraz. – To miasto i jego energia utrzymywały mnie przy życiu, pomogły wrócić do świata żywych, do pracy, którą kochaliśmy oboje z Bradleyem.

– Ja... A moja babcia chadzała z panią w pierwszej linii marszów protestacyjnych! – wyrwało się Peabody.

– Och! Doprawdy? A jak też się nazywa twoja babcia?

– Josie McNamarra.

– No nie! Coś podobnego! Josie?! – Eloise roześmiała się perliście i aż klasnęła w dłonie z radości. – Josie? Naprawdę? Coś niesamowitego! Niech mnie cholera! Pamiętam Josie tak dobrze, jakby to było wczoraj. Ale z niej była piekielnica w gorącej wodzie kąpana! Powiedz mi, czy wciąż jest wśród nas?

– Tak, proszę pani. I wciąż się tak samo piekli na wszystko.

– A jakżeby inaczej! – roześmiała się Eloise z głębi serca. – Och, co to były za czasy! Przekaż, proszę, Josie, że El przesyła jej najserdeczniejsze pozdrowienia. Boże! Co to były za czasy! – powtórzyła. – Dzięki Bogu udało się nam trochę zmienić ten świat. Czy to czarna kawa? – zwróciła się z pytaniem do Eve, wskazując stojącą obok niej filiżankę.

– Tak.

– Czy mogłabym... tylko odrobinkę...

Speszona Eve podała Eloise swoją kawę.

– Darla stanowczo sprzeciwia się przyjmowaniu przeze mnie kofeiny ostatnimi czasy. Tylko sok, lekarstwa, woda i sok, lekarstwa, woda. – Eloise wzniosła na chwilę swoje piękne oczy ku niebu, wciągnęła łyczek kawy i westchnęła z nieukrywaną przyjemnością. – O tym właśnie mówię! – Wzięła jeszcze jeden łyk i oddała z powrotem filiżankę. – To będzie nasz sekret – oświadczyła z iskierkami radości w tych swoich przejrzystych jak kryształ oczach.

– Jasne.

– Ona tak bardzo się o mnie troszczy! Prawie cały swój czas poświęca opiece nade mną. Ostatnio mocno się pochorowałam, a jestem już w tym wieku, kiedy nie wraca się tak szybko do zdrowia jak kiedyś. Wkurza mnie to strasznie, jeśli chcecie znać prawdę. – Ponownie ciężko westchnęła. – A teraz powiedzcie mi, co was sprowadza w nasze progi, was, śmietankę nowojorskiej policji?

Zanim pani porucznik zdążyła jej odpowiedzieć, Eloise spojrzała wymownie w stronę drzwi obudowanych łukowatym portalem. Eve doszła do wniosku, że wiek nie spowodował żadnych ubytków w słuchu starszej pani. Słysząc odgłos zbliżających się kroków, Eloise uśmiechnęła się szeroko.

– Oj-oj! No i zostałam przyłapana! – rzuciła żartobliwie.

Do pokoju weszła Darla. Widać było po niej, że wzięła się w garść, lecz w jej podpuchniętych, zaczerwienionych oczach pozostał smutek. Wiek również nie przyćmił wzroku Eloise.

– Darla! – Starsza pani zerwała się z fotela i zachwiała nieco, a wtedy Eve błyskawicznie podskoczyła, żeby ją podtrzymać. – Co się dzieje? Skarbie, co się stało?

– Och, Busiu! – Kobieta całkiem się rozkleiła i spod jej przymkniętych powiek znów polały się strumieniami łzy. – Chodzi o Thaddeusa. On nie żyje. Thaddeus nie żyje.

– Nie żyje? – Eloise rozłożyła szeroko ręce, a wnuczka padła wprost w jej objęcia. – Och, moje słodkie biedactwo! Chodź tu i usiądź obok mnie. – Pokierowała

Darlę ku kanapie, tak żeby ta mogła się usadowić tuż obok niej. Otoczyła jej plecy ramieniem. – Tak mi przykro, Darlo! Tak mi przykro!

Eloise popatrzyła przez ramię wnuczki na Eve, nie przerywając uspokajania jej i głaskania.

– O Jezu! – jęknęła w którejś chwili. – Ależ wolno dziś od samego rana kojarzę! Przecież jesteście z wydziału zabójstw. Powinnam się domyślić, że chodzi o coś w tym rodzaju, ale tak się ucieszyłam, gdy zobaczyłam was obie, że wyleciało mi to z głowy.

– Powinnaś odpocząć – zaczęła Darla. – Nie możesz się denerwować.

– Nic mi nie jest. Dobrze się czuję. A ty już przestań. Musimy ci dać coś na uspokojenie.

– Nie, nie! Muszę to czuć. Muszę przez to przejść. Och, Busiu, ktoś zabił Thaddeusa.

– Wiem, wiem. Przejdziemy przez to razem. – Eloise próbowała pocieszać Darlę. – Jak to się stało? – skierowała pytanie do Eve.

– Prowadzimy obecnie dochodzenie. Mogę teraz tylko tyle powiedzieć, że opuścił swoje mieszkanie w towarzystwie niezidentyfikowanej jeszcze kobiety około godziny dwudziestej pierwszej w dniu wczorajszym. Jego ciało zostało odnalezione u drzwi jego domostwa kilka godzin później.

– U drzwi? – Eloise ściągnęła brwi, tuląc wciąż Darlę do swego boku. – W sensie, że na zewnątrz? Nie powiedziałaś „w domu", tylko „u drzwi".

Umysł też ostry jak brzytwa – doszła do wniosku Eve.

– Zgadza się – potwierdziła na głos.

Starsza pani już otwierała usta, żeby coś powiedzieć,

ale chyba zauważyła, że Darla wciąż cierpi, i najwyraźniej zmieniła zdanie.

– Mieszkał z kobietą – rzekła w końcu. – Jestem jednak przekonana, że wiesz... że wiesz o Marcelli. A więc ta kobieta... ta kobieta nie była Marcellą?

– To również prawidłowy wniosek, jako że panna Horowitz przebywała w tym czasie poza miastem, w dodatku w towarzystwie kilku innych kobiet. Mimo to mamy zamiar porozmawiać z nią i wszystko potwierdzić.

– Jak możemy wam pomóc?

– Musimy sprawdzić alibi pani Pettigrew od godziny dwudziestej pierwszej wczoraj do piątej rano w dniu dzisiejszym.

– One myślą, że to ja skrzywdziłam Thaddeusa! – Darla chlipnęła i pociągnęła nosem. Widać było, że usiłuje się uspokoić.

– Och, nie bądźże niemądra! Zdenerwowałaś się, ale przecież nie jesteś głupia. One po prostu muszą wszystkiego się dowiedzieć, tak by wyeliminować cię z grona podejrzanych. Byliście małżeństwem, skarbie, a on... Cóż... Jestem przekonana, że policja już o tym wie... On cię rzucił dla tej Marcelli.

To mówiąc, przytuliła wnuczkę jeszcze mocniej.

– Darla była tu ze mną – zaczęła wyjaśniać, patrząc Eve prosto w oczy. – Oglądałyśmy razem film, a ja chyba zasnęłam. Męczę się teraz o wiele za szybko. Obie jednakże byłyśmy już przygotowane do snu. Przyszłaś potem sprawdzić, czy wszystko ze mną w porządku – zwróciła się do wnuczki. – Nie wiem dokładnie, która była wtedy godzina, bo pamiętam to przez sen. Położyłaś mi rękę na czole, chcąc sprawdzić, czy nie mam przypadkiem temperatury. Nie miałam gorączki już od dłuższego czasu. – Uścisnęła dłoń Darli. – Darla przeprowadziła się tutaj i zamieszkała ze mną na moją prośbę w trakcie trwania rozwodu. Zdrada Thaddeusa głęboko ją zraniła.

– Tak bardzo mi pomogłaś, babciu! – Młodsza kobieta ukryła twarz w ramionach starszej. Wydawała się uosobieniem rozpaczliwej żałości. – To ty mi pomogłaś przez to przejść.

– Pomagałyśmy sobie nawzajem. – Słodycz Eloise zniknęła z tonu jej głosu, gdy popatrzyła znów na Eve. Teraz siedziała przed nią kobieta o żelaznych nerwach i niezłomnej woli. – A co więcej, Darla miała własną firmę. Tak ciężko pracowała nad jej rozwinięciem, a on oskubał ją nawet ze sprawiedliwie przypadającej jej części. Uparł się, żeby sprzedać firmę w ramach rozwodu i podziału majątku.

– Jeśli to pani stworzyła tę firmę od podstaw, pani Pettigrew, w jaki sposób udało się mu zmusić panią do jej sprzedaży? – spytała Eve.

Wciąż wtulając się w babcię, Darla otarła oczy i zaczęła mówić:

– Babcia, niestety, jest w błędzie. – Tu westchnęła ciężko. – Czasami zachowuję się głupio. Sama podarowałam mu pakiet większościowy. Tak podobno miało być lepiej ze względów podatkowych i ze względu na sposób wykorzystania nieruchomości. Wierzyłam mu. Miałam do niego pełne zaufanie i po prostu nie zauważyłam, kiedy wykorzystał tę swoją "większościowość" i zaczął wyprowadzać z firmy duże kwoty. Kiedy się zdążyłam zorientować, było już za późno. Musiałam się zgodzić na sprzedaż, w innym wypadku firma poszłaby na dno, a ja razem z nią. Szczerze mówiąc, nie miałam na tyle silnej woli, żeby z nim walczyć. Udało mi się jakoś przez to przejść, lecz tylko dzięki wsparciu babci. Zawzięła się i naciskała na mnie tak długo, aż w końcu zgodziłam się zapisać do grupy wsparcia. To również dobrze mi zrobiło.

U Eve zapaliła się czerwona lampka.

– Co to za grupa? – spytała.

– Kobiety Kobietom. Uświadomiła mi, że nie jestem w tym sama i że byłam nie tyle głupia, co po prostu zakochana i ślepo wierzyłam temu, kto mnie zdradził. Nie uczęszczam na zajęcia już od kilku miesięcy, gdyż udało mi się pokonać ten brak wiary w siebie. Udało mi się!

– A ty z kolei nie opuściłaś mnie w chorobie – odezwała się czule Eloise, głaszcząc Darlę. – Powinnaś tam wrócić, skarbie, żeby wzmocnić swoją psychikę. W trudnych dla nas czasach my, kobiety, potrzebujemy wsparcia innych kobiet.

– Może i tak. Może powinnam to zrobić.

– Czy w tej grupie podczas zajęć… – drążyła Eve – czy przytaczałyście różne zdarzenia i omawiałyście szczegóły waszych małżeństw i rozwodów?

– No właśnie. – Darla spuściła w dół podpuchnięte, zaczerwienione oczy. – Tak właśnie było. Przytaczałyśmy nasze historie, a reszta nas słuchała. Dzieliłyśmy się naszymi osobistymi przeżyciami. Każda z nas się na to godziła. Grupa dodaje odwagi, żeby się otworzyć, a to pomaga. Wszystkie używałyśmy tylko imion.

– Czy brałaś może udział w sesjach terapeutycznych razem z jakąś Jasmine lub może z Leah?

– To poufne informacje. – Darla wyraźnie się przygarbiła. – Nie wydaje mi się w porządku, żebym miała cokolwiek potwierdzać lub też temu zaprzeczać.

– Te informacje mogłyby pomóc w śledztwie.
– Nie wiem, jak niby miałyby pomóc...
– To już nie twój problem. Od tego jest policja – przerwała jej Eloise wciąż łagodnym, acz stanowczym tonem głosu. – To ich praca, skarbie.
– Mimo wszystko nie wydaje mi się to w porządku, ale powiem. – Darla westchnęła ciężko. – Tak, owszem. Jakaś Leah i jakaś Jasmine były w tej grupie, przynajmniej przez pewien czas. Jak już mówiłam, nie uczęszczam na terapię już od kilku miesięcy, a one przestały przychodzić jeszcze wcześniej. Jestem tego pewna. Jak ta wiedza może w czymkolwiek pomóc? Czy to w jakikolwiek sposób wiąże się z Thaddeusem?
– O tym się wkrótce przekonamy. Tymczasem dziękuję pani za współpracę i poświęcony nam czas.
– Pani porucznik... – zaczęła Darla, kiedy Eve i Peabody wstały. – Wprawdzie nie byliśmy już małżeństwem, ale... Czy mogłaby mnie pani poinformować o znalezieniu osoby podejrzanej? O odnalezieniu tego, kto zrobił to Thaddeusowi?
– Przekażemy pani wszelkie stosowne informacje – oświadczyła służbiście Eve.
– Dziękuję. Odprowadzę panie do drzwi.
– Ja to zrobię! – Eloise również się podniosła. – Muszę się więcej ruszać, pamiętasz? A poza tym jestem głodna jak wilk, Darlo. Wróć, proszę, do kuchni i dopilnuj przygotowań do śniadania.
– Natychmiast, babciu! Tak się cieszę, że wreszcie odczuwasz głód. Babcia ostatnio nie wykazywała zbyt dobrego apetytu – wyjaśniła, zwracając się znów do policjantek. – Mam nadzieję, że znajdziecie tego, kto to zrobił. Mam również nadzieję, że nastąpi to wkrótce.

Kiedy Darla wyszła, Eloise powoli podeszła do Dallas i Peabody.
– Czy chciałaby pani coś dodać? – spytała Eve.
– Jesteś bardzo bystra. Właściwie to mam dwie sprawy – mówiła, idąc z nimi do holu wejściowego domu. – Po pierwsze, chcę powiedzieć, że w ogóle mi nie jest przykro, że on nie żyje, ale to oczywiście tylko moje osobiste odczucia. Współczuję Darli, bo tak bardzo ją to poruszyło i na pewno pogrąży się w żalu. Druga sprawa to pytanie do was. Twierdzicie, że wyszedł z jakąś kobietą, a kilka godzin później jego zwłoki... porzucono przed jego domem. Ponieważ czuję się nieco lepiej, choć wciąż nie za dobrze, od kilku tygodni siedzę głównie przed telewizorem, mimo że nie powinnam. Oglądam wiadomości... Czy tamten poprzedni mężczyzna... nie pamiętam jego nazwiska... Czy jego zwłoki również zostały porzucone przed wejściem do budynku, w którym mieszkał?

Nie musiała długo czekać na odpowiedź.

– Występują pewne podobieństwa – odrzekła wymijająco Eve.

– Och, dobry Boże! Postaram się trzymać ją z daleka od oglądania wiadomości na tyle, na ile to możliwe. To ją zniszczy. Znajdźcie zabójcę! – Ujęła równocześnie dłonie Peabody i Eve. – Znajdźcie tego, kto to robi! Mam nadzieję, że następnym razem spotkamy się w pomyślniejszych okolicznościach.

10

– Moja babunia będzie szczęśliwa, kiedy jej powiem, że miałam okazję poznać osobiście Eloise Callahan.

– Co oczywiście było najważniejszym punktem programu tej wizyty.

– No dobra, już z tym kończę. – Rozanielona Peabody nie przejęła się zbytnio fochem Eve. Właśnie doszły do samochodu i do niego wsiadły. Teraz już zupełnie poważnie podsumowała spotkanie: – Alibi Darli Pettigrew jest słabe. Poza tym miała motyw.

– Zgadzam się.

– Z drugiej strony jej smutek wydawał się naturalny, tak jak i wielkie poświęcenie dla babci.

– Również się zgadzam.

Peabody pogrążyła się w zadumie. Obróciła się nieco w fotelu i popatrzyła przez ramię na dom.

– Trudno uwierzyć, że mogłaby zostawić babcię samą, potencjalnie na kilka godzin, gdy ta dopiero dochodzi do siebie po długiej, ciężkiej chorobie.

Eve, ruszając z miejsca, zerknęła jeszcze we wsteczne lusterko.

– To wielki dom – powiedziała. – Założę się, że jest

tam wiele niedostępnych dla wszystkich, wygłuszonych skrytek, w których można by zamęczyć człowieka na śmierć, równocześnie mając oko na śpiącą babcię.

– Myślisz, że byłaby to w stanie zrobić? – Brwi Peabody uniosły się w zdumieniu.

– Jest na mojej liście podejrzanych.

– Naprawdę myślisz, że torturowałaby, okaleczała, a potem zabiła McEnroya, a potem swojego byłego męża, gdy w tym samym czasie jej ponaddziewięćdziesięcioletnia babcia spała spokojnie w tym samym domu?

– No i właśnie dlatego uważam, że to cholernie dobra przykrywka. Ponieważ każdy przeciętny człowiek zareagowałby na takie podejrzenia w ten sam sposób. Ona jest na mojej liście – powtórzyła z uporem Eve. – Na wysokim miejscu. Ciekawe, że poruszyła temat grupy wsparcia, jeszcze zanim o to zapytałyśmy.

– A ty sądzisz, że jest w tym coś podejrzanego? – Zbita z tropu Peabody odwróciła się do Eve i zaczęła z uwagą studiować jej profil. Znała dobrze swoją partnerkę i wiedziała, że ta umie wyłapać detale, na które ona sama nigdy nie zwróciłaby uwagi. – Chcę przez to powiedzieć, że Darla mówiła o tym, jak babcia jej pomogła, a jednym ze sposobów, w jaki to zrobiła, było zmuszenie jej do zapisania się na terapię grupową.

– No może niekoniecznie podejrzanego, lecz pasującego. Pasującego również do naszej układanki. Tym sposobem mielibyśmy łącznik pomiędzy jednym a drugim morderstwem. Istnieje duże prawdopodobieństwo, że jedna lub więcej kobiet z grupy wsparcia zabiło obu mężczyzn. Powinnyśmy sprawdzić osobę, która prowadzi zajęcia terapeutyczne grupy KK.

– Już to robię. Mają stronę w internecie. – Peabody zabrała się do pracy na swoim podręcznym komputerze. – Nie ma żadnych danych kontaktowych ani nazwisk. Działają anonimowo, jak sądzę. Spełniają coś w rodzaju misji. Przeczytam ci. „Grupa Kobiety Kobietom oferuje wsparcie bez oceniania. Wspieramy się wzajemnie po rozwodach, zdradach, utracie kogoś, po molestowaniu, napadach, gwałtach, w depresji, w trakcie dochodzenia do siebie i we wszystkich innych trudnych przypadkach, które mogą przytrafić się kobietom. Nasza grupa wykazuje się unikatowym zrozumieniem przypadków, które mogą spotkać kobietę w codziennym życiu. Jeśli potrzebujesz kogoś, kto cię wysłucha, pozostajemy zawsze do usług". – Peabody przewinęła stronę do końca. – Piszą tutaj, że grupę prowadzi licencjonowana terapeutka, która na życzenie może skontaktować chętne osoby ze schroniskami dla kobiet, a także załatwić im adwokata lub miejsce w placówce reedukacyjnej. McNab pokazał mi kilka trików – pochwaliła się. – Zobaczmy, czy uda mi się wyłuskać IP komputera, nazwisko i lokalizację.

– Zanim zaczniesz wyłuskiwać, wprowadź do nawigacji adres miejsca, w którym się spotykały – poprosiła Eve. – Spróbujemy tam podjechać.

Peabody wklepała adres, a potem rozprostowała ramiona i zaczęła tłuc w klawisze.

Eve pozwoliła jej pracować w ciszy, a sama pogrążyła się w rozmyślaniach, jadąc z powrotem przez centrum.

Duży dom – pomyślała znowu. – Był przy nim garaż, więc pewnie jest i samochód. Prywatna posesja. Odludne miejsce. Ma potencjał.

Jednakże babcia sprawiała wrażenie bardzo osłabionej i kruchej, jak ktoś, kto dochodzi do siebie po ciężkiej chorobie. Nie zaszkodzi sprawdzić, czy to zapalenie płuc nie stanowi przypadkiem przykrywki.

W sumie istnieje niewielkie prawdopodobieństwo. Trudno sobie wyobrazić tak oddaną wnuczkę, zostawiającą swoją ledwo żywą babcię samą na wystarczająco długo, by w tym czasie nafaszerować faceta narkotykiem i przywieźć do prywatnej, odludnej rezydencji.

Jednakże... o wiele za mocno okazywała żal po śmierci zdradzającego ją eksmęża.

Wspomniała coś o pielęgniarce przychodzącej w ciągu dnia – rozważała dalej Eve. – Równie dobrze mogła ją wynająć na noc. Kogoś, kto zaopiekuje się babcią, kiedy ona będzie czymś zajęta gdziekolwiek indziej. Gdzieś nieoficjalnie. Incognito.

– A niech mnie! Mam! – Peabody aż podskoczyła i wyrzuciła w górę rękę z zaciśniętą pięścią. – Mam ją! IP jest zarejestrowane na Kendrę Zulę. Czekaj no! Zaraz będę miała ten adres. Hej! To kilka przecznic od miejsca, gdzie odbywały się spotkania grupy. Jedziemy we właściwym kierunku.

– Dobra robota.

– Dzięki. Chcesz, żebym ją sprawdziła?

– A jak myślisz?

– Ja? Myślę, że chcesz, żebym ją sprawdziła. Jeezu! Ona ma dopiero dwadzieścia jeden lat! Studiuje na nowojorskim uniwersytecie. Rodzice żyli w konkubinacie, bez ślubu. Ojciec mieszka obecnie w Kenii. Nie ma rodzeństwa. Matka mieszka pod tym samym adresem. Natalia Zula.

– Matka prowadzi grupę, córka zaprojektowała i zrobiła jej stronę w internecie – domyśliła się Eve. – Sprawdź jeszcze matkę.

– Natalia Zula, lat czterdzieści cztery, no i taaa... licencjonowana terapeutka. Ma licencję od pięćdziesiątego szóstego. Prowadzi praktykę prywatną. Specjalizuje się w terapiach kobiet i dzieci. Wygląda na to, że ma gabinet pod tym samym adresem.

– Więc jej odnalezienie nie powinno nam sprawić żadnych trudności.

Eve szybko odszukała mieszczący się pod wskazanym adresem, przy samej granicy nowojorskiej NoHo, wąski dom bliźniaczy. Ktoś pomalował drzwi wejściowe na ciemnoniebiesko. Kilka schodków z poziomu chodnika prowadziło na podest, na którym stała pełna ziemi donica w pionowe prążki. Widać było, że jest w niej posadzona jakaś dopiero kiełkująca roślina.

Dobra ochrona – Eve odnotowała w pamięci, naciskając dzwonek u drzwi. Usłyszała zza nich kobiecy głos – ludzki, nie automatu – który zadał pytanie:

– W czym mogę pomóc?

– Porucznik Dallas i detektyw Peabody, nowojorska policja. Musimy porozmawiać z Natalią Zulą.

Musiała chyba podbiec do drzwi, bo się otworzyły, nim Eve skończyła mówić, a kobieta, która się w nich ukazała, z trudem łapała oddech.

– Coś z Kendrą?! – Na jej twarzy malowała się obawa.

– Z nią akurat wszystko jest w porządku, przynajmniej z tego, co wiemy. Niepokoimy panią z innego powodu.

– O mój Boże! – Przycisnęła rękę do piersi. – Moja córka Kendra nocowała dziś u koleżanki i jeszcze nie wróciła. Zdenerwowałam się... Przepraszam. Czy mogę zobaczyć wasze identyfikatory?

Eve wyciągnęła w jej stronę odznakę policyjną i bacznie się jej przyglądała, gdy tamta przypatrywała się odznace.

Kobieta była wprawdzie wysoka i dobrze zbudowana, lecz jej czarną jak heban skórę trudno by było zamaskować, sprawczyni zaś morderstw – zgodnie z zeznaniami świadków – nie była rasy czarnej. Ta tutaj miała wydatne, trójkątne kości policzkowe, a przy tym duże czarne oczy i czarne włosy, splecione w masę drobniutkich warkoczyków, sięgających ramion.

Miała na sobie prostą, granatową, dopasowaną sukienkę, do tego wygodne buty na niskim obcasie i śnieżnobiałą koszulową bluzkę.

– Dziękuję. Zapraszam do środka. Przejdźmy może do mojego gabinetu.

– Dobrze.

Mówiła z ledwie słyszalnym obcym akcentem, niezwykle melodyjnie, a przy tym dokładnie wymawiała każde słowo. Zaprowadziła je do pokoju na końcu korytarza. Stało w nim małe biurko, dwa solidne fotele obite szarą tapicerką oraz granatowa kanapa. Obrazy wiszące na ścianach przedstawiały pejzaże z kwietnymi łąkami, lasami i miękko wijącymi się rzekami.

– Usiądźcie, proszę. Napijecie się panie herbaty?

– Nie, dziękujemy.

Natalia zajęła miejsce za biurkiem, oparła przedramiona na blacie i splotła palce rąk.

– W czym mogę pomóc? – spytała.

– Prowadzi pani grupę terapeutyczną Kobiety Kobietom.

– Zgadza się, lecz to sprawa poufna. Każda kobieta ma zapewnioną anonimowość.

– Szanowna pani, zostało zamordowanych dwóch mężczyzn. Trop prowadzi do pani grupy.

Pani Zula odchyliła się nagle na oparcie krzesła, jakby dostała pięścią w szczękę.

– Nie! To niemożliwe. Na moje zajęcia nie uczęszczają żadni mężczyźni.

– Tych mężczyzn zabiła kobieta.

– Ach! – Zamknęła na chwilę oczy. – Mogę was zapewnić, że w mojej grupie propaguje się wsparcie, wzajemne zrozumienie, dążenie do rozwiązań pokojowych, dochodzenie do siebie, odzyskiwanie stabilności uczuciowej. Absolutnie nie propagujemy ani nie sankcjonujemy stosowania przemocy.

– Może to i prawda, lecz istnieją pewne powiązania. Obaj mężczyźni mieli do czynienia z kobietami, które uczęszczały do tej grupy. Kobiety przychodziły do pani na terapię z powodu swoich złych doświadczeń z owymi mężczyznami.

– Rozumiem. – W czarnych oczach Natalii Eve dostrzegła niepokój. – Wydaje mi się jednak, że ci mężczyźni musieli być powiązani ze sobą w inny sposób, skoro zostali zabici razem.

– Nie razem. Nigel McEnroy został zamordowany dzień wcześniej.

– Słyszałam o tym. Nazwiska nie znam, ale słyszałam o tym morderstwie.

– Usłyszy pani dzisiaj o kolejnym. Thaddeus Pettigrew został zamordowany w ten sam sposób minionej nocy.

– To straszne... ale czegoś tu nie rozumiem. Mówi pani, że ci dwaj mężczyźni nie znali się nawzajem?

– Nie możemy tego całkiem wykluczyć. Dwie kobiety, które pracowały w firmie McEnroya, złożyły mnie i mojej partnerce zeznania, świadczące o tym, że podawał im narkotyki oraz inne środki odurzające, a potem je zgwałcił. Obie uczęszczały na pani zajęcia terapeutyczne. Była żona Pettigrewa, którą zostawił dla innej, oraz, zgodnie z jej zeznaniami, oszukał ją w rozliczeniach finansowych, również chodziła do pani grupy.

– Ale... – Uniosła rękę i przyłożyła ją do piersi tuż przy szyi. – Chyba nie przypuszczacie, że te kobiety współpracowały jakoś ze sobą w celu zabicia?

Cały czas zachowuje spokój – notowała Eve w pamięci – jest stabilna emocjonalnie mimo narastającego niepokoju w wyrazie jej twarzy.

– Dowody wskazują na to, że w sprawę może być zamieszanych więcej osób. Jestem przekonana, że będą kolejne ofiary i kolejne morderstwa, dopóki nie zidentyfikujemy i nie powstrzymamy tej osoby czy też tych osób.

– Nie wiem, jak ja miałabym w tym pomóc.

– Potrzebujemy danych personalnych kobiet, które uczęszczały do pani na sesje terapeutyczne w ciągu ostatnich trzech lat.

– Niestety, nie mogę...

– Na pewno dostaniemy nakaz.

– Tak, tak, rozumiem, ale chcę powiedzieć, że to fizycznie niemożliwe. Oprócz tego, że to dane poufne, zapisywałam sobie jedynie ich pierwsze imiona, a i tak domyślam się, że niektóre, nawet wiedząc to wszystko, mogły mi nie zdradzić swoich prawdziwych, tylko podać inne. Nie zachowuję nagrań z sesji grupy. To ma być po prostu miejsce... no, bezpieczne miejsce, do którego te kobiety mogą przyjść, gdy poczują taką potrzebę, gdzie będą mogły powiedzieć to, co chcą z siebie wyrzucić, i gdzie nie będą za to oceniane.

– Zapewne robi pani notatki i przechowuje je dłużej, bo jak inaczej dałoby się zapamiętać, kto przychodzi, czego potrzebuje, komu co się przytrafiło?

– Tak, owszem. Mam notatki. Z pierwszymi imionami. – Natalia utkwiła w Eve swe przepastne jak jeziora oczy i wyciągnęła obie ręce przed siebie, wnętrzami dłoni skierowanymi w stronę rozmówczyni. – Proszę mnie dobrze zrozumieć. Chcę pomóc, lecz jeśli udostępnię wam wszystkie swoje materiały, jak potem którakolwiek z tych kobiet będzie mogła mi zaufać? Jeśli przedstawicie nakaz, nie będę miała innego wyjścia, tylko postąpić zgodnie z prawem.

– W porządku. Peabody, sprawdź, czy Yancy przygotował już może szkic twarzy zabójczyni na podstawie opisu naocznego świadka od McEnroya.

– Bardzo mi przykro, ale bez nakazu nie mogę wam niczego udostępnić – mówiła dalej Natalia. – Odbieram to tak, że jeśli następna osoba zginie, ja również będę za to odpowiedzialna. Nie dość, że kobiety, które do nas przychodzą, to osoby krzywdzone, przerażone, złamane, zdesperowane, kobiety bite, które oskarżają same siebie za otrzymywane razy. Kobiety odrzucone, godne pogardy, które wciąż się zastanawiają, dlaczego nie wystarczały swoim partnerom. To teraz jeszcze to. A tak na marginesie: kiedyś ja sama byłam jedną z nich.

– Dobrze by było, gdyby nam pani przy okazji powiedziała, gdzie spędzała czas między dwudziestą pierwszą wczoraj a piątą rano w dniu dzisiejszym.

– Rozumiem. Przez powiązania z grupą ja również się znalazłam w gronie podejrzanych. – Wciąż spokojna, niewzruszona, Natalia wzięła głęboki oddech. – Ostatnią noc spędziłam z mężczyzną. Nazywa się Geo Fong. Sądzę, że jest dobrym człowiekiem, choć wcześniej miałam o nim inne zdanie. Spotykamy się od kilku miesięcy i mam już co do tego pewność. Poprzedniego wieczoru przygotowałam kolację. Przyszedł do mnie o dziewiętnastej, a po kolacji poszliśmy na górę i całą noc byliśmy razem. Moja córka, jak już mówiłam, nocowała u swojej koleżanki. Geo wyszedł dosłownie chwilę przed waszym przyjściem.

– A poprzednia noc?

– Spędziłam ją z córką. Byłyśmy na kolacji gdzieś na mieście, a potem poszłyśmy do kina. Wróciłyśmy do domu i rozmawiałyśmy prawie do północy. Sądzi, że się zakochała. Chłopak sprawia wrażenie miłego. Mam nadzieję, że taki jest. Córka jest całym moim światem, pani porucznik. Mogę przysiąc tu i teraz, że nigdy nie uczynię niczego, co by ją zabolało. A gdyby jej matka poszła siedzieć, byłaby tym bardzo głęboko zraniona. Zagubiona.

To mówiąc, Natalia z leciutkim uśmiechem obróciła w stronę Eve i Peabody stojące na biurku zdjęcie w ramce. Przedstawiało ładną dziewczynę o oczach swojej matki.

– Cały mój świat – powtórzyła tamta dobitnie raz jeszcze. – Jej ojciec nas opuścił, kiedy była jeszcze dzieckiem. Przyjechałam do Ameryki z rodzicami. Oboje pracują jako lekarze. Wyobrażali sobie, że pójdę w ich ślady, ale zakochałam się i na świat przyszła Kendra. Bardzo mnie zabolało odejście jej ojca, na szczęście miałam ją. Miałam swój świat. Po jakimś czasie na mojej drodze pojawił się mężczyzna. Myślałam, że jest dobrym człowiekiem, i wpuściłam go do naszego życia. Dowiedziałam się, że kiedy moja piękna córka skończyła lat piętnaście, on ją... tknął. Na początku bała się do tego przyznać, a ja byłam ślepa. Jednakże kiedy to w końcu uczyniła, poszłam z nią do lekarza. A potem na policję.

– Co się stało z tym mężczyzną?

– Jest w więzieniu i zostanie tam jeszcze długi czas. Miał zdjęcia mojej córeczki, które robił, kiedy ona o tym nie wiedziała. Jak była pod prysznicem, jak leżała w łóżku. A ja, choć byłam na miejscu, niczego nie widziałam. Rzucił się na moje dziecko, powiedział jej, że wszystkiemu zaprzeczy, a ja na pewno uwierzę jemu, nie jej. Dodał, że mnie zabije. Mówił jej wiele potworności, na szczęście teraz jest w więzieniu, a moja dziewczynka doszła do siebie i ma się dobrze. Zaufała mi. Obie zaufałyśmy policji. Gdyby mi kiedykolwiek przeszło przez myśl, by go zabić, już by nie żył.

Peabody wstała i postawiła przed Natalią swój podręczny komputer.

– Czy rozpoznajesz tę kobietę? – spytała.

Natalia przyglądała się uważnie portretowi pamięciowemu, zwracając twarz pod różnym kątem. Wreszcie stwierdziła:

– Według mnie to bardzo piękna kobieta, nie sądzę jednak, bym miała okazję ją poznać. Nie wydaje mi się też, żeby taka osoba przychodziła kiedykolwiek do mnie na terapię zajęciową. Na pewno bym potwierdziła, gdyby tak było. Wiele wam nie pomogłam, ale na pewno bym nie skłamała.

– Wierzę ci. Niedługo dostarczymy nakaz. Czy omawiałaś swój przypadek na zajęciach?

– Oczywiście! – Kobieta uniosła w górę obie ręce. Nie nosiła ani obrączki, ani żadnego pierścionka. – Jakżebym mogła prosić innych o to, by mi zaufali, gdybym ja sama im nie ufała? No i przecież gwałciciel mojej córki siedzi w więzieniu.

Jemu została wymierzona sprawiedliwość – pomyślała Eve.

– Gdybyś dała mojej partnerce kontakt do pana Fonga, zweryfikujemy twoje alibi.

Natalia zrobiła to, o co prosiła ją Eve, i wstała.

– Mam nadzieję, że nie macie racji – powiedziała. – Mam nadzieję, że uda się wam odnaleźć zabójczynię i okaże się, że to żadna z tych, które przewinęły się przez moją grupę.

Zawsze możesz mieć nadzieję – pomyślała Eve. – Ja jednakże się nie mylę.

*

Wyruszyły do kostnicy.

– Ciśnij, żeby szybciej wyprodukowali ten nakaz – poleciła Eve podczas jazdy. – Same imiona nie dadzą nam zbyt wiele, ale zawsze lepsze to niż nic. Chciałabym też porozmawiać z tym kimś, ktokolwiek to jest, u kogo Pettigrew zamawiał licencjonowane dziwki. Sprawdźmy, czy on też miał jakiś ulubiony typ urody.

– Już się tym zajęłam. Czy mam cię połączyć z facetem Natalii Zuli, żeby potwierdził jej alibi? Zobaczymy, czy jego zeznania się pokrywają.

– Jasne. Do tego też dojdziemy. Zacznijmy od partnerki Pettigrewa. – Kiedy Peabody wybrała numer, po kilku sygnałach uzyskały połączenie na telefonie głośnomówiącym.

– Dallas – przedstawiła się.

– Przy telefonie Bondita Rothchild, matka Marcelli. Jesteśmy już w drodze do Nowego Jorku. Powinnyśmy być na miejscu za niespełna godzinę.

– W porządku, pani Rothchild. Przyjedziemy do pani.

– Zabiorę Marcellę do siebie. Nie chcę, żeby została sama w tamtym domu.

Eve od razu wklepała adres do wbudowanej w deskę rozdzielczą nawigacji. Ulica Cobble Hill. Oznaczało to, że będą musiały się przeprawić na drugą stronę rzeki, do Brooklynu.

– Przyjedziemy do pani – powtórzyła Eve. – Będziemy mniej więcej za półtorej godziny.

– Oczekuję, że zachowacie się taktownie podczas rozmowy z Marcellą i weźmiecie pod uwagę jej stan psychiczny. Jest zdruzgotana – dodała Bondita i się wyłączyła.

Zaparkowały i zaczęły schodzić tunelem w dół. Po drodze Peabody odczytała wiadomości w telefonie.

– Nakaz jest w trakcie przygotowania – powiedziała.

– Sprawdź, kto z pracowników sali głównej naszego wydziału jest teraz wolny – poleciła jej Eve. – Wolałabym, żeby był to ktoś w stopniu detektywa, ale zwykły mundurowy też ujdzie. Nakaż, żeby się ktoś tym zajął i zdobył potrzebne dane.

Kiedy zbliżały się do drzwi Morrisa, jej komunikator policyjny zasygnalizował nadejście połączenia.

– Co jest? – burknęła niezadowolona, lecz odczytawszy nazwisko komandora Whitneya na wyświetlaczu, zorientowała się, że wkrótce uzyska odpowiedź na swoje pytanie.

– Melduje się Dallas! – odebrała.

– Pani porucznik. Musi się pani zgłosić natychmiast do Tower na rozmowę z szefem Tibble'em.

Okazało się, że „co jest?" jest jeszcze wyższe stopniem, niż się tego spodziewała.

– Panie komendancie! Pracuję teraz w terenie. W chwili obecnej znajduję się w kostnicy i właśnie wchodzę na umówione spotkanie z doktorem Morrisem, dotyczące Thaddeusa Pettigrewa, który, jak wszystkie dowody zebrane do tej pory wskazują, jest drugą ofiarą w prowadzonym przeze mnie dochodzeniu. Za półtorej godziny mam również umówione spotkanie z konkubiną Pettigrewa.

– Masz się zameldować w Tower punkt trzynasta.

– Tak jest, szefie! – Wcisnęła komunikator z powrotem do kieszeni. – Geena McEnroy mąci.

– Poleciała ze skargą od razu na samą górę – oznajmiła Peabody. – Przynajmniej zostanie nam chwila na przesłuchanie Horowitz.

– Ciebie nie wezwał. Tak się złożyło, że nie byłaś obecna wtedy, kiedy ją przesłuchiwałam.

– Uch-uch! – Peabody zrobiła zaciętą minę. – Jesteśmy partnerkami. Jeśli narażasz swój tyłek na grillowanie, mój tyłek zawsze znajdzie się na grillu obok twojego!

– Niepotrzebna mi jest do niczego wizualizacja twojego tyłka podsmażanego razem z moim na jakimś pieprznym grillu. Partnerki od dupy strony... – mruknęła Eve pod nosem i pchnęła wahadłowe drzwi. Peabody, drepcząca za jej plecami, prychnęła śmiechem.

Morris pracował przy swej ulubionej bluesowej muzyce. Tym razem miał na sobie garnitur w kolorze leśnej zieleni. Ozdobny sznur, wpleciony w warkocz, dzisiaj był koloru stalowoszarego, tak jak i jego krawat. Końcówkę warkocza podwiązał przy głowie, tworząc z niego pętlę.

Kiedy weszły, obie dłonie miał akurat zanurzone w otwartej klatce piersiowej Pettigrewa.

– *Jeszcze raz w wyłom, najmilsi, raz jeszcze…**. Ta biedna dusza nie przetrzyma walki w kolejnej bitwie! – rzucił patetycznie Morris.

– Ta biedna dusza nie miała okazji walczyć nawet w swojej ostatniej – westchnęła Eve.

– Owszem, to się zgadza. Żadnych ran, które by powstały, gdyby się bronił. Ten bardziej się nacierpiał niż nasz poprzedni gość. W pełni się zgadzam z twoją oceną z miejsca zdarzenia, Dallas. Został powieszony za nadgarstki, z rękami nad głową, a ciężar jego ciała i szarpanie się na uwięzi sprawiły, że obie jego ręce zostały wyłamane ze stawów barkowych. Użyto elektrycznego poskramiacza tych samych rozmiarów i parametrów jak tego, którego użyto do torturowania McEnroya. Zastosowano go do bicia, przypalania oraz do aktu sodomii. Obstawiam, że między pierwszą a ostatnią raną upłynęły przynajmniej cztery godziny.

– Ona… z pasją widać oddaje się temu, co robi. Działa z całkowitym poświęceniem.

– Powiedziałbym, że trafnie to ujęłaś. Potrzeba swego rodzaju oddania sprawie, żeby przez kilka godzin z takim zapamiętaniem torturować inną ludzką istotę. Nie ma żadnych śladów, które by świadczyły o tym, że kneblowała mu usta, musiał więc krzyczeć i błagać

---

* Cytat z *Króla Henryka V* Williama Shakespeare'a, tłum. Leon Ulrich.

o litość. Przyczyną śmieci był masywny krwotok po odcięciu genitaliów. Żył jeszcze, tak jak i McEnroy, kiedy to zrobiła. Ślad cięcia moim zdaniem pozostawiło to samo ostrze, którego użyła wobec McEnroya.

– Czy znajdował się pod wpływem narkotyków? – spytała Eve.

– Tak jak i poprzednio, tu również naciskałem na jak najszybsze wykonanie toksykologii. Z raportu wynika, że użyła tej samej mieszanki. Pierwszą dawkę podała mu iniektorem ciśnieniowym do wnętrza dłoni.

– Okej, okej. A więc taki to miało przebieg... – Kiwając głową, Eve okrążyła ciało. – On podchodzi do drzwi, żeby ją wpuścić do środka. Ona się przedstawia i podaje mu rękę na powitanie. We wnętrzu dłoni ma ukryty iniektor. Nie miał nawet czasu zareagować. Ona od razu prowadzi go do własnego samochodu. Należy do niej.

– Dostał jeszcze drugą dawkę – dodał Morris.

– Zapewne już w samochodzie. – Widziała to oczami wyobraźni. – Potem wyciąga go z auta. Ktokolwiek siedział za kierownicą, kiedy dojechali tam, gdzie mieli dojechać, pomógł jej zaprowadzić go do środka. Prawdopodobnie pomógł też go podwiesić.

– Do tej pory znalazłem tylko jedną różnicę pomiędzy oboma ciałami – rzekł Morris. – Popatrz tylko na palce jego stóp.

To mówiąc, podał mikrogogle Eve, a potem wyciągnął rękę z drugą parą również w stronę Peabody. Ta jednak cofnęła się o krok i rzekła:

– Dziękuję, ale stąd widzę wszystko wystarczająco dobrze.

Eve nastawiła ostrość w swoich i wraz z Morrisem pochylili się nad ciałem.

– McEnroy miał zadrapania i siniaki na całej stopie od spodu – zaczął wyjaśniać Morris. – Po każdym elektrowstrząsie albo jego ciało zwisało bezwładnie, albo zaczynał się szarpać, a jego stopy uderzały w podłoże. W tym przypadku jednakże...

– Tak, tak. Rozumiem. Jego podwiesiła nieco wyżej. Ledwo dotykał powierzchni posadzki, więc próbując łapać równowagę i odciążać ręce i barki, stawał na palcach. Huśtając się, zaczepiał nimi o podłogę. Znalazłeś coś pod paznokciami?

– Zabawne. Już dawno powinnaś o to spytać. – Uśmiechnięty triumfalnie patomorfolog wyprostował się. – Tak. Wydobyłem substancję spod paznokci i wysłałem do laboratorium. To nie żadne włókna ani przędza z dywanu czy chodnika. Nie jest to żadna tkanina. Nie sądzę też, żeby było to drewno. Jak dla mnie jest to podłoga ceramiczna, kamienna lub z wylewanego betonu.

– Okej. To się nawet dobrze składa... Nie przemyślała tego, prawda? Chciała tylko, żeby bolało, a o tym nie pomyślała.

– Nie da się przeszacować zdolności człowieka do okrucieństwa. – Mówiąc to, mężczyzna zdjął gogle i spojrzał Eve w oczy. – Ta, która to robi, działa bez zahamowań. Tnie mocno, rani głęboko. Mam nadzieję, że jesteś bliżej niej niż ona swojej kolejnej ofiary.

– Uważamy, że wybiera ofiary spośród oprawców kobiet biorących udział w zajęciach pewnej grupy terapeutycznej – odezwała się Peabody.

– To okrucieństwo w czystej postaci, nieprawdaż? Żeby wejść w ten krąg wzajemnego współodczuwania i pomocy potrzebującym po to tylko, by potem móc wywołać tak wielkie cierpienie! Ech, cóż... Każdy z nas będzie robić to, co do niego należy. Przygotuję dla was pełny raport na dzisiejsze popołudnie.

– Byłabym wdzięczna.

Kiedy wyszły, Eve wyciągnęła kilka monet z kieszeni i podała je Peabody.

– Jakaś kofeinka na zimno? – zaproponowała.

Jej partnerka poszła do automatu po dwie puszki pepsi. Dla siebie wzięła dietetyczną.

– Dobrze się czujesz? – spytała, widząc, że Eve pociera czoło zimną puszką.

– Taa... Lekki ból głowy.

– Mam proszki przeciwbólowe.

– Nie, nie, dzięki. Samo przejdzie.

– Obawiasz się wezwania na dywanik do Tibble'a.

– Nie, nie obawiam. Wykonywałyśmy swoją pracę. Jeżeli musi dać nam za to klapsa, przyjmiemy go z godnością, a potem wyjdziemy i będziemy dalej robić swoje.

– Powiedziałaś „my". – Peabody zgięła rękę i zacisnęła dłoń w pięść w geście zadowolenia z siebie. – Partnerki od dupy strony. Hi-hi!

Już w samochodzie Eve siedziała chwilę w milczeniu, a potem otworzyła z trzaskiem pepsi.

– Będziemy musiały powiedzieć partnerce naszego drugiego denata, że facet, z którym żyła, lubił sobie pożywać z obcymi kobietami, gdy jej nie było akurat w pobliżu. Pewnie się nieźle wkurzy, i to nam się za to dostanie. – Westchnęła. – Trudno się raczej wściekać o dziwki, skoro zostanie przez nas poinformowana, że gość, który ją zdradzał, nie żyje. A w dodatku musimy jej powiedzieć, że nie żyje, bo wyszedł z domu z obcą babą. – Eve upiła trochę pepsi. – W tym rzecz. Zdradzał. Najpierw zdradził żonę ze swoją obecną flamą. Dlaczego obecna była święcie przekonana, że jej nie zdradzi, pojęcia nie mam, tak się jednak zwykle dzieje. Mniejsza... Rozważając jednak sprawę z perspektywy zabójczyni... Tym razem nie mamy żadnych dowodów wskazujących na podawanie kobietom narkotyków, gwałty czy maltretowanie lub wykorzystywanie ich w jakikolwiek inny sposób. Po prostu je wynajmował. Pomówimy z właścicielem agencji i sprawdzimy, czy denat stosował kiedykolwiek przemoc w stosunku do jego pracownic. Wprawdzie nic o tym nie świadczyło, sądząc po sposobie przygotowania pokoju do schadzki. Zabawki były zwykłymi zabawkami używanymi w sypialni. Żadnych nielegalnych, tylko wspomagające doznania. Dodaj do tego jeszcze pieniądze: jak zgrabnie wymanewrował swoją byłą żonę z firmy, którą to ona założyła i rozwinęła. Jednakże nawet biorąc to wszystko pod uwagę, daleko mu było do McEnroya.

Peabody kiwała głową, słuchając długiego wywodu Eve.

– A mimo to rozprawiła się z nim o wiele srożej – zauważyła, gdy szefowa przerwała. – Gdyby postąpiła z nimi odwrotnie, miałoby to więcej sensu.

– Mhm... Masz rację. Popatrzmy na to od drugiej strony. Kara nie jest proporcjonalna do postępków ofiar. Nastąpiła u niej eskalacja zbrodniczych instynktów albo z jakiegoś konkretnego powodu chciała, żeby Pettigrew bardziej cierpiał.

– Ten trop wiedzie nas z powrotem do jego byłej żony – weszła jej w słowo Peabody.

– Do byłej żony lub innej kobiety, którą zdradził, albo też do jego obecnej konkubiny – dodała Eve. – Jedźmy do Brooklynu.

– Okej. Mamy nakaz – powiedziała Peabody, wpatrując się w swój telefon. – Jenkinson i Reineke są wolni i mogą go nam dostarczyć. A poza tym... Hej! Siedziba firmy Dyskrecja znajduje się po drodze na Brooklyn. Mamy wystarczająco dużo czasu, żeby tam wpaść na chwilę, nim ruszymy do Horowitz.

– Nawet lepiej. Wprowadź adres do nawigacji.

Peabody wykonała polecenie i ściągnęła brwi w zamyśleniu.

– Oni też mogą chcieć od nas nakazu. W końcu ich nazwa to Dyskrecja. Mam rację?

– Zaryzykujmy. Przecież ich stały klient nie żyje – powołała się na ważny powód Eve. – Klient, któremu dziabnięto wacka. Powinni chcieć nas przekonać, że nie zrobiła tego żadna z ich licencjonowanych dam do towarzystwa.

– Można i tak na to spojrzeć. Myślisz, że gdyby uprawianie seksu było twoją pracą, zaczęłoby cię po jakimś czasie nudzić i stawałoby się może bardziej ekscytujące, gdybyś nieco namieszała? – zastanawiała się na głos Peabody.

– Praca licencjonowanej kobiety do towarzystwa to nie tylko seks, to również udawanie zainteresowania osobą, która opłaciła spotkanie z góry kartą kredytową... albo z nieco niższego poziomu: wybrała ją z grona panienek na ulicy. Jeśli jesteś tą z wyższego poziomu, musisz jeszcze z tym głąbem prowadzić konwersacje, a kto to wie, co takiego typa może interesować, o ile w ogóle go cokolwiek interesuje. Już wolałabym pracować na nocnej zmianie w fabryce jako testerka żarcia dla kotów – perorowała Eve.

– Uważasz, że jest ktoś, kto je próbuje? To żarcie dla kotów? – zdziwiła się Peabody. – Tego się chyba nie robi? A może się mylę?...

– Skąd, do cholery, mam wiedzieć? Nie pracuję w fabryce żarcia dla kotów. O tam! – krzyknęła Eve, gdy zauważyła wolne miejsce między samochodami przy krawężniku ulicy. Natychmiast wrzuciła bieg do lotu pionowo w górę, po czym obróciła auto o sto osiemdziesiąt stopni w powietrzu i opadła w dół.

– Ja się muszę przespacerować – jęknęła Peabody. – Z największą przyjemnością się przejdę te kilka przecznic. Będę miała luźniej w spodniach, a co więcej, nie zagrozi mi atak serca. – Nogi jeszcze się jej trzęsły, więc wysunęła je ostrożnie z samochodu i stanęła niepewnie na chodniku.

– Zaczyna padać – zauważyła rozsądnie Eve.

– Spacer w deszczu odświeża – upierała się Peabody.

– Od chodzenia po deszczu można tylko zmoknąć – ucięła dyskusję Eve i pociągnąwszy za sobą swą partnerkę, skierowała się do holu strzelistego śródmiejskiego biurowca.

Lobby budynku przemierzały w najróżniejszych kierunkach gromadki ludzi dokądś się spieszących – na pierwszy rzut oka widać było, że to bardzo zajęci ludzie biznesu. Jedni pędzili do wind, drudzy właśnie je opuszczali. Z aktówkami, w garniturach, ze słuchawkami na uszach, z kawą na wynos w dłoni.

Eve poszła prosto do stanowiska ochrony i pokazała im swoją odznakę.

– Do Dyskrecji – rzuciła krótko.

Niski mężczyzna z resztkami siwiejących włosów na głowie przyjrzał się uważnie obu kobietom.

– Proszę się wpisać do księgi wejść i wpisać nazwisko osoby, do której udajecie się na spotkanie.

– Poznam je, jak się tam dostanę. Które piętro?

– Dwunaste, kompleks wschodni. – Sprawdził na ekranie komputera. – Dwunasta zero zero do głównego biura.

Eve nabazgrała swoje nazwisko, odczekała, aż Peabody wpisze swoje, i ruszyła w stronę wschodniej części budynku.

Wsiadły do windy z całą gromadką ludzi ubranych w biznesowe garnitury. Musiały wysłuchać rozmów o strategiach marketingowych, o urodzinach Jenny z księgowości, o sesjach z burzą mózgów i lunchach biznesowych, a cholerna kabina windy zatrzymywała się na każdym piętrze, wypluwając z siebie po kilka osób i wpuszczając następne.

Nagle zatęskniła za szybkimi windami zainstalowanymi w komendzie głównej policji.

Unosiły się wokół nich zapachy zbyt mocnych perfum, męskich wód kolońskich, kiepskiej kawy, mufinek. No i potu – ktoś wyraźnie pocił się ze strachu.

Na dwunastym piętrze wreszcie wyszły z ulgą w błogosławioną ciszę holu.

Biuro Dyskrecji mieściło się za dwuskrzydłowymi drzwiami z mrożonego szkła. Panowała tam jeszcze głębsza cisza. Unosił się tu subtelny zapach... Czego? Nie miała pojęcia, ki diabeł rozsiewa tu wonie, lecz ta o dziwo! była całkiem przyjemna – i dyskretna.

W poczekalni znajdowały się wygodne fotele, a przed każdym – własny monitor.

Może by się wstępnie zorientować w możliwościach doboru towarzystwa? – pomyślała Eve.

Teraz nie było tu nikogo, jedynie za biurkiem, które wyglądało na antyk lub jego doskonałą kopię, siedziała jakaś kobieta, w ocenie Eve dobiegająca trzydziestki, z jedwabistymi blond włosami, o przenikliwym spojrzeniu zielonych oczu, ubrana w czerwoną garsonkę ze sporym dekoltem, w którego wycięciu dało się dostrzec skrawek czarnej koronki.

– Dzień dobry! – Oderwała wzrok od ekranu komputera i się uśmiechnęła. – Witajcie w Dyskrecji. W czym mogę pomóc?

– Chcę rozmawiać z szefem. – Eve wyciągnęła w jej stronę dłoń z policyjną odznaką.

– Mamy pełną licencję i wszystkie wymagane zezwolenia. – Jej uśmiech zgasł.

– Nie moje pole działania. Tego nie kwestionuję. Musimy porozmawiać z kimś, kto prowadzi cały ten teatrzyk w związku z odnalezieniem zwłok mężczyzny.

– Jak to?… – Zrobiła okrągłe oczy. – Proszę chwileczkę zaczekać.

Nie wykonała połączenia zza biurka, lecz zerwała się na nogi i ruszyła szybkim krokiem w głąb korytarza na szpilkach tak wysokich, że Eve zaczęła się mimo woli zastanawiać, czy nie cierpi aby na zaburzenia ciśnienia krwi.

– Jednak trzeba przyznać, że wyglądają na firmę z klasą – orzekła Peabody. – Kolorystyka, umeblowanie i te najprawdziwsze miniaturowe drzewka pomarańczowe o tam. Całe obsypane kwiatami. Co za fantastyczny zapach!

Okej – pomyślała Eve – a więc to było to.

Wyszła im na spotkanie inna kobieta. Też na wysokich szpilkach, z noskiem tak spiczastym, że Eve natychmiast sobie wyobraziła, jak wybija nim dziurę w murze z cegły. Była dobre dwadzieścia lat starsza od dziewczyny zza biurka i otaczała ją dziwna magia. Peabody nazwałaby ją zapewne kobietą z klasą.

Miała na sobie ciemną garsonkę z krótką spódnicą odsłaniającą nogi o idealnych kształtach. Dopasowany żakiet podkreślał doskonałą figurę. Włosy w kolorze... hmm... karmelowym były zwinięte na karku w elegancki, schludny kok. Skórę twarzy – o kilka tonów jaśniejszą – całą pokrywał połyskliwy puder, a zielone oczy koloru morskiej wody uważnie obserwowały obie policjantki. Niewiele z nich jednak można było wyczytać, poza uprzejmym zaciekawieniem.

– Jestem Araby Clarke – przedstawiła się kobieta. – Zapraszam do mojego gabinetu.

– Okej.

Wskazała gestem kierunek i poprowadziła je długim korytarzem do szerokich drzwi.

– Przepraszam, ale nie dosłyszałam waszych nazwisk, lecz mogłabym przysiąc... Czy my się znamy?

– Nie sądzę. Porucznik Dallas i detektyw Peabody.

– Ach! Oczywiście! Faktycznie nie miałyśmy okazji się poznać aż do dziś. – Po raz kolejny zaprosiła je gestem do środka przestronnego pomieszczenia. – Widziałam jednakże wasz film i muszę przyznać, że podążam za panią, za Roarkiem i za panią, pani detektyw, wszędzie tam, dokąd akurat zawiodą was ścieżki i odnajdą media. Usiądźcie, proszę.

Wystrój biura doskonale pasował do Araby Clarke: głębokie, miękkie fotele ze złocistymi poduchami, szklane stoły ze szklanymi wazonami pełnymi egzotycznych kwiatów. Obrazy przedstawiające piękne kobiety i pięknych mężczyzn – bardziej od strony romantycznej niż jako obiekty seksualnego pożądania. Za długim, połyskliwym biurkiem znajdowało się okno, z którego roztaczały się wspaniałe widoki.

– Nieźle wystraszyłyście Kelly – zaczęła.

Usiadła i skrzyżowała swe doskonałe nogi.

– Powiedziała mi, że ktoś nie żyje. Czy to ktoś, kogo znam?

– Thaddeus Pettigrew.

Uprzejme zaciekawienie zniknęło jak zdmuchnięte. Eve doszła do wniosku, że wiadomość ta może nie wstrząsnęła kobietą, lecz na pewno wywołała niepokój.

– O nie! – wyrwało się pani Clarke. – Och, przykro to słyszeć. Był naszym klientem od wielu lat.

– Od lat? Można wiedzieć od ilu?

– Musiałabym sprawdzić, ale na pewno przynajmniej od dziesięciu.

Więc nie był to jego nowy zwyczaj – pomyślała Eve.

– Będę musiała panią prosić o dokładne sprawdzenie tego oraz kilku innych faktów.

Araby opadła na oparcie fotela.

– Stawia mnie pani w niezręcznym położeniu. Cóż… W większości przypadków odmówiłabym udzielenia jakichkolwiek informacji o naszych klientach. Nawet z nakazem. Najpierw kontaktuję się z naszym działem prawnym i robię to, co powinno być zrobione w danej sytuacji.

– On został zamordowany, pani Clarke.

– Tak też pomyślałam, bo po co w innej sytuacji fatygowałyby się do mnie Dallas i Peabody? I tylko dlatego nie będę żądała nakazu. Poproszę jednak o chwilę, tak bym mogła to skonsultować z moim adwokatem. Jestem właścicielką Dyskrecji od szesnastu lat i nigdy nic podobnego tu się nie zdarzyło. Chcę się tylko upewnić, że zachowam się jak trzeba w stosunku do wszystkich, którzy mają z tym coś wspólnego. Gdybyście panie zechciały dać mi dosłownie dwie minutki… – powiedziała i pospiesznie opuściła gabinet.

Kiedy zostały same, Eve, kiwając głową, zauważyła z satysfakcją:

– Da nam wszystko, o co poprosimy.

– Tak myślisz?

– Jasne. Widać po niej, że tego chce. Lubiła go, przynajmniej tak, jak się lubi stałego klienta, wiernego firmie od lat. Dostaniemy te informacje, po które przyszłyśmy. – Pewna swego Eve rozsiadła się wygodnie w fotelu w oczekiwaniu na dalszy bieg wydarzeń.

11

Eve sunęła po moście Brooklyńskim, lawirując jak zwykle między samochodami w gęstym sznurze aut podążających w tym samym kierunku. Sznur w pewnym momencie się zakorkował, gdy żądni sensacji kierowcy zwalniali, by się przyjrzeć stłuczce ciężarówki i sedana stojących na poboczu obok policyjnego radiowozu, który przybył spisać zeznania obu kierowców.

Eve sklęła ich wszystkich od idiotów, włączyła koguty i syreny alarmowe, po czym pchnęła bieg pionowego startu i ze świstem przeleciała z pół kilometra nad dachami stojących w korku aut. Podczas tego wariackiego lotu Peabody wpiła kurczowo palce w uchwyt do zamykania drzwi, jakby miało od tego zależeć jej życie.

– Czy oni mają nadzieję, że sobie pooglądają krew i trupy? – burczała Eve. – Pewnie siedzą tam i klędzą: „Och! Spójrz, kochanie! Wypadek! Dawaj popcorn! Pogapmy się!".

Kiedy wreszcie udało im się przekroczyć most, Eve zwolniła nieco, by wrócić na trasę proponowaną przez nawigację; musiały dojechać na ulicę Cobble Hill. Dopiero wtedy Peabody wypuściła uchwyt drzwi z obolałych palców.

Cobble Hill okazało się mocno uczęszczaną ulicą z mnóstwem restauracji i kilkoma sklepami. Był tam też niewielki park z zaskakująco wieloma ludźmi wyprowadzającymi psy na spacer lub przyglądającymi się wyczynom dzieci na urządzeniach na placu zabaw, ryzykujących złamanie którejś z kończyn.

Matka Marcelli mieszkała na parterze trzykondygnacyjnego segmentu. Na tyłach domu uprawiała niewielki kwiatowy ogródek. Dom miał nawet własny wąski podjazd, zajmowany teraz przez ciemnoniebieski samochód miejski.

Eve zaparkowała tuż za nim.

– W ogólnym zarysie pasuje do opisu samochodu, który świadek zdarzenia zauważyła przed domem Pettigrewa. Sprawdź tablice rejestracyjne – poleciła Eve partnerce, gdy wysiadły.

– Jest zarejestrowany na Bonditę Rothchild.

– To może być interesujące. – Eve podeszła do drzwi i nacisnęła guzik dzwonka.

Kobieta, która im otworzyła, była wysoka, szczupła i miała jasne włosy.

Na pewno nie Marcella – pomyślała Eve – ale widać rodzinne podobieństwo.

– Porucznik Dallas, detektyw Peabody. – Eve zaprezentowała równocześnie swoją odznakę.

– Tak. Oczekujemy was. Ja jestem Rozelle, siostra Marci. To coś strasznego. Marci jest na skraju wyczerpania nerwowego. Jest z nami Claudia, nasza przyjaciółka, z którą razem wyjechałyśmy. Akurat przygotowuje jej herbatę. Marci nie bierze proszków uspokajających.

A ja... Przepraszam, ale ja również jestem ledwie żywa. Zapraszam do środka.

Tuż za drzwiami rozciągał się widok na przestronny pokój dzienny, w którym ktoś zapalił górne światło i boczne kinkiety, chcąc zapewne zwalczyć mrok od ciągłej mżawki za oknami. Zaciągnięte rolety zapewniały wnętrzu prywatność.

Marcella siedziała na kanapie, przytulona do matki. Nogi miała okryte czekoladowobrązowym pledem.

Bondita, zauważywszy Eve i Peabody, objęła opiekuńczym gestem córkę. Wszystkie wyglądały na całkowicie wyczerpane.

Z położonego na tyłach domu pomieszczenia wynurzyła się kolejna blondynka, wysoka, o pełnych kobiecych kształtach, ubrana w czarne obcisłe spodnie i zwiewną białą bluzkę. Szła z tacą w ręku.

– To nasza przyjaciółka, Claudia Johannsen. To panie z policji, Claudio. Chodź do nas i podaj Marci herbatę – zarządziła Bondita.

– Wypij ją od razu, Marci – powiedziała Claudia zdecydowanym tonem, charakterystycznym dla emerytowanych nauczycielek, zdeterminowanych matek lub upartych pielęgniarek. – Wszystkie jesteśmy tutaj, by cię wspierać. Ty też napij się herbaty, Bondi. A ty, Roz, chodź tu do nas, usiądź wreszcie i wypij swoją. Czy paniom również przygotować herbatę? – zwróciła się do policjantek.

– Pani porucznik i pani detektyw – poprawiła Eve. – Nie, dziękuję. Pani Horowitz...

– Skoro obie nosimy to samo nazwisko, może mówmy sobie lepiej po imieniu – zasugerowała Rozelle. – Będzie prościej.

– W porządku. Marcello, jest nam bardzo przykro z powodu śmierci twojego partnera. Rozumiemy, że to dla ciebie trudny czas – zaczęła Eve.

– Trudny? Trudny?? Trudny??! – Jej głos z każdą sylabą wznosił się do coraz wyższych rejestrów. – Tak to sobie wyobrażacie? Że to dla mnie tak po prostu trudne?! Mężczyzna, którego kochałam, nie żyje!

Okej – pomyślała Eve. – To będzie, niestety, jedno z tych...

Zanim zdążyła podjąć decyzję, jak kontynuować rozmowę, na scenę wkroczyła Peabody Zawsze Współczująca.

– Marcello, chcemy ci pomóc. Zrobimy wszystko, co w naszej mocy, by wykryć zabójcę mężczyzny, którego kochałaś. Choć jest ci teraz strasznie ciężko, wiemy, że chcesz, byśmy znalazły odpowiedź na to pytanie, potrzebna jest więc nam twoja pomoc. Thaddeus potrzebuje twojej pomocy.

– Mój Thaddeus! – załkała Marcella.

– Uspokój się, dziecinko. – Bondita tuliła ją do piersi i kołysała lekko. – Weź się w garść albo wmuszę w ciebie środki na uspokojenie.

– Nic nie ukoi moich zranionych uczuć. Jak to się mogło stać? Jak ktoś mógł zrobić coś takiego Thaddowi?

– Znalezienie odpowiedzi na te pytania to nasza praca – odrzekła Eve. – Musimy ci zadać kilka pytań. Od uzyskanych informacji zależy wykonanie naszego zadania.

– Rozmawiasz z przedstawicielkami policji, Marci. – Claudia starała się przemówić jej do rozsądku. – Jesteśmy tu z tobą.

– Przepraszam. Usiądźcie. – Bondita zatoczyła łuk

ręką. – Ja wraz z moim mężem wychowaliśmy syna oraz dwie córki i nigdy żaden policjant nie stanął na progu naszych drzwi. Żadna z nas nie czuje się dobrze.

– Chcę wiedzieć, co się stało Thaddeusowi! – Głos Marcelli ponownie wzniósł się nieomal do pisku. – Zasługuję na to, by wiedzieć!

– Pan Pettigrew opuścił dom, w którym mieszkaliście razem, wczoraj wieczorem około godziny dwudziestej pierwszej...

– Mnie poinformował, że ma zamiar zostać – przerwała jej Marcella.

– Mogło tak być, ale mimo to opuścił swoje miejsce zamieszkania w towarzystwie nierozpoznanej dotąd kobiety.

Zwieszone ramiona Marcelli nagle szarpnęły się do tyłu. Cała zesztywniała.

– Na pewno nie! – wrzasnęła.

– Opuścił dom w towarzystwie nieznanej kobiety i wsiadł razem z nią do samochodu opisanego przez naocznego świadka jako pojazd miejski ciemnego koloru. – Eve z niezmąconym spokojem kontynuowała wywód tym samym tonem.

– Ale mówiła pani... Mamo, przecież ona mówiła, że jego... jego... że Thaddeus był w domu, kiedy go...

– Jego ciało zostało odnalezione przez sąsiada, który wyszedł z samego rana na spacer z psem. Zauważył zwłoki przed waszym domem. Godzina jego śmierci została ustalona na drugą dwadzieścia w nocy. Połączenie z numerem dziewięćset jedenaście, wykonane przez sąsiada, zostało zarejestrowane o godzinie trzeciej czterdzieści trzy.

– Gdzie on był przez cały ten czas? – burknęła Marcella. – Czy wrócił do domu, a potem ktoś się do nas włamał, zabił go i porzucił zwłoki przed wejściem?

– Pan Pettigrew nie został zabity w domu.

– A skąd to niby wiecie? – Marcella skrzywiła się drwiąco.

– Moja praca polega na tym, żeby to wiedzieć – warknęła Eve. – Otworzył drzwi owej kobiecie, ponieważ był przekonany, że to licencjonowana kobieta do towarzystwa, którą zamówił sobie na wieczór.

– To kłamstwo! To wstrętne, wierutne kłamstwo!!! Nie chcę tego więcej słuchać!

Widok Marcelli zatykającej sobie uszy dłońmi zarazem rozbawił i zdumiał Eve. Kiedy dziewczyna próbowała się zerwać z kanapy i uciec, matka przytrzymała ją.

– Siadaj, Marcello! Zamknij się wreszcie! – syknęła, a potem zwróciła się z pytaniem do policjantek: – Czy możecie to udowodnić?

– Tak. Wszystko zostało już zweryfikowane. Wczoraj zrobił rezerwację. Okazało się jednak, że ktoś się włamał do jego komputera i z jego mejla odwołał tę rezerwację. Osoba, która do niego przyszła, podszyła się pod wynajętą kobietę, a następnie wstrzyknęła mu narkotyk i zaprowadziła go do czekającego przed domem samochodu. Został zabrany do innego miejsca.

– Nie wierzę! Nie wierzę w ani jedno twoje słowo! Thad nigdy, przenigdy nie zrobiłby czegoś takiego! – darła się Marcella. – Nigdy by mnie nie zdradził.

Doprawdy? – pomyślała Eve. – A z tobą to niby nie zdradzał swojej ówczesnej żony?

– Twierdzisz, że nie byłaś świadoma, iż pan Pettigrew regularnie korzystał z usług agencji Dyskrecja, która to agencja oferowała klientom usługi licencjonowanych pań do towarzystwa?

– Nigdy by mi czegoś takiego nie zrobił! – Z oczu Marcelli popłynęły łzy. Zachowywała się jak małe dziecko, któremu powiedziano, że nie dostanie cukierka.

– Korzystał z usług tej samej agencji przynajmniej od dziesięciu lat.

Wtem łzy obeschły. Na twarzy dziewczyny pojawiła się wrogość.

– Może… Może i robił to, zanim zakochaliśmy się w sobie, lecz… – Nie dawała za wygraną.

– I korzystał nieprzerwanie z ich usług raz na kilka tygodni aż do swojej śmierci – dokończyła Eve.

– Rujnuje mi pani życie! – Marcella zacisnęła dłonie w pięści i zaczęła nimi wymachiwać. – Mówi same okropności po to tylko, żeby mnie pognębić! Chcę, żebyście sobie poszły. Wynoście się stąd!

– Dość tego, Marcello! Claudio, czy mogę cię prosić o zaprowadzenie jej z powrotem do mojej sypialni? Trzeba ją położyć.

– Oczywiście! Chodź ze mną, Marci.

– Ona kłamie, Claudio!

– Chodźmy, położysz się. Musisz odpocząć. Co za okropny dzień.

Pociągnęła przyjaciółkę za rękę do góry, postawiła na nogi i objęła w talii pewną ręką.

– Jest pani okropnym babskiem – wysyczała Marcella w stronę Eve.

Kiedy udało się Claudii w końcu wyprowadzić ją z pokoju, Bondita przysłoniła na chwilę oczy dłońmi. Rozelle przysunęła się do matki i zaczęła głaskać ją po przedramieniu.

– Przepraszam, pani porucznik! – westchnęła Bondita.

– Byłam już w życiu obrzucana gorszymi wyzwiskami.

– Nie w moim domu. – Tamta opuściła ręce i ujęła dłonie córki. – Była zawsze przekonana, że on kocha ją, a ona jego. Był dla niej pępkiem świata. To, czego się dzisiaj o nim dowiedziała, jest dla niej prawie takim samym wstrząsem jak jego śmierć.

– Wiedziała pani, że korzystał z usług licencjonowanych pań do towarzystwa?

– Nie, skąd. Muszę przyznać, że często się zastanawiałam, czy zbłądzi lub po prostu znudzi się Marcellą. Jest młoda, naiwna i… no cóż… roszczeniowa. On z kolei sprawiał wrażenie całkowicie jej oddanego. Wydawali się szczęśliwą parą. Więc uważa pani, że ta kobieta, która udawała licencjonowaną dziwkę, zabiła Thaddeusa?

– Tak.

– Jak dla mnie to nie ma sensu. Nie przychodzi mi do głowy nikt, kto mógłby chcieć go zabić.

– Ja też tak myślę – do rozmowy włączyła się Rozelle. – To nie ma sensu. Ten wyjazd miałyśmy zaplanowany od kilku tygodni. Thaddeus zrobił Marci niespodziankę, załatwiając nam dodatkowy dzień w spa. Poprosił mnie, żebym wszystko ogarnęła, bo Marci okropnie jęczała, że w ciągu dwóch dni nie zdąży wziąć zabiegów, które zaplanowała. No i postanowił zrobić jej niespodziankę. Nie zdołałam jednak nic wskórać, gdyż mieli pełne obłożenie. Nagle ktoś odwołał przyjazd, natychmiast więc skorzystałam z nadarzającej się okazji. Była taka podekscytowana!

– Kiedy zarezerwowała pani ten dodatkowy dzień?

– Dokładnie dwa dni temu. To była naprawdę oferta last minute. Claudia musiała w tym dodatkowym dniu skoczyć jeszcze na chwilę do pracy. Thad pomyślał nawet o zamówieniu szampana i kwiatów do naszego apartamentu.

– Wszystkie trzy miałyście pokoje w tym samym apartamencie?

– Tak. Był dwupoziomowy. Ich najlepszy. Marci zaprosiła nas tam... a raczej zrobił to Thaddeus.

– Muszę iść na górę do córki – oświadczyła Bondita.

– Zanim to zrobisz, powiedz mi jeszcze, proszę, kiedy ostatni raz korzystałaś ze swojego samochodu? – spytała Eve.

– Mojego samochodu? Ale po co... O mój Boże! Pani sądzi... Przecież nawet nas tutaj nie było!

– Ta informacja może nam pomóc – wyjaśniła Eve.

– Dwa dni temu. Potrzebowałam go do mojej pracy charytatywnej. No i do zrobienia ostatnich sprawunków przed wyjazdem.

– Kto ma jeszcze dostęp do pani samochodu?

– Mąż oczywiście. Ma swój własny, lecz dysponujemy kodami dostępu do obu naszych aut. Jeszcze jedno, zanim pani spyta. Wiem, że był w domu, gdyż rozmawiałam z nim poprzedniego wieczoru około północy tylko po to, by zameldować, że dotarłyśmy na miejsce. Zaprosił kilku znajomych na pokera. Lubi te spotkania. Zawsze je organizuje, gdy ja wyjeżdżam z miasta. Rozmawialiśmy krótko, bo grali właśnie ostatnie rozdanie tego wieczoru. Było u niego co najmniej sześć osób. Może to pani sprawdzić.

– Dziękuję. Na pewno to zrobimy, jeśli tylko zajdzie taka potrzeba. Dziękujemy za poświęcony nam czas.

Kiedy wstały, odezwała się jeszcze Peabody.

– Możemy wam dać kontakt do kilku dobrych terapeutów, specjalizujących się w pomaganiu pacjentom po stracie bliskich. To mogłoby pomóc Marcelli.

– Dobrze. Rozelle, chcę już iść na górę do Marcelli.

– Idź. Ja zapiszę kontakty do psychoterapeutów. Ona nie miała o tym pojęcia – powiedziała cicho, kiedy tylko matka zniknęła w pokoju na górze. – Mam na myśli Marci, oczywiście. Gdyby czegokolwiek się domyślała, powiedziałaby o tym albo mnie, albo Claudii. Może nie mamie, nie tak od razu, ale na pewno mnie i Claudii by o tym powiedziała.

– A dlaczego nie matce? – zdziwiła się Eve.

– Ponieważ zdaje sobie sprawę z tego, że nasi rodzice niechętnie zaaprobowali ten związek. Przynajmniej na początku. Thaddeusowi udało się ich jednak do siebie przekonać. Częściowo. Naprawdę sprawiał wrażenie całkowicie oddanego Marci, uszczęśliwiał ją, rozpieszczał. Mimo że był od niej sporo starszy i rozwiedziony, a rodzice chcieli dla córki czegoś – i kogoś – zupełnie innego. – Rozelle umilkła i ścisnęła palcami wskazującymi wewnętrzne kąciki oczu. – Jakoś przez to przejdzie – rzekła w końcu. – Wydaje jej się, że sobie nie poradzi, ale da radę. Jak tylko przyjmie w końcu do wiadomości, że ją zdradzał, przejdzie nad tym do porządku dziennego i zacznie żyć dalej. Jest młoda. Teraz jednak bez żadnych wątpliwości przyda się jej rozmowa z psychoterapeutą.

Po zapisaniu namiarów na lekarzy podanych przez Peabody Rozelle odprowadziła obie policjantki śledcze do drzwi. Idąc do swojego samochodu, Eve rzuciła jeszcze okiem na miejskie auto Bondity.

– Według mnie nie pasuje do naszego opisu zdarzeń. Trzeba się zastanowić, po co mieliby używać tego samochodu, jeśli cała rodzina jest kryta? A skoro mowa o rodzinie... Wspominali, że mają syna. Trzeba będzie go odnaleźć. Wracając do auta: w domu kręciło się pełno ludzi, pewnie wchodzili wciąż i wychodzili na zewnątrz. Zauważyliby, gdyby samochód nagle zniknął, a potem znów się pojawił. Więc sądzę, że to nie ten.

Eve usiadła za kółkiem i się zamyśliła. Po chwili potrząsnęła głową i ruszyła z podjazdu.

– Marcella to jeszcze mała dziewczynka – stwierdziła.

– No cóż. Taka prawda – przytaknęła jej Peabody.

– Nie kobieta, nawet nie dziewczyna. Dziewczątko – kontynuowała swój wywód Eve. – Najmłodsza w rodzinie. Wszyscy się nią tu opiekują jak małą dzidzią w pieluchach. To widać. To u nich funkcjonuje na co dzień. Może i kochała Pettigrewa, może tylko tak jej się wydawało, lecz jej starsza siostra słusznie zauważyła: poradzi sobie z tym i zacznie żyć dalej. Na pewno nikogo nie zamierza torturować ani okaleczać. Na sto procent nie byłaby w stanie zabić dwóch mężczyzn, a jednego z nich tylko za to, że korzystał z usług prostytutek. Do tego trzeba mieć naprawdę solidny powód. Ona go nie miała.

– Tak. Nie mam co do tego żadnych wątpliwości – przytaknęła Peabody. – Powiem też, że zrobiła na mnie wrażenie osoby, która wrzeszczy wniebogłosy na widok kropli krwi. Jak dla mnie nie byłaby w stanie nikomu odciąć fiuta z jajkami.

– Wszyscy się o nią troszczą – ciągnęła Eve. – Ona nie dba o nikogo: ani o tych zdrowych, ani tym bardziej o chorych. Wszyscy omijają skrzętnie temat kołtuna na głowie.

– Jakiego znowu kołtuna? – zdziwiła się Peabody.

– No wiesz... przecież to z nią Pettigrew zdradzał swoją byłą, kiedy jeszcze nie była jego byłą. Wszyscy o tym wiedzą, a uważają, żeby przypadkiem nie poruszyć tego tematu. To tak jak z tym kołtunem na głowie, który zrobił się cioci podczas przygotowań do imienin. Teraz wszyscy siedzą przy stole i go widzą, ale jakoś tak nie wypada powiedzieć, żeby ciocia poszła poprawić fryzurę. Udają, że wszystko jest w porządku.

– E tam! Ja bym nie miała z tym problemu. – Peabody wzruszyła ramionami.

– Zresztą co za różnica. Kołtun to kołtun. Nikomu właściwie nie przeszkadza.

– No pewnie. Masz rację.

– W sumie można by było udawać, że się nie widzi jednego kołtuna na głowie. Wyobraź sobie jednak taki jeden wielki kołtun jak u włochatego goryla – perorowała Eve.

– Prawdę mówiąc, zdarzają się faceci podobni z daleka do włochatych goryli. – Peabody odęła usta, zagłębiwszy się w rozmyślaniach. Po dłuższej chwili podsumowała swe przemyślenia: – Znałam nawet pewnego chłopaka w akademii policyjnej, który z daleka przypominał małpoluda.

– Przestań wreszcie! – Eve miała już dość pokrętnych dociekań partnerki. – Tak czy owak, wszystkie unikały tematu, choć każda o tym wiedziała. Zachowywały się identycznie w odniesieniu do jej histerii, tak jakby miały pewność, że sobie pojęczy, pojęczy, a potem się uspokoi i będzie żyć dalej. Na wszelki wypadek sprawdź też ich brata.

Peabody zaczęła pracować nad poleconymi zadaniami, a Eve walczyła w tym czasie z korkiem na moście Brooklyńskim w drodze powrotnej do komendy.

– Był wczoraj na wieczorze z pokerem – zdała raport Peabody po krótkiej rozmowie telefonicznej.

– Powinnam się była domyślić.

– Wyszedł około dwudziestej trzeciej, a dziś od samego rana miał spotkania z klientami. W chwili obecnej jest na konferencji w Connecticut. Wyjechał o siódmej rano. Podczas rozmowy szybko go przepytałam. Według mnie jest czysty jak łza. Żonaty od ośmiu lat. Dwoje dzieci. Nie ma ani prawa jazdy, ani własnego samochodu.

Eve udało się cudem uniknąć stłuczki z autem osobowym, które raptownie skręciło i wjechało na pas drogowy tuż przed maskę jej krążownika.

– Wielu nie powinno mieć ani jednego, ani drugiego – prychnęła.

– Dorastał w Nowym Jorku. Zgodnie z zeznaniami, przeprowadził się do Hoboken po urodzeniu przez żonę pierwszego dziecka.

– To na pewno nie on – orzekła Eve. – Cała ich rodzina nie jest w to zamieszana. Nie występuje tam ten stopień agresji i przemocy. Tu mamy do czynienia z wendetą.

Wjechała na parking podziemny, wyczerpana do granic przez hordy kierowców, którzy nigdy nie powinni dostać prawa jazdy.

– Powtórzę to jeszcze raz: nie musisz iść ze mną na dywanik do Tibble'a – powiedziała Eve.

– Powtórzę to jeszcze raz – odparowała Peabody, kiedy wysiadły z samochodu. – Ty nadstawiasz tyłek, ja z tobą. – Zacisnęła dłoń w pięść, zgięła rękę i napięła biceps. – Jak razem, to razem.

Eve tylko pokręciła głową.

Jechały windą, dopóki było to do zniesienia dla pani porucznik. Wysiadły z niej chyłkiem, kiedy do kabiny władowała się gromada żółtodziobów w nowiutkich mundurach. Przewodził im szpakowaty weteran, który – jak przypuszczała Eve – wyciągnął najkrótszą zapałkę, wygrywając w ten sposób los uprawniający go do wprowadzenia ich do służby.

Eve zatrzymała się na podeście przed windą.

– Skontaktuj się z technicznymi z EDD – poleciła Peabody – i sprawdź, czy McNabowi udało się poczynić jakieś postępy.

Im więcej będę miała do zaprezentowania, tym lepiej – pomyślała.

– Właśnie w tym siedzi. – Policjantka przeczytała odpowiedź z wyświetlacza telefonu. – Do komputera Pettigrewa włamywano się wielokrotnie. McNab przejrzał ruchy na jego koncie szesnaście miesięcy wstecz. Nie udało mu się namierzyć tego, kto to robił. Jeszcze nie jest w stanie ustalić, czy był to jeden haker, czy kilku.

– Jak na razie w zupełności mi to wystarczy. Morderczyni stosowała wobec niego cyberstalking.

Wsiadły znów do windy, by dostać się na szczyt Wieży. Kadra wybrańców Tibble'a lewitowała gdzieś wysoko ponad ulicami miasta i ponad blatami biurek pozostałych pracowników komendy głównej policji. Eve jednakże znała powód, dla którego musiała przełamać wewnętrzny opór, pokonać ten dystans i znaleźć się na tej zawrotnej wysokości, tak bardzo dla niej stresującej. Mimo że szef nowojorskiej policji, piastujący równocześnie stanowisko szefa bezpieczeństwa miasta, nakazał jej stawić się w swojej kwaterze, wciąż zaliczała go do grona tych, którzy mieli według niej służyć Nowemu Jorkowi i ochraniać jego mieszkańców zgodnie z literą prawa.

Ludzie awansujący tak wysoko mieli święte prawo, ale też i obowiązek nadzorować działania pozostałych. Wciąż mieli do czynienia z naciskami polityków, musieli sobie radzić z opinią publiczną oraz kontrolować sposób interpretowania działań policji przez media.

Zdawała sobie sprawę z tego, jak wyglądają realia, i mniej lub bardziej je akceptowała. Kończyła na ogół rozważania następująco: lepiej, by tam siedzieli oni, niż miałabym to robić ja.

Wreszcie zatrzymała się przed drzwiami gabinetu Tibble'a, tam, gdzie jego asystent obsługiwał stanowisko recepcyjne z dwoma monitorami. W centralce stale migotały światełka aktualnych połączeń i cicho brzęczały dzwonki nieodebranych, nawet kiedy prowadził rozmowę, mając na głowie słuchawki z mikrofonem.

– Proszę chwileczkę zaczekać – zwrócił się do Eve i Peabody. – Dosłownie minutkę, pani porucznik, pani detektyw. – Nacisnął palcem przełącznik w zestawie słuchawkowym. – Szefie, porucznik Dallas i detektyw Peabody już tu są. Tak jest! – Powtórnie nacisnął sensor przy uchu. – Możecie wejść. Oczekuje was.

Eve pchnęła prawą część dwuskrzydłowych drzwi.

Ich oczom ukazała się rozległa panorama Nowego Jorku skąpanego w drobnej wczesnowiosennej mżawce. Szeroki, przestronny gabinet mieścił potężne biurko, ogromny ekran ścienny oraz część wypoczynkową dla gości z fotelami o wysokich oparciach.

Siedziało tam już dwóch mężczyzn w swobodnych pozach. Jeden z gościnnych foteli wypełniała w całości postać o szerokich barach. Rozpoznała w nim komendanta Whitneya. Siwizna przyprószyła już nieco jego ciemne włosy, a na twarzy wyryły się zmarszczki świadczące o mocnym charakterze przywódcy. Wszystko to przydawało mu swego rodzaju niekwestionowanego dostojeństwa.

Tibble, wysoki i kościsty, zajmował miejsce za biurkiem, mając za plecami widok przesiąkniętego deszczem miasta. Twarz miał równie długą i kościstą jak i całe ciało. Włosy przyczesane na gładko ściśle przylegały do czaszki. Taksował wzrokiem po kolei wszystkie osoby, poczynając od Whitneya, przez Eve, na Peabody kończąc. Jego spojrzenie nic im nie mówiło.

Eve słyszała, że Tibble słynie z iście pokerowej twarzy.

– Witam panie! Pani porucznik, pani detektyw, zapraszam! Siadajcie.

Choć Eve wolała zdawać raporty lub wysłuchiwać nagan na stojąco, dostosowała się do otrzymanego polecenia.

– Jak zapewne o tym wiecie – zaczął Tibble – zazwyczaj nie ściągam moich podwładnych na Wieżę, jeśli dotrze do mnie jakaś skarga. Tym razem jednak tak się złożyło, że skarga została wysłana bezpośrednio i do mnie, i do burmistrza, zdecydowaliśmy więc z komendantem Whitneyem, że w tej sytuacji przeprowadzimy z wami tę rozmowę.

– Tak jest, szefie!

– Nie pytasz o skargę ani o tego, kto ją wniósł?

– Nie, szefie! Skargę wniosła zapewne Geena McEnroy, a jej treść dotyczy naszego dochodzenia w sprawie morderstwa jej męża, a dokładniej: motywów tego morderstwa.

– Czyli?

– Potwierdzonych przypadków molestowania seksualnego przez Nigela McEnroya pracownic i klientek jego firmy oraz wielu innych kobiet. Używania przez niego narkotyków i innych nielegalnych substancji w celu odurzania partnerek, które wybierał do swoich niecnych celów. Wielokrotnych gwałtów na kobietach, rejestrowanych przez niego cyfrowo i przechowywanych pod kluczem w sekretnych skrytkach jego biur tu, w Nowym Jorku oraz w Londynie. Oglądałam te nagrania.

W skupionym, poważnym wyrazie twarzy Tibble'a nie zaszła żadna zmiana.

– To bardzo poważne oskarżenia, stawiane osobie, która nie może już się im przeciwstawić ani wystąpić w swojej obronie.

– Tak, szefie, zgadza się. Są one również prawdziwe. Mamy zeznania złożone pod przysięgą przez wiele kobiet faszerowanych narkotykami, przymuszanych, gwałconych i zastraszanych. Mamy filmy i nagrania dźwiękowe. McEnroy osobiście rejestrował swoje postępki. Skonfiskowaliśmy u niego narkotyki i substancje, które stosował, notesy, w których zapisywał dane ofiar. Dysponujemy zeznaniami świadków z miejsc, w których namierzał swoje ofiary.

– Rozumiem. – Tibble słuchał niewzruszony, i teraz zaledwie skinął głową. – Czy istnieje jakiś wytłumaczalny powód, dla którego nie przeprowadziłyście rozmowy z panią McEnroy na temat tych niepodważalnych materiałów dowodowych?

– Ale... – Peabody weszła im w słowo. Odchrząknęła. – Proszę mi wybaczyć, szefie.

271

– Macie coś do dodania, detektyw Peabody?
– Szefie! Czytałam raporty pani porucznik i wiem, że przeprowadziła rozmowę z panią McEnroy na temat posiadanych naówczas dowodów. Chodzi o to, szefie, że pani McEnroy nawet nie chciała tego wysłuchać, nie mówiąc już o tym, żeby w cokolwiek uwierzyć. Co zrozumiałe, znajdowała się w stanie ciężkiego szoku i nic do niej nie docierało.
– Może się tak zdarzyć, jeśli współmałżonek jest torturowany, potem zostaje zamordowany, a na koniec jego zwłoki zostają podrzucone pod drzwi domu, w którym zamieszkiwali razem.
– Tak jest, szefie!
Tibble znów ledwie zauważalnie pokiwał głową i zwrócił wzrok z powrotem ku Eve.
– Pani McEnroy utrzymuje, że razem z konsultantem cywilnym, którego zabrałyście ze sobą, zachowywaliście się wobec niej agresywnie i rzucaliście niepotwierdzone oskarżenia. Ach... – Tibble przekręcił do siebie monitor komputera, który stał na jego biurku, i dotknął go – ...i jeszcze dręczyliście ją oraz wykazaliście się lekceważącym stosunkiem do niej – przeczytał – naruszając przy tym dobre imię jej męża tylko po to, by wykazać, że sam sobie zasłużył na taką śmierć. – Znów dotknął ekranu i splótł dłonie. – Pani McEnroy grozi wniesieniem pozwu przeciwko wam obu oraz waszemu wydziałowi, jeśli obu was nie zdymisjonuję. Zamierza również zaapelować do samego gubernatora, jeśli nie zostaniecie wyrzucone z pracy do końca dnia.
– Z pełnym szacunkiem, szefie – powiedziała Eve. – Może sobie apelować do najwyższego bóstwa wedle swoich upodobań, lecz faktów to nie zmieni. Jej mąż był

maniakiem seksualnym, o czym mogła wiedzieć albo też nie. A Roarke, konsultant cywilny, absolutnie nie poniżał jej ani też nie lekceważył. Wręcz przeciwnie, starał się okazywać współczucie i uspokajać ją.

– Z tego wynika, że pani porucznik nie starała się okazywać współczucia i uspokajać? – Tibble uniósł pytająco jedną brew.

– Mąż jest w tym lepszy, szefie. W celu dokładnego przebadania sprawy niezbędne było przeprowadzenie rozmowy z małżonką ofiary, by ustalić, czy była w jakikolwiek sposób powiązana z okolicznościami jego śmierci lub czy była osobą współwinną. Jeśli pominie się podczas dochodzenia współmałżonka…

– …jest się idiotą – przerwał Tibble. – Czy pani porucznik uważa, że małżonka była w tej sprawie osobą zamieszaną lub współwinną?

– Nie, nie sądzę. Uważam, że nie interesowała się tym, co robił jej mąż, ponieważ chciała wierzyć, że jest niewinny, że przestał ją zdradzać, skoro jej to obiecał. Teraz, wystawiona na gorzką prawdę, rzuca się i gryzie na oślep.

– Biorąc pod uwagę fakty dotyczące działań ofiary, jego zachowania oraz popełnione przestępstwa, czy czuje się pani porucznik na siłach nadal prowadzić bez uprzedzeń dochodzenie w sprawie tego zabójstwa?

– Szefie! Nie mam co do tego żadnych wątpliwości.

– Dobrze. Ruszajmy więc dalej. Mamy już drugą ofiarę. Uważa pani porucznik, że oba morderstwa są ze sobą powiązane?

– Jeśli chodzi o sposób dokonania zbrodni, na pewno. Zabójca myślał podobnie przy obu. Istnieje również bardzo duże prawdopodobieństwo powiązania z grupą wsparcia dla kobiet, które były molestowane, wykorzystywane, zostały zgwałcone lub zdradzone. W zajęciach uczestniczyło kilka kobiet zgwałconych przez McEnroya oraz była żona Thaddeusa Pettigrewa, naszej drugiej ofiary.

W oczach Tibble'a mignęła iskierka zainteresowania.

– Rozumiem, że wdowa po McEnroyu nie uczęszczała do tej grupy?

– Na razie nie mamy dowodów i nic na to nie wskazuje, szefie.

– Skorzystajmy więc z tego, że jesteśmy tu wszyscy razem. – Tibble zlitował się w końcu nad Eve i pokazał gestem, żeby wstała. – Proszę nam opowiedzieć o ostatnich wynikach śledztwa.

Eve podniosła się z fotela.

– Przeprowadziłyśmy rozmowę z kobietą, która założyła tę grupę. Nie ma żadnego powodu, dla którego można by było uważać ją za osobę mającą z tym cokolwiek wspólnego. Zażądała nakazu, byśmy mogły przejrzeć jej notatki z zajęć, zawierające imiona i informacje na temat uczestniczek zajęć. Wprawdzie używały tylko imion, mamy jednak notes McEnroya i na tej podstawie będziemy próbować dopasować dane do jego ofiar. – Zadowolona, że wreszcie stoi i może omówić wyniki postępowania, kontynuowała: – Drugą ofiarą okazał się mężczyzna, który notorycznie wynajmował licencjonowane panie do towarzystwa z agencji o nazwie Dyskrecja. Wiemy, że bez wiedzy i zgody kobiety, z którą zamieszkiwał. Właścicielka agencji potwierdziła, że Pettigrew był ich stałym klientem od wielu lat. Zaczął, kiedy pozostawał jeszcze w związku z byłą żoną, i kontynuował te spotkania podczas kolejnego związku, tym razem bez ślubu, z Marcellą Horowitz. W czasie, kiedy zamordowano Pettigrewa, jego konkubina wyjechała poza miasto wraz z trzema innymi kobietami. Obie z moją partnerką, detektyw Peabody, wierzymy, że jej szok i zdenerwowanie po otrzymaniu informacji o śmierci konkubenta oraz podczas przesłuchania dotyczącego jego zabójstwa nie były udawane.

– Szefie, komendancie! Ona jest jeszcze bardzo młoda – wtrąciła Peabody – i zupełnie jak wdowa po McEnroyu nie chce uwierzyć, że była zdradzana. Ja i porucznik Dallas mamy jednak nadzieję, że w końcu to do niej dotrze.

– Powiem więcej – ciągnęła Eve. – Do zaplanowania obu tych morderstw potrzebny był ktoś zorganizowany, z chłodną głową. Wielokrotnie włamywano się do komputerów obu ofiar. Zebrane przez nas dane na temat wdowy i pani Horowitz wskazują na to, że żadna z nich nie posiada ani wiedzy, ani umiejętności, dzięki którym byłaby w stanie to zrobić. Nasz konsultant cywilny oraz wydział techniki operacyjnej EDD potwierdzają, że bez tego nie da się zhakować komputera.

– A co z wierszami pozostawionymi przy ciałach? – odezwał się Whitney.

– Takie tam wierszoklectwo – odpowiedziała Eve. – Wskazują na porachunki osobiste. Stanowią usprawiedliwienie dla zabójstw oraz dla tortur. Była żona Pettigrewa, Darla, kilka lat temu założyła firmę, która produkowała droidy i tworzyła dla nich oprogramowanie. Ona mogła mieć i wiedzę, i umiejętności.

– Jeśli pomijasz w śledztwie byłych partnerów... – zaczął Tibble.

– ...jesteś niepoprawnym idiotą – dokończył Whitney. – Rozmawiałyście z nią?

– Tak, szefie. Ach! Muszę coś ujawnić, jako że konsultant cywilny towarzyszył mi dzisiaj rano podczas wizyty w kostnicy przy sekcji ciała Pettigrewa. Obaj: i Roarke, i McNab, mieli dostęp do komputerów i innych urządzeń elektronicznych ofiar. Otóż Roarke wykrył, że firma Data Point, którą Pettigrew sprzedał w trakcie trwania sprawy rozwodowej, została nabyta przez Roarke Industries.

– Znał ofiarę? – zainteresował się Tibble.

– Nie, szefie – odrzekła. – Transakcja została przeprowadzona przez prawników i osoby upoważnione. Według oceny Roarke'a nie była to duża transakcja. Tak czy siak, okazuje się, że Pettigrew tak tam kręcił, aż nabył udziały zapewniające mu całkowitą kontrolę nad finansami firmy. Małżonce udzielał tylko jakichś mętnych informacji. To on przeforsował sprzedaż firmy i przydzielił sobie lwią część funduszy uzyskanych z jej sprzedaży.

– Czyli? – spytał Tibble.

Zdawała sobie sprawę, że ta część rozmowy nie będzie dla niej przyjemna.

– Trochę ponad piętnaście milionów – odrzekła.

– A ile dostała była żona?

– Trochę ponad siedem.

– A więc transakcja na kwotę ponad dwudziestu dwóch milionów jest... niewielka?

Czuła się okropnie tym zawstydzona, lecz udawała, że jej to nie dotyczy i mówiła dalej:

– Najwyraźniej zgodnie z odczuciami Roarke'a tak właśnie jest, szefie. Wydaje mi się, że dla Darli Pettigrew była to inwestycja życia. Ona założyła i rozwinęła tę firmę, a on nie dość, że ją zdradził i zostawił, że zmusił do sprzedania stworzonej przez nią od zera firmy, to jeszcze zgarnął większą część uzyskanego przy tym dochodu.

– Niezły motyw – doszedł do wniosku Whitney. – Jakie miała możliwości?

– Mieszka razem ze swoją babcią, która wraca do zdrowia po poważnej chorobie. Obie twierdzą, że była całą noc w domu, choć obie są zgodne co do tego, że babcia w pewnej chwili zasnęła. Jednakże pani Callahan utrzymuje, jakoby pamiętała moment, kiedy wnuczka przyszła do niej w środku nocy sprawdzić, czy wszystko z nią w porządku.

– Eloise Callahan. – Peabody nie mogła się powstrzymać.

– Eloise Callahan? – Tibble zrobił wielkie oczy. – Ta aktorka? Jest legendą ekranu.

– Callahan jest legendą ze względu na swoją wspaniałą grę aktorską – wtrąciła Eve. – Nic do niej nie mamy. Wypadła bardzo naturalnie, tak jak i jej wnuczka, choć jest możliwe, że ta ostatnia odziedziczyła po babci nieco zdolności aktorskich.

Tibble przechylił głowę na bok i w jego oczach znów zobaczyła przebłysk zainteresowania sprawą.

– Masz ją, jak widzę, na celowniku – rzekł.

– Zdradzona była żona, ogromny dom, prywatna posesja, pełno zacisznych zakamarków, a zabójca, jak się zdaje, potrzebował właśnie czegoś takiego. Poza tym chora babcia, być może współwinna. Do tego samochód, kierowca. Będziemy ją obserwować.

– W porządku. – Tibble kiwnął głową. – Spisz to wszystko. Jeśli masz zamiar obserwować wnuczkę Eloise Callahan, rób to wyjątkowo ostrożnie. Eloise jest uwielbiana. Dzięki aktywnemu udzielaniu się we wszelkich protestach ma kontakty w polityce, więc w porównaniu z tym groźby Geeny McEnroy o wniesieniu skargi do gubernatora prezentują się jak napad furii niesfornego dzieciaka.

– Tak jest, szefie. Ja o tych groźbach...
– Uznaję, że zakończyliśmy temat, pani porucznik.
– Tak jest, szefie. Dziękuję! Chcę jeszcze wspomnieć, że nie mam tej łatwości nawiązywania dobrych kontaktów z ludźmi, okazywania im współczucia czy umiejętności pocieszania, co Roarke czy Peabody.
– Nie jest to prawda – mruknęła jej partnerka pod nosem.
– Cicho bądź! Choć nie umiem okazywać współczucia, nigdy w życiu nie ośmieliłabym się poniżać wdowy będącej w szoku i rozpaczy po stracie męża.
– Używając twoich własnych słów, Dallas: nie mam co do tego żadnych wątpliwości. Wracajcie do pracy!

Kiedy wyszły, Peabody głęboko odetchnęła.
– Ani przez chwilę nie zamierzał udzielać nam nagany, ciosać kołków na głowie – stwierdziła.
– Ciebie nawet tam nie było, na litość boską! Za co niby ty miałabyś dostać tę naganę? – zdziwiła się Eve.
– Jesteśmy partnerkami. Twój tyłek...
– Błagam! Dość już o nadstawianiu tyłków i ciosaniu kołków na głowie! Tak, masz rację. Nie miał zamiaru ochrzaniać ani nas razem, ani mnie samej, ani kogokolwiek innego. Wezwał nas tutaj po to, by móc oświadczyć burmistrzowi czy komuś tam, kto wysłał mu nakaz wezwania mnie na dywanik, że to zrobił. Porozmawiał z nami, zapoznał się z faktami i podczas gdy cały wydział tonął w żalu po stracie męża przez panią McEn-

roy, podczas gdy wszyscy zaangażowani w prowadzenie śledztwa okazywali współczucie załamanej wdowie, my musiałyśmy zbierać dowody w celu odnalezienia zabójczyni jej męża. Tak aby móc postawić ją przed obliczem wymiaru sprawiedliwości.

– No i dobrze – podsumowała Peabody, kiedy weszły do windy.

– On wie, jak należy to rozpracować, ale musiał usłyszeć to od nas, w dodatku w obecności Whitneya. W ten sposób właśnie chroni nasze... tyłki. Szlag! Że też musiałam to powiedzieć!

Chociaż miała tego świadomość, wciąż czuła pewne napięcie w karku, wykonała więc kilka okrężnych ruchów ramionami do tyłu, aby się rozluźnić.

– A teraz możemy wracać do naszej roboty.

12

Podczas gdy Peabody spisywała raport, Eve uaktualniała swoją tablicę oraz księgę zbrodni. Sprawdziła rozkład dnia i zauważyła, że zostało jej jeszcze całkiem sporo czasu do planowanego spotkania konsultacyjnego z Mirą, oparła więc skrzyżowane w kostkach nogi o blat biurka i zaczęła się wpatrywać w tablicę.

Na pewno znalazłoby się wiele kobiet – myślała – kobiet, które mogłyby opowiedzieć im swoje historie, wyciągnąć na światło dzienne wszelkie obrzydliwości i ból. Może trwają właśnie intensywne przygotowania do następnych wendet?

Jeśli zabójczyni upatrywała swe przyszłe ofiary na poletku grupy Kobiety Kobietom, żeby potem wymierzać im sprawiedliwość we własnym rozumieniu?... Czy to oznacza, że owa grupa stanowiła źródło powstawania wielokrotnych zabójczyń lub współwinnych w tym procederze? Czy generowała swego rodzaju pakty zabójczyń?

Niby jest to możliwe – zastanawiała się Eve – jednakże...

Natalia Zula. Przyglądała się zdjęciu portretowemu

terapeutki, temu z córką w wieku licealnym, a może już studenckim. Widok ich twarzy powodował, że teoria śmiercionośnego paktu zabójczyń wydawała się coraz mniej realna. Zula znała wszystkie te kobiety, wysłuchiwała ich historii, dawała im czas, przestrzeń i miejsce na wyrzucenie z siebie wszystkich obrzydliwości, krzywd i ran.

Terapeutka była jedną z nich, dzieliła się z nimi swoją historią, zażądała sprawiedliwości dla siebie i otrzymała ją – zgodnie z obowiązującym prawem. Czy kilka kobiet z jej grupy terapeutycznej mogło tuż pod jej nosem zawiązać pakt niosący śmierć?

Może nie było to zbyt wiarygodne, lecz na razie jeszcze całkiem tej tezy nie odrzucę – postanowiła.

Chciała najpierw mieć nazwiska.

Opuściła nogi na podłogę i już miała wziąć do ręki telefon, żeby pomęczyć zastępczynię prokuratora generalnego Cher Reo o szybsze przygotowanie nakazów, gdy w tej samej chwili jej urządzenie zasygnalizowało nadejście wiadomości.

Detektyw Yancy nadesłał kolejny portret pamięciowy z krótką notką.

Nie mogę dać nic więcej, ponieważ świadek niewiele widziała. Tylko przez mgnienie oka. Rozbłysk w ciemnościach. Świadek bardzo chciała pomóc i chętnie współpracowała, lecz nie była w stanie podać żadnych szczegółów.

– Właśnie widzę – mruknęła Eve, przyglądając się uważnie szkicowi twarzy. Kobieta w nieokreślonym wieku pomiędzy dwadzieścia pięć a pięćdziesiąt lat.

Rasy białej lub mieszanej. Kolor oczu nieznany, żadnych cech szczególnych. Najdokładniej narysowana została fryzura: krótkie, sterczące włosy postawione na żel oraz sposób ich koloryzacji.

Podzieliła ekran na dwie części i wyświetliła oba otrzymane od Yancy'ego szkice równocześnie. Pierwszy ten od świadka z klubu.

Jakieś podobieństwa? Może tak, może nie. Rudowłosa kobieta na pierwszym szkicu mogła mieć trzydzieści kilka do czterdziestu lat, była rasy białej, bardzo atrakcyjna. Zabójczyni prawdopodobnie włożyła perukę lub pomalowała włosy wyłącznie na tę okazję, skoro wiedziała o słabości McEnroya do rudowłosych kobiet.

Polował na rudowłose – pomyślała – a ożenił się z brunetką. Co to mogło oznaczać? Miłość, jak przypuszczała, lecz owa miłość nie mogła go odwieść – i nie odwiodła – od jego szczególnych, obscenicznych potrzeb.

Druga podejrzana, najprawdopodobniej w peruce lub również w koloryzowanych na to konkretne spotkanie włosach. W obu przypadkach fryzura stanowiła element zdecydowanie się wyróżniający, detal, który utkwił w pamięci obu świadków.

Zabójczyni wywarła na Eve wrażenie osoby zbyt bystrej, by prezentować się we własnej postaci i w codziennej fryzurze ze zwykłym kolorem włosów.

Wstawiła pomiędzy dwa szkice zdjęcie portretowe Darli Pettigrew.

I znów to samo odczucie: może tak, może nie, jeśli chodzi o podobieństwo.

Darla miała trzydzieści osiem lat i na tyle wyglądała, jeśli nawet nie na kilka lat więcej. Nijakie brązowe włosy średniej długości. Fryzura totalnie bez wyrazu – myślała Eve – a przynajmniej taką miała, kiedy zrobiono jej to zdjęcie.

Widać było po niej jednak, że ma dobre geny, tak jak babcia. Oczy, w których lśniła radość, jeśli się uśmiechała lub nie wyglądała na zmęczoną. Czy przypadkiem jej babcia aktorka nie znała wszystkich trików ze stosowaniem rozmaitych technik charakteryzacji w celu uzyskania jak najlepszego pożądanego efektu?

Z drugiej zaś strony może być i tak, że Darla nie interesowała się warsztatem charakteryzatorskim ani sztuką makijażu. W takim wypadku – przyznała sama przed sobą Eve – byłabym ostatnia w kolejce do krytykowania takiej postawy.

A jednak…

Darla Pettigrew miała motyw. Jak dla Eve: bardzo silny motyw. Miała również dostęp do pomieszczeń prywatnych oraz babcię, która najwyraźniej na wszystko jej pozwalała i o nic się nie dopytywała. Poza tym Darla znała się na informatyce.

Eve sprawdziła raz jeszcze samochody i nie znalazła żadnego zarejestrowanego na jej nazwisko. Eloise miała za to dwa: jeden terenowy biały, drugi zaś luksusowy sedan w kolorze srebrnym. Żaden z nich nie pasował do opisu świadka.

Nie oznaczało to jednak, że nie miała dostępu do innego auta.

Ponieważ bez przerwy ją to nurtowało, skontaktowała się z Leah Lester.

– Przy telefonie porucznik Dallas. Pani Lester, mam jedno pytanie o tę grupę wsparcia.

– Wie pani, ja już powiedziałam wszystko, co mogłam powiedzieć. Dlaczego nie pozwoli mi pani po prostu o tym zapomnieć?

– Ponieważ w chwili, gdy ktoś zamordował Nigela McEnroya, niestety, wszystkim nam o nim przypomniał. Prosiłabym o odpowiedź, jakie wrażenie wywarła na pani kobieta z grupy o imieniu Darla.

Leah zrobiła zaciętą minę.

– Odpowiem, że wszystko, co się działo na zajęciach grupy, było objęte tajemnicą i omawiane anonimowo.

– Rozmawiałam już z Darlą, rozmawiałam również z Natalią. Proszę opisać, jakie wrażenie robiła ta osoba.

– Szczerze mówiąc, byłam skupiona wyłącznie na sobie i średnio zwracałam uwagę na inne dziewczyny. Poszłam tam tylko dlatego, że było to ważne dla Jasmine.

– Czy pamięta pani Darlę?

– Może i tak. Raczej słabo. Przynajmniej tak mi się wydaje, że to o tę kobietę chodzi, ale… nie mam zamiaru donosić na biedną kobietę, skrzywdzoną przez jakiegoś chorego faceta.

– To jak miecz obosieczny. – Eve przywołała obrazowe porównanie. – To, czego się od pani dowiem, może równie dobrze oczyścić ją z podejrzeń. Jej były mąż został zamordowany zeszłej nocy.

– Jezu Chryste! – Leah zadrżała i aż złapała się za głowę. – Zupełnie jak McEnroy.

– Zgadza się. A teraz poproszę o wrażenia.

– Pamiętam ją słabo, jak już mówiłam. Przestałam tam w ogóle chodzić. O tym też już pani wspominałam. W pamięci pozostała mi jako kobieta w pewnym sensie zdruzgotana, jak wiele z nas, a przy tym ze złamanym sercem, jak sądzę. Mąż ją rzucił dla młodszej i chyba ukradł jej firmę, którą sama zbudowała od podstaw.

Uważam jednak, że nie ma co jej za bardzo żałować. Nikt jej nie faszerował narkotykami ani nie zgwałcił. Została tylko porzucona.

Westchnęła ciężko.

– Jak już mówiłam, miałam własne problemy. Ona wyglądała na babkę z kasą, nie jak Un... jak taka jedna, którą mąż bez przerwy tłukł, aż w końcu uciekła od niego razem z dzieckiem.

– W jaki sposób jej wygląd wskazywał na posiadanie większych pieniędzy?

– Bo ja wiem... Jej buty. Zawsze miała świetne, markowe buty, a poza tym wciąż nosiła obrączkę i pierścionek zaręczynowy. Jeśli brylant był prawdziwy, musiał kosztować małą fortunę. Chcę przez to powiedzieć, że wyglądała na kobietę bogatą.

A jednak szczegóły wiele znaczą – Eve na krótką chwilę pogrążyła się w rozmyślaniach. – Nawet buty. Cisnęła więc dalej.

– Czy przypominasz sobie, żeby jakoś szczególnie zaprzyjaźniła się z którąś z kobiet? Nawiązała jakiś bliższy kontakt?

– Nie wiem. Jak już mówiłam, zaledwie... Chwileczkę! Słyszałam, że obdarowała jedną z dziewczyn pewną sumą pieniędzy. Tę, którą mąż bił. Nie wiem, czy to prawda. Krążyły takie słuchy. Ktoś coś wspomniał...

– Kto konkretnie? Kto to powiedział? Kto otrzymał pieniądze? Leah! Dwa morderstwa! Nie zmuszaj mnie do wciągnięcia cię oficjalnie w śledztwo.

– Niech to diabli! Nie pamiętam, kto mi o tym powiedział. Mogła to być Jasmine albo którakolwiek inna dziewczyna. Pieniądze dostała Una. Jeśli rozmawiała pani z Natalią, proszę spytać o to Natalię. Una nie skrzywdziłaby muchy. To była słodka dziewczyna, która dla swojego dziecka starała się jakoś poukładać sobie życie po tym, jak została bez grosza przy duszy. Jeśli Darla naprawdę dała trochę pieniędzy kobiecie w potrzebie, chwała jej za to. Nic więcej nie wiem.

– Dziękuję za te informacje.

Eve wyłączyła się, rozsiadła się wygodnie i zaczęła zastanawiać, w jaki sposób namierzyć samotną matkę o imieniu Una.

Zaraz jednak musiała przerwać rozmyślania, by udać się na spotkanie z Mirą.

Weszła na salę swojego wydziału i zatrzymała się przy biurku Peabody.

– Idę do Miry – poinformowała partnerkę.

– Właśnie miałam ci przekazać, że rozmawiałam z oddziałem firmy McEnroya w Londynie. Oddzwonił do mnie jego wspólnik. Twierdzi, że nic nie wiedział ani o molestowaniu przez niego kobiet, ani o podawaniu im narkotyków, ani o gwałtach. Sprawiał wrażenie mocno tym przygnębionego. Wiedział natomiast, że McEnroy, jak on to ujął, czasem błądził. Owszem, zwrócił uwagę na jego słabość do rudowłosych kobiet, która mu pozostała do końca, i jak dla niego... jego wspólnika, znaczy się... świadczyła o tym, że naprawdę kochał swoją żonę. Zakochał się w niej, choć była brunetką, zbudował nowe życie, stworzył razem z nią rodzinę z dziećmi. Jednakże od czasu do czasu błądził.

Peabody równocześnie przewróciła oczami i syknęła.

– Niech go cholera z takim „błądzeniem". Zbłądzić to można, skręcając nie w tę ulicę, kiedy się idzie do banku. Tak czy siak, wspólnik wybiera się do Nowego Jorku, żeby przypilnować interesu tutaj. Postara się też, jak twierdzi, zrobić wszystko, co w jego mocy, dla wdowy po McEnroyu. Zgłosi się do nas, kiedy tylko znajdzie się na miejscu i wygospodaruje czas na przeprowadzenie rozmowy, jeśli będziesz miała chęć go przesłuchać.

– A co z drugim wspólnikiem?

– Najwyraźniej jest zajęty gaszeniem pożarów, które wzniecają wiadomości o morderstwie i powiązanym z nim skandalu. Firma odpiera ataki ze wszystkich stron. Grożą im procesami sądowymi. Pewnie dlatego zgnębiony sytuacją facet również przylatuje do Nowego Jorku.

– Trzymaj rękę na pulsie. W tę sprawę nie powinno się angażować całej firmy. Wystarczy jej współwłaścicieli, ale lepiej sprawdzać wszystkie tropy.

Jadąc windą na piętro do Miry, wałkowała temat w myślach. Doszła do wniosku, że nie powinna angażować w sprawę ani firmy, ani jej prezesów, a przynajmniej w nie większym stopniu, niż angażowała prawników Pettigrewa i jego partnerów biznesowych.

Wszystko sprowadzało się do konkretnych przedstawicieli rodzaju męskiego, do seksu, gwałtów i zachłanności.

Eve zastała cerbera Miry – jej asystentkę – trwającą na swoim stanowisku za biurkiem. Kobieta z marsową miną zerknęła na wielofunkcyjny zegarek naręczny, lecz okazało się, że Eve wparowała do sekretariatu dokładnie o czasie, nie mogła jej więc niczego zarzucić.

– Można wchodzić, pani porucznik – powiedziała tylko.

Mira z fryzurą na boba, o miękko falujących włosach tak ciemnych, że prawie czarnych, lekko rozjaśnionych słońcem, stała przy swoim AutoChefie. Miała na sobie strój bez wątpienia inspirowany wiosną – liliową, dopasowaną do figury garsonkę i o kilka tonów ciemniejsze czółenka na obcasach tak cienkich, że zdawały się przezroczyste jak szkło.

Jako dodatki: kolczyki z niewielkimi fioletowymi zawieszkami oraz trzy cieniutkie plecione łańcuszki na szyi. Prezentowała się perfekcyjnie jak zawsze.

Uśmiechnęła się do Eve, witając ciepłym spojrzeniem niebieskich oczu.

– Właśnie przygotowuję sobie herbatę... Tak, tak, wiem, lecz sądzę, że o tej porze dnia powinnaś napić się czegoś bardziej uspokajającego, a nie kawy. Siedzisz nad tą sprawą od bladego świtu.

– Ona lubi zabijać nad ranem, po długim wieczorze przeciągającym się do późnej nocy.

– Wiem. Czytałam raporty. – Mira wskazała Eve jedno z niebieskich kubełkowych krzeseł, a sama przyniosła dwa zgrabne kubki pachnącej kwiatami herbaty. – Proszę! – Podała jeden gościowi, usiadła i skrzyżowała swoje zgrabne nogi. – Mówisz o zabójcy „ona" i tu się zgodzę. Zabija kobieta, która szuka sprawiedliwości. Kobieta, która wierzy, iż sprawiedliwość owa polega na mordowaniu z pełnym okrucieństwem mężczyzn, którzy wykorzystywali inne kobiety.

– Przy drugiej ofierze wykazała się większym okrucieństwem.

– Z moich obserwacji wynika, że często się tak zdarza. Uważam, że według niej przeprowadzenie egzekucji dwóch mężczyzn w dwie noce było nie tylko aktem oczyszczającym, lecz również ekscytującym.

– Czy z Pettigrewem mogły ją wiązać jakieś prywatne sprawy?

– To możliwe, lecz jeśli ponownie zabije, będzie to mniej prawdopodobne. Nie zabiła go jako pierwszego, lecz drugiego. Wielokrotni zabójcy ofiary najbardziej z nimi powiązane zwykle zostawiają na sam koniec. Osiągają wówczas apogeum, że tak powiem.

– Może nie myślała o zakończeniu wendety? Może McEnroy posłużył jej jako swego rodzaju worek treningowy? Czy dam radę to zrobić? Tak, dam, więc przejdę teraz do porachunków osobistych – wyjawiła Eve swoje przypuszczenia.

Zaintrygowana takim punktem widzenia Mira odchyliła się na oparcie krzesła, uniosła brwi i spytała:

– Masz jakieś powody, żeby tak stawiać sprawę?

– Kiedy biorę na tapetę byłą żonę Pettigrewa, włączają mi się dzwonki alarmowe.

– Konkrety?

– Jej reakcja na wiadomość o śmierci byłego męża. Zbyt impulsywna. Dwa lata po rozwodzie, prawda? To facet, który ją notorycznie zdradzał, potem rzucił dla jakiejś siksy, a w końcu okantował przy sprzedaży firmy, którą sama założyła i rozwinęła. I co? Dla takiego gościa zmienia się raptem w łkający wrak człowieka? Jakoś tego nie kupuję.

– Czasami się kocha bez względu na obelgi i rany.

– Taaa... Może i tak. Ale nie. – Im więcej o tym myślała, tym pewniejsza była swego. – Nie w tym przypadku. Mogłabym powiedzieć dokładnie dlaczego, ale powiem tylko: nie! Gdy dodać do tego kiepskie alibi, niby wprawdzie potwierdzone przez członka rodziny...

Poza tym babka posiada ogromną wiedzę informatyczną, a do komputera Pettigrewa bardzo umiejętnie się włamywano. Ma wielki, prywatny dom i pełno zakamarków, w których można popełniać niecne uczynki.

– Uważasz, że to ona jest twoim zabójcą.

– Raczej tak. Muszę na to popatrzeć z różnych stron, lecz nawet jeśli to nie ona jest zabójcą, i tak coś z nią jest nie w porządku. Czuję to przez skórę.

– Informuj mnie na bieżąco.

– Tak zrobię. Jakkolwiek by na to patrzeć, zabójczyni jest powiązana w ten czy inny sposób z grupą wsparcia. Nie ma takiej możliwości, żeby ot tak przypadkiem namierzyła dwóch mężczyzn, którzy skrzywdzili kobiety uczęszczające do tej właśnie grupy.

– W tej sytuacji może być w to zamieszana większa liczba osób.

– Też się nad tym zastanawiałyśmy, ale... Nie sądzę, by kobieta prowadząca tę grupę nie zauważyła, że wśród jej podopiecznych zawiązuje się pewien rodzaj okrutnego paktu. Jak dla mnie to sprawka samotnej morderczyni. Wygląda mi to na kogoś, kto lubi przebieranki i maskowanie się: dla pierwszej ofiary ucharakteryzuję się tak, a drugą uwiodę w zupełnie innym antyrażu. Jeśli ponownie uderzy, zrobi się na wymarzone bóstwo konkretnego faceta.

– Lady Justice – dodała Mira. – Ta sama, a za każdym razem inna. Również samotna. Dodaje wiersze. Poezja to coś bardzo osobistego dla twórcy. Aczkolwiek zwykłe możliwości ludzkiego ciała i logistyka sprawiają, że trudno znaleźć jednoznaczną odpowiedź na pytanie, czy zabójca działał sam.

– Na pewno ona nie działała sama. Ktoś siedział za

kierownicą. Może jej partner, może jakiś wynajęty kierowca. Na pewno jest to ktoś, komu może zaufać, o kim wie, że będzie wobec niej lojalny, więc na początku skłaniałam się ku koncepcji, że to inna kobieta. Mężczyźni to na ogół notoryczni krętacze.

– Tak. Ewidentnie została zdradzona lub wykorzystana w jakiś inny sposób przez mężczyznę. Mógł to być jej ojciec lub ojczym, jeśli to była zdrada na tle seksualnym. – Mira zamilkła na chwilę i popijając herbatę, przyglądała się uważnie Eve. – Czy ten aspekt nie przysparza ci przypadkiem pewnych trudności?

– Dam sobie z tym radę.

– Nie o to pytałam.

Nim Mira dostała właściwą odpowiedź, Eve już wiedziała, że wytrwa i nie ustąpi.

A więc wyrzuć to z siebie i po sprawie – pomyślała.

– Wiem, jak to jest być gwałconą i bezradną, gdy gwałcicielem jest własny ojciec – zaczęła. – Wiem, jak to jest, gdy musisz zabić, i to zabić z pełnym okrucieństwem. Jeśli wrócą tamte wspomnienia, mogę je wykorzystać. Wykorzystam je. Odnalezienie osoby, która zabiła tych mężczyzn, cokolwiek zrobili w życiu, to moja praca. Muszę ją wykonać, inaczej nawet po tylu latach, Richard Troy wygra.

– Jeśli będziesz miała jakiekolwiek problemy, przyjdź z nimi do mnie.

– Jestem tu teraz, ale naprawdę wszystko ze mną w porządku. – Chcę również zamknąć za sobą tamte drzwi, pomyślała. – McEnroy był maniakiem seksualnym – kontynuowała – i z największą satysfakcją aresztowałabym go i wsadziła za kratki na resztę jego parszywego życia. Pettigrew? Słaby, pazerny kłamca, lecz nie ma żadnych dowodów na to, żeby kogokolwiek skrzywdził fizycznie. Tylko zdradzał, najpierw zdradzał swoją małżonkę, a potem zdradzał tę, z którą przedtem zdradzał żonę, słowem notorycznie zdradzał. Ohydny typ, ale nie zasłużył na wszystko, co go spotkało. Mogłabym się wstawić za każdym z nich.

– W porządku. Więc powiem ci, że szukasz dojrzałego, starannie dobierającego cel zabójcy. To kobieta, co najmniej trzydziestoletnia, może kilka lat starsza. Kontroluje się, dopóki nie obezwładni namierzonej ofiary. Na tyle nad sobą panuje, że jest zdolna śledzić każdy krok swojej ofiary, poszukiwać informacji na jej temat, a następnie planować i przygotowywać się do zwabienia jej w swoje sidła. Kiedy ofiara jest już związana i nie może się bronić, emocje zabójczyni puszczają. Jest wystarczająco sprawna i silna, by godzinami torturować fizycznie swoje ofiary, i na tyle zdystansowana emocjonalnie, by ignorować ich okrzyki bólu i błagania. Nie ma śladu po jakiejkolwiek próbie uciszania ofiar podczas tortur.

– Zapewne chciała słyszeć, jak krzyczą z bólu i błagają ją o litość.

– Zgadzam się. Karanie ich podtrzymuje ją przy życiu. Karmi się ich bólem. Kastracja, czyli innymi słowy: pozbawienie męskości, jest ostatnim punktem programu. Z raportu medycznego wynika, że po wszystkim zostawia ich wiszących jak kawał mięsa na haku, dopóki wraz z krwią nie ujdzie z nich życie.

– Dlaczego przywozi ich z powrotem do miejsc ich zamieszkania? Mogłaby się pozbyć ciał w całości lub wywieźć je wiele kilometrów stąd. Ma przecież samochód. A ona za każdym razem ryzykowała, odwożąc ich ciała, podrzucając je na zewnątrz, przed domami, co zabierało jej energię i czas. No i jeszcze ten wiersz na widoku.

– Chce, żeby ich odnaleziono, i to szybko. Pragnie w ten sposób pokazać ich bliskim, kim byli naprawdę. Co sobą reprezentowali. Pokazuje ich miastu, światu, który karze za złe uczynki. Karze ich jej rękami. Według mnie będzie zarazem zadowolona i wkurzona, że jest ścigana przez dwie policjantki. Docenia waszą siłę. Siła kobiet jest kluczowa dla jej psychiki. Będzie również nieszczęśliwa, że wy, będąc kobietami, nie dostrzegacie, że ona robi to, co powinno być zrobione, a uważa was za swoje koleżanki po fachu – wyjaśniała Mira. – Podejrzewam, że w jej życiu nie ma teraz mężczyzny ani nie pragnie ona takiego związku. Może mieć koleżanki lub przyjaciółki, ale żadnego faceta. Faceci? To zwierzęta, które należy zarzynać, maniacy seksualni, których należy wyłapać i odstrzelić. Ona wierzy w to, co robi, i przez to jest jeszcze bardziej niebezpieczna.

– Jeszcze nie skończyła. – Eve pokiwała głową.

– Też tak sądzę. Jeśli wykonuje jakąś pracę zawodową, najpewniej jest to coś, co może robić samodzielnie albo pracuje gdzieś, gdzie ma nienormowany czas pracy. – Mira poprawiła się na krześle, wyprostowała na chwilę nogi, a potem znów je skrzyżowała, lecz odwrotnie. – Jak zauważyłaś w swoim raporcie, zabójczyni musi mieć jakieś ukryte miejsce, prywatną przestrzeń, gdzie może torturować ofiary, dokąd może zabierać tych mężczyzn, mając pewność, że nikt jej tam nie wykryje i nie przeszkodzi. Zgadzam się również z Morrisem. Posiada pewne umiejętności z dziedziny chirurgii lub wcześniej odbyła jakąś praktykę wykonywania kastracji. Amputacje przeprowadzono podejrzanie czystym cięciem, zbyt precyzyjnym jak na nowicjusza. Poza tym nasz lekarz sądowy uważa, że został użyty do tego jakiś sztylet ceremonialny; twierdzi, iż to właśnie kastracja, czyli pozbawienie męskości, jak to ujęłaś, jest głównym celem zabójczyni.

Eve w milczeniu, powoli kiwała głową, zastanawiając się nad tą koncepcją.

– Polowanie, wabienie, a nawet torturowanie najwidoczniej ją bawią – powiedziała – ale również mają służyć wymierzeniu kary. Głównym jej celem jest odcięcie atrybutu męskości, pozbawienie genitaliów, odebranie tym mężczyznom możliwości odczuwania popędu płciowego, żeby odeszli z tego świata jako jednostki aseksualne.

– Zgasza się. – Mira uśmiechnęła się tak, jak uśmiecha się nauczycielka do pojętnego ucznia. – Właśnie tak.

– Ta kobieta jest zdolna stworzyć projekcję obrazu osoby, o której spotkaniu każda z jej ofiar marzyła. To część gry: część rozrywkowa – dodała Eve. – Wydaje się atrakcyjną, gotową do przelotnego flirtu rudowłosą kobietą, którą McEnroy zaprasza do swej prywatnej kapsuły. Następnie charakteryzuje się na ulubiony typ pani do towarzystwa Pettigrewa, więc ten otwiera przed nią drzwi do swego domu. Uważam, że z Pettigrewem poszło jej szybko. Cześć, wejdź i już. Z McEnroyem jednakże musiała co nieco poflirtować, wysilić się na słowną grę wstępną. Nie zamówił jej w agencji. Musiała być dokładnie taką kobietą, jakiej McEnroy poszukiwał. A za drugim razem: mimo iż szybko poszło, musiała być taką, jakiej oczekiwał Pettigrew.

– Dokładnie ich sprawdza i wchodzi w skórę pożądanych przez nich kobiet.

– Gra? – Eve, siedząc, wychyliła się do przodu. – Zastanawiam się, czy ma jakieś umiejętności aktorskie, doświadczenie, możliwości? Obrała sobie cel i jestem przekonana, że nie skończy na tych dwóch. Nie wszystkie zrealizuje tak szybko i sprawnie jak w przypadku Pettigrewa. Musi zachęcać, wabić, spełniać specyficzne wymagania, aby wplątać mężczyznę, którego namierzyła, w sytuację umożliwiającą doprowadzenie go do jej samochodu.

– To bardzo możliwe – zgodziła się Mira – lecz ona wierzy w swoją misję, misję, która staje się celem jej życia. Za każdym razem zaczyna od przygotowań, co świadczy o kontroli. Potem przepoczwarza się w drobiazgowo zmienioną osobę – to część rytuału przygotowań. Bez wątpienia ma w tym wprawę. Dysponuje czasem, przestrzenią i środkami na realizację swoich pomysłów. Dysponuje na przykład pełną, pojemną garderobą, wieloma perukami i akcesoriami do farbowania czy doczepiania włosów. Ma transport i dostęp do narkotyków i środków odurzających. Wszystko to kosztuje. Sporo w to zainwestowała. – Mira przechyliła głowę na bok. – Czy to, co wymieniłam, pasuje do Darli Pettigrew?

– O, tak. Pieniędzy jej nie brakuje, ma też potencjalne zdolności aktorskie po babci. No i buty.

– Buty?

– Jedna z kobiet z grupy KK powiedziała mi, że zwracała na siebie uwagę drogim, markowym obuwiem. Mieszka w dużej, prywatnej rezydencji jedynie ze swoją babcią, która właśnie dochodzi do siebie po chorobie. Widać, że są bardzo mocno ze sobą zżyte. Stąd uważam, że jej alibi jest słabe, a jego potwierdzenie przez babcię mocno wątpliwe.

– Czy Darla Pettigrew ma jakieś doświadczenie w grze aktorskiej?

– Tego nie wiem, ale babcia na pewno. To słynna aktorka Eloise Callahan.

– Coś takiego! – Mira zrobiła wielkie oczy i znów poprawiła się na krześle. – To faktycznie wspaniała aktorka! Ceniona za doskonałą grę aktorską. Jest również znaną aktywistką.

– Zna babcię Peabody. Razem działały jako aktywistki i razem organizowały marsze protestacyjne.

– To nie powinno być dla mnie niespodzianką. – Mira zaśmiała się cicho. – Callahan jest powszechnie znaną filantropką. Z tego, co o niej wiem, trudno mi wyobrazić sobie tę kobietę wplątaną w jakieś morderstwa z torturami.

– Nie musi być zaangażowana bezpośrednio. Wydaje mi się, że wnuczka mogła przez lata podpatrzyć u babci pewne sztuczki. Grę aktorską, sposób charakteryzacji aktorskiej, sposób ubierania się. Ma pewnie dostęp do jej obszernej garderoby. Nawet to, co się fachowo nazywa... hmm... inscenizacją. Cała otoczka morderstwa jest pełna dramatyzmu: te wiersze i pseudonim, który sobie wymyśliła.

– Tak. Widać, że lubi teatralne gesty. Czy właśnie to cię w niej uderzyło?

– Nie. Coś dokładnie odwrotnego. Była cicha, bezpretensjonalna... Bo ja wiem... Może nawet nijaka. Z żalem i szokiem jednak przesadziła. Coś mi w jej zachowaniu nie pasowało. Choć wszystko wyglądało w miarę autentycznie, to jednak brzmiała w tym fałszywa nuta. Mam tylko tyle na nią – skwitowała Eve. – Brzmiała mi w jej zachowaniu fałszywa nuta.

Mira znów rozsiadła się wygodnie i przetwarzała w głowie otrzymane informacje.

– No cóż... – powiedziała wreszcie. – Mieści się w grupie wiekowej zgodnej z profilem zabójczyni, który opracowałam. Ma pieniądze i motyw oraz obszerny dom. Uczęszczała na zajęcia terapeutyczne do grupy wsparcia. To wystarczająca liczba powodów, by zaliczyć ją do grona podejrzanych.

– Zajmuje w tej chwili pierwsze miejsce na mojej liście. Nie mam jednak takiej możliwości, by dostać nakaz przeszukania oparty jedynie na przeczuciach. – Eve wstała i odstawiła na bok filiżankę, dziwiąc się sama sobie, że jakimś cudem dopiła do końca otrzymany napar. – Pora na mnie. Dziękuję za poświęcony mi czas.

– Uważaj na siebie. Ona jest bezwzględna – dodała Mira. – Skoro już pokazała, że traci hamulce, zrobiła się naprawdę niebezpieczna.

– Hej! Ja też bywam niebezpieczna! – rzuciła Eve na pożegnanie.

*

Gdy porucznik Dallas jechała z powrotem do siebie, do wydziału zabójstw, Darla zajęła się tymi niewieloma obowiązkami domowymi, które spoczywały na jej głowie. Ponieważ zaczęło mocno padać, obie z pielęgniarką dzienną postanowiły odwołać codzienny spacer babci. Darla lubiła spacery w deszczu, więc wybrała się sama. Po drodze zatrzymała się w cukierni, żeby kupić babci jej ulubione cannoli – rurki z serkiem ricotta – a potem poszła na targ po świeże owoce.

Użyła wymówki, że musi wyjść i się przejść, zająć się czymś, gdyż to na pewno pomoże jej dojść do siebie po śmierci Thaddeusa. Obie, i babcia, i pielęgniarka – myślała Darla, przyglądając się uważnie stercie cierpkich zielonych winogron, które babcia szczególnie lubiła – wykazały się ogromnym zrozumieniem i bardzo jej współczuły.

Boże! Jak bardzo się jej to podobało!

Odczuwała nawet przebłyski litości w stosunku do kobiety odrzuconej i zdradzonej, która wciąż kochała i potrafiła się smucić z powodu odejścia mężczyzny, który ją skrzywdził.

Ta litość również się jej bardzo podobała.

Niestety, oni nigdy nie będą w stanie pojąć, jak prawdziwa miłość i głęboka nienawiść mogą funkcjonować równocześnie w sercu.

Thaddeus nie rozpoznał jej. Po tych wszystkich latach użyczania mu swojego łóżka i ciała, obdarzania go bezgranicznym zaufaniem i całkowitego poświęcania się jego osobie, on nie poznał jej w przebraniu.

Nie wiedział, kim jest, aż do ostatnich chwil swego życia. Dopiero kiedy krew popłynęła z ostatniej jego rany, zdjęła maskę. Miał taką zdumioną minę – przypominała sobie z czułością – gdy się w nią wpatrywał, gdy z wolna uchodziło z niego życie.

W końcu wypowiedział jej imię, powiedział: „Darla?", jakby się dziwił. Jego ostatnim słowem w życiu było jej imię.

I właśnie to, och, to właśnie było najbardziej smakowite!

Pogrążona w rozmyślaniach poczuła, że jakaś kobieta szturchnęła ją niecierpliwie łokciem w bok.

– Pani wybaczy! – usłyszała i do jej świadomości dotarło, że te słowa były skierowane do niej.

– Też chcę coś kupić! – rzuciła inna kobieta.
– Och, przepraszam! Zamyśliłam się. – Darla zrobiła skruszoną minę i z uśmiechem przesunęła się, wzięła trochę winogron i trochę borówek.

Kiedy skończyła zakupy w markecie, znów wyszła na ulicę, otworzyła parasolkę i lekko nią zakręciła.

Czuła się lżejsza od powietrza!

Podśpiewywała sobie pod nosem w rytm kroków, odgrywając ponownie w myślach scenę z policją. Idealnie! Po prostu perfekcyjnie w jej mniemaniu. Najpierw szok, potem rozpacz, na koniec starania, żeby się pozbierać.

Ale miała ubaw! Nie wiedziała, że będzie miała z tego taką świetną zabawę!

Może przez chwilę nieco się obawiała, kiedy zobaczyła, że babcia zeszła na dół do gości, ale potem i to obróciło się na jej korzyść. Wyszło idealnie!

Jej ukochana babcia, a zarazem uznana i ceniona Eloise Callahan, zaświadczała za nią. W gruncie rzeczy zdała relację z tych samych zdarzeń, które działy się w tym samym przedziale czasowym.

I jaka to była mądra decyzja, żeby polecieć na górę i sprawdzić, co z babcią, tuż po śmierci Thaddeusa. Policja na pewno nie będzie podejrzewać jej o zabicie kogokolwiek, kiedy wciąż zajmuje się swoją ukochaną babcią.

Musiała też przyznać, że wielką przyjemnością było zmierzyć się na inteligencję z samą Eve Dallas. Czuła się wtedy, jakby grały role – oczywiście główne – w jakimś filmie. Tyle że ona również go reżyserowała. Napisała także scenariusz, zaprojektowała kostiumy (przynajmniej jej własny).

Napisała też już następny akt.

Idąc do domu z torbą z marketu w jednej ręce oraz paczuszką z cukierni w drugiej, uśmiechała się do siebie, a nawet wykonała w wyobraźni kilka tanecznych kroków.

Przez wszystkie te lata – myślała – przez wszystkie te lata z Thaddeusem była tak bardzo mu oddana! Tak wierna!

Tak słaba!

To ona stworzyła własnymi rękami od podstaw ich firmę. Użyła swojej mózgownicy, swoich umiejętności, swojej energii, żeby powstało coś trwałego, coś o solidnych podstawach. Nie kolosa na glinianych nogach, lecz firmę solidną i szanowaną.

Zrobiła to.

A potem pozwoliła mu ją sobie odebrać, tak jak wcześniej odebrał jej szacunek do siebie. Przynajmniej uczestnicząc w zajęciach grupy, dowiedziała się, że nie była w tym sama. Okazało się, że nie była najgorszym przypadkiem. Tak wiele kobiet było wykorzystywanych, porzucanych i zdradzanych!

Teraz miały w swym gronie mistrzynię w jej osobie. Podarowała im Lady Justice.

Weszła po cichu do domu, odstawiła parasolkę do stojaka, a kurtkę powiesiła w szafie.

Wniosła zakupy do kuchni i poprosiła droidkę-pokojówkę o przygotowanie kawy, podczas gdy sama ułożyła owoce na paterze, a ciasteczka na ozdobnych talerzykach.

Słodki poczęstunek dla babci.

Sprawdziła godzinę, doszła do wniosku, że pora jest idealna. Babcia właśnie kończyła fizjoterapię i zostanie w saloniku na górze, żeby odpocząć.

Wepchnęła barek na kółkach do windy. Już stojąc w kabinie, dobrała do wyrazu twarzy uśmiech, który według niej miał świadczyć o odwadze, w spojrzeniu zaś miał pozostać lekki smutek.

Kiedy wtoczyła barek na kółkach do saloniku, Eloise wraz z pielęgniarką pochłonięte były grą w scrabble.

– Cannolis! – Eloise przewróciła oczami. – Tak właśnie traci się wcięcie w talii.

– Nie w twoim przypadku, babciu. Założę się, że Donalou nieźle cię wymaglowała.

– Od tego jest, żeby mnie męczyć.

Donnalou, drobna kobietka, zaśmiała się krótko i pokręciła głową.

– Przez kilka ostatnich dni ledwo dotrzymuję jej kroku, no i właśnie pobiła mnie na głowę, wymyślając siedmioliterowe słowo z potrójną premią punktową.

– W takiej sytuacji obie zasługujecie na smaczną przekąskę.

– Usiądź z nami, Darlo!

– Nie. Grajcie sobie dalej we dwie. – Kobieta pochyliła się, żeby ucałować policzek starszej pani. – Mam jeszcze coś do zrobienia. W mojej sytuacji najlepiej jest się czymś zająć.

– Nie przepracowuj się zbytnio, Darlo – poradziła jej Donnalou. – Wyglądasz na zmęczoną.

– Nie martw się o mnie. Skoro ty tu jesteś, będę mogła spokojnie uciąć sobie krótką drzemkę. Zobaczę zresztą. A ty, babciu, nie ogrywaj aż tak bardzo naszej Donnalou.

– Nie obiecuję.

Śmiejąc się, Darla weszła z powrotem do windy. Zjechała na sam dół, do swojej kryjówki. Zajęła się skontrolowaniem, czy droidka uprzątnęła wszystkie nieczystości i dobrze wyszorowała podłogę, jednym okiem zerkając co pewien czas na monitor, gdzie toczyła się gra w scrabble. Sprawdziła też, czy nie pozostało przypadkiem cokolwiek z jej kostiumu Lady Justice.

Dokładnie przejrzała posiadane medykamenty i narkotyki. Spokojnie wystarczy na jeszcze jednego – oceniła, lecz pewnie będzie musiała wysłać droida, żeby uzupełnił zapasy. Środki odurzające kończyły się szybciej, odkąd babcia zaczęła wychodzić z choroby i stała się silniejsza. Potrzebowała teraz większej dawki środków nasennych, by przespać spokojnie całą noc.

Wyśle droida, któremu dała na imię Jimmy. Zaprojektowała go z wyglądu na dwudziestokilkuletniego chłopaka o niebezpiecznym obliczu z niewielką blizną na prawym policzku. Może się spotkać z dilerem narkotyków dzisiaj późnym wieczorem, by odświeżyć zasoby swojej pracodawczyni.

Doszła też do wniosku, że jej osobisty lekarz na pewno przepisałby coś mocniejszego na sen, biorąc pod uwagę zaistniałe okoliczności. Na razie jednak nie miała na to w ogóle czasu.

Musiała dobrać kostium do następnej sceny.

13

Kiedy Eve weszła na salę główną swojego wydziału, powitał ją już z daleka drażniący zmysł wzroku nowy, wściekły krawat Jenkinsona. Gdy jego właściciel przywołał ją gestem do swojego biurka, aż jęknęła w duchu.

– Dlaczego, grzecznie pytam, dorosły mężczyzna, policjant, weteran na stanowisku detektywa nowojorskiej policji NYPSD, nosi seledynowy krawat z wzorkiem w żrące cytrynowe gumowe kaczuszki?

– Kaczuszki nie są żrące. Jeżeli już, to kwaczące. A poza tym ludzie tacy jak ty zwą to fanaberią.

– Ludzie tacy jak ja zwą to czynną napaścią rozbójniczą na zmysł wzroku. Czy dostałeś notatki i imiona od Natalii Zuli?

– Taa. Mamy je... A jej córka była już w domu. – Ponieważ on siedział, a Eve stała, zezował na nią spod oka. – Stwierdziła, że mój krawat jest po prostu magiczny. Tak tylko mówię. Położyłem ci wszystkie nośniki na biurku. Możesz je przejrzeć. – Mówiąc to, wskazał kciukiem za swoje plecy, gdzie siedział jego partner Reineke. Ten uczynnie podciągnął do góry nogawkę swoich spodni, odsłaniając seledynowe skarpety w żrące cytrynowe kaczuszki.

– Jezu! Zaczęliście się umawiać czy co? – jęknęła Eve.

– To tylko szczęśliwy zbieg okoliczności – zapewnił ją Reineke. – Tak czy siak, Zula i jej córka okazały się bardzo chętne do współpracy. Wstrząsnęło nimi podejrzenie, że jakaś kobieta z grupy może zabijać ludzi. Córka chciała, żeby matka przyszła do nas i naszkicowała nam psychologiczne sylwetki kobiet uczęszczających na zajęcia. Ta natomiast jest zapętlona, innymi słowy przeżywa konflikt wewnętrzny.

– Może będzie się musiała odpętlić.

– Są ze sobą mocno związane – wyjaśnił Jenkinson. – Odnieśliśmy wrażenie, że córka zamierza nad matką popracować.

– Jak na razie wystarczy. Zajmę się tym, co mamy. Dzięki za pomoc – powiedziała Eve i poszła do swojego gabinetu. Tam podłączyła leżący na biurku dysk przenośny do komputera.

Przejrzała imiona i notatki przy każdym z nich. Wszystko tu jest – myślała przy tym. – Gwałty, przemoc fizyczna, molestowanie, psychiczne znęcanie się, zdrady partnerów, porzucanie przez kochanków, oszustwa, krzywdzenie, pobicia, poniżanie, dręczenie.

Niektóre kobiety, zgodnie z zapiskami, wściekały się na swoich byłych, niektóre popadały w depresję, inne miały poczucie winy lub czuły się zawstydzone. Mnóstwo zrozpaczonych, załamanych, zdruzgotanych jednostek.

Natalia zapisywała, czy dana kobieta wspominała coś o dzieciach, o pracy, innym związku, o przyjaciółce lub kimś z rodziny oraz czy osoby te stanowiły dla nich jakieś wsparcie, czy były nastawione agresywnie, wojowniczo.

Dopisywała też informację, kiedy – i czy w ogóle – kobieta zgłosiła gwałt, przemoc fizyczną czy napaść, czy kobiecie udało się wyjść z traumy, czy pozostawała w niej nadal.

Bardzo dokładne notatki – pomyślała Eve. – I zawsze bez oceny postępowania. Może warto by było jednak ją tu ściągnąć, żeby opowiedziała Mirze w skrócie o każdej z kobiet? Jak psycholog psychologowi?

Postanowiła zrobić sobie krótką przerwę i przesłać Mirze zapytanie, czyby się na to zgodziła, i jeśli tak, to czy mogłaby się skontaktować z Natalią Zulą.

Następnie z wielkim zainteresowaniem zajęła się odczytywaniem notatek dotyczących Darli.

11/2059: Mąż zostawił ją dla młodszej kobiety (miał z nią romans w trakcie trwania małżeństwa). Mąż obecnie mieszka z młodszą kobietą. Rozwód pociągnął za sobą sprzedaż firmy, którą założyła i rozwinęła – on tego zażądał. Wykryła, że ją zmanipulował i zgarnął większą część. Teraz mieszka z babcią.

Jest dobrze wykształcona, bystra, finansowo stabilna.

Wygląda na emocjonalnie rozbitą, zgorzkniałą; czuje się bezwartościowa i nieatrakcyjna; uważa, że żaden mężczyzna się za nią nie obejrzy, że jest nierozsądna. W stanie permanentnego rozżalenia po śmierci małżeństwa, utracie zaufania i zdradzie cielesnej męża.

Następne krótkie notatki świadczyły o postępach lub ich braku w wymienionych wyżej zakresach, w nastroju, umiejętnościach komunikowania się i tworzenia więzi z innymi kobietami z grupy na początku roku dwa tysiące sześćdziesiątego.

03/2060: Jawi się silniejsza emocjonalnie, choć nie potrafi się jeszcze wyzbyć złości po zdradzie. Widzę zdecydowaną, dodającą odwagi więź z innymi kobietami w grupie, chęć słuchania, współodczuwanie. Przestała się załamywać w połowie opowiadania o swojej sytuacji. O byłym mężu i kobiecie, dla której ją zostawił, mówi z goryczą. Słowa uznania dla babci za wspieranie jej i dawanie siły.

Złość i rozgoryczenie... – rozmyślała Eve. W to mogła uwierzyć. Nie pasowało to jednak jej zdaniem do popadania w otchłań smutku.

05/2060: Bardziej współdziałająca, z większą łatwością przychodzi jej okazywanie wsparcia i sympatii innym. Stwierdzone, że pod względem emocjonalnym grupa – inne kobiety – pomogły jej odnaleźć znów cel w życiu.

07/2060: Una powiedziała mi w tajemnicy, że Darla podarowała jej kilka tysięcy dolarów na wynajęcie samodzielnego mieszkania. Okazuje szczodrość i koleżeńskość, chęć podania pomocnej dłoni.

12/2060: Przyniosła drobne podarunki dla całej grupy na przedświąteczne spotkanie. Wydaje się bardzo optymistycznie nastawiona – choć wyraziła pewne obawy co do babci, która źle się czuje. Wyszła wcześniej.

To był ostatni wpis. Eve usiadła wygodnie i zaczęła rozmyślać.

Terapia mogła wpłynąć na Darlę dwojako. Albo wsparcie grupy, czas dochodzenia do siebie i zaleczania ran, takie tam bla-bla-bla wyciągnęło Darlę z zapaści, pomogło jej otrząsnąć się z negatywnych uczuć i skoncentrować na pozytywnych. Pomogło jej zbudować więzi z innymi kobietami i powrócić do produktywnego życia.

Albo też mogło się to skończyć inaczej. Gdy udało jej się poskładać rozsypane ego w całość, słuchanie innych kobiet i ich opowieści o zdradach i znęcaniu się nad nimi wywołało u niej coś zgoła odwrotnego. Zaczęła się postrzegać jako swego rodzaju mistrzynię ceremonii. Mścicielkę.

Odnalazła swój cel.

– I nic, ale to zupełnie nic, żeby pójść tą pierwszą drogą – mruknęła pod nosem Eve, pozbierała swoje rzeczy i wróciła na salę wydziału zabójstw. Zatrzymała się przy biurku Peabody.

– Cokolwiek robisz, kończ albo zabieraj ze sobą. Zajmiesz się tym po drodze.

– Dokąd się udajemy? – zainteresowała się Peabody.

– Pogonić Dickheada w laboratorium. Chcę wiedzieć, co Pettigrew miał pod paznokciami palców stóp.

Młodsza policjantka wygrzebała się zza biurka i złapała w biegu kurtkę.

– Właśnie zajmowałam się łączeniem imion kobiet

z listy, którą Jenkinson i Reineke otrzymali od Natalii Zuli, z danymi z uporządkowanych notatek McEnroya, zawierających spis jego ofiar i celów – powiedziała, podążając za swoją szefową i partnerką.

– No i? – Eve zaczęła się niecierpliwić.

– U Natalii Zuli znaleźliśmy wyszczególnione tylko imiona, ale miałam nadzieję, że coś mi się uda połączyć. Pomyślałam, że zasięgnę teraz języka u Sylvii Brant z Perfect Placement i choć sprawdzę, czy poda mi pełne dane kobiet, które skojarzyłam. Od tego zacznę.

– Dobry pomysł. Zrób to! – zachęciła ją Eve.

– Mam to robić sama?

– Jeśli będziesz miała więcej niż dziesięć, ja przejmę połowę. W innym razie sama dasz radę.

– Chyba nie jesteś za bardzo przekonana co do tego, że się uda?

– Uda się. Musi się udać.

Jechały bardzo zatłoczoną windą i Eve czuła, że zbliża się do granic wytrzymałości. Chcąc przestać myśleć o otaczającym ją tłumie współpasażerów, starała się skupić na czekającym je zadaniu.

– Mamy już dwie dopasowane ofiary gwałtu – powiedziała. – Z jednej strony można by było powiedzieć, że czeka nas jeszcze długa droga, nim uda się nam znaleźć następne, jednakże w miejscach, gdzie się spotyka wiele osób, zawsze krążą plotki... Może jakaś inna kobieta dołączyła do grupy, kiedy odeszły tamte dwie, o których już wiemy?

– Może ktoś by wspomniał o innej, gdyby była jakaś inna?... – Peabody dramatycznie zawiesiła głos.

– Zgadza się. Dlatego warto dalej szperać w grupie.

– A ty jakim tropem pójdziesz?
– Sprawdzę to, co mi dałaś, a potem... Muszę pomyśleć. Niektóre z kobiet z grupy KK zgłaszały się na policję i tam były spisywane. Oczywiście nie wszystkie i na pewno nie większość, ale kilka na pewno. Zamierzam więc przeszukać policyjne kartoteki. Imię, raport ze zdarzenia, czy to czynnej napaści, czy gwałtu, no i to, co znajdę w notatkach Natalii Zuli. Zawsze szczegółowo opisuje pierwszą wizytę, co wyznacza nam pewien przedział czasowy, kiedy nastąpiło zajście. Docisnę ją o więcej szczegółów, jeśli zajdzie taka potrzeba.
– Mam ci w tym pomóc?
– Właściwie to już wzięła się do tego Mira. Ty idź dalej swoim tropem. Możesz to robić tutaj albo zabierz robotę do domu.
– Wciąż masz na celowniku Darlę Pettigrew – podsumowała Peabody, kiedy w końcu udało się im wydostać z windy na poziomie parkingu.
– Wyczuwam w jej zachowaniu coś podejrzanego, a notatki Natalii Zuli jeszcze mnie w tym utwierdziły. – Kiedy wsiadały do samochodu, Eve przerwała, lecz po chwili podjęła przerwany wątek. – Pierwsza ofiara: gwałciciel, podstępny, obleśny skurwysyn, który podawał otumaniające środki w drinkach, gwałcił, a potem zastraszał kobiety. Druga ofiara: zdradzał żonę, a potem zamieszkał z kobietą, z którą ją zdradzał. Lubił bzykać się z licencjonowanymi prostytutkami. Wystrychnął swoją byłą żonę na dudka: nie dostała większej części należnych jej pieniędzy... Można to ująć i tak, że na tym polu również ją zdradził, a mimo to nawet się nie otarł o ten poziom skurwysyństwa, który osiągnął McEnroy.

Dlaczego więc znalazł się na liście zabójczyni jako drugi w kolejności? Dlaczego torturowała go z większą zaciekłością i z większą agresją?

– No tak... Uważasz więc, że z tym drugim musiały ją łączyć porachunki osobiste? I dlatego podejrzewasz Darlę? – snuła przypuszczenia Peabody, a Eve w tym czasie wyjechała z garażu. – Może to tylko przypadkowa kolejność? Był następny, bo tak się złożyło, że akurat tego dnia mogła się do niego zbliżyć. A eskalacja przemocy jest elementem charakterystycznym przy wielokrotnych zabójstwach, zwłaszcza jeśli następują bezpośrednio jedno po drugim.

– Też prawda – potwierdziła Eve. – Wszystko, co mówisz, to prawda.

– Może to dotyczyć i czynu przestępczego, i grzechu, i napaści. W sumie nie wiem, jak ona to postrzega, lecz w tym właśnie tkwi sedno. Dla niej nie stanowi to różnicy.

Eve ze zmarszczonym czołem deliberowała przez chwilę nad słowami Peabody.

– Całkiem nieźle to wykoncypowałaś – doszła w końcu do wniosku, choć trudno jej było się do tego przyznać. – Może tak być. – Wciąż jednak miała pewne wątpliwości. – Mogło tak być, że to, kogo zaatakowała pierwszego, związane było z... hmm... z tym, do kogo najpierw miała dostęp. A może chodziło o to, z kim się w grupie bliżej związała? Kto, według niej, zasługiwał bardziej lub bardziej potrzebował tego typu sprawiedliwości, którą ona mogła zaoferować? Muszę na to popatrzeć również z tej perspektywy.

– Może Natalia Zula będzie miała jakieś własne spostrzeżenia? Być może zauważyła, które uczestniczki zajęć przypadły sobie według niej jakoś szczególnie do gustu lub nawet się zaprzyjaźniły? Może poza grupą? Lester wspominała, że umawiały się czasem na kawę czy podobne spotkania – przypomniała sobie Peabody.

– Mhm. Spróbuję się zorientować albo poproszę Mirę, żeby popracowała nad Zulą. Dwa dobre anioły na pewno się dogadają. – Co do tego Eve nie miała wątpliwości.

– Świetnie! – ucieszyła się Peabody i zaraz westchnęła: – Szkoda, że i mnie dopadło to przeczucie, że z Darlą Pettigrew jest coś nie tak. Nie wiem, czy samo mi się tak porobiło, czy zaraziłam się od ciebie.

– Na razie daj sobie z tym spokój. Na razie my same musimy się wcielić w rolę dwóch dobrych aniołów.

*

Kiedy weszły do laboratorium analitycznego, technicy w białych kitlach – znani jako banda nudziarzy – siedzieli w milczeniu każdy przy swoim blacie roboczym z nosami w badanych próbkach, porozdzielani przeszklonymi ściankami. Eve skierowała się prosto do kierownika laboratorium, Dicka Berenskiego, pieszczotliwie nazywanego Fiutogłowym.

Siedział zgarbiony przy komputerze. Rzadkie czarne włosy sczesał na tył czaszki o kształcie jaja. Jego palce – długie i chude jak odnóża pająka – śmigały po klawiaturze i prześlizgiwały się po ekranach dotykowych, gdy na fotelu na kółkach przetaczał się od stanowiska do stanowiska z różnorodnymi urządzeniami analitycznymi, ustawionymi na długim blacie roboczym.

Dostrzegłszy Eve, wbił w nią przeciągłe spojrzenie.

– Właśnie nad tym pracujemy – rzucił. – Wasz denat

nie jest jedyny w mieście, a żywi również potrzebują badań analitycznych.

– Czy naprawdę tak trudno jest zidentyfikować substancję przesłaną wam wieki temu i oflagowaną jako priorytetowa?

– Każda cholerna substancja przyjeżdża do naszego laboratorium oflagowana do zbadania na cito.

Wiedziała, że ma rację, ale wiedziała również, jak działał. Został szefem, ponieważ był w tym fachu niezastąpiony, a poza tym był Fiutogłowy i lubił wycisnąć ze wszystkiego odrobinę więcej.

– Jeśli otrzymam wyniki w ciągu najbliższych sześćdziesięciu sekund, poproszę o miejsce w loży na następny mecz Metsów.

– Kto by chciał chodzić na mecz sam?

– Dwa bilety. Zegar odmierza czas.

Uśmiechnął się do niej, a to, co wyczytała w tym uśmiechu, wkurzyło ją maksymalnie.

– Już masz wyniki, ty szczwany lisie! – syknęła.

– Dobra, dobra! – Wciąż się uśmiechając, zatarł ręce. – Mam je i właśnie się zajmowałem ich porządkowaniem, gdy zakradłyście się tu do środka, żeby mnie molestować.

Znów pochylił się nad stołem i przesunął ręką po kolejnym ekranie.

– To, co przesłał mi Morris, to farba zdrapana z posadzki betonowej z powłoką zabezpieczającą – oświadczył triumfalnie. Ponownie stuknął kilkakrotnie w monitor, aż ich oczom ukazała się struktura z figur geometrycznych i symboli, którą mógł wyjaśnić tylko nudziarz z laboratorium. – Rozpracowaliśmy więc rodzaj betonu, kolor i rodzaj powłoki. Wszystko najwyższej jakości.

– Co to oznacza?

Ponownie utkwił w niej wzrok. Na jego ustach błądził uśmieszek próżności.

– Widzisz… To właśnie zamierzam wyjawić ci teraz, skoro już mamy wyniki. Oznacza to, że wbijał paznokcie stóp w kosztowną powłokę zabezpieczającą, którą pociągnięto betonową nawierzchnię. I to nie jakiś tam zwykły, tani czy średniej jakości beton, jaki się widuje na posadzkach niektórych centrów rekreacyjnych, lecz bardziej jak w klubach zrzeszających śmietankę towarzyską z okolicy. Z takiej nawierzchni robi się na przykład obwódki wokół basenów, posadzki w eleganckich salach bankietowych na podziemnych kondygnacjach prywatnych rezydencji, może lobby tam, gdzie panuje duży ruch pieszych. Spotyka się je też w ekskluzywnych apartamentach, w pomieszczeniach takich jak kuchnia, ubikacja czy tym podobnych.

– Okej. – Eve z bogatego zestawu propozycji wybrała elegancką piwnicę. W prywatnym apartamencie. Poszłaby jeszcze o zakład, że ściany i sufit zostały tam wygłuszone. – Muszę mieć więcej.

– Pracuję nad tym! – Jego pajęcze palce faktycznie zaczęły przebierać jeszcze szybciej. – Damy wam producenta tego betonu. Tak, tak… Patrzcie tutaj: najwyższej jakości, o wytrzymałości sześciu tysięcy jednostek. Od razu można wyeliminować duże komercyjne budowle, gdzie używa się betonu o wytrzymałości minimum dziesięciu tysięcy jednostek. Więc jest to najprawdopodobniej prywatna rezydencja lub mniejszy dom, może bliźniak, może nawet czterokondygnacyjna szeregówka. Z tego rodzaju betonu wykonywane są posadzki wokół basenów, w garażach i tym podobnych pomieszczeniach. Jest to beton... Zaraz, zaraz... Tak, to beton z zakładów Mildock. Specjalnie nam to nie pomoże w zawężeniu poszukiwań.

Ależ potrafi być irytującym gnojkiem – pomyślała Eve. – Zna jednak swój fach na wylot.

– Mów dalej – zachęciła go.

– Zamierzam powiedzieć, że denat doskrobał się do żywicy epoksydowej. Tak, tak. Do żywicy, nie do farby. – Fiutogłowy przewijał jakieś dane, postukiwał palcem w ekran dotykowy i znów przesuwał okna wyświetlające dane. – Hmm! No, coś takiego! Mamy tutaj dodatki antypoślizgowe, więc na pewno będzie to podłoga, a nie ściana. Dodatki dobrej jakości, jak już mówiłem. Firmy Kreet-Seal, o sygnaturze EX-651. Nazwa rynkowa: palone złoto. Produkują też środki uszczelniające, chroniące przed nasiąkaniem wodą, takie jakie dodaje się do posadzek w piwnicach, kuchniach czy garażach. Za słabe na takie przy basenach czy w ogrodach, gdyż te wymagają zastosowania specjalnych żywic epoksydowych o podwyższonej wodoodporności z powodu narażenia na zalewanie, a ta taka nie jest. – Zamilkł.

– Mamy tu więc posadzkę z betonu Mildock o wytrzymałości sześciu tysięcy jednostek z powłoką z żywicy epoksydowej Kreet-Seal w palonym złocie, antypoślizgowej i w niskim stopniu wodoodpornej – podsumowała Eve.

– Dokładnie. Na powierzchni będą widoczne miejscowe uszczerbki i zadrapania.

– Taa... – Może i zasłużył na te miejsca w loży, pomyślała Eve. – Sporządź mi raport pisemny.

– Z największą, cholera, przyjemnością! – krzyknął za nią, pokręcił głową i mruknął pod nosem: – Ech, te gliny! – A potem sprawdził w swoim podręcznym komputerze, kiedy Metsi grają najbliższy mecz na własnym boisku.

– Chcesz, żebym się tym zajęła? – Peabody zwróciła się z pytaniem do Eve.

– Nie. Ja to zrobię, a ty dalej graj rolę anioła. Zajmij się też kontynuacją dopasowywania imion do kobiet z filmów. Stąd równie dobrze mogę cię podrzucić albo na komendę, albo do domu. Gdzie wolisz nad tym popracować?

– W domu. Będę miała ciszę i spokój. Poza tym wybieramy się na kolację do Mavis, jak tylko uda mi się uporać z pracą. Upiekę jakieś ciasto na deser. Pieczenie ciast to dobre zajęcie na czas, w którym ma się udawać anioła.

– Jeśli to pomaga, czemu nie.

– Mogę stąd pójść na piechotę. Dla mnie to żaden problem. Po drodze do domu zrobię jakieś zakupy. Deszcz ledwie kropi.

– W sumie czemu nie. Jeśli coś trafisz, od razu dawaj znać.

– Możesz na mnie liczyć. Hmm… Wiosenny prysznic. Myślę, że dobry będzie cytrynowy tort bezowy – mruknęła do siebie Peabody.

Tymczasem Eve skierowała się do samochodu. Wsiadając, zastanawiała się, jak można skupiać się na pieczeniu ciasta, myśląc równocześnie o czymś zupełnie innym. Najwidoczniej Peabody to potrafiła.

Jadąc, zaczęła szukać we wbudowanym w deskę rozdzielczą komputerze, kto kładzie – doczytała się, że właściwsze określenie to „wylewa" – podłogi z betonu Mildock.

Dowiedziała się, że są dziesiątki firm o tym profilu obsługujących Nowy Jork.

Kiedy wstukała w wyszukiwarkę nawierzchnie z żywic epoksydowych, znów otrzymała masę wyników. Zawęziła więc poszukiwania do firm, które używają konkretnych wyrobów, a potem jeszcze wśród nich wyszukała firmy, które i kładą beton, i wylewają posadzki z żywic.

Zaczęła rozważać w myślach różne warianty: może w tym wypadku wnętrze wykończono w ten sposób od początku, czyli betonową nawierzchnię zabezpieczono żywicą? A może było tak, że żywicę wylano na już istniejącej, starej posadzce?

W sumie mamy dobre wiadomości – pomyślała. Kiedy już znajdą przypuszczalne miejsce zbrodni, wystarczy, że porównają nawierzchnię posadzki z substancją znalezioną pod paznokciami stóp ofiary.

Niestety, są też wiadomości złe. Odnalezienie miejsca zbrodni po rodzaju betonu i jego wierzchniej warstwie zabezpieczającej, użytej w jakimś tam pomieszczeniu, to bardziej kwestia szczęścia niż umiejętności.

Tak bardzo się zamyśliła, że ze zdumieniem rozpoznała bramę swojego domu, przez którą właśnie przejeżdżała. Może pieczenie ciasta i równoczesne rozmyślania są równie łatwe dla Peabody, jak praca umysłowa podczas prowadzenia auta dla niej?

Zauważyła, że wzdłuż podjazdu do domu pojawiło się jakby więcej zielonych kiełków, a korony drzew również się jakby nieco zazieleniły. Może – ale tylko może – to przez ten zimny deszczyk (a może dzięki niemu?) wiosna zdobywała pomału przewagę nad zimą i spychała ją w niebyt.

Zaparkowała samochód i wzięła wszystkie swoje rzeczy. Zdecydowała, że zrobi przerwę i skoczy na salę gimnastyczną wycisnąć z siebie siódme poty. Oczyści w ten sposób mózg, nim znów wróci do pracy.

Weszła do domu, mając przygotowanych w zanadrzu kilka kąśliwych uwag dla Summerseta. Zamierzała się ponatrząsać z operacji przeszczepu pośladków, lecz tym razem nie zastała go w holu wejściowym. Jego głos dobiegał z salonu. Krótki, gardłowy śmiech, który znała aż nadto dobrze, a zaraz potem szybki, radosny świergot – zapewne jak zwykle dla niej niezrozumiały.

Zarzuciła płaszcz na słupek przy poręczy, teczkę z dokumentami położyła na stopniu schodów i dziarsko ruszyła przed siebie, prosto do drzwi salonu.

Na kościstych kolanach Summerseta siedziała Bella w różowym falbaniastym sweterku i niebieskich spodenkach z dołem nogawek wykończonym falbankami z różowej koronki. Jej złote loczki ściągnięte były tęczowymi gumkami w dwa kucyki, podskakujące przy każdym jej ruchu.

Mavis skinęła jej na powitanie głową, zamiatając przy tym fontanną włosów różowych jak landrynka. Miała na sobie zwiewną sukienkę w kolorze tęczy, której brzeg falował mniej więcej tam, gdzie kończyły się jej różowe kozaki – czyli w połowie ud.

Mniej niż więcej.

Siedzieli wszyscy troje przed ledwo pełgającym kominkiem i tworzyli razem absurdalny obraz domowego szczęścia.

Bella pisnęła radośnie, a właściwie wydała z siebie taki wrzask, że gdyby Eve nie była nań przygotowana, na pewno sięgnęłaby odruchowo po broń. Dziewczynka zsunęła się z kolan Summerseta i puściła się truchcikiem – tyleż prędkim, co nieporadnym – w stronę ciotki na skos przez cały pokój.

– Dalaś! Dalaś! Dalaś! – zagulgotała radośnie i wbiła się między nogi Eve jak mały pocisk. Galahad, który w normalnej sytuacji podszedłby dostojnie do swojej pani i otarł się powitalnie między jej nogami, łypnął tylko spod oka i nawet się nie ruszył z oparcia fotela, na którym przycupnął obok Mavis.

Co tam paplała do niej Bella ze śliczną twarzyczką, uniesioną w stronę ciotki, pozostało na zawsze jej tajemnicą. Eve doskonale zrozumiała jednak wymowę wyciągniętych do góry pulchnych rączek, a temu nijak nie potrafiłaby odmówić.

Wzięła dziewuszkę na ręce i została przez nią obsypana słodkimi, kochającymi buziakami. Następnie Bella uścisnęła mocno ciocię za szyję. Cała akcja zakończyła się głębokim westchnieniem cioteczki.

Diabli wiedzą, jak w takiej sytuacji należałoby zareagować – pomyślała Eve.

Zaciekawiona powąchała małą.

– Pachniesz jak czekoladka – zdziwiła się.

Bella odrzuciła główkę do tyłu i roześmiała się po swojemu: żywiołowo i radośnie.

– Blabla! Siamelśmieć blabla! Blabla! ciaśko blabla! mniam! blabla! Dalaś.

– Rozumiem – rzekła poważnie Eve. No tak jakby – pomyślała.

Chętnie postawiłaby dziewczynkę z powrotem na podłodze, ale mała przywarła do niej jak miś koala do eukaliptusa, więc przesunęła ją tylko lekko w bok i popatrzyła na Mavis.

– Skąd wiedziałaś, że wybieram się do domu?
– Nie wiedziałam. Wpadłyśmy z Bellaminą pozawracać głowę Summersetowi.
– Siamelśmieć! – potwierdziła czule Bella.
– Co za łut szczęścia! – zauważyła Mavis. – Ty wróciłaś wcześniej, by rozniecić płomień domowego ogniska, a my akurat wpadłyśmy z wizytą. Rzucaj robotę, dołącz do imprezki!
Moja praca! – przebiegło Eve przez myśl. – A co z mordercami do ujęcia? – Jednak maleństwo mocno obejmowało jej szyję, a uśmiech Mavis promieniał jak pół tuzina słońc równocześnie. Złapana w pułapkę szczęścia poszła z Bellą na rękach w stronę fotela. Kiedy usiadła, mała wtuliła się w nią i paplała bez przerwy.
Eve wyłapała słowo „Ork", potem „Gahad", a dalej coś o mamusi i coś o tatusiu. Gdzieś pomiędzy jednym uściskiem a drugim Bella wsunęła rączkę pod pachę ciotki i wymacała uchwyt pistoletu.
– Oj-oj! – krzyknęła Eve. A choć broń spoczywała bezpiecznie zamknięta w kaburze, policjantka na wszelki wypadek jednym zdecydowanym ruchem oderwała rączkę ciekawskiej dziewczynki od rękojeści.
– Bawka! – zawołała mała.
– Nie, to nie zabawka.
– Bella kce bawka! – Wielkie niebieskie oczęta zamrugały słodko. – Bella plosi!
– Mowy nie ma! To nie zabawka. To moja broń.
Czułość nagle wyparowała. Wielkie niebieskie oczęta zrobiły się zimne jak stal.
– Kcę bawka! – syknęła Bella.
Wyobraźnia Eve podsunęła jej widok dwóch małych różków, wysuwających się ze złotych loczków dziew-

czynki. Spomiędzy różowych usteczek wysunął się rozdwojony język małej żmijki.

W fotelu obok siedziała Mavis, nie zamierzając w ogóle ruszać jej z pomocą, i spokojnie popijała jakiś napój pachnący jak herbata.

– Myślisz, że to na mnie podziała? – Tak między nami mówiąc, Eve była zestrachana jak diabli. – Na co dzień w pracy piorę tyłki niegrzecznym paskudom, dziecinko.

– Daj! – zażądała Bella.

– Nie. Pomyśl o czymś innym. – Zdesperowana, żeby zmienić obiekt zainteresowania małej, Eve uniosła nieco biodro i wydłubała z tylnej kieszeni spodni jedną ze swoich wizytówek. – Trzymaj! Jeśli masz kłopoty, dzwoń do mnie.

Dziewczynka wzięła wizytówkę i przez chwilę przyglądała się jej uważnie z odętymi usteczkami i ściągniętymi brwiami. Wreszcie pokiwała główką i dziobnęła paluszkiem każde słowo po kolei na kartoniku.

– Bella Eve – powiedziała w końcu.

– Zgadza się. Super!

Urocza minka powróciła. Rzęsy znów załopotały zalotnie.

– Moja? – spytała Bella.

– Tak! Jest twoja. – Eve ulżyło.

– Jesteś asem w odwracaniu uwagi, Dallas – skomplementowała ją Mavis, gdy Bella znów zaczęła się tulić do Eve i trajkotać coś do wizytówki. Potem, mając na względzie własny interes oraz chęć odetchnięcia przez chwilę od małej, zwróciła się do Summerseta: – Czy zdołałbyś zająć się nią przez chwilę i dać jej jeszcze raz... już ty wiesz co... zanim was opuścimy?

– Z największą przyjemnością. Bella, a może pójdziesz ze mną do kuchni i razem sprawdzimy, co tam można znaleźć?

– Oooch! Siamelśmieć ciaśko! Dalaś! Mamunia!

Natychmiast zsunęła się na podłogę z kolan Eve i zapewne wspięłaby się po kościstym ciele Summerseta jak wąż wokół drzewa, gdyby majordomus nie pochylił się ku niej i nie wziął jej na ręce.

Bella machała rączką z wizytówką, jakby miała w niej flagę, trajkocząc coś bez przerwy do ucha Summerseta, który cały czas jej potakiwał.

– Tak, oczywiście. Już idziemy – powiedział tylko, unosząc ją w stronę kuchni.

– Mowy nie ma, żeby cokolwiek z tego zrozumiał – orzekła Eve.

Mavis westchnęła cicho z uśmiechem szczęścia na ustach.

– Bella powiedziała, że muszą się podzielić ciasteczkami i ze mną, i z tobą, i znaleźć jeszcze jakiś smakołyk dla kota. Obecnie pracujemy ciężko nad kwestią dzielenia się z innymi.

– Taaa... Ty rozumiesz, co mówi, ale Summerset nic z tego nie pojmie.

– Och, nawet nie wiesz, jak mu to świetnie idzie. Jakby nadawali na tych samych falach z Bellaminą. Staramy się raz na tydzień-dwa wpaść z krótką wizytą. Jest dla niej jak dziadek.

Eve była tym tak zdumiona, że mowę jej odebrało. Wytrzeszczała tylko oczy na przyjaciółkę.

– A więc, no wiesz... Byłyśmy akurat w studiu Jake'a. Zamierzamy nagrać coś razem, ale okazało się, że musi wyjść, bo przyszedł Roarke i wtedy pomyślałam sobie:

„Hej! Czasu mamy akurat tyle, żeby wpaść z wizytą do dziadka Siamelśmiecia".

– Był u was Roarke?

– Kiedy tylko padło jego imię, Belle zaczęła pokrzykiwać bez przerwy: „Ork, Ork!", więc zadzwoniłam do Summerseta sprawdzić, czy możemy przyjść. Pojęcia nie miałam, że wpadniemy na ciebie, lecz potraktuję to jako znak.

– Jaki znowu znak?

– Że czas najwyższy powiedzieć ci o tym, o czym nie mieliśmy odwagi mówić przez kilka ostatnich tygodni, mimo iż parę razy się już łamałam, a teraz okazuje się, że ty dowiesz się pierwsza, choć pewnie cię to zdziwi.

To mówiąc, Mavis skoczyła na nogi, po czym odtańczyła taniec radości w swoich muszkieterkach do ud, i wskazując na brzuch, powiedziała:

– Bisujemy!

– Nie rozumiem... – zdziwiła się Eve.

Kobieta wzniosła oczy ku niebu i pokazała okrężnym ruchem przedramienia wzgórek nad brzuchem.

– Bisujemy! – powtórzyła. – Jest! Udało się!

– Ale co?... Czyżbyś... Znowu?!

– Znowu! – Mavis wykonała trzy pełne piruety, a potem zatrzęsła biodrami. – Sperma, jajo, połączenie! – Potem udała, że rzuca piłką i zaprezentowała coś, co mogło przypominać wybuch wulkanu. – Aż mnie skręcało, żeby ci o tym powiedzieć! – Opadła na oparcie fotela, w którym siedziała Eve, i serdecznie ją uścisnęła. – Trzeci miesiąc. Na imprezie u Nadine musiałam udawać, że piję wino, inaczej pewnie wszyscy zaczęliby się domyślać. Mieliśmy zamiar poczekać, aż miną pierwsze trzy miesiące, ale skoro tu jestem, nie mogłam się powstrzymać... Teraz możemy powiedzieć Peabody i McNabowi, kiedy wpadną do nas wieczorem z wizytą, mogę też powiedzieć Trinie i... cholera! A tam! Mogę powiedzieć wszystkim! Musiałaś dowiedzieć się pierwsza, bo jesteś moją najlepszą przyjaciółką, nawet jeśli cię to dziwi.

– Wcale mnie to nie dziwi – wymamrotała Eve, ale słysząc prychnięcie Mavis, poprawiła się: – Okej, trochę dziwi, ale widzę, że jesteś szczęśliwa. Zachowujesz się, jakbyś zwariowała, ale ja to odczytuję jako wyraz szczęścia.

– Jesteśmy niemożliwie szczęśliwi! Chcieliśmy z Leonardem mieć dzieci jedno po drugim, żeby były dobrymi kumplami, i zaczęliśmy się starać o drugie, kiedy tylko Bellamina skończyła roczek – wyjaśniła Mavis, po czym zsunęła się z oparcia na siedzenie fotela obok Eve i przytuliła się do niej jak przed chwilą Bella. – Pamiętasz, jak chodziłam ledwo żywa w ciąży z Bellą, jak się bałam, że sobie nie poradzę z byciem mamą, jak ciągle jęczałam? A ty utwierdzałaś mnie w przekonaniu, że wszystko się uda i na pewno będę wspaniałą matką?

– No i jesteś.

– No i jestem. Moje Słońce i ja jesteśmy nieźli w te klocki. On jest najlepszym ojcem na świecie. Lepszego ze świecą szukać. Jestem taka szczęśliwa, Dallas! Czuję się, cholera, jakbym była najszczęśliwszą kobietą na ziemi. – Ukryła twarz we wgłębieniu ramienia Eve i załkała. – W dodatku jestem taka nakręcona przez nadmiar hormonów!

– Już dobrze! – Eve poklepała ją po plecach. – Już dobrze!

Mavis westchnęła i w końcu się uspokoiła.

– Nigdy nie sądziłam, że znajdę się w takiej sytuacji – zaczęła mówić spokojniejszym tonem. – To znaczy nie że tutaj, u ciebie. Chociaż to, że jestem akurat u ciebie, też jest okej, ale wiesz... nie sądziłam, że będę z kimś tak absolutnie magicznym jak Leonardo, że będę miała z nim córeczkę, która jest dla nas promykiem słońca, tęczą na niebie i w ogóle wszystkim, co najlepsze. Że będę prowadzić życie, które nie polega na łapaniu dla siebie tego, co uda się złapać, kiedy możesz to złapać, i martwieniu się bez przerwy, co będzie dalej. Jestem cholerną szczęściarą, Dallas!

– Zasługujesz na to.

– Wtedy, kiedy mnie aresztowałaś... Nic lepszego nie mogło mnie w życiu spotkać.

– Cieszę się, że mogłam pomóc.

– Ech! – Wciąż ze łzami w oczach Mavis pokręciła głową. – Mówię poważnie, w tamtej chwili zaczęło się dla mnie nowe życie i to wtedy znalazłam się tu, gdzie jestem teraz. Chcielibyśmy bardzo oboje z Leonardem, żebyście wy: ty i Roarke, byli przy nas TAM, tak jak przy Belli.

– Byli przy was TAM?... – Przerażenie ścisnęło Eve za gardło. – Mavis, słuchaj...

– Pogadamy o tym jeszcze później. Teraz muszę poprawić makijaż... i chyba przy okazji zwymiotować. Taa... Jestem prawie pewna, że będę musiała opróżnić żołądek.

To powiedziawszy, Mavis podniosła się z fotela i pobiegła do łazienki, a Eve pozostała jak skamieniała w tej samej pozycji.

I znowu będę musiała znaleźć się TAM – pomyślała. – W pomieszczeniu, w którym TO się wydarzyło. Znowu.

– Jezu Chryste! Co ja takiego zrobiłam, że skazujesz mnie na takie męki? – jęknęła.

14

Wizyta rozświergotanego malucha i ciężarnej Mavis miała przynajmniej jeden pozytywny skutek: oczyściła umysł Eve równie skutecznie jak ćwiczenia fizyczne wyciskające siódme poty.

Kiedy w końcu dotarła do swojego gabinetu na piętrze, wciąż była zdyszana, mimo że czekała ją za to nagroda.

Powiesiła marynarkę na oparciu krzesła, a potem zaprogramowała cały dzbanek kawy.

W poczcie przychodzącej komputera znalazła raport od Fiutogłowego. W notesie zapisała, żeby uderzyć do Roarke'a w celu załatwienia biletów.

Kolejny raport – tym razem od techników z EDD – zawierał informacje, że Pettigrew, w przeciwieństwie do McEnroya, nie sporządzał żadnych zestawień swoich spotkań. Prowadził tylko wyrywkowe zapiski w biurowym kalendarzu. Miał założony plik prywatny z kodowanym dostępem. Tu wpisywał daty spotkań i godzinę, na którą był umówiony z licencjonowaną panią do towarzystwa.

Zdarzało mu się również rezerwować pokoje w hotelach na schadzki, jednakże większość spotkań odbywała się w domu. Zgodnie z informacjami otrzymanymi od techników z EDD wizyty w domu idealnie współgrały z dniami, kiedy Horowitz wyjeżdżała za miasto – a te daty z kolei ona miała wpisane w swoim kalendarzu na domowym laptopie.

Starsze wpisy w kalendarzu Pettigrewa świadczyły o tym, że podczas trwania swojego małżeństwa spotykał się z umówionymi pracownicami agencji towarzyskiej wyłącznie w hotelach. Nawet nie próbował umawiać się z nimi w domu, dopóki był ze swoją eksżoną. Zaczął dopiero po rozwodzie – rozmyślała Eve.

Ponieważ Horowitz łatwiej było oszukać?

Ponieważ wiedział, a może obawiał się, że Darla by się wściekła?

Ponieważ miał więcej do stracenia przy żonie? – rozmyślała Eve, równocześnie aktualizując swoją mapę i księgę zbrodni. Gdyby na przykład Darla pierwsza wystąpiła z pozwem o rozwód, mogłaby znaleźć jakiś kruczek i całkiem odciąć go od dochodów z firmy albo po prostu zrobiłaby z jego życia piekło.

Usiadła z powrotem za biurkiem swojego domowego centrum dowodzenia. Wyciągnęła się wygodnie z kubkiem kawy, krzyżując nogi na blacie.

McEnroy – kryminalista, gwałciciel, maniak seksualny, mężczyzna, który – jeśli dopadliby go żywego – spędziłby zapewne wiele lat w więziennej celi.

Pettigrew – zły mąż, kiepski partner. Chciwy konformista. W tym, co robił, nie widziała jednak niczego nielegalnego. Niczego, przez co mógłby wylądować w pace.

A dla tajemniczej Lady Justice obaj zasłużyli sobie na ten sam los.

– Ponieważ wszyscy faceci są tacy sami – mruknęła pod nosem Eve. – Mężczyźni jako gatunek stanowią plagę, którą należy wytępić. Warto zacząć od kręgu najbliższych, czyli w tym wypadku grupy wsparcia, a potem eliminować ich jednego po drugim. Jak się już z nimi skończy, trzeba ruszyć dalej na łowy. Masz to we krwi – mamrotała sama do siebie. – Mężczyzna to wróg, a niszczenie ich to jej misja.

– Proszę, proszę! Co za ciepłe powitanie w domu – usłyszała od drzwi. Obejrzała się przez ramię i zobaczyła, że kot zeskakuje z szezlonga i biegnie truchcikiem w stronę Roarke'a, żeby się z nim przywitać.

– Zaraz cię czymś zajmę – powiedziała. – Ale na seks i kawę nie licz.

– Od razu się lepiej poczułem. – Podszedł do żony szybkim krokiem, pocałował ją i zwędził jej kubek z kawą. – Powiedziano mi, że wróciłaś do domu wcześniej. Jak na ciebie, oczywiście.

– Chciałam zacząć wieczór z czystym umysłem i mieć chwilę spokoju na przemyślenia. Trafiłam na Mavis i jej małą.

– To również mi powiedziano. Co tam u nich słychać?

– Córeczka jest mądra, sprytna i w żaden sposób nie można się jej oprzeć. A Mavis jest w ciąży.

– Ona… Ale że już?! – zdziwił się.

– Bisują, jak to ujęła. Gdyby umiała robić salta, pewnie fiknęłaby kilka razy z rozpierającej ją radości. – W celu zademonstrowania Eve wykreśliła palcem wskazującym kółka w powietrzu. – To oczywiście z powodu zaciążenia. Powiedziała mi, bo wróciłam do domu, kiedy akurat odbywała rutynową wizytę u Summerseta, o których to wizytach dowiedziałam się również dzisiaj. Stwierdziła, że to znak od niebios, i musi koniecznie podzielić się ze mną tą radosną nowiną.

– Hm. To cudownie. Wyślemy jej bukiet kwiatów.

– Nie ciesz się za bardzo. Ona oczekuje od nas, że również wykonamy bis.

– Jaki znowu bis? – spytał szybko i widocznie zbladł. – Chyba nie chcesz przez to powiedzieć, że ona pragnie, byśmy znowu znaleźli się TAM, gdy ona…

– …będzie zajmować się parciem i wypychaniem z siebie kolejnej istoty ludzkiej? A i owszem, właśnie to miała na myśli.

– Idę otworzyć butelkę – powiedział bez zastanowienia. – Nie będę ani dyskutować na ten temat, ani o tym myśleć. Wciąż mam przed oczami tamte okropne sceny z naszego pierwszego pobytu TAM. Wciąż straszą mnie w nocy.

Eve była niezmiernie szczęśliwa, że odnalazła w mężu kompana w swoich strachach.

– Ty, nawet ty nie byłeś w stanie wybić jej tego z głowy! – Wskazała na niego oskarżycielsko palcem.

– A mogłem wyjechać z miasta, ba, nawet znaleźć się poza naszą planetą. – Westchnął ciężko, idąc do piwniczki po wino. – Właściwie teraz też mogę załatwić sobie jakiś międzyplanetarny wyjazd. Kiedy Mavis ma termin porodu?

– Nie wiem. – Eve ściągnęła brwi. – Nie pytałam. W takiej sytuacji nigdy nie wiem, o co pytać. Powiedziała mi, że była w ciąży już na imprezie u Nadine, ale nie chciała wówczas tego jeszcze wyjawiać. Ale jeśli ja będę musiała przy tym być, to ty, kolego, również.

– Nie chcę teraz o tym myśleć. Napijmy się lepiej

wina i porozmawiajmy o czymś mniej traumatycznym. Na przykład o morderstwach.

Eve wzięła kieliszek od Roarke'a. Poczuła się o wiele bardziej komfortowo, mając w perspektywie rozmowę o krwawych porachunkach, a nie o porodach.

– Wreszcie mamy coś konkretnego. Pettigrew był podwieszony na tyle wysoko, że szarpiąc się w więzach, szorował po posadzce tylko palcami stóp. Skrobał nawierzchnię i wbijał w nią czubki palców. Zidentyfikowaliśmy substancję, którą miał pod paznokciami, i dlatego potrzebuję dwóch biletów w loży na kolejny mecz Metsów na własnym boisku.

– Dla Fiutogłowego – domyślił się Roarke.

– Czasami mam ochotę powyżywać się na nim, postraszyć go i podręczyć, a czasami chciałabym po prostu jak najszybciej zakończyć sprawę.

– To zrozumiałe. Zajmę się tymi biletami. Usiądźmy na chwilkę. – Ustawił płomień w kominku na niskie grzanie i zaciągnął Eve do kącika wypoczynkowego. – Jaka to substancja?

– Beton zabezpieczony powłoką z żywicy epoksydowej. Mam jego markę oraz... jak to się nazywało?... klasę betonu wraz z jego wytrzymałością. Marka to Mildock. Mamy też kolor powłoki, czyli w tym wypadku żywicy epoksydowej. Użyte dodatki świadczą o tym, że nie jest to ściana, nie ma też wystarczającej wodoodporności na to, żeby była to posadzka na zewnątrz budynku czy otaczająca basen. Najprawdopodobniej jest to inne pomieszczenie we wnętrzu domu, jak na przykład garaż. Stawiałabym na garaż. W domu prywatnym.

Popijanie winka, relaks u boku żony? Zdaniem Roarke'a, to bardzo miła przerwa w ciągu dnia pracy.

– Ale fajną przerwę sobie zrobiliśmy! – powiedział do Eve.

– O tak! – Uśmiechnęła się. Po czym natychmiast wróciła do poprzednich rozważań: – Więc ten rodzaj betonu i żywicy są obecnie bardzo popularnym rodzajem posadzek. Zawężenie poszukiwań będzie cholernie trudne, ale z drugiej strony, jeśli dopadniemy podejrzaną osobę, łatwo będzie sprawdzić, czy to nasza poszukiwana zabójczyni.

Upiła łyk wina i spojrzała na zaktualizowaną mapę zbrodni.

– Horowitz nie pasuje do portretu psychologicznego sprawcy.

– Mówisz o konkubinie Pettigrewa?

– Tak. Nawet kiedy podeszłam do sprawy jak do tajnej zmowy kobiet współpracujących ze sobą w celu pozbywania się wiarołomnych facetów, również mi ona nie pasowała. Bardziej już pasowałaby mi Geena McEnroy, ale ona też nie wkomponowuje się idealnie w ramy portretu. Wyszła nawet przed szereg – dodała z przekąsem Eve. – Wyobraź sobie, że dotarła swoimi kanałami aż do Tibble'a oraz do burmistrza, a jeszcze mnie straszy, że pójdzie ze wszystkim do samego gubernatora.

– No i?... – Roarke musnął dłonią jej włosy.

– No i zostałam wezwana do Tower. – Wzruszyła ramionami. – Tibble jest w zasadzie na poły politykiem. Taki ma zawód. Nie jest jednak tępym dupkiem. Zdałam jemu i Whitneyowi, który też był obecny, raport ze wszystkich swoich działań po kolei. Poinformowałam ich również o tym, że to ty nabyłeś firmę Pettigrewa, na której to sprzedaży Pettigrew oszukał swoją żonę. Podałam im dowody w sprawie itede, itepe. Da sobie z nią radę.

– W to nie wątpię. Jeśli chodzi o firmę Pettigrewów, mogę ci podać jeszcze więcej szczegółów. Darla Pettigrew założyła własną firmę przy ogromnym wsparciu swojej babci, którą, jak się okazuje, jest absolutnie niesamowita Eloise Callahan.

– Znasz ją?

– Jasne. Nieustannie podziwiam jej talent. Widziałaś kilka filmów z jej udziałem.

Wiedział to lepiej niż ona sama.

– Pewnie tak – powiedziała tylko.

– Zapewniam cię, że oglądaliśmy kilka z nich razem. Najważniejsze w tym wszystkim jest to, że legendarna Eloise wsparła swoją wnuczkę finansowo. Darla studiowała informatykę oraz programowanie sztucznej inteligencji. Dopracowała się bardzo zaawansowanego stopnia w tej dziedzinie. Potem wyszła za mąż za Pettigrewa. Przekopałem się przez lata ich związku i dopatrzyłem się mniej więcej takiej sytuacji: przez kilka lat grała żonę prawnika, tłumiąc własne ambicje, lecz w którymś momencie coś zaiskrzyło i obudziło w niej chęć zbudowania od podstaw własnej firmy. Celem miało być projektowanie, programowanie i produkowanie spersonalizowanych robotów na podobieństwo ludzi, czyli droidów domowych. Na małą skalę, ale za to z położeniem nacisku na jakość i dostępność cenową.

– A więc to jednak jej dzieło. On z programowaniem nie miał nic wspólnego. Mam rację?

– Nie miał o tym zielonego pojęcia, zajmował się tylko stroną prawną przedsięwzięcia i tu się umościł dość wygodnie. Jak również chytrze – dodał Roarke. – Firma odniosła pewien sukces na rynku, wystarczający do spłaty babci i wykreowania reputacji firmy pewnej, wiarygodnej, z niezawodną obsługą klienta. To była solidna mała firma.

– A teraz jest twoja.

– Owszem, jest. Parę lat temu dyrektor finansowy Pettigrewów skontaktował się z naszym departamentem fuzji i przejęć. W związku z rozwodem wgląd do całej korespondencji między nami, w tym do wszelkich raportów o stanie firmy w tamtym czasie, został zablokowany.

– I będzie?

– Tak. Mamy w archiwum tylko początkowe mejle, zaproszenie do złożenia oferty. Moi ludzie sprawdzili wszystko ze stosowną starannością, ja dopracowałem szczegóły oferty i po szybkich, łatwych negocjacjach sfinalizowaliśmy transakcję w kilka tygodni. Prosta, standardowa sprzedaż bez straty czasu i zbędnego zamieszania.

– Ona nie miała wyboru – zauważyła Eve.

– Też mi się tak wydawało. Wyglądało to, jak już mówiłem, na prostą, standardową umowę, przynajmniej na papierze. Ona podpisała dokumenty, a on zgarnął lwią część forsy.

Eve wstała i podeszła do mapy zbrodni.

– Pettigrew tak sprytnie to ustawił, ona natomiast przypuszczała, że dokonał sprawiedliwego podziału. – Zamyśliła się.

– Dokładnie tak. Jak już mówiłem, przygotował to nader chytrze.

– Nie przeczę. Poza tym, jak sądzę, ona najprawdopodobniej skupiała się na pracy, zatrudnianiu pracowników, pilnowaniu produkcji, a jemu zostawiła stronę prawną przedsięwzięcia, mało dla niej interesującą. W końcu wyszła przecież za mąż za prawnika.

Roarke obserwował ją, jak krążyła po pokoju, wpatrując się od czasu do czasu w powiązania na swej mapie zbrodni.

– Trudno odczytać to inaczej – rzekł w końcu.

– Z mojego punktu widzenia jest to nawet niemożliwe. Wszystko było jej: jej pomysł, jej wykształcenie, jej wsparcie finansowe od babci, ogrom włożonej pracy. – Obejrzała się na Roarke'a. – No i duma. Była bardzo dumna z tego, co zbudowała, z tego, że udało się jej spłacić babcię, że stworzyła coś z niczego.

– Całkiem przyjemne coś. – Roarke pokiwał głową. – Solidna niewielka firma z potencjałem na rozwój. Oj tak, miała powody do dumy!

– A on ją zwyczajnie oszukał i pozbawił możności decydowania o losach firmy. Fizycznie też ją zdradzał. – Eve dźgnęła palcem w zdjęcie identyfikacyjne Darli. – Mówię ci, że to są motywy! Oczywiście jest tego o wiele więcej, bo szukamy jednej pieprzniętej suki, ale to zapewne popchnęło ją do działania.

Mężczyzna wstał, podszedł do tablicy i zaczął się przyglądać zdjęciu twarzy Darli.

– A więc masz pewność, że ona jest w to zamieszana?

– Jeszcze nie jestem gotowa na to, żeby przedstawić jej zarzuty, ale czuję, że to dobry trop. – Zaczęła się nerwowo przechadzać w tę i z powrotem. – Na pewno nie Geena McEnroy. Ma dwie córeczki, a wszyscy, nawet ci, którzy mieli go za co nie lubić, przyznają, że był dobrym ojcem. Słyszałeś, co mówiła ich guwernantka. Czy według ciebie sprawiała wrażenie prawdomównej?

– Tak, sprawiała. I tak jak ty wierzę, że wiedziałaby lub przynajmniej miała jakieś podejrzenia, gdyby żona McEnroya brała w tym udział.

– Zgadzam się. A Horowitz? Młoda, nieco głupawa jak na moje oko, prowadząca wygodne życie i szczęśliwa w tym wszystkim. Gdyby wcześniej wykryła jakimś cudem, że jej facet zdradza ją z prostytutkami, wyobrażam sobie, że zaczęłaby płakać, wściekłaby się i zażądała, żeby przestał to robić. Może spakowałaby się i uciekła do swojej matki. Ale pomagać w planowaniu dwóch morderstw z torturami? Nie. Poza tym jego śmierć wiązałaby się z końcem jej dobrego życia. Musiałaby się wynosić. Nie był ani jej mężem, ani zalegalizowanym partnerem. Po prostu z nim mieszkała. Nic by po nim nie dostała.

– W porządku. Co jeszcze?

– Żadna z nich, jak pokazują zebrane do tej pory dowody, nie miała bezpośredniego kontaktu z grupą wsparcia. Zabójczyni brała czynny udział w tych spotkaniach, była związana z resztą kobiet, słyszała opowiadane przez nie historie. Darla.

– Mnie to przekonuje.

– Na pewno nie przekona ani prokuratora, ani sędziego do wystawienia nakazu przeszukania rezydencji Eloise Callahan.

– Nie wierzysz, że babcia brała w tym udział, prawda?

– Ona jest aktorką, tak? Aktorką legendarną. Wszyscy to powtarzają. Kiedy z nią rozmawiałyśmy, ani razu nie zaświeciła mi się czerwona lampka…

– Rozmawiałaś z nią? – wszedł jej w słowo Roarke, unosząc dłoń, i powtórzył pytanie: – Rozmawiałaś z Eloise Callahan?

– Tak, bo wiesz... Prowadzę śledztwo w sprawie morderstwa. – Nie wytrzymała i się uśmiechnęła. – A co? Czyżbyś był jej fanem?

– To, że podziwiam jej warsztat aktorski, nie czyni ze mnie jej fana. No, może odrobinę – dodał z beztroskim uśmieszkiem. – Sądzę też, że pora na posiłek. Będziesz mogła mi przekazać wszystkie szczegóły. – Ujął jej podbródek w dłoń, opierając go na palcu wskazującym dłoni zaciśniętej w pięść, a kciukiem gładząc dołeczek w jej brodzie. – Stawiam na steki. Wygląda pani na przemęczoną, pani porucznik. Nie spała pani zbyt wiele przez kilka ostatnich nocy.

– Stek mogłabym zjeść – wyrwało się Eve.

Najpierw jednak przyciągnął ją do siebie i przytulił.

– Kiedy nadejdzie odpowiedni moment, sądzę, że obejrzymy sobie Eloise Callahan w filmie pod tytułem *Tylko raz*.

– Czy wszystko tam wylatuje w powietrze? – spytała.

Uśmiechnąwszy się, ucałował jej skroń.

– Nie tym razem – odrzekł. – To piękny film. Zdumiewająco, oszałamiająco romantyczny. Wydaje mi się, że miała wtedy dwadzieścia kilka lat. Wspaniała aktorka. Dosłownie olśniewa na ekranie.

– Jesteś jednak jej wielkim fanem.

– Może i tak. Widziałaś ją w filmie *Powstanie* i tam faktycznie co chwila coś wybuchało. Akcja dzieje się podczas wojen miejskich... – zaczął, lecz Eve odsunęła się od niego na wyciągnięcie ręki.

– To była ona?!... Pamiętam!... No pewnie, że to była ona! – dotarło do Eve, kiedy dokładniej przyjrzała się jej zdjęciu. – Grała rewelacyjnie.

– Zgadza się. Stek! – powtórzył. – A do tego wino.

Stała wpatrzona w zdjęcie Eloise. Dopiero teraz dostrzegła podobieństwo. Aktorka występująca w filmie była na pewno ze trzydzieści kilka lat młodsza.

Czy ma w tym wszystkim coś do rzeczy, że Callahan umiała zagrać – cholera! ucieleśnić – każde uczucie człowieka? Sprawić, że widz wierzył, że ona to czuje?

Kiedy Roarke wyszedł po steki, sięgnęła po butelkę oraz jego kieliszek i postawiła na stole przy oknie.

– Jak sądzisz, czy ten rodzaj talentu się dziedziczy, czy to kwestia wyuczenia?! – krzyknęła do niego.

– Podejrzewam, że i jedno, i drugie! – odkrzyknął. – Ale nie da się nauczyć wyrażania emocji, których się nie ma w sobie. Umiałabyś?

– Sama nie wiem. Zastanawiam się jednak, czy umiejętności mogą być przekazywane w genach.

Roarke postawił na stole pełne talerze, a Eve nalała wino do kieliszków.

– Ach! W takim przypadku jak ten... – zaczął się zastanawiać Roarke. – Czy wnuczka może mieć te same predyspozycje aktorskie co jej babcia? Interesujące. No cóż... Bywały dynastie, członkowie klanów, którzy mieli te same zainteresowania i umiejętności w różnych dziedzinach, z aktorskimi włącznie. Ale sądząc po tym, jaki kierunek studiów wybrała, wygląda na to, że jej zainteresowania nie ukierunkowały się na sztukę, lecz na nauki ścisłe.

– Niby tak – odparła Eve, nie do końca jednak przekonana.

Roarke wybrał szparagi – zielone patyki, które nawet lubiła – i malutkie młode ziemniaki z czerwoną skórką, obsmażane w maśle ziołowym. Dodała do nich mimo wszystko jeszcze trochę masła – wierzyła mocno, że masła nigdy za wiele – a dopiero potem zabrała się do steku.

– Okej, a więc teraz Eloise – powiedziała. – Wraca do zdrowia po zapaleniu płuc, lecz wciąż jest blada i wygląda na osłabioną. Mimo to, kiedy Darli nie było w pokoju, o własnych siłach zeszła do nas do salonu. – Przewróciła oczami. – Podobał się jej nasz cholerny film i koniecznie chciała nas poznać. To znaczy mnie i Peabody.

Roarke tylko się uśmiechał i słuchał, kiedy relacjonowała ich rozmowę oraz swoje wrażenia.

– Polubiłaś ją – zauważył.

– Chyba tak. – Nadziała jednym mocnym pchnięciem kawałek ziemniaka na widelec. – Co nie oznacza, że jej nie zapuszkuję, jeśli tylko okaże się zamieszana w to w jakikolwiek sposób.

– A jednak nie znalazła się w kręgu twoich podejrzanych. Znam na wylot duszę mojej policjantki Eve – dodał. – Jest tak nisko na twojej liście, że niżej już nie można, żeby z niej nie wypaść.

– No może i tak. Ujęłabym to w ten sposób: więź uczuciowa pomiędzy nią a Darlą wydaje się autentyczna, a nawet mocna. Na swoje dziewięćdziesiąt ileś lat prezentuje się zadziwiająco dobrze, choć widać po niej, że dochodzi do siebie po ciężkiej chorobie. Widać też, że nie lubiła Pettigrewa. Wprawdzie nie mówiła o nim źle, ale może by to zrobiła, gdyby Darli nie było w pobliżu. Aha! I Eloise wciąż nosi obrączkę, choć jej mąż zginął kilkadziesiąt lat temu.

– Bradley Stone. – Roarke pamiętał jego nazwisko. – Historia ich miłości to kolejny rozdział legendy. Jeśli ta legenda oparta jest na prawdziwych zdarzeniach, nie poświęcałaby zbyt wiele czasu na rozmyślania o facecie, który oszukiwał i zdradzał uwielbianą przez nią wnuczkę.

Eve machnęła widelcem w powietrzu i przytaknęła skinieniem głowy.

– Właśnie dlatego jeszcze jej całkiem nie skreśliłam z listy. Może kryje Darlę? Może nie jest w pełni świadoma, do czego posunęła się wnuczka, i próbuje ją kryć? Jak już mówiłam, jest między nimi jawna więź i chęć poświęcania się jednej dla drugiej. Czy Darla zostawiłaby babcię samą, wciąż jeszcze osłabioną po chorobie? Czy wyszłaby z domu upolować ofiarę, pozostawiając Eloise zupełnie samą? Czy spędzałaby długie godziny na torturowaniu swoich ofiar, gdyby Eloise nie spała smacznie w swoim pokoju na górze?

– Lady Justice, dama wymierzająca sprawiedliwość – przypomniał jej Roarke. – I ty, i ja bardzo dobrze wiemy o tym, że ludzie potrafią usprawiedliwić każdy swój czyn, jeśli wierzą w jego zasadność lub wystarczająco mocno go pragną.

– Masz rację. – Eve uniosła kieliszek w geście uznania. – Cholera, wiesz, że masz rację... Co jednak, jeśli Busia... tak mówi Darla na babcię... więc co, gdyby Busia się obudziła, nie znalazła wnuczki w sypialni i poszła jej szukać? Jak Darla by się z tego wytłumaczyła? „Och, babciu, właśnie się idę przewietrzyć" albo coś w tym rodzaju, „a ciebie zostawiam samą".

– Przecież kiedy Darla chodziła na zajęcia grupy wsparcia, musiała zostawiać Eloise samą.

- Niezupełnie. Kiedy była tam ostatni raz w grudniu zeszłego roku, poruszyła temat obaw babci, które miała jakoś uśmierzać. Zatrudniały pielęgniarkę, która przychodziła opiekować się babcią w ciągu dnia, obie jednak utrzymywały, że opiekę nad starszą panią sprawuje głównie wnuczka, i to ona spędza z nią czas wieczorami i w nocy. A może chodziło jej o droidy?

Eve, nie przerywając jedzenia, zaczęła rozważać w myślach taką ewentualność.

- Klub pełen ludzi, przygaszone światła - podjęła, gdy przełknęła. - Czy mogła tam wysłać droidkę? Pettigrew na pewno nie spędził z panienką do towarzystwa więcej niż kilka minut sam na sam. Czy hipotetycznie mógłby nie rozpoznać w niej droidki?

- Jak szybko można rozpoznać, że człowiek to nie człowiek, tylko robot? - zainteresował się Roarke.

- Ja jestem policjantką. Uważam, że naprawdę dobrze wykonanego droida można przez pewien czas nie rozpoznać i pomylić go z prawdziwym człowiekiem, zwłaszcza w przyćmionym świetle. Zmniejszałoby to ryzyko, ale również, o ironio losu, ciężko dotknęłoby Pettigrewa. Kolejny droid jako kierowca albo też jest tylko jeden droid i jazda na autopilocie, przynajmniej do czasu, aż ofiara zostanie namierzona i zneutralizowana. Droid z łatwością może unieść nieprzytomnego lub martwego mężczyznę.

- Śmierć zadana przez droida?...

- Nie, nie! Ona musiała to zrobić własnymi rękami. - Potrzebuje krwi, pomyślała Eve. - Chce słyszeć ich krzyki.

A w ostatecznym rozrachunku odciąć to, co czyni ich mężczyznami - dodała w myślach.

– To pewne, że z jej wiedzą potrafiła zaprogramować droidy na działanie z okrucieństwem oraz zablokować im ludzkie odruchy – ciągnęła Eve. – Mogło tak być, ale raczej to ona sama odczuwa chęć konfrontacji, torturowania, zabijania. Nie zamierzała być tylko biernym obserwatorem. Lady Justice musi działać samodzielnie. – Nadziała na widelec kawałek steku i zmrużyła oczy. – Lepiej… Może i lepiej. Jak dobra jest ona w programowaniu, w kreowaniu? Może i zaprogramowała robota, który pilnuje Busi, kiedy ta śpi. Innego, który mógł wysłać jej informacje, że ma rzucać wszystko i wracać do domu. Mógł też umieć sprzątać. Przy torturach wszystko wokół jest przecież okropnie zachlapane. Można zaprogramować droida o umiejętnościach medycznych, tak samo jak można zaprogramować droida obronnego, do pomocy w domu, do uprawiania z nim seksu czy jakichś innych umiejętności.

– To ryzykowny pomysł – wytknął jej Roarke. – Gdyby coś jej się stało, cokolwiek poszło nie tak, gdy akurat była poza domem, jak by to wytłumaczyła?

– Nic jednak nie poszło źle, nieprawdaż? Poza tym mają droidkę do pomocy w domu – dodała Eve. – Przynajmniej jedną, którą widziałam. Darla nagromadziła w sobie ogromne pokłady smutku i rozżalenia, Roarke. Przeżywała też strasznie informację o śmierci byłego męża. Tak intensywnie, że aż wzbudziło to moje podejrzenia. Przecież dawno się rozstali. Czy odczuwałbyś tak wielką rozpacz po stracie kogoś, kto cię oszukiwał i zdradzał? Czy wciąż byś tak mocno to przeżywał, mimo że od rozwodu minęły już dwa lata?

Eve przyglądała się uważnie Roarke'owi, rozważając podobną sytuację w myślach.

– Znam to spojrzenie – rzekł i westchnął ciężko.

– Ja nigdy bym ci niczego takiego nie zrobiła. Gdybyś ty mi się sprzeniewierzył, owszem, byłabym tym zdruzgotana, ale zrobiłabym wszystko, co w mojej mocy, żebyś za to zapłacił. Przede wszystkim jednak byłabym zdruzgotana.

– I nie byłoby żadnych śladów po tym, jak już bym za to zapłacił, jak przypuszczam.

– Nigdy by nie odnaleźli tego, co by po tobie zostało. – Uśmiechnęła się, mówiąc to. – Rzecz w tym, że ja nie pozwoliłabym nikomu oglądać twoich szczątków. Jeśli pogrążyłabym się w żałobie, gdybym wciąż coś do ciebie czuła, nikt by tego nie zobaczył. A przynajmniej nie w ten sposób.

– Cóż, jeśli mam być szczery, nie każdy jest w stanie kontrolować swoje reakcje, swoje emocje.

– Dwa lata. Myślę, że rozumiem, że przez dwa lata nosiła w sobie wszystkie te uczucia w stosunku do niego, skoro ukradł to, co ona zbudowała własnymi rękami, i rzucił ją dla młodszej, o wiele młodszej kobiety z większymi cyckami. W tym samym czasie prowadząca grupę wsparcia zanotowała, że Darla sprawiała wrażenie osoby, która minęła zakręt, stała się stabilniejsza emocjonalnie i tak dalej, lecz wciąż czuła złość i rozgoryczenie. – Eve zgarnęła z talerza resztkę ziemniaków. – Stabilniejsza emocjonalnie – powtórzyła. – Może i stabilniejsza, bo opracowała plan. Rozwiązanie swoich problemów. Nawiązała bliższe kontakty z kobietami z grupy. To jest w notatkach. Przyniosła prezenty pod choinkę dla wszystkich. Jednej z nich podarowała nawet gotówkę, żeby mogła znaleźć bezpieczne miejsce do zamieszkania. Znalazła swój… – Zamilkła, szukając odpowiedniego słowa, po czym wzięła kieliszek wina do ręki i dokończyła: – ...znalazła swoje plemię. Plemię składające się z podobnych sobie, pokrzywdzonych kobiet. Mianowała się sama walczącą w ich imieniu wojowniczką, krwawą mścicielką. Poszukującą sprawiedliwości.

Podniosła się, podeszła znów do mapy i tam zaczęła zakreślać kółka. Zakreślała i zakreślała. Roarke pozostał na swoim miejscu, przyglądając się żonie i z przyjemnością obserwując, jak pracuje.

– Może jedna z nich dołączyła do niej. Może zrobiło to więcej kobiet... Nie wydaje mi się jednak. Nie widzę tego, a przynajmniej jeszcze nie teraz. Darla robi to dla nich. Dla siebie również, ale zwłaszcza dla nich. Dla kobiet, które zostały wyrolowane, które obrywały od swoich facetów, wobec których stosowano przemoc, które były nękane. Głównie dla nich. Ona przede wszystkim zamierzała się zająć swoim plemieniem, zadbać o nie.

– Nie chciałbym popsuć twojej misternej układanki, ale gdyby w dalszym ciągu zabijała mężczyzn powiązanych z kobietami z grupy, czy nie sprowadziłaby w ten sposób śledczych pod swoje własne drzwi?

– Już to zrobiła – przyznała Eve. – Może nie spodziewała się, że tak prędko połączymy zabójstwa z grupą wsparcia, jest jednak na tyle sprytna, że sama nam ją podsunęła podczas rozmowy. Nie mogła się zorientować, że my już o grupie wiemy, więc sama zaczęła ten temat po to, by odsunąć podejrzenia od siebie, co na pewno by się zdarzyło, gdybyśmy podążyli tym tropem. Mogłoby się też tak stać, gdyby ktoś inny o tym napomknął.

– Jasne. Dlaczego jednak wspomniała o grupie, jeśli to spośród dręczycieli jej uczestniczek wybierała swoje ofiary?

Kiedy Eve przeniosła wzrok z mapy na Roarke'a, w jej nieruchomym spojrzeniu nie było emocji, lecz wyłącznie chłód profesjonalnej śledczej.

– Bo wyobraża sobie, że jest doskonale kryta – wyjaśniła. – Wykonała zresztą w tym celu bardzo dobrą robotę. Nic nie mam na nią. Kompletnie nic. Tyle że wiem.

– Ile kobiet liczyła grupa?

– Przeciętnie około piętnastu.

– Kiedy przewidziane jest kolejne spotkanie?

– Nie tak prędko. Na pewno nie w ciągu najbliższych dziesięciu dni. Ma już niewątpliwie namierzoną następną ofiarę. Zaatakuje niedługo. Bardzo niedługo. Jednakże kto to będzie, gdzie i dlaczego? Tylko ona zna odpowiedzi na te pytania. – Pokręciła głową niezadowolona i wbiła ręce w kieszenie. – Mogę się mylić, bo dlaczego nie, i może się okazać, że zabójczynią jest jakaś inna kobieta z grupy. Ta, której jeszcze nie przesłuchiwaliśmy ani do której nie dotarliśmy przez powiązania z grupą. Muszę wobec tego odłożyć na bok moje dotychczasowe rozważania i ryć dalej w tym, co mam. Hm, przypomnę: mam beton z epoksydową nawierzchnią oraz listę imion. Niewiele.

– A nie mogło być przypadkiem tak, że niektóre z kobiet nawiązywały przyjaźnie poza grupą? Spotykały się niezależnie od zajęć terapeutycznych, by być dla siebie dodatkowym wsparciem? Takie udawane przyjaźnie, trochę na siłę?

– No właśnie! Leah Lester też sugerowała coś podobnego, niestety, żadna z trzech kobiet, które już przesłuchałyśmy, nie znała konkretnych nazwisk albo nie chciała się do tego przyznać. – Eve ponownie wpatrzyła się w zdjęcie identyfikacyjne podejrzanej. – Oprócz... Prawda! Darla dała pewną kwotę pieniędzy innej dziewczynie z grupy. Jak ona niby to zrobiła? Podeszła do niej i wcisnęła zwitek banknotów? Raczej nie.

– Czy nie mówiłaś, że pieniądze te miały wspomóc tę drugą, stanowiąc dla niej zabezpieczenie na najbliższą przyszłość? Miała za nie znaleźć i wynająć bezpieczne mieszkanie?

– Tak, tak... Może więc pójdźmy tym tropem.

Podeszła znów do swojego domowego centrum dowodzenia, odnalazła to, czego potrzebowała, i wybrała numer do Darli.

– Halo? – odezwał się głos w słuchawce. – A, to pani. Dzień dobry, pani porucznik! Czy odnaleźliście już sprawcę zabójstwa Thaddeusa?

– W dalszym ciągu prowadzimy śledztwo. Może nam pani pomóc?

– Och, oczywiście! Służę z największą przyjemnością. Tylko... przejdę do innego pomieszczenia. Babciu, poproś Ariel, żeby przygotowała nam przekąski na czas oglądania filmu.

Eve usłyszała w tle inny cichy głos, a potem zobaczyła, że Darla uśmiecha się do kogoś i mówi: „Wiesz, że to zrobię!". Następnie obraz na wyświetlaczu się zakołysał, gdy Darla opuszczała pomieszczenie, które – z tego, co dostrzegła Eve – było łazienką wykończoną w eleganckich różach i pastelowych beżach.

– Przepraszam, pani porucznik, ale właśnie pomagałam babci w przygotowaniach do położenia się do łóżka. Przyznam, że planowałyśmy obejrzeć film *Dziennik*

Icove'a. Chce obejrzeć go powtórnie teraz, gdy już poznała panią osobiście. Co to był za... – Jej głos zadrżał, w oczach zaszkliły się łzy. – Co to był za okropny dzień! Obie potrzebujemy oderwać się myślami od rzeczywistości. W czym mogę pani pomóc?

– W grudniu zeszłego roku zrobiła pani prezent kobiecie z grupy wsparcia w postaci pewnej kwoty w gotówce.

– Och! – Przez jej twarz przemknął grymas cierpienia. Przygładziła ręką włosy, ściągnięte z tyłu głowy w koński ogon. – To poufna informacja.

– Już nie. Potrzebne mi jest nazwisko obdarowanej.

– Pani porucznik, grupa wsparcia działała na zasadzie wzajemnego zaufania. Moim zdaniem to w niczym nie pomoże przy... przy prowadzeniu rozpoznania, bo co to ma wspólnego z tym potwornym zdarzeniem?

– Dwóch mężczyzn powiązanych z kobietami z grupy nie żyje. Tyle ma wspólnego. Z tego, co do tej pory udało nam się ustalić, wiem, że niejaka Una potrzebowała finansowego wsparcia, żeby wynająć mieszkanie dla siebie i swego małego synka.

– On ją tłukł! – Nagle wybuchła wściekłą furią. – Mieszkała w schronisku.

– Czy zgłosiła to na policji?

Darla przymknęła oczy, a kiedy je otworzyła, były pełne smutku, Eve jednak wciąż miała w pamięci iskry tamtej furii, tamten żar wściekłości.

– Nie, przynajmniej nie wtedy, kiedy ostatnim razem o tym słyszałam. Postraszył ją, że zabije małego, jeśli to zrobi. Kilka miesięcy wcześniej dostał sądowy zakaz zbliżania się do niej. Chociaż tyle dobrego. Biedaczka była przerażona. Nie mogę... Nie mogę z panią rozmawiać o jej prywatnych sprawach. To nie w porządku.

– Chce pani, żeby zabójca byłego męża stanął przed obliczem sądu?

– T-to chyba oczywiste!

– Proszę mi podać jej nazwisko, zanim zginie ktoś następny.

– Stawia mnie pani w okropnym położeniu.

– Spróbujmy inaczej. W jaki sposób przekazała pani te pieniądze?

Darla złapała się za głowę wolną ręką, a w jej oczach znów pojawiły się łzy.

– O mój Boże! – jęknęła. – Czy to wszystko musi być takie odstręczające? Chciałam... Chciałam jedynie uczynić coś dobrego, coś pozytywnego. Chciałam tylko zakończyć jakimś pozytywnym akcentem ten etap mojego życia, kiedy większość czasu spędzałam pogrążona w czarnej rozpaczy, użalając się nad sobą.

– I tak się też stało. – Ich uszu dobiegł głos Eloise. Eve zobaczyła, że Darla się odwraca, a z jej oczu zaczynają płynąć strumieniem łzy.

– Och, Busiu! – chlipnęła wnuczka.

– Powiedzże, na litość, pani porucznik Dallas wszystko, co powinna wiedzieć. To jest w porządku, a twoja koleżanka na pewno to zrozumie. Zrób to, co należy, skarbie – poprosiła babcia.

– Nic nie jest w porządku. Takie odnoszę wrażenie. – Kobieta znów zamknęła oczy i odetchnęła głęboko. – Tamta nieszczęśnica starała się uzbierać pieniądze na wynajęcie mieszkania, tak żeby nie musiała mieszkać z synkiem w schronisku. Dostała niby pracę, ale wciąż jej brakowało pieniędzy. Wpłaciłam za nią kaucję oraz równowartość czynszu najmu za kilka miesięcy z góry w nadziei, że dzięki temu zacznie nowe życie. W budynku wielorodzinnym gdzieś na obrzeżach centrum. Szczerze mówiąc, nie pamiętam adresu. Musiałabym spojrzeć na dane do przelewu.

– Proszę tylko o jej nazwisko. Sama ją odnajdę.

– Nie wydaje mi się to w porządku – burknęła niezadowolona Darla. – Una Kagen. Jej synek ma na imię Sam. Nigdy nikogo nie skrzywdziła.

– I tak będziemy się kontaktować ze wszystkimi kobietami z grupy. Jakieś inne nazwiska?

Kobieta zaczęła pocierać palcem lekkie wgłębienie między brwiami.

– Niech pomyślę. Kilka razy po sesji byłam na kawie z Uną i Rachel, dziewczynami mniej więcej w tym samym wieku. Obie były samotnymi matkami. Zaprzyjaźniły się. Una będzie znała nazwisko Rachel. Wydaje mi się, że to ona właśnie pomogła Unie znaleźć mieszkanie. Mieściło się w tym samym budynku, co jej lokum, o ile dobrze pamiętam.

– Okej, to mi na pewno pomoże. Dziękuję.

– Nie ma za co, pani porucznik! Te kobiety tak niedawno tyle przeszły!

– Zrobię wszystko, co w mojej mocy, żeby nie musiały już więcej cierpieć. Dziękuję jeszcze raz.

– Wróciła do swojego panieńskiego nazwiska – oznajmił Roarke, kiedy Eve zamknęła transmisję. – Od rozprawy w sądzie, która zakończyła się orzeczeniem rozwodu w lutym tego roku, Una nosi nazwisko Ruzaki. Poczekaj chwilę – dodał, nie przerywając poszukiwań na swoim laptopie. – Pod tym samym adresem

mieszka Rachel Fassley. Zamężna raz, wdowa, jedno dziecko: syn, lat sześć.
– Wciąż bardzo mi pomagasz.
– To moja życiowa misja. Czy planujemy małą wycieczkę na obrzeża centrum?
– Zawsze lepiej się rozmawia twarzą w twarz. Chcę ci przede wszystkim powiedzieć, że nie musisz ze mną jechać, a poza tym mężczyzna może mieć wypaczone spojrzenie na te sprawy. Jednak z drugiej strony dobrze jest posłuchać potem, jakie wrażenia odebrała inna osoba, szczególnie jeśli uda mi się porozmawiać i z jedną, i z drugą. A jeśli nałożysz płaszczyk uroczego Roarke'a, sprawy jak zwykle przybiorą pozytywny obrót.
– To dla mnie łatwizna, kochanie. – Przesunął delikatnie palcem po jej policzku. – Urok osobisty włączam na zawołanie.
– Nie przesadzajmy z tymi czułościami. Ty prowadzisz – dodała, gdy schodzili na dół. – Chciałabym jeszcze zerknąć na sądowy zakaz zbliżania się.
Kiedy wyszli przed dom, stanęła jak wryta na widok samochodu, który zaordynował na przejazd, a który właśnie wyjechał z garażu i zatrzymał się przed wejściem. Przyjrzała mu się z zainteresowaniem: wymuskany, lśniący, koloru dojrzałej wiśni, z drzwiami, które otwierały się do góry jak skrzydła ptaka, a nie normalnie na zewnątrz.
– Co to jest?! – spytała zdumiona.
– Nówka sztuka – odrzekł lekko i usiadł za kółkiem.
Kokpit w środku wyglądał jak kabina pilotów luksusowego międzyplanetarnego statku powietrznego.
– Ile samochodów jest ci potrzebne do szczęścia? – spytała Eve.

– Jeszcze się nad tym nie zastanawiałem – odrzekł wesoły jak skowronek.

Kiedy z silnika wydobył się gardłowy ryk, gdy nieomal pofrunęli wzdłuż podjazdu, pożałowała, że nie usiadła za kierownicą.

Następnym razem.

Teraz zagłębiła się w poszukiwaniach w swoim podręcznym komputerze.

– Arlo Kagen, lat trzydzieści jeden, dostał tymczasowy zakaz zbliżania się do Uny Kagen. Mamy tu archiwum z raportami o przemocy domowej z trzech lat poprzedzających wyrok. Kagen odsiedział trzy miesiące za czynną napaść na żonę, czyli innymi słowy za pobicie. Po dziewięćdziesięciu dniach został zwolniony warunkowo z nakazem odbycia obowiązkowej terapii panowania nad emocjami. Co za bzdury! Facet ma poważny problem alkoholowy. To jasne jak słońce, jeśli się dokładnie przeczyta raporty. Pijany zabierał się do uciszania żony albo wpadał w szał. Wystąpiła o rozwód. Sąd natychmiast wydał mu tymczasowy zakaz zbliżania się do żony i dziecka, mimo to Kagen ponownie rzucił się na żonę z pięściami. Tu jego zażalenie zostało oddalone, gdyż utrzymywał, że to ona rzuciła się na niego. Obrażenia mieli oboje.

– I kto w to uwierzył? Paranoja.

– No właśnie. – Zajęła się czytaniem informacji o kolejnej kobiecie z grupy, Rachel Fassley. – Ci z kolei byli małżeństwem z trzyletnim stażem, gdy mąż zginął podczas włamania z próbą kradzieży do ich mieszkania. Wydarzyło się to pięć lat temu. Wygląda na to, że stanął w obronie swego mienia i oberwał kilka ciosów nożem. Nic więcej nie ma... Hmm. Historia jej zatrudnienia. Kierowniczka biura do chwili urodzenia dziecka, niedługo potem otrzymała status wykonującej zawód matki na pełnym etacie. Dodatkowe prace na zlecenia zeszłej jesieni. Kierowniczka biura w innej firmie. Po trzech miesiącach powrót do statusu wykonującej zawód matki.

– Podejrzewasz, że coś się wydarzyło w jej ostatnim miejscu pracy?

– Nie mam podstaw do wysnuwania jakichkolwiek podejrzeń – odrzekła Eve. – Nic więcej tu nie ma. Nie dołączyli żadnych raportów. Przez trzy lata małżeństwa nie było ani jednego oskarżenia męża.

Rozparła się wygodnie w fotelu, by przemyśleć najnowsze wiadomości.

– Chcę porozmawiać z obiema – oznajmiła po dłuższej chwili.

15

Roarke zdecydował się zostawić samochód na strzeżonym parkingu przy budynku wielorodzinnym w dzielnicy Lower East Side. Eve, zachwycona komfortem jazdy, po prostu nie mogła być zła na męża za niezaparkowanie gdzieś bliżej, przy krawężniku wzdłuż ulicy – bo i tak nie było wiadomo, czy udałoby im się znaleźć wolne miejsce.

Poza tym wkurzająca mżawka w końcu ustała i miło było zrobić sobie wieczorny spacer po mieście.

– Muszę jednak spróbować poszukać jakichś bardziej szczegółowych informacji o posadzkach z betonu i tych żywicach epoksydowych – powiedziała na głos.

– Dowiesz się jedynie, że betonu Mildock używa się w budownictwie od ponad wieku, więc poszukiwana przez ciebie posadzka mogła być wylana bardzo dawno temu.

Przemyślała tę informację i jęknęła:

– To mi w niczym nie pomogło.

– Jest też inna możliwość – kontynuował Roarke. – Mogła być wykonana niedawno lub odnowiona przed położeniem żywicy. Jeśli już chcesz w tym grzebać, to według mnie powinnaś się zająć nawierzchniami z żywic. One wymagają odświeżania mniej więcej co dziesięć lat, jeśli nawierzchnia jest intensywnie użytkowana.

Westchnęła ciężko.

– Chyba sobie daruję ten temat. Szanse na odnalezienie takiej posadzki są zerowe. Jedyne, co mogę zrobić z tymi informacjami, to porównać, czy próbka pasuje, kiedy odnajdziemy potencjalne miejsce zbrodni.

Wziął żonę za rękę.

– Zastanawiam się, czy nie mógłbym załatwić planów domu Eloise Callahan w urzędzie miejskim – powiedział. – Nie powinienem mieć z tym większych problemów. Wówczas mogłabyś sprawdzić, czy budynek jest podpiwniczony.

– Wiem na pewno, że mają garaż. Sama widziałam, ale osobiście stawiałabym na piwnicę. Za głównym budynkiem może się też znajdować jakiś domek gospodarczy.

– Jak już wrócimy do domu, rzucę okiem.

Dotarli pod właściwy adres i zaczęli się przyglądać otoczeniu oraz zabezpieczeniom.

– Nie sądzę, żeby piwnice czy też sutereny w tym obiekcie miały posadzki wykończone żywicą epoksydową najwyższej jakości w kolorze palonego złota – rzekł Roarke.

Eve potwierdziła skinieniem głowy.

– Przyzwoity budynek dla klasy pracującej, sensowna ochrona, ale nic nadzwyczajnego – ciągnął Roarke. – Kamera przy drzwiach wygląda na sprawną. Dobrze byłoby zerknąć na nagrania z kilku ostatnich nocy, tak żeby wyeliminować tutejszych mieszkańców, to na bank nikt z mieszkających pod tym adresem. Zbrodnia na pewno nie została popełniona w budynku wielorodzinnym. Tutaj mamy zero prywatności.

Eve popatrzyła na górne piętra budowli.

– Obie mieszkają na czwartym piętrze – poinformowała męża. – Zacznijmy od Ruzaki i sprawdźmy, czy uda nam się wciągnąć w rozmowę Fassley. Przesłuchanie ich razem pozwoliłoby na uzyskanie lepszej dynamiki rozmowy.

Zignorowała domofon, zamiast dzwonić, sforsowała zamek w drzwiach wejściowych i oboje znaleźli się w niewielkim holu, w którym pachniało delikatnie płynem czyszczącym o zapachu sosny, zmieszanym z wonią chińszczyzny na wynos, którą ktoś właśnie się raczył. Przyjrzała się podejrzliwie dwóm windom.

– Może jednak zaryzykujemy? – rzucił Roarke i nacisnął guzik. Drzwi się rozsunęły. Nie dając Eve czasu na reakcję, wciągnął ją do kabiny. W środku pachniało identycznie jak w holu.

Kiedy wysiedli na czwartym piętrze, Eve wyczuła tylko sosnę, chińszczyzny już nie.

– Mieszkają dokładnie naprzeciw siebie – zauważyła Eve, wodząc wzrokiem od jednych drzwi do drugich. – Ruzaki ma zamki z powiadomieniem policji o włamaniu i kamerę przy wejściu.

– Agresywny były mąż – wywnioskował Roarke. – Z tego, co widzę, wciąż się go boi. Fassley ma standardowe zabezpieczenie, więc albo jej nie stać na dodatkowe, albo się nie obawia, że ktoś będzie próbował się do niej włamać.

– Obstawiam to drugie. – Eve przycisnęła guzik dzwonka przy drzwiach mieszkania Ruzaki.

Ktoś musiał nieomal natychmiast podejść do domofonu.

– Tak? – Eve usłyszała ostrożny głos, dochodzący z głośnika intercomu.

– Dzień dobry! Porucznik Dallas wraz z konsultantem cywilnym. Nowojorska policja NYPSD. – Uniosła swoją odznakę do oka kamery. – Chcielibyśmy porozmawiać z Uną Ruzaki.

– O czym?

– Czy pani Ruzaki?

– Tak.

– Łatwiej byłoby nam rozmawiać, gdyby wpuściła nas pani do środka.

– Mogłaby pani unieść swoją odznakę trochę wyżej? Mam zamiar zadzwonić na policję i ją zweryfikować.

– Oczywiście. Proszę się skontaktować z komendą główną.

Podczas oczekiwania na klatce schodowej ich uszu dobiegły odgłosy włączonego telewizora. W końcu usłyszeli również dźwięk odblokowywanych zamków i drzwi się otworzyły.

– Przepraszam, ale nadmiar ostrożności nie zaszkodzi.

– Nie ma sprawy.

Drobna brunetka około metra sześćdziesięciu wzrostu – oceniała jej wygląd Eve – rasy mieszanej, wyglądająca na kobietę zrównoważoną i spokojną. Ubrana była w miękkie dresowe spodnie, przypominające dół od piżamy, biały T-shirt i jasnoczerwone wsuwane kapcie.

– O co chodzi? O, przepraszam! Wejdźcie do środka.

Pokój dzienny urządzony był w kolorach równie spokojnych, jak temperament jego właścicielki. Wyróżniał się tylko kącik przeznaczony dla dziecka. Tutaj w dużym koszu leżały różnobarwne klocki i inne zabawki. W części wypoczynkowej pokoju stał niski stolik z fotelami wokół. Włączony tablet i pełna szklanka jakiegoś napoju świadczyły o tym, że Una tam siedziała, kiedy znaleźli się przed drzwiami jej mieszkania.

– Pani nazwisko pojawiło się w trakcie prowadzonego przez nas śledztwa. Jesteśmy przekonani, że będzie pani w stanie udzielić nam paru uzupełniających informacji.

Una splotła nerwowo palce dłoni i spytała:

– O jakie śledztwo chodzi?

– Jestem z wydziału zabójstw.

– Och! O mój Boże! Chwileczkę... – Ruszyła szybkim krokiem przez krótki korytarz, zajrzała do pokoju, a potem cicho zamknęła drzwi. – Mój syn. Ma dopiero trzy lata. Nie chciałabym, żeby się obudził i coś usłyszał... Nic mi nie wiadomo o żadnym morderstwie. Czy zginął ktoś, kogo znam?

W widoku jej zaciśniętych ust Eve zobaczyła i nadzieję, i strach.

– Czy zna pani Nigela McEnroya lub Thaddeusa Pettigrewa?

– Nie, ja... ale zaraz, zaraz! Słyszałam o tych zabójstwach. Kojarzę nazwisko McEnroy. Słyszałam o tym. Sama nie wiem... Znam kogoś o nazwisku Pettigrew, ale to kobieta.

– Darla Pettigrew. Thaddeus Pettigrew to jej były mąż. Musiała pani przeoczyć informacje o jego śmierci. On również został zamordowany.

– T-tak mi przykro, ale w dalszym ciągu nie rozumiem. Nie znałam żadnego z tych dwóch mężczyzn.

– Znała pani natomiast powiązane z nimi kobiety. Kobiety, które uczęszczały na zajęcia grupy wsparcia.

Una widocznie się usztywniła.

– Owszem, chodzę na sesje terapeutyczne grupy wsparcia dla kobiet, ale są one poufne. Prowadzone anonimowo. Używamy wyłącznie imion.

– Wiem o tym. Rozmawiałam z Natalią Zulą, która utworzyła tę grupę. Przeprowadziłam również rozmowy z trzema innymi członkiniami grupy, tymi, które były w jakiś sposób powiązane z ofiarami.

– Ja jednak nie jestem. Nie znam żadnego z nich. – W jej głosie zabrzmiała nuta zdenerwowania. – Nic o nich nie wiem.

– Proszę się może napić tego, co sobie pani przygotowała, pani Ruzaki. – Choć Roarke przemówił łagodnie i spokojnie, wzdrygnęła się. – Zaraz podam. – Podszedł do stołu i wziął stojącą tam pełną szklankę.

– Znała pani jednakże nazwisko Darli – wytknęła jej Eve.

– Zrobiła miły gest w moim kierunku. Pomogła mi. – Una wzięła drżącymi dłońmi szklankę z ręki Roarke'a.

– Wyglądasz na zdenerwowaną – powiedziała Eve, postanawiając przejść na ty.

– W moim mieszkaniu jest policja. Mówią mi o morderstwach. Moja grupa zaś... to prywatna sprawa. No tak, jestem zdenerwowana.

– Powiedz nam w takim razie, gdzie byłaś wczoraj i przedwczoraj między dwudziestą pierwszą wieczorem a czwartą nad ranem.

– O mój Boże! W dodatku jestem podejrzana! Jak mogę być podejrzana w sprawie o zamordowanie dwóch mężczyzn, których w ogóle nie znam?

– To rutynowe pytanie. Czy mogłabym prosić o odpowiedź?
– Byłam tutaj. – Przeniosła szybko wzrok z Eve na Roarke'a i z powrotem. W ocenie Eve nie wynikało to z chęci uniknięcia odpowiedzi. Było to raczej spojrzenie osaczonej ofiary, na którą za chwilę rzuci się drapieżca, by ją pożreć. – Byłam w domu. Mam trzyletnie dziecko. Ja... Ja... zapisałam się na studia online. Zawsze, kiedy położę Sama do łóżka około dwudziestej, ogarniam mieszkanie, a potem zajmuję się pracą lub studiami. Studiuję zarządzanie i marketing. Ach, no właśnie! Przedwczoraj mieliśmy interaktywną lekcję od godziny dwudziestej pierwszej do dwudziestej drugiej. Mogę pokazać! Jeszcze mniej więcej pół godziny po jej zakończeniu pogadałam online z kilkoma z pozostałych studentów. Potem przygotowałam się do spania. Nigdzie nie wychodzę wieczorami. Mam przecież małe dziecko.
– A wczoraj?
– Uczyłam się mniej więcej do dziesiątej wieczorem. A potem... Och! Wpadła do mnie Rachel. Moja przyjaciółka. Wypiłyśmy po lampce wina i gadałyśmy do jedenastej. Rachel zajmuje się Samem, kiedy ja muszę iść do pracy.
– Czy mówisz o Rachel Fassley? Ona również uczęszczała na zajęcia grupy wsparcia.
– To miało być ściśle tajne – jęknęła dziewczyna ze łzami w oczach.
– Uno! – Roarke postarał się zwrócić na siebie jej uwagę, używając tego samego łagodnego tonu głosu. – Czy poczułabyś się bardziej komfortowo, gdybym poprosił Rachel, żeby do nas dołączyła?
– Nie chcę jej w to wciągać. Ja tylko...

– I tak zamierzamy przeprowadzić z nią rozmowę – powiedziała Eve bez zbędnych ceregieli, pozostawiając Roarke'owi uderzanie w cieplejsze tony. – Możemy to zrobić oddzielnie z każdą z was, ale możemy też przesłuchać was razem.

– Ja... No dobrze, niech będzie, tylko jej nie stresujcie. Mogę pokazać wczorajszą lekcję, pokazać, że byłam online.

– Do tego też dojdziemy – ucięła Eve i skinęła głową na Roarke'a. Kiedy wyszedł, pochyliła się ku Unie. – Gdy weszliśmy, pomyślałaś, że jesteśmy tu w zupełnie innej sprawie.

– Pomyślałam, że może pojawiliście się tu w związku z moim byłym mężem.

– Miałaś z nim pewne trudności.

– Tak. Jesteśmy po rozwodzie. Sąd zabronił mu zbliżania się do mnie. Wydał stosowny zakaz. Ma prawo do odwiedzin syna, lecz nigdy z nich nie korzysta, a ja bardzo się z tego cieszę. Opowiem wam o Arlo, jeśli będę musiała, tylko nie mogę wam powtórzyć, o czym mówiły inne dziewczyny z grupy. To prywatne sprawy.

– Czy Darla opowiadała o swoim byłym mężu?

– Proszę mnie o to nie pytać. Błagam!

– A może mi chociaż powiesz, kiedy ostatni raz ją widziałaś albo może z nią rozmawiałaś?

– To było tuż przed świętami Bożego Narodzenia. Pomogła mi opłacić wynajem tego mieszkania: wpłaciła kaucję i czynsz za dwa miesiące z góry. Nikt nigdy nie zrobił czegoś podobnego dla mnie. Jest taka miła!

– Ale po świętach już nie wróciła na zajęcia grupy?

– No nie wróciła. Ja nie traciłam jednak nadziei, bo chciałam jej jeszcze raz podziękować.

– I nie wiesz, jak się z nią skontaktować?

– Nie, a nawet gdybym wiedziała, byłoby to nieuprzejme. Ona wie, gdzie mieszkam, bo przecież mi pomagała. Zawsze mogłaby ze mną porozmawiać, gdyby tylko miała ochotę. Żadna z nas nie narusza prywatności drugiej.

Kobieta podniosła wzrok, kiedy drzwi jej mieszkania ponownie się otworzyły. Widać było po niej, jak wielkiej ulgi doznała, gdy w drzwiach stanęła zgrabna, wysportowana blondynka w flanelowych spodniach i bluzie bez kaptura.

– Spokojnie, Una! – Miała szorstki, rozkazujący ton głosu ludzi mieszkających od urodzenia w Nowym Jorku. Sprawiała wrażenie rozsądnej i dobrze zorganizowanej. Podeszła do swojej przyjaciółki i usiadła tuż obok. Poklepała ją po kolanie, dodając otuchy. – Okej, a więc chodzi o jakieś morderstwo? – Zerknęła na wyświetlacz urządzenia trzymanego w dłoni, a potem odstawiła je na blat stołu. – Mój synek znajduje się w tej chwili po drugiej stronie korytarza klatki schodowej. Śpi. Mam ustawioną na niego kamerkę, żebym widziała, co się tam dzieje.

– Prowadzimy śledztwo w sprawie zabójstwa Nigela McEnroya oraz Thaddeusa Pettigrewa.

– Słyszałam, że było jeszcze drugie, lecz… Chwileczkę! Pettigrew? Czy to nie był przypadkiem były mąż Darli?

Una ścisnęła mocno dłoń Rachel i skinęła głową.

– Cholera! – zaklęła pod nosem przybyła.

– Dwie dziewczyny z waszej grupy – kontynuowała Eve – a raczej byłe jej członkinie, miały pewne powiązania z pierwszą ofiarą.

– Kto? – spytała krótko sąsiadka.

– Rachel, my nie możemy... – Una próbowała słabo protestować.

– Una, kochana moja! Chodzi o dwa morderstwa! Policja musi robić, co do niej należy. Mojego męża zabili. A był najlepszym mężem pod słońcem. Nigdy nie poznałam lepszego człowieka. Policja wykonała swoją robotę, a ten typ, który zabrał go mnie i naszemu synkowi, siedzi teraz w więzieniu tylko dlatego, że oni zrobili to, co do nich należało. – Ponownie popatrzyła na Eve. – Kto? – powtórzyła pytanie.

– Jasmine Quirk i Leah Lester.

– Jasmine i Leah. – Rachel zamknęła oczy. – Niech no pomyślę... czy to nie te dwie, które zawsze trzymały się razem, Uno? Jeśli dobrze pamiętam, jedna z nich przyprowadziła tę drugą na zajęcia. Minęło już trochę czasu, odkąd pojawiły się pierwszy raz. Wydaje mi się, że jedna z nich się przeprowadziła. Pracowały w tej samej firmie, a ich prezes je zgwałcił.

– One tak twierdziły, Rachel.

– Opowiedziały mi już o tym – przerwała Eve. – Nie odkrywacie przede mną niczego nowego, o czym bym nie słyszała. Tym prezesem był Nigel McEnroy.

– A niech mnie cholera! – Rachel cicho gwizdnęła.

– Sprawdźmy jeszcze, gdzie byłyście przedwczoraj wieczorem. I wczorajszego wieczoru również. Od dwudziestej pierwszej do czwartej rano następnego dnia.

– Ja wieczorem staczałam cowieczorną bitwę z moim synem, żeby go położyć do łóżka przed dziewiątą. I wczoraj, i przedwczoraj. Kiedy już wygrałam tę wojnę – a zawsze ją wygrywam – zaliczyłam codzienny maraton wymiany poglądów z mamą. Moi rodzice mieszkają teraz na Florydzie, więc przynajmniej raz w tygodniu muszę pogadać z mamą przez godzinkę. Potem padłam, oglądając jakiś film. Zeszłego wieczoru stoczyłam tradycyjną bitwę, którą jak zwykle wygrałam. Następnie popłaciłam rachunki, poskładałam część prania, i żeby się odstresować, wpadłam tutaj z butelką wina. Gadałyśmy chwilę z Uną. Chyba skończyłyśmy parę minut po dwudziestej trzeciej. Następnego dnia rano obie musiałyśmy się zająć pracą.

– Z dostępnych danych wynika, że masz status wykonującej zawód matki na pełnym etacie.

– Zgadza się i jest mi to potrzebne. – Rachel rzuciła Eve ponure spojrzenie. – Możecie mnie zaraportować do urzędu zatrudnienia, jeśli taka wasza wola, ale raz w tygodniu razem z Uną sprzątamy wszystkie części wspólne naszego bloku mieszkalnego, za co obniżają nam nieco czynsz. Oczywiście robimy to na czarno. Dostaję również małe kwoty od Uny za opiekę nad jej słodkim synkiem Samem. Tego również nie wpisuję do rozliczeń podatkowych.

– Z tego, co mówisz, wynika, że jesteś kobietą przedsiębiorczą – stwierdził Roarke i został za to obdarzony uśmiechem.

– Jestem wdową z dorastającym szybko synem. Muszę być przedsiębiorcza.

– Dlaczego dołączyłaś do grupy wsparcia? – spytała Eve.

Rachel odetchnęła głęboko.

– Musiałam. No dobra, powiem... Zarządzałam kiedyś małym biurem, ale zrezygnowałam po urodzeniu Jonaha. Oboje z Chazem chcieliśmy poświęcać mu cały swój czas przez pierwsze lata jego życia. Chaz przykła-

dał się do tego o wiele bardziej niż ja. Zaczęłam przemyśliwać nad tym, żeby choć na część etatu wrócić do pracy, kiedy ten zjarany ćpun, skurwysyn jeden, zabił mojego męża. – W tym momencie Una przysiadła się bliżej do przyjaciółki i otoczyła ją ramieniem. Rachel kontynuowała swoją opowieść. – Zostałam więc przy statusie matki zawodowej, póki Jonah nie zaczął uczęszczać do szkoły, i wówczas zatrudniłam się jako kierowniczka biura w małej rodzinnej firmie, prowadzonej przez ojca i syna. Było to biuro podróży pośredniczące w sprzedaży pobytów w luksusowych hotelach oraz domach na całym świecie. Godziny pracy bardzo mi odpowiadały, płaca była dość przyzwoita, czasami wpadał dodatkowy bonus. Mogłam odprowadzić Jonaha do szkoły, przechodziłam kilka przecznic i już byłam w pracy. Miałam przyjaciółkę, która odbierała go ze szkoły razem ze swoim dzieckiem, a potem zabierała do siebie do domu. Wszystko w pobliżu, więc biegłam po niego od razu po pracy, około siedemnastej. Razem jedliśmy późny obiad. Mogłam spędzać wieczory z moim dzieckiem. Było idealnie.
– Dopóki?
– Dopóki ojciec, szef firmy, nie wyjechał na parę dni w podróż służbową, żeby sprawdzić i ocenić kilka nowych nieruchomości. Synalek pozostał wówczas na miejscu. Zamknął biuro na cztery spusty. Nie zauważyłam, kiedy to zrobił. Niczego nie zauważyłam, dopóki nie zaczął się do mnie przystawiać. „A teraz się zabawimy co nieco", tak się dokładnie wyraził. Na czym niby miała polegać ta zabawa? Przycisnął mnie do ściany, złapał za cycki i próbował zedrzeć ze mnie ubranie. Na początku byłam w takim szoku, że tylko go prosi-

łam, żeby przestał, i starałam się odpychać jego dłonie. W końcu się wściekłam, tak naprawdę się wściekłam, i przywaliłam mu kolanem w jaja, tak jak uczył mnie mój tatko. Po raz pierwszy w życiu przydał mi się ten wyuczony ruch, ale zadziałało.

– Nieźle! – pochwalił ją Roarke.

– Mhm, jasne. Wściekłam się i zaczęłam się na niego drzeć, straszyć, że złożę pozew, że pójdę z tym na policję, a on tylko się śmiał. Powiedział, żebym to zrobiła, a i tak nikt mi nie uwierzy. Mówił, że jego ojciec jest właścicielem firmy i na pewno w policji dadzą wiarę jemu, a mnie wyrzucą na zbity pysk i nie dadzą żadnych referencji. Plótł coś w ten deseń. Chłopak jest bogaty, zepsuty, przystojny, ma żonę i dziecko. Oznajmił mi, żebym lepiej zachowała się rozsądnie, położyła grzecznie na plecach i udawała, że mi się podoba, bo bez względu na wszystko i tak mnie przeleci. – Zamilkła na chwilę. – Widziałam, że nie kłamie. Mam dziecko, o którym zawsze muszę pamiętać, więc złapałam naprędce swoje rzeczy i wyszłam. Wystąpiłam o przyznanie mi statusu matki na pełen etat. Nie uświadamiałam sobie, jak bardzo mną to wstrząsnęło, póki nie przyłapałam się na szukaniu wymówek, żeby tylko nigdzie nie wychodzić z domu, a kiedy już nie miałam innego wyjścia, bez przerwy oglądałam się przez ramię. To było okropne.

Kiedy Una poczęstowała ją wodą gazowaną, Rachel wzięła szklankę.

– Dziękuję! – Upiła nieco i odetchnęła. – Kiedy któregoś dnia zobaczyłam ulotkę reklamową grupy wsparcia dla skrzywdzonych kobiet, pomyślałam sobie, że może jest to dla mnie jakieś rozwiązanie. Przynajmniej będę mogła o tym porozmawiać. Nie było mnie stać na wizytę u psychologa, ale ta grupa była darmowa. Pomogła mi dojść do siebie. Bardzo mi pomogła. Niektóre z kobiet, a właściwie większość, miały o wiele, wiele gorsze przeżycia niż ja, a co więcej: słuchały i obchodziło je to, co mówię. Nawet teraz chodzę tam jeszcze od czasu do czasu. Dla tych, które szukają kogokolwiek, kto je wysłucha, kogoś, kto wyciągnie do nich pomocną dłoń, to idealne rozwiązanie. – Upiła łyk wody. – Może kiedyś się zbiorę i poszukam znów pracy w biurze, ale na razie jest mi jeszcze zbyt trudno odpowiadać na pytanie, dlaczego tak szybko rzuciłam poprzednią pracę, a na pewno takie pytanie padnie podczas rekrutacji.

Roarke wyciągnął z kieszeni wizytownik i wyjął z niego jeden kartonik.

– Skontaktuj się, proszę, ze mną, kiedy już będziesz gotowa podjąć tę pracę w biurze – powiedział.

Rachel spojrzała na wizytówkę i zrobiła wielkie oczy.

– To jakieś żarty? – wykrztusiła.

– Ani trochę. Cenię silne kobiety, które potrafią słuchać i wiedzą, jak zadbać o innych. Ożeniłem się z jedną z nich – wyjaśnił.

Wciąż wpatrzona w wizytówkę Rachel kręciła z niedowierzaniem głową.

– Co za dziwny wieczór. Czy ty wiesz, Uno, kto to jest?

– Policyjny psycholog.

– A skąd! To ten cholernik Roarke! – wypaliła. Kiedy przyjaciółka wpatrywała się w nią niczego nierozumiejącym wzrokiem, Rachel potrząsnęła głową i się roześmiała. – Una jest nieco oderwana od rzeczywistości. Najpierw musiała się pozbyć tego dupka, za którego wyszła za mąż, a teraz tylko praca, studia i wychowywanie dziecka – wytłumaczyła ją przed Eve i jej mężem, a potem zwróciła się znów do Uny: – Wyjaśnię ci później.

– Dołączyłaś do grupy z powodu tego dupka, którego się pozbyłaś? – Eve zadała pytanie Unie.

– Często mnie bił, bez przerwy popychał i dawał kuksańce, a poza tym wciąż zmuszał do uprawiania seksu.

– Wypowiedz wreszcie na głos to słowo, Uno! – Rachel poklepała ją po przedramieniu. – Wykrztuś to wreszcie z siebie.

– Gwałcił. – Una najpierw zrobiła głęboki wdech, a potem powoli wypuściła powietrze. – Tłukł mnie i gwałcił za każdym razem, kiedy się upił lub kiedy naszła go ochota. Przez długi czas obawiałam się mu przeciwstawić. Zawsze się bałam. Jeszcze bardziej się bałam o Sama, bo zaczął mi opowiadać, co mu zrobi, albo że mi go zabierze i nigdy więcej go nie zobaczę. Raz nawet wylądował za to w więzieniu, ale tylko na krótki czas. Po wyjściu na wolność zrobił się jeszcze gorszy. Zawsze nas znajdował. Potem, tak jak i Rachel, usłyszałam o grupie. Na pierwszym i drugim spotkaniu w ogóle się nie odzywałam. Nikt tam nikogo do niczego nie zmusza. W końcu opowiedziałam o nim. Natalia mi pomogła i zamieszkaliśmy z Samem w schronisku, gdzie było naprawdę bezpiecznie. Dostałam rozwód, a potem przestało mu na nas zależeć. Sama nie wiem dlaczego.

– Arlo nie płaci alimentów – wyjaśniła Rachel. – Ma zasądzone, ale nie płaci, a Una tego nie zgłasza.

– Zostawił nas w spokoju – powiedziała Una. – Mnie to wystarczy. Któregoś dnia Rachel poinformowała mnie, że zwalnia się to mieszkanie. Oszczędzałam, lecz na wynajęcie nie wystarczało. Wtedy pomogła mi Darla. Powiedziała tylko, że któregoś dnia ja pomogę komuś innemu. Może Arlo nie wie, gdzie teraz jesteśmy. Może wie, lecz mu na tym nie zależy. Mimo to strach przed nim pozostaje.

– Opowiadacie sobie o tym wszystkim na sesjach grupy?

– Pewnie, że tak. – Rachel wzruszyła ramionami. – Przecież właśnie to mają na celu owe spotkania.

– Czy mówicie z nazwiska o mężczyznach, którzy was skrzywdzili? Może o ich firmach? Czy wymieniacie nazwiska byłych mężów?

– Zdarza się. Zaczynasz się nakręcać i samo się wymyka. Ja prawdopodobnie powiedziałam coś w rodzaju „ten dupek Tyler..." albo „James Tyler jest dupkiem". Wiem, że Una miała z Natalią indywidualne sesje terapeutyczne, by przestała żyć w ciągłym strachu, że Arlo coś jej zrobi. Bo to jest tak, że musisz... hmm... musisz nazwać po imieniu to, czego się boisz, żeby oswoić strach. Na pewno to wiecie.

– Tak. Muszę przeprowadzić rozmowy i z innymi kobietami z grupy. Potrzebuję ich pełnych danych: imion i nazwisk.

– Może i znam kilka, lecz nie widzę... – Rachel przerwała nagle, a po chwili oczy nieomal wyszły jej z orbit. – O mój Boże!

– Rachel! Przecież nie możemy zdradzać poufnych danych. – Una była zdecydowanie przeciw.

– Jezu, Una! Nie widzisz, dokąd to wszystko zmierza? O mój Boże! Sądzicie, że ktoś z naszej grupy to robi... że zabija facetów, którzy się nad nami znęcali? Morduje ich? – Stanęła przed Uną twarzą w twarz i chwyciła ją mocno za przedramię. – To czyni z nas osoby podejrzane, Uno. Ktokolwiek to robi, jako uczestniczki zajęć w grupie stajemy się osobami powiązanymi z tymi morderstwami, a tego byśmy nie chciały. Uno! Obie mamy synów. Obie staramy się żyć tak, żeby nasze dzieci mogły być z nas dumne, żeby mogły na nas polegać. Musimy się od tego odciąć!

– Nikt z grupy nie mógłby zrobić czegoś podobnego! – upierała się Una.

– Więc podajcie mi ich nazwiska – powiedziała Eve. – A my wszystko sprawdzimy.

*

Kiedy wyszli z budynku, Eve miała trzy następne nazwiska, a także mniej więcej czwarte. Mniej więcej, ponieważ Rachel i Una nie wiedziały dokładnie, czy nazywała się ona Sasha Collins czy Cullins. Obie były zgodne co do tego, że dołączyła ostatnio po napaści na nią jej byłego chłopaka oraz że miała około trzydziestu lat.

– No i jak? Jedziemy przeprowadzić kolejną rozmowę? – spytał Roarke.

Eve już z nosem w komputerze, zajęta poszukiwaniem Sashy Collins lub też Cullins, pokręciła przecząco głową.

– Zamierzam ustawić przesłuchania na jutro w komendzie głównej. Zaproszę je do nas.

Pracowała wciąż, kiedy wyszli z windy.

– Znalazłam Sashę Cullins, kobieta sześć tygodni temu na policji złożyła zeznania obciążające niejakiego Granta Flicka za czynną napaść. Uznano go za winnego, bo rzucił się na nią z pięściami w obecności świadków przed budynkiem wielorodzinnym, w którym mieszkała. Obecnie odsiaduje wyrok. – Zamknęła komputer. – Pozostałe kontakty znajdę w domu i poproszę Peabody, żeby umówiła spotkania.

– Chyba teraz... – zaczął Roarke, kiedy przeszli przez niewielki hol wejściowy budynku i znaleźli się na zewnątrz – ...teraz, kiedy masz już kilka nazwisk, szanse na zidentyfikowanie wszystkich uczestniczek zajęć w grupie wsparcia znacznie się zwiększyły.

– To prawda. Mieliśmy szczęście z tymi dwiema. Szczególnie Fassley jest bardzo towarzyską osobą i teraz chodzi na sesje głównie po to, by pomagać innym kobietom i oferować im swoje wsparcie. Dlatego też z kilkoma z nich trzyma się bliżej. Zaprzyjaźniły się z Ruzaki, są sąsiadkami, a nawet razem pracują. Rozmawiają ze sobą i dzielą się różnymi informacjami. Dzięki temu mamy więcej nazwisk.

– Znajdziesz jedną, która zna następną i tak dalej, i tak dalej.

– Wymarzony scenariusz. – Eve westchnęła. Podniosła wzrok na męża idącego obok niej. – Naprawdę masz zamiar ją zatrudnić? Tę Fassley?

– Jeśli przejdzie weryfikację oraz test kompetencji... Uważam, że jej się uda i z jednym, i z drugim. Ma charakter, a ja to cenię. Czy byłaby pani tak miła, pani porucznik, i zajęła się bliżej tym Jamesem Tylerem?

– O ile nie skończy w kostnicy, zanim zamknę tę sprawę, to tak. Jeśli rzucił się na nią z pięściami, równie dobrze może zaatakować inną kobietę. Może sięgnę po kogoś z sekcji specjalnej, żeby zajął się obserwacją typa.

– Obawiasz się, że kolejny trupasz wyląduje na stole sekcyjnym – bardziej stwierdził, niż spytał.

Eve rozejrzała się wokół, popatrzyła na ulicę, na chodnik, na ludzi idących spokojnie lub pędzących w popłochu przed siebie.

– Byłoby szaleństwem podejmować dziś w nocy ryzyko zaatakowania kolejnej namierzonej ofiary, lecz szalone postępki to jej specjalność. Niezależnie od tego, jak mocno skłaniałabym się ku Darli Pettigrew, nie mam wystarczających dowodów jej winy. Cholera! Właściwie nic na nią nie mam. Nie mam niczego, co usprawiedliwiałoby wystąpienie o wydanie prawomocnego nakazu przeszukania jej domu. Nie mogę się nawet do czegokolwiek przyczepić, tak żeby wszcząć jego obserwację.

– W zasadzie każda kobieta z grupy ma tę samą motywację.

– Więc muszę szukać dalej.

– Na pewno coś znajdziesz – rzekł, kiedy doszli do parkingu. Wsiadł do samochodu i zerknął przelotnie na żonę. – Wiesz, że musisz, więc na pewno w końcu do czegoś się dokopiesz, kierując się swoim niezawodnym instynktem. Pracujesz teraz nad zidentyfikowaniem i przesłuchaniem wszystkich kobiet, które ostatnimi czasy brały udział w sesjach terapeutycznych tej grupy.

– To podstawy pracy każdego policjanta.

– Może i tak. – Wjeżdżał ślicznym, nowym autkiem na coraz wyższe kondygnacje podziemnego parkingu. – Kiedy to robisz, eliminujesz je po kolei. Dziś wykreśliłaś dwie kobiety ze swojej listy. Wiedziałaś, że nie kryją się nawzajem – dodał.

– Nie jest to niemożliwe, choć mało prawdopodobne. Żadna z nich nie ma ani samochodu, ani ważnego prawa jazdy. Zresztą nigdy nie miała. Obie mają małe dzieci i łatwo byłoby sprawdzić, czy najęły kogoś do opieki nad dzieckiem, gdyby chciały wyjść z domu i popełnić w tym czasie jakiś czyn karalny. I obie też nie pasują posturą do opisu świadków. W tym budynku nie znaleźliśmy też odizolowanego, niedostępnego dla innych pomieszczenia, w którym można by było kogoś niezauważenie torturować przez kilka godzin. Nawet gdyby miały dostęp do takiego miejsca, zaraz by ktoś przyszedł sprawdzić, co się tam dzieje.

– A poza tym uważasz, że to działanie pojedynczej osoby.

– Takie mam przeczucie. Nie sądzę, żeby zabójczyni bez żadnego powodu podpisywała swoje wiersze Lady Justice. Lady to zdecydowanie liczba pojedyncza. Tak po prostu widzi siebie. Jako tę, która wymierza sprawiedliwość.

– Tu przyznam ci rację. Widzi siebie jako karzącą rękę sprawiedliwości, ale przy okazji prawdziwą damę.

Eve poruszyła się niespokojnie i ściągnęła brwi.

– Tej drugiej opcji nie brałam pod uwagę. To znaczy tego, że postrzega siebie jako damę. Widzi w sobie nie tylko zwyczajną kobietę. Może i tak. Może to część gry albo też cząstka jej samej. Bo ja na przykład… Mnie drażni to jak cholera, kiedy ktoś zwróci się do mnie per *lady*, jej jednak najwyraźniej się to podoba.

– Zdefiniuj pojęcie *lady*-damy – podsunął jej.

– Delikutaśny mięczak płci żeńskiej.

Wybuchnął śmiechem, chwycił Eve za dłoń i uniósł ją do ust.

– Ach, moja ty damo! Zawsze nią będziesz, teraz i na wieki, *my lady*!

– To mnie wcale nie rajcuje. Dawaj, teraz ty: poproszę twoją definicję *lady*, ale pomijając wszelkie uprzejmości panujące w małżeństwie.

– Generalizując, powiadasz? Kobieta o nienagannych manierach, dobrze wychowana...

– To mnie całkowicie eliminuje.

Przekręcił się w jej stronę.

– To może również oznaczać kobietę z wysoką rangą, oczywiście, a to w świecie policji jak najbardziej obejmuje i ciebie. *Lady* to również kobieta wspaniałomyślna, hojna, troszcząca się o naturę.

– W takiej sytuacji dwa do trzech dla mnie.

– Najdroższa Eve! Nikt nie ośmieliłby nazwać cię kobietą o nienagannych manierach czy dobrze wychowaną, a to eliminuje dwa z trzech. Twoja zabójczyni może widzieć w sobie którąś z części tego opisu, a może i wszystkie równocześnie. Może też podobać się jej sam tytuł.

Być może Roarke odebrałby to jako obelgę, lecz wyciągał wnioski jak policjant. Jak rasowy policjant. Jednak skoro mogło to być dla niego określenie niestrawne, Eve nawet o tym nie wspomniała.

– Mhm. W tym właśnie sęk! Dobrze kombinujesz – pochwaliła go tylko. – Zupełnie jak bohaterzy komiksowi z serii *Justice Warriors*, wojownicy sprawiedliwości. Nie jest u nich ważna płeć. Wszyscy są równie wspaniali i niezwyciężeni. A nasza zabójczyni jest dumna z tego, że jest tą... no wiesz... *lady*.

– Ach! No i masz świetny punkt odniesienia. Prowadzi cię z powrotem prosto do grupy Kobiety Kobietom. Nie uważasz?

– Tak właśnie to widzę. – Kiedy przejechali przez

bramę ich posiadłości, zaczęła się uważnie przyglądać domowi. – A *lady* z penisem? Jak to by było? – spytała nagle ni z gruszki, ni z pietruszki.

– Zapewne pozostawałaby w ciągłym konflikcie ze sobą.

– Źle sformułowałam pytanie. Chodziło mi o pana *lady*, taką męską wersję *lady*.

– Jeśli podążam w dobrą stronę za twoim pokrętnym rozumowaniem: przypuszczam, że pytasz o lorda.

– Tak, to mogłoby do ciebie pasować.

– Wolę jednak nie być uważany za *lady* z penisem, jeśli według ciebie to żadna różnica.

– Zapomnij o tej części moich rozważań.

– Z największą przyjemnością – rzekł Roarke.

– Lordowie zajmują się zarządzaniem swoimi włościami. Lord to bardzo mocne pozytywne określenie. Lady natomiast to dla mnie... przepraszam, że wrócę do tego epitetu, ale jednak mięczak płci żeńskiej. Oczywiście nasza zabójczyni nie bierze tego pod uwagę. Dla niej to określenie, z którego może być dumna.

– Zatoczyłaś koło i wracasz ponownie do Darli Pettigrew.

Owszem – pomyślała, ale zaczęła się zastanawiać, jak on to widzi.

– Dlaczego akurat to przyszło ci do głowy? – spytała.

– Cóż... Kobieta o nienagannych manierach, dobrze wychowana. Można jej nawet nadać pewną rangę ważności jako wnuczce legendarnej gwiazdy kina. *Lady*, która okazuje się na tyle troskliwa, że zaczyna pomagać koleżankom z grupy wsparcia.

O tak! Wyciąga wnioski jak rasowy policjant – zauważyła Eve.

– To jednak zależy od tego, czy to ona postrzega siebie w ten sposób, prawda? – spytała.

Kiedy zaparkował, wysiadła z samochodu i razem podeszli do drzwi domu.

– Zamierzam wycisnąć z nich te nazwiska i nadać bieg sprawie. Czy byłbyś zainteresowany pogrzebaniem w czyichś interesach biznesowych?

– To moja ulubiona zabawa.

– Obie kobiety: i Eloise, i Darla, mają uprawnienia do prowadzenia samochodów. Żaden z pojazdów zarejestrowanych na Eloise nie pasuje do opisu ani tego spod klubu, ani tego spod domu Pettigrewa. Na Darlę nie ma zarejestrowanych obecnie żadnych aut: ani na jej nazwisko po mężu, ani na nazwisko rodowe. Może jednak utworzyła sobie kilka wirtualnych tożsamości, założyła im konta i zarejestrowała samochód na którejś z fałszywych nazwisk? – Zdjęła płaszcz z ramion i rzuciła go na słupek poręczy przy schodach. – Piszesz się na to?

– Będę wniebowzięty, jednakże…

– Jednakże co?

– Mam pewne zastrzeżenie. – Wziął ją za rękę, gdy szli na górę. – Przez dwie ostatnie noce spałaś tylko parę godzin. Masz potwierdzone nazwiska, poleciłaś Peabody zorganizować przesłuchania. Będę miał nad tym pieczę.

– A gdzie tu zastrzeżenie?

– Żadnej kawy. Pracujesz dwie godziny, a potem kładziesz się do łóżka i migiem zasypiasz.

– Jak mam pracować bez kawy? – jęknęła Eve.

Klepnął żonę w pośladek.

– Posiłkuj się siłą wewnętrzną – doradził.

*

Gdy Eve zajęta była pracą, Roarke zaś łamaniem zabezpieczeń, Arlo Kagen zasiadał na tym samym co zawsze stołku barowym, w tym samym co zawsze barze, nad takim samym jak co dzień kuflem piwa, zapijanym dla wzmocnienia efektu szklaneczką whisky.

Prawdę mówiąc, był to trzeci z rzędu kufel piwa tego wieczoru, zaprawiony łyskaczem. Knajpa, zwykła speluna, nosiła stosowną nazwę: Czarna Dziura. Serwowano tu tanie tłuste żarcie, które dawało się przełknąć jedynie z alkoholową popitką.

Arlo właśnie skończył jeść swojego burgera o zagadkowym nadzieniu, zagryzając go wiotkimi sojowymi frytkami. Klął przy tym na czym świat stoi, zmuszony do oglądania na wielkim ekranie telewizora meczu drużyny Jankesów z Red Soxami.

Pojęcia nie miał o zasadach gry w baseball, uważał, że grają w to same cipy, lecz barman stanowczo odmówił przełączenia na mecz futbolu amerykańskiego, odbywający się na Arena Ball.

Sączył piwo, rozważając, czy nie zamówić przypadkiem nachosów na zagrychę, kiedy zauważył wchodzącą do baru kobietę.

Wyglądała mu na pierwszą lepszą ulicznicę, ubrana w kusą spódniczkę ledwie osłaniającą krocze, pończochy-kabaretki oraz obcisły sweterek. Tak obcisły, że połowa jej cycków – zresztą całkiem apetycznie się prezentujących – wylewała się na zewnątrz.

Miała na głowie gęstą szopę fioletowych włosów, zgarniętych na jedną stronę tak, by zasłaniały połowę twarzy. Starała się ukryć w ten sposób ohydną bliznę po rozcięciu prawego policzka od góry do dołu.

Widok niespecjalnie interesujący od szyi w górę – pomyślał. – Za to od szyi w dół: miodzio!

W mniemaniu Arla twarz kobiety niewiele znaczyła, skoro interesował ich oboje tylko seks.

Może by się i zdecydował na szybki numerek, gdyby cena była przystępna.

Usiadła na stołku obok niego i zamówiła skrzeczącym głosem piwo.

Wyglądała na tanią dziwkę, a tani lodzik odpowiadał mu o wiele bardziej niż cipowata gra w piłkę, dał więc barmanowi znak.

– Dopisz do mojego rachunku.

Popatrzyła na Arla z wdzięcznością piwnymi oczami spod fioletowej grzywy.

– Dzięki, przystojniaku! – zaskrzeczała.

– Nie ma za co. Nie widywałem cię tu wcześniej.

– Jestem tu nowa. Wpadłam chwilę odetchnąć. Leniwy wieczór. – Upiła mały łyczek trunku z postawionego przed nią kufla i zaczęła z nim flirtować. – Często tutaj przychodzisz?

– Spędzam tu większość wieczorów.

– Myślę, że będę tu częściej zaglądać teraz, kiedy wiem, że ty się tu kręcisz. – Pociągnęła znów mały łyczek piwa. – Może chciałbyś się zabawić?

– Czemu nie. Ile bierzesz za numerek?

Uśmiechnęła się do niego rozkosznie, przechyliła głowę na bok, postukała palcem w kufel i powiedziała:

– Najniższą cenę już zapłaciłeś. – Upiła łyk, wyciągnęła rękę i złapała go za krocze. – Chcesz więcej, to dopij swoje piwo. – Przysunęła się do niego tak blisko, że poczuł jej oddech. Jego wzrok spoczął na jej biuście. Nie zauważył, kiedy szybkim ruchem wlała zawartość ampułki do jego kufla. – Potem będziemy mogli wyjść i odpracuję postawione piwo.

To o wiele ciekawsze niż jakieś głupie latanie za piłką, zdecydował. Dopił duszkiem i odstawił kufel.

– Chodźmy! – powiedział.

Wyszli razem. On z dłonią na jej pośladku. Ona z dłonią w swojej małej torebce, gdzie ukryła niewielkiego pilota. Przywołała nim niepostrzeżenie droida oraz prowadzony przez niego samochód.

Wkrótce, zanim doszli do pierwszej przecznicy, Arlo zaczął się słaniać na nogach. Widząc to, parsknęła śmiechem, następnie podtrzymała go i zaprowadziła do zaparkowanego samochodu.

– Przejedźmy się kawałek, olbrzymie.

– Już ja cię zaraz przejadę! – wybełkotał. – Przerżnę cię, że hej, suko!

Nim zdążyła podać mu drugą dawkę, stracił przytomność. Zdecydowała, że dobrego nigdy za wiele, ścisnęła mu więc nozdrza, odchyliła głowę do tyłu i wlała środek odurzający prosto do gardła.

Zadowolona z siebie rozsiadła się wygodnie na tylnym siedzeniu, tak by zachować jak najwięcej energii na clou programu.

16

Dręczyły ją koszmarne sny, męczył ją widok kłębiącej się jak obłok mgły, prześlizgującej się jęzorami tuż nad powierzchnią morza wyczerpania. W owych snach słyszała okrzyki torturowanych. Narastające wciąż przeraźliwe wrzaski dochodziły zza szerokich, czarnych wrót. Wiedziała, że do jej obowiązków należy ich sforsowanie, toteż szarpała się z nimi ile sił, starając się znaleźć sposób ich otwarcia; krzyk torturowanych nieomal rozsadzał jej czaszkę.

Gdzieś za plecami, ponad nią lub wokół niej, rozbrzmiewał głos spokojny jak wiosenny wietrzyk:

– Dostali to, na co zasłużyli.

– Nie tobie o tym decydować! – krzyknęła Eve.

– A czemu nie? Kto niby ma o tym decydować? Ty?

– Ja na pewno nie! – Wyciągnęła pistolet z kabury, odbezpieczyła go i wystrzeliła prosto w drzwi. – Zdecyduje o tym wymiar sprawiedliwości zgodnie z obowiązującym prawem!

– A kto stoi za tym twoim prawem? Mężczyźni! – W tym ostatnim słowie brzmiała jawna pogarda. – A ty tańczysz, jak ci zagrają.

– Wciskaj te bzdury komuś innemu! – syknęła Eve i zaczęła iść wzdłuż śnieżnobiałej ściany, kontrastującej z czernią drzwi, w poszukiwaniu innego wejścia.

Rozdzierające krzyki nie ustawały.

– Bronisz ich, mimo że wiesz, kim są. Jesteś po ich stronie. Ja stoję po stronie kobiet, które oni wykorzystywali, nad którymi się znęcali. Staję po stronie ich ofiar – mówił głos.

Eve wciąż nie mogła znaleźć drugiego wejścia, nie mogła znaleźć sposobu na uciszenie rozdzierających bębenki krzyków.

– Ty głupia, przemądrzała suko! To przez ciebie się stali ofiarami! – Walnęła pięścią w ścianę, wzięła rozbieg i kopnęła w drzwi. Czarne przeciw białemu. Białe przeciw czarnemu.

– To ja niosę im sprawiedliwość. Cierpią, a potem ich męczarnie się kończą. Natomiast ich ofiary cierpią bez końca. Doskonale to wiesz! Jak możesz bronić tych typów? No jak, skoro wiesz, co oni im robili? No jak, skoro to samo zrobiono tobie?

– Och! Zamknij w końcu swoją wszawą mordę! – wściekła się Eve. Obróciła się wokół własnej osi, ogarnięta nagłą furią. Znalazła się w ciasnym, całkowicie pustym pomieszczeniu o białych ścianach z wąskimi, czarnymi drzwiami. – Odnajdę cię! – krzyknęła. – Powstrzymam cię! Wsadzę cię za kratki!

– Dlaczego ich los tak bardzo leży ci na sercu? – spytał rozsądnie głos dochodzący zewsząd. – Zostałaś zdradzona, wykorzystana, pobita, zgwałcona, złapana w pułapkę, byłaś zastraszana, nie miałaś znikąd pomocy. Wiesz, co musimy znosić, będąc kobietami. Wiesz, że mężczyźni nas wykorzystują. Wiesz, że oni żerują na nas, a mimo to zwracasz się przeciwko mnie? Ot tak? Robisz to, byle mnie powstrzymać w wymierzaniu sprawiedliwości. Czemu?

Ani wejść, ani wyjść – myślała Eve.

– Dlaczego? Dlatego, że jesteś chorą na umyśle sadystką – odrzekła. – Dlatego, że naginasz prawo, a ja złożyłam przysięgę, że będę go przestrzegać. Dlatego, żałosna namiastko kobiety, że jestem policjantką. Jestem cholerną, pieprzoną Eve Dallas! – Wyciągnęła odznakę. – Porucznik wydziału zabójstw nowojorskiej policji! Znajdę cię! Otworzę te wściekłe drzwi i cię odnajdę!

Tym razem, kiedy kopnęła drzwi z półobrotu, trzymając w dłoni odznakę, rozwarły się na oścież.

Krzyki nagle ustały. Zastąpił je natarczywy, powtarzający się pisk.

Wyrwana ze snu wymacała w ciemnościach policyjny komunikator.

– Szlag! Szlag! Szlag! Tu Dallas. Blokuję przekaz wideo.

– *Centrala do porucznik Dallas Eve. Raport patrolu dzielnicowych z ulicy Sto Siedemdziesiątej Dziewiątej Zachodniej numer pięćdziesiąt trzy. Martwy mężczyzna. Możliwe powiązania z obecnie prowadzonym dochodzeniem. Patrol pozostaje na miejscu.*

– Potwierdzam odbiór! Proszę wezwać na miejsce detektyw Delię Peabody. Niech towarzyszy jej detektyw Ian McNab. Ruszam na miejsce zdarzenia. Dallas. Bez odbioru.

Roarke przyniósł jej kubek kawy.

– Ja również tam podjadę. Będziesz miała dwóch technicznych z EDD – powiedział.

– To pewnie niewiele da. Przepraszam! – Uniosła

rękę, gestem nakazując mu milczenie, i wstała. – Nie myślałam, że to wszystko się tak potoczy. Ty już jesteś ubrany? Która to godzina?

– Dochodzi wpół do piątej. Jeśli pozwolisz mi dobrać ci strój na dzisiaj, zdążysz wziąć szybki prysznic.

– Zgadzam się. Dobrze. Dzięki! – Runęła do łazienki, podpinając po drodze włosy. – To na pewno były mąż Ruzaki. Pod tym adresem mieszkał. Sprawdzałam to akurat wczoraj wieczorem.

Tak więc – pomyślała Eve – muszę obudzić parę moich detektywów i wysłać ich do Ruzaki oraz Fassley, żeby je przesłuchali.

To też pewnie niewiele zmieni.

Kiedy wróciła do pokoju, ubranie, którego potrzebowała, leżało już na łóżku. Cienki sweterek w nieokreślonym kolorze pomiędzy szarością a niebieskim, ciemnoszare spodnie, buty w tym samym odcieniu oraz szara marynarka, przetykana nitkami takiego szaroniebieskiego koloru co sweter.

Eve popatrzyła na męża, na jego ciemny garnitur, perfekcyjnie zawiązany węzeł krawata.

– Jesteś ubrany jak na spotkanie biznesowe czy coś w tym rodzaju – rzekła.

– Ono może poczekać – odparł.

– Czego miało dotyczyć?

– To spotkanie? Hotelu willowego we Włoszech. Wszystko jest prawie dopięte.

– Och! – Zaczęła się ubierać, nie spuszczając wzroku z męża, który teraz, stanąwszy przed AutoChefem, rozważał, co by tu zjeść.

Pewnie coś, co da się zjeść w biegu – pomyślała. – Na pewno nie zgodzi się, żebym wyszła głodna.

– Muszę zamknąć tę sprawę... – mówiła gorączkowo. – Muszę zamknąć tę kobietę.

– Tak, musisz. No i na pewno to zrobisz – odrzekł z takim przekonaniem, że zrobiło się jej ciepło na sercu.

– Nie mogę pojąć, po prostu nie mogę, dlaczego kiedyś tak walczyłam, odrzucałam twoją pomoc, nie chciałam, byś wszedł w to, co robię ja.

Wybrał opcję z omletami kanapkowymi. Czuła zapach smażonego bekonu, na którym Roarke zaprogramował danie.

– Może ze względu na moją kryminalną przeszłość? – zasugerował w żartach.

Mimo że miało być śmiesznie, poczuła, jak emocje ściskają ją za gardło.

– Roarke... – szepnęła.

– Hmm? – Obejrzał się na żonę i zobaczył wyraz jej twarzy. – Co jest?

– Nawet jeśli się specjalnie nie starasz, świat dzięki tobie staje się lepszy. W sumie nie o to mi dokładnie chodziło. Mówiłam ci już wcześniej, że nigdy cię nie odepchnę, prawda? Ale mieści się w tym o wiele więcej. Wierz mi, bardzo się starałam, cholernie mocno, robić wszystko, żeby się nie stało to, co się jednak stało. A ponieważ się stało i wciąż tkwi we mnie jak zadra, bałam się brać tę sprawę. Wydawało mi się, że sobie świetnie z tym radzę, ale z pewnością by tak nie było, gdybyś się nie zaangażował, gdybyśmy nie siedzieli w tym razem.

– *A ghrá* – rzekł miękko, po czym podszedł do niej i dotknął jej twarzy. – Jestem w tym z tobą i będę we wszystkim. Czy ci się to podoba, czy nie.

– To akurat wiem! – Słowa Roarke'a rozśmieszyły ją.

Rozluźniła się. – Jak na przykład teraz. Za nic nie zjadłabym z własnej woli tego jajecznego paskudztwa, w którym... dobrze wiem, że jest szpinak. Ty jednak dopóty będziesz mi wiercił dziurę w brzuchu, dopóki tego nie zjem.

Sięgnęła po kanapkę i odgryzła kawałek.

– Widzisz? – Zajrzała do środka, a potem podsunęła mu pod nos. – Szpinak!

– Ach! Popatrz, popatrz, jak dobrze się znamy!

– O tak, tak! Muszę koniecznie zamknąć jak najszybciej tę sprawę – powiedziała, ubierając się. – Jak już to zrobię, może pojedziemy razem sprawdzić, jak się prezentuje na żywo ten hotel, o którym mówiłeś?

Milczał chwilę, dolewając im jeszcze po odrobinie kawy.

– Chcesz jechać do Włoch? – spytał w końcu.

O tak! Znamy się na wylot – pomyślała. – Tak dobrze, że usłyszałam w jego głosie zaskoczenie. Wyczułam je.

– Sprawa wygląda następująco... – rzekła. – No, okej. Są dwie sprawy. Po pierwsze, kiedy to zamknę, będę potrzebowała kilku dni odpoczynku. Muszę się zresetować, a we Włoszech na pewno to zadziała. Jeszcze kilka lat temu te słowa przez gardło by mi nie przeszły, a teraz mówię ci wprost: jasne, okej, we Włoszech to zadziała. Po drugie: wiem, że nie mogłeś poświęcić tej akurat sprawie tyle czasu, ile byś chciał. Teraz ty się przyłożysz, a ja się zresetuję. Potrzebuję kilku dni.

Uniósł w górę cztery palce.

Cholera! Jej serce znów przepełniła duma.

– Widzisz... – ciągnęła – ja wiem, że tobie się to uda, dlatego obstawiam trzy. Będziesz musiał pójść na kompromis. Trzy dni i zamykam sprawę.

– Dam radę i w trzy – odrzekł Roarke.

– Stoi! – Wzięła odznakę, telefon, komunikator i resztę drobiazgów, które zawsze nosiła w kieszeni. – Zamierzam pchnąć Baxtera i Truehearta na rozmowę do Ruzaki. Niech się upewnią, że ona i Fassley nie mają świeżej krwi na rękach, i tak dalej.

– Przez chwilę w to nie wierzyłaś.

– Zgadza się, ale teraz wiem, że ty zajmiesz się podstawami. – Mówiąc to, uśmiechnęła się do niego.

Zanim zdążyła ruszyć z miejsca, wziął do ręki napoczęty omlet.

– Zrobisz to, prawda? – spytał i również się uśmiechnął, wyciągając kanapkę w jej stronę.

Przewróciła oczami, lecz zjadła ją do końca, kiedy schodzili na dół po schodach. Skontaktowała się również z Baxterem i nadała bieg sprawie.

Kiedy wyszli oboje przed dom, uświadomiła sobie, że wiosna definitywnie skręciła kark zimie. Czuła, że powietrze stało się inne, miększe i bardziej delikatne.

Wsiadła do samochodu – tym razem swojego, nie do tego wymuskanego elegancika co poprzednio – i czekała, aż Roarke wprowadzi adres do nawigacji.

– Miałam męczący sen.

– Zauważyłem. Już chciałem cię wyciągnąć z jego otchłani, kiedy włączył się sygnał twojego komunikatora. Wyglądałaś nie tyle na zdenerwowaną, co na… wkurzoną.

– Bo byłam wkurzona.

Opowiedziała mu sen, podczas gdy on prowadził.

– …i wiesz… cała ta idiotyczna symbolika podświadomości, te czarno-białe obrazy. W mojej głowie wszystko jest albo czarne, albo białe.

– Absolutnie się nie zgadzam – powiedział Roarke. – Twój zakres postrzegania w skali szarości być może jest nieco ograniczony, przynajmniej z mojego punktu widzenia, ale jakąś tam skalą dysponujesz. To twoja zabójczyni widzi wszystko wyłącznie w czerni i bieli.

– Hm. Chyba bardziej mi się podoba twój punkt widzenia. – Uśmiechnęła się. – Dla tej kobiety mężczyzna to tylko obiekt seksualny, przedstawiciel gatunku, zło wcielone. Miałam już wcześniej podobne odczucia, ale teraz bardziej mi to wszystko pasuje do całości obrazu. Mogła zacząć od listy mężczyzn uzyskanej od kobiet z grupy wsparcia, lecz nie poprzestanie na niej. A teraz stała się już zabójczynią seryjną – dodała Eve. – Chce złowić w swe sidła tylu, ilu tylko da radę.

– Kobieta, która chce być postrzegana jako bohaterka – uzupełnił Roarke. – To według ciebie ma dla niej ogromne znaczenie, w innym wypadku nie śniłabyś o tym.

– Oczywiście, że według mnie ma to ogromne znaczenie. To, jak ona sama siebie postrzega, oraz to, jak chciałaby, by postrzegali ją inni.

Daleko było jeszcze do brzasku, za wcześnie na brzęczenie reklam dźwiękowych czy kopcące pojazdy, za wcześnie na wściekły harmider i korki. Nowy Jork zdawał się sennym, spokojnym miasteczkiem.

– Zapomniałam cię zapytać. Mavis mówiła, że spotkaliście się wczoraj z Jakiem w jakiejś sprawie.

– Tak, byłem u nich. Zgłosił się na ochotnika, żeby od czasu do czasu dawać lekcje w ośrodku An Didean. Będzie uczył muzyki, komponowania melodii. Członkowie jego zespołu również się w to zaangażowali.

– To... To naprawdę dobrze o nim świadczy. O nich również.

– Zgadza się. W końcu dobry z niego człowiek, z sercem na dłoni, lubi dawać wiele z siebie innym. Bardzo szybko udało mi się go namówić na współpracę.

Roarke zaparkował tuż za barierkami ochronnymi, którymi wygrodzono miejsce odnalezienia ciała. Wokół już zaczynali się gromadzić gapie, którym udało się zerwać z łóżek bladym świtem. Nigdy nie było zbyt wcześnie ani też zbyt późno – pomyślała Eve – żeby wygospodarować chwilę na poprzyglądanie się cudzej tragedii. Przypięła do piersi swoją policyjną odznakę, włączyła dyktafon i ruszyła szybkim krokiem, ignorując zgromadzony tłumek, w stronę barierek. Przekroczyła je, wypatrzyła pilnujący miejsca zdarzenia patrol dzielnicowych i poszła prosto ku nim.

– Proszę się zameldować! – rzuciła władczo.

– Keller i Andrew, pani porucznik.

– Jesteśmy tutaj z Briggiem Cohenem – wyjaśnił Keller, poklepując po ramieniu tęgiego, łysiejącego mężczyznę, stojącego pomiędzy nimi. – Brigg pracował kiedyś w policji. To on nas zawiadomił.

– Przeszedłem na emeryturę dziesięć lat temu, po dwudziestu latach na służbie – wyjaśnił Cohen. – Skończyłem z tym, zanim te żółtodzioby zaczęły pracę w policji. Mieszkam tutaj. – To mówiąc, pokazał gestem budynek za ich plecami. – Szesnaście lat.

– Proszę mi w takim razie pokrótce zrelacjonować, co pan wie.

– Pracuję jako ochroniarz na nocnej zmianie od dwudziestej do czwartej rano dla firmy Lisbon Corporation. Zakończyłem zmianę, zjadłem wczesne śniadanie tam, gdzie zawsze, i udałem się do domu. Zwłoki leżały tak, jak widzicie. Była godzina czwarta pięćdziesiąt osiem.

Może i był na emeryturze, ale składał raport profesjonalnie jak glina. Z korzyścią dla nas – pomyślała Eve.

– Wciąż śledzę zdarzenia w naszym mieście – kontynuował – więc od razu zauważyłem, że zginął podobnie jak dwóch poprzednich zamordowanych mężczyzn, o których słyszałem ostatnio. Nagi, pobity na miazgę, z odciętymi akcesoriami. No i ta kartka z wiadomością na jego ciele. Nikt nie raportował o żadnych wierszach, ale sądzę, że zechcecie to zatrzymać. Wiedziałem, że te żółtodzioby z nocnego patrolu pewnie kręcą się gdzieś w pobliżu i drapią z nudów po pośladkach, więc zgłosiłem zdarzenie na policję i warowałem tutaj, dopóki się nie przywlekli.

Słysząc to, Andrew przewróciła tylko oczami, a Keller wyszczerzył zęby w szerokim uśmiechu.

W tej samej chwili Eve dostrzegła Peabody i McNaba biegnących kłusem w ich stronę. Pokazała McNabowi na migi, żeby został z Roarkiem, a do siebie przywołała tylko Peabody.

– Ciało jest nieźle zmasakrowane – kontynuował Cohen – ale po jego budowie i po tym, co zostało z jego twarzy, mogę stwierdzić, że to dupek, który mieszkał po drugiej stronie korytarza na tym samym piętrze co ja. Nazywa się Kagen. Arlo Kagen. Wcale nie jestem zdziwiony, że tak skończył. To znany w okolicy moczymorda.

– Kiedy ostatni raz widział go pan żywego? – spytała Eve.

– Wczoraj wieczorem, kiedy szedłem do pracy. Musiało być około dziewiętnastej, bo jeszcze się zatrzymałem coś przekąsić po drodze. Wyszedł z domu o tej samej porze co ja. Najprawdopodobniej po to, żeby się upić jak co wieczór. Chodzi zwykle do baru Czarna Dziura, speluny znajdującej się kilka przecznic stąd.

– Czy zauważył pan kogoś obcego, kręcącego się po budynku lub w okolicy? Kogoś, kto wzbudziłby pańskie podejrzenia?

Mężczyzna pokręcił głową.

– Zazwyczaj śpię do punkt czternastej, a potem, przy dobrej pogodzie, wychodzę na krótki spacer po okolicy. Jest tu nieopodal studio tatuażu, fryzjer, kilka tanich jadłodajni. Mają stałych bywalców mieszkających po sąsiedzku, mniej więcej w dystansie krótkiego spaceru. Ja wychodzę do pracy codziennie o tej samej porze, więc się nie kręcę po ulicach zbyt często, a kiedy się już znajdę w domu, zwykle śpię.

– Okej, jestem wdzięczna za okazaną pomoc.

– Niewiele tego było. Znalazłem tylko ciało przed drzwiami budynku. Mam nadzieję, że szybko zamkniecie sprawę. Muszę już iść, chcę odespać noc. Wiecie, gdzie mnie szukać.

Eve odczekała, aż Cohen wejdzie do budynku, i spytała:

– Czy istnieje taka możliwość, żeby dotykał ciała i coś zmieniał w jego położeniu?

– Nie. Nawet jednej na milion – odrzekł Keller. – Brigg lubi się z nas nabijać, ale jest bardzo solidnym typem.

– Stary zramolały dziadek – dodała Andrew, lecz z wyczuwalną czułością. – Nie bez powodu ma reputację dobrego gliny. Pogadaliśmy sobie chwilę, kiedy czekaliśmy na was przy zwłokach.

– A więc dobrze. Możecie zacząć stukać do drzwi sąsiadów.

– Punktualnie o szóstej kończy się nasza zmiana. Czy mamy brać udział w dochodzeniu?

Eve skinęła głową na Kellera.

– Skontaktujcie się ze swoim dowódcą. Chciałabym mieć was do pomocy. Peabody! My idziemy zidentyfikować ciało. McNab i Roarke! Jeśli jesteście gotowi, zajmijcie się od razu nagraniami z monitoringu. W budynku jest zamontowana kamera przy wejściu. Sprawdźcie, czy działa.

Wzięła od Roarke'a swoją walizeczkę oględzinową, podeszła do ciała i przykucnęła obok, żeby zidentyfikować denata. Peabody przycupnęła obok niej.

– Nie sądziłam, że uderzy ponownie w tak krótkim odstępie czasu – powiedziała. – Było wiadomo, że namierzy następnego faceta, ale że załatwi trzech z rzędu, dzień po dniu?

– Jest zorientowana na cel i ma dobrą passę. A z dobrą passą nie pogadasz. Ofiara zostaje zidentyfikowana jako Kagen Arlo, wiek: trzydzieści jeden lat, zamieszkały pod tym samym adresem, gdzie odnaleziono zwłoki. Jak i u pozostałych dwóch ofiar, ciało nosi ślady bezlitosnego przypalania, jest mocno posiniaczone. Jego lewe przedramię zostało złamane, prawdopodobnie od mocnego uderzenia. Znajdź informacje o nim, Peabody. Sprawdź, czy nie był przypadkiem leworęczny. Na twarzy wiele poważnych ran: złamany nos, kilka wybitych zębów. Jego genitalia zostały odcięte i usunięte.

Nałożyła na nos mikrogogle i pochyliła się nad ciałem.

– Wygląda mi na to samo narzędzie zbrodni, ten sam typ, te same metody działania. Do potwierdzenia przez lekarza sądowego. Godzina śmierci: trzecia pięćdziesiąt sześć. Najbardziej prawdopodobna przyczyna śmierci: utrata krwi po amputacji zewnętrznych narządów płciowych. Do potwierdzenia przez lekarza sądowego.

Eve wyjęła torebkę ewidencyjną, włożyła do środka kartkę z wierszem, zamknęła ją i przeczytała przez przezroczyste opakowanie.

Pięściami swą żonę okładał,
Bólu i cierpień tyle jej zadał!
Mimo to ona dała mu dziecko do kochania,
Nadzieje porzuciła, bo końca nie było znęcania.
Na śmierć zasłużył i taki wyrok wydałam z radością;
Teraz matka i syn mogą cieszyć się wolnością.
Lady Justice

– Ona nie może się już zatrzymać – mruczała pod nosem Eve. – Świat, który stworzyła, oraz jej miejsce w nim są dla niej zbyt ważne.

To jej świat był czarno-biały.

– Denat był leworęczny – poinformowała Peabody. – Dlatego roztrzaskała mu lewą rękę. Zapewne zaczynał od lewej za każdym razem, kiedy tłukł żonę. Nie dzieje się tak zazwyczaj. To znaczy jest rzadziej spotykane – poprawiła się. – I wiesz co? To nie jest po prostu jakiś tam trzeci facet w kolejności. To trzeci z rzędu, który krzywdził lub zdradzał swoją małżonkę. Wszyscy oni mieli żony. Wprawdzie Pettigrew i Kagen byli po rozwodach, lecz popełnili swoje zbrodnie, jak ona to nazywa, w czasie trwania małżeństwa.

Eve w pierwszej chwili wydawała się zdziwiona słowami Peabody.

– Wiesz co? Masz rację – powiedziała po chwili

namysłu. – Ona załatwia facetów, którzy są lub byli wcześniej żonaci. Biorąc to pod uwagę, możemy zawęzić typowanie kolejnej ofiary. Doskonałe spostrzeżenie, Peabody. Teraz jednak musimy go obrócić... Chwila! – krzyknęła, słysząc, że ktoś niecierpliwie i natarczywie woła ją po imieniu. – Szlag! McNab! Pomóż Peabody go przekręcić i dokończcie robotę z ciałem. Skontaktuj się z ekipą czyścicieli i kostnicą. Muszę się teraz zająć czym innym.

– Powodzenia – szepnęła Peabody, widząc Eve zdążającą prosto do barierki, za którą stała Nadine Furst z wysuniętym do przodu podbródkiem.

Reporterka specjalizująca się w tematyce kryminalnej może i była prywatnie przyjaciółką Eve – i to nawet jej dobrą przyjaciółką – teraz jednak była równie uciążliwa jak uporczywy ból zęba.

Eve popatrzyła w głąb ulicy i skonstatowała, że Nadine przywlokła ze sobą swojego gwiazdora rocka. Jak zwykle luzacko niechlujny, z kruczoczarnymi włosami przewiązanymi błękitną przepaską, Jake stał obok Roarke'a. Gawędzili ze sobą radośnie, jakby sączyli cholerne martini przy jakimś wytwornym hotelowym barze.

– Dzwoniłam wczoraj do ciebie kilka razy – zaczęła Nadine.

– Byłam zajęta.

Kobieta zmrużyła swoje kocie zielone oczy.

– Nigdy nie jesteś na tyle zajęta, żeby nie móc wykorzystać mnie i mojej ekipy dochodzeniowej w prowadzonym śledztwie.

– Ja naprawdę byłam bardzo zajęta, Nadine, a ty nie powinnaś mi tego wypominać w obecnej sytuacji.

– Och, a czy ja robię coś podobnego?

– Nie, cholera by cię wzięła! Nie robisz. – Eve zaprosiła ją gestem za barierki rozgraniczające, po czym ujęła mocno za przedramię i odciągnęła na stronę, w pobliże narożnika budynku.

Jake obserwował je, huśtając się w tył i w przód na obcasach swoich steranych życiem buciorów.

– Myślisz, że dojdzie do rękoczynów? – spytał.

– Dziwne, ale zawsze na ich widok to samo przychodzi mi do głowy – rzekł Roarke.

– Nadine jest okropnie nabuzowana. Twoja policjantka na moje oko również. Bierzesz aktywny udział w wielu z tych... imprez?

– W zbyt wielu. Ty pierwszy raz?

– Taa. Miałem nagrywki w studio do rana. Pomyślałem: hej, skoczę do Nadine, obudzę ją, a ona już na nogach, ubrana, no i tak się tu znalazłem. – Jake był na tyle wysokim mężczyzną, że bez trudu mógł widzieć wszystko ponad głowami napierającego na barierki tłumu. – Nie łapię tego. Muszę przyznać, że nie łapię, po jakiego grzyba ktokolwiek chce się pchać do roboty tam, gdzie trzeba mieć do czynienia z czymś podobnym do leżącego na chodniku trupa. A obie nasze babki ciągnie do tego jak muchy do miodu. Jak dla mnie nie do pojęcia.

– Ta, która podrzuciła te zwłoki, wyobraża sobie, że jest wyrocznią prawa. Nie jest, natomiast obie nasze kobiety są, choć w nieco inny sposób.

Podczas gdy oni rozmawiali, ich kobiety pogrążyły się w zażartej kłótni.

– Chcę wywiadu na wyłączność, tu i teraz! – syknęła Nadine.

– Nie możesz tego ode mnie żądać – fuknęła Eve. – Nie masz nawet ze sobą kamery.

– Mogę ją mieć za dziesięć pieprzonych minut.
– Nadine, może udało ci się przypadkiem zauważyć tego martwego typa, który został tam, z tyłu?
– Zauważyłam martwego typa. Trzeci z serii podobnie urządzonych martwych facetów. Ustawiłam sobie w powiadomieniach, żeby dostać sygnał, kiedy ponownie znajdziesz nagiego, wykastrowanego, martwego faceta. Ciągle wodzisz media za nos, podczas gdy publika...
– Nie bierz mnie teraz pod włos i nie pieprz głupot o tym, co kto i o czym powinien wiedzieć. Trzy trupy w trzy dni. Czy ty myślisz, że pierdzimy w stołki, grając z nudów w madżonga albo inne karty?
– Sądzę, że nie wiesz nawet, co to takiego jest madżong i mogłabyś łaskawie oddzwonić do kogoś, kogo znasz i masz do niego zaufanie.
– Nie miałam ani chwili! – zawołała Eve, wyrzucając obie ręce w górę i ani na chwilę nie przerywając nerwowego dreptania w kółko. – Nie mam nawet czasu, żeby stać tutaj i się z tobą sprzeczać. Nie miałam, cholera, ani chwili, żeby wymieniać się z tobą poglądami. Musisz się stąd wycofać.
– Ja tylko wykonuję swoją pracę, a ty wykonujesz swoją – odszczeknęła się Nadine. – Doskonale wiesz, że mogę puścić w eter informacje, których mi udzielisz, i że to może pomóc. I w drugą stronę: bardzo dobrze wiesz, że zatrzymam przy sobie wszystko, co każesz mi zatrzymać.
– To nie o to chodzi, do kurwy nędzy! To nie to! Nie chodzi ani o ciebie, ani o sprawy pomiędzy mną a tobą. Czasami chodzi po prostu o samą pracę. O pojawiające się nagle ciała. O to, że nie masz już ani chwili na cokolwiek oprócz cholernej pracy – jęknęła Eve.

Nadine milczała dłuższą chwilę, chodząc w kółko po swoim kręgu.

– Okej, w porządku! – powiedziała w końcu, unosząc w górę palec wskazujący. – Oto co mam zamiar teraz zrobić: zamierzam zafundować wszystkim kawę! A potem wrócę tutaj z kamerą. Jeśli nie jesteś w stanie udzielić mi wywiadu ani wydać oświadczenia, mogę przeprowadzić rozmowę z Peabody lub z McNabem. Z trzema truposzczakami w trzy dni potrzebujesz wsparcia mediów, żeby zyskać poparcie publiki, bez względu na to, czy przyznasz mi rację, czy też nie.

Eve dobrze o tym wiedziała. Wcale jej się to nie podobało, lecz zdawała sobie z tego sprawę.

– Nie wiem, kiedy ja lub też detektywi zaangażowani w tę sprawę będziemy dostępni.

– Zaczekam.

Na pewno to zrobi – pomyślała Eve, a ponieważ każda z nich miała swoje racje, nieco odpuściła.

– Wybacz, ale nie pijam żadnej podrabianej kawy. Trzymam poziom. Skąd masz zamiar skombinować prawdziwą kawę?

– Mam swoje dojścia. Poza tym, gdy się jest autorką scenariusza, który został nagrodzony Oscarem…

– Dobra, dobra! Twoja stara śpiewka. Mów, skąd wytrząśniesz kawę.

– Akurat! – Rozdrażnienie i frustracja przerodziły się w kpiący uśmieszek samozadowolenia. – A poza tym autorką bestsellerów oraz prezenterką wiadomości z nagrodą Emmy, w dodatku z zajebistą gwiazdą rocka u boku. Spoko możemy skombinować prawdziwą.

– Żadnej kawy, żadnego nagrywania! To oznacza zerwanie umowy.

– Kawa będzie najprawdziwsza.

– Na razie zmiataj z mojego miejsca zbrodni. Przekaż przy okazji Roarke'owi, żeby tu przyszedł – powiedziała Eve, po czym odwróciła się na pięcie i ruszyła do Peabody i McNaba.

– McNab! Pójdziecie teraz z Roarkiem do budynku. Sprawdźcie nagrania z kamer przy wejściach do mieszkań. Zacznijcie od lokalu, w którym zamieszkiwał denat. – Zamilkła i ściągnęła brwi. – A to co?

Peabody uniosła wyżej torebkę ewidencyjną.

– Włos. Czarny włos. Na pewno nie zamordowanego: on ma ciemnobrązowe. Był wklejony w zaschniętą krew na łopatce ofiary. Mamy włos, Dallas!

– Jasny gwint! Dobra robota! Niezłe znalezisko! Ona robi się coraz bardziej nieuważna – mruknęła pod nosem. Odczuła ten zwrot w śledztwie dosłownie fizycznie: aż ją skręciło w dołku. – Wszyscy seryjni zabójcy z czasem robią się na ogół coraz mniej ostrożni.

– Karetka z kostnicy jest już w drodze – zaraportował McNab. – Ekipa czyścicieli również.

Następnie machnął ręką, przywołując gestem Roarke'a, i wskazał na budynek. Kiedy Eve się obejrzała, obaj już zmierzali w tamtą stronę. Roarke w swoim garniturze króla międzynarodowego biznesu, a obok niego McNab w miętowozielonych, workowatych spodniach o obniżonym kroku i lśniącej, żrąconiebieskiej marynarce – obaj wkroczyli do klatki schodowej budynku, w którym mieszkał zamordowany mężczyzna.

– Oznacz włos jako priorytetowy do zbadania przez Harvo – poleciła Eve.

– Już to zrobiłam – odrzekła Peabody. – Kiedy tylko pojawi się ekipa czyścicieli, zaraz kogoś z nim wyślę.

Wydaje mi się, że to włos z peruki, ale nawet wówczas nasza królowa włosów i wszelkich włókien na pewno go zidentyfikuje.

– Jasne. Wyznacz jednego z dzielnicowych do pilnowania ciała, póki nie przyjedzie karetka z kostnicy. My musimy przeszukać jego mieszkanie. Kiedy już skończymy, udzielisz Nadine wywiadu.

– Ja?! Przecież ona woli ciebie i...

– Mnie nie weźmie do kamery. Zdradzę jej więcej szczegółów na boku. Nikomu o nich nie wygada i pogrzebie głębiej tam, gdzie nam się nie udało. Może coś przeoczyliśmy.

– Okej! O jeżu kolczasty! Że też nie zrobiłam dzisiaj nic z twarzą!

– Twoja twarz to twoja twarz – oświadczyła enigmatycznie Eve, kiedy ruszyły w stronę budynku. – Musi się z nią żyć.

– Może się z nią żyć i czasem odrobinę ją poprawić. No więc... W sumie to niezbyt stosowna pora, żeby to mówić, ale to wspaniale, że Mavis i Leonardo będą mieli kolejne dziecko, prawda? Powiedziała nam o tym, kiedy akurat mieliśmy jakąś imprezkę po pracy. Leonardo spuchł z dumy i prawie unosił się nad ziemią.

– Oboje są w tym nieźli – potwierdziła Eve. – Są nieźli we wszystkim: w byciu parą, rodziną, a teraz zostali jeszcze niezłymi rodzicami.

Weszły do wielorodzinnego budynku denata. Klaustrofobiczny hol wejściowy klatki schodowej nie był ani trochę tak czysty jak w bloku, w którym mieszkała jego była żona. Unosiła się tu też nieco inna woń: raczej starego moczu niż sosny. Pozostawała jednak ochrona i porządny system monitoringu, policjantki miały więc nadzieję, że znajdą coś na nagraniach z kamery przy drzwiach.

Eve tym razem ominęła windę. Denat mieszkał na drugim piętrze.

– Mieliśmy szczęście z tym facetem, który zadzwonił na dziewięćset jedenaście – powiedziała Eve do Peabody, kiedy wchodziły po schodach. – Był kiedyś policjantem, a teraz pracuje jako ochroniarz na nocnej zmianie. Zapewnił ochronę miejsca odnalezienia ciała, nim przybył patrol dzielnicowych.

– Znam trochę Kellera i Andrew – odparła Peabody. – Wiem, że to solidna para.

– Mam podobne odczucia co do nich – zgodziła się Eve.

– Odnoszę wrażenie, że nasze karty wreszcie się odwróciły.

– Taa... Kagena karty również, tyle że w złą stronę. Wczoraj wieczorem rozmawiałam z jego byłą żoną. Mogło się tak zdarzyć, że w tym samym czasie dopadła go nasza zabójczyni. Kurwa mać! – Miała ochotę przejechać sobie paznokciami po twarzy, rwać włosy z głowy, wyć. Ledwo się powstrzymała. – Wyciągnęłam z łóżek Baxtera i Truehearta, żeby pilnowali jej oraz sąsiadki, z którą uczęszczały razem na spotkania w grupie wsparcia.

– Rachel Fassley. Czytałam twój raport. Mamy ich nazwiska, Dallas! Karta naprawdę się odwraca.

– Jeszcze trochę na to poczekamy – orzekła Eve, forsując zamki. Drzwi Kagena stanęły otworem.

Peabody obrzuciła spojrzeniem jednoprzestrzenne wnętrze: pokój z aneksem kuchennym, rozgrzebane łóżko z mocno nieświeżą pościelą, brudne ubrania porozrzucane po całym mieszkaniu, walające się puste butelki po piwie, sterta niepozmywanych naczyń w zlewie.

– Przeciętny chlew. – Policjantka westchnęła ciężko. – Dlaczego przeciętne chlewiki facetów cuchną starymi bąkami piwnymi i brudnymi skarpetami?

– Bo i to, i to znajduje tu schronienie. Weź się w garść, Peabody. Zróbmy to, co musimy zrobić. Potem pójdziemy obudzić tego, kto prowadzi miejscową spelunę, gdzie, jak twierdzi świadek mieszkający po sąsiedzku na tym samym piętrze, Kagen lubił spędzać wieczory przy piwie, którym potem smrodził tutaj.

– Świetnie. Co za magiczny sposób rozpoczęcia nowego dnia. – Peabody udała, że podwija rękawy. – Dobrze chociaż, że mieszkanie jest małe.

Ich praca nie stała się przez to ani odrobinę przyjemniejsza, lecz skończyły przeszukanie, zanim McNab i Roarke stanęli w progu mieszkania.

– Mam wszystko przegrane z monitoringu – powiedział McNab, unosząc w górę rękę z przenośnym dyskiem pamięci. – Mamy denata wychodzącego tuż po dziewiętnastej, samego, ubranego w brązową marynarkę, brązowe spodnie i tenisówki. Drugi mężczyzna wychodzi zaraz po nim i udaje się w przeciwnym kierunku.

– To nasz świadek – wyjaśniła mu Eve. – Były policjant, mieszka na końcu korytarza na tym samym piętrze. Jest czysty. Przeszukałyśmy już lokal. Nie ma tu telefonu stacjonarnego, nie znalazłyśmy też komórki. Musicie popracować z tym zabytkowym komputerem. Brak kryjówek, żadnych tropów czy poszlak, żadnych niedozwolonych substancji.

– Oraz braki w zachowaniu podstaw higieny, sądząc po wyglądzie wnętrza i unoszącym się tu aromacie – dodał Roarke. – Miejsce, w którym porzucono ciało, znajduje się poza zasięgiem oka kamery.

– Zabójczyni na pewno o tym wiedziała. Głupia nie jest. Robi niezłe rozeznanie. McNab, oznakuj komputer do zabrania do nas, jeśli ten złom w ogóle jest coś wart. Peabody, zejdź na dół i pogadaj z Nadine do kamery. Ma przywieźć nam kawę.

– Jakiego rodzaju kawę? – spytał McNab z błyskiem zainteresowania w oku.

– Dostaniecie każdy swoją, detektywie. Oznakuj komputer, a kiedy już ci go dowiozą na miejsce, pogrzeb w nim. – Spojrzała na Roarke'a. – Chyba powinieneś udać się do domu czy gdzie tam miałeś zaplanowane spotkanie. Tu na razie mamy z głowy.

– Mógłbym też napić się kawy.

– Na pewno i dla ciebie zostanie – mruknęła i wyszła razem z nim z mieszkania.

– Zadajesz sobie pytanie, czy mogłaś ocalić mu życie – zaczął Roarke, kiedy schodzili na dół. – Nie mogłaś. Wyszedł, nim skończyłaś przesłuchiwać jego byłą żonę, nim się dowiedziałaś, że istnieje. Nie, nie mogliśmy go ocalić. Nie będzie nam przez to lżej na sercu, lecz nie mogliśmy uratować mu życia.

Eve od razu podeszła do Nadine i Jake'a, oczekujących nieopodal, i wzięła czarną kawę, podaną przez przyjaciółkę.

– Poczęstuj się też ciastkiem – zaproponował jej towarzysz.

– Porządny z ciebie gość, Jake! – pochwaliła go Eve i wybrała donata z kremem.

– Każdy, kto zaczyna dzień jak wy, zasługuje na ciacho – odrzekł.

Eve zerknęła na Peabody i pokręciła głową z dezaprobatą, widząc, jak ta starannie szminkuje usta.

– Ej, Detektyw Buźka! – zwróciła się do niej. – O czym to mówiłyśmy przed chwilą?

– Niby o czym?... A, no tak! – Peabody uśmiechnęła lekko. – Nasz dzień się zaczyna, kiedy wasz się kończy.

– Jeezu! – Jake pokręcił głową. – Ach, te gliny!

Podczas gdy Peabody udzielała wywiadu, Eve odeszła na bok, żeby sprawdzić, co słychać u Baxtera.

– Czy to donat? – zdziwił się Baxter, kiedy jego twarz pojawiła się na wyświetlaczu komórki. – Skąd go wzięłaś? Masz więcej?

– Tak. Gwiazdor rocka zarządził. Nie. Melduj.

– Hę, szlag! Sam bym chętnie wciągnął ciacho. Kiedy przyjechaliśmy na miejsce, pani Ruzaki była u siebie na górze i karmiła swoje dziecko. Śliczny chłopaczek – dodał. – Oboje byli jeszcze w piżamach. Pani Fassley również już była na nogach i starała się wyciągnąć z łóżka swojego synka, żeby wcisnąć w niego śniadanie. Niezły z niego gagatek. Trueheart sprawdził nagrania monitoringu. Żadna z kobiet nie opuszczała miejsca zamieszkania po waszym wyjściu. – Baxter spojrzał znacząco w stronę drzwi, zza których dochodziły radosne pokrzykiwania dwójki dzieci. – On jest tam teraz razem z nimi, w mieszkaniu Ruzaki. Kobieta jest w szoku. Nie okazuje ani smutku, ani rozpaczy po śmierci byłego, jest jedynie zszokowana. No i oczywiście widać po niej trochę nerwów z powodu tego, że jest osobą podejrzaną w sprawie. – Policjant oparł się plecami o ścianę obok framugi drzwi. – Obie kobiety bez wahania zgodziły się udostępnić nam swoje telefony komórkowe, pozwoliły zajrzeć do komputerów i wszystkich swoich komunikatorów. Możemy je przejrzeć. W tym wypadku nie będzie to specjalnie skomplikowane, a zaoszczędzi ekipie technicznych fatygi.

– Zróbcie to i wyjaśnijcie wszystko do końca. Wprawdzie żadnej z nich o nic nie podejrzewam, ale zawsze staramy się wypełniać wszelkie luki w śledztwie.

– Mogę przekazać własną opinię?

– Jasne. Po to cię tam wysłałam.

– Te dwie kobiety są zbyt zajęte wychowywaniem dzieci i zarabianiem na czynsz najmu, żeby miały czas wysmażyć intrygę doprowadzającą do zamordowania trzech facetów.

– Taa... Mam to samo zdanie na ten temat. Wypełnijcie więc luki.

– Jesteś pewna, że nie ma już więcej donatów? – spytał jeszcze.

Wyłączyła się.

Przeniosła wzrok tam, gdzie Peabody wciąż rozmawiała z Nadine. Ściągnęła groźnie brwi, lecz w tej samej chwili podszedł do niej Roarke.

– Już kończą. Nieźle się sprawiła.

– To świetnie – mruknęła Eve. – Masz podwózkę?

– Przyznam, że umówiłem się już z naszym rockmanem. Zamierzam urządzić mu szybkie zwiedzanie ośrodka An Didean, zanim ja udam się do pracy, a on do łóżka. Nadine również jedzie prosto do pracy.

– Ona tylko na to czeka. – Eve nagle się zamyśliła.

– Nie rozumiem.

Chciała powiedzieć „Darla", ale zmieniła zdanie.

– Zabójczyni – wyjaśniła. – Będzie oglądać wiadomości, raporty, obserwować reakcje ludzi. Ona pragnie poklasku, choć odrobiny uwagi. Zawsze tego chciała.

Dlatego pisała te wiersze. Peabody! – zawołała partnerkę, kiedy zobaczyła, że zaczynają zwijać kamerę. – Do mnie! Natychmiast! Musimy jechać! Nie! – Tknęła palcem w jego pierś, zanim zdążył się pochylić i pocałować ją na pożegnanie. – Żadnych czułości na miejscu zbrodni!

Schwycił ją za palec i tylko uniósł brwi, widząc Nadine i Jake'a, żegnających się całkiem odważnym pocałunkiem.

– Ona nie jest gliną.

– No cóż, jeśli pocałowanie własnej żony jest zakazane, przynajmniej opiekuj się dobrze moją policjantką – powiedział Roarke i ucałował koniec jej palca, na co ona przewróciła oczami. – Zabójczyni pani nie przechytrzy, pani porucznik. Zostało jej niewiele czasu.

Kiedy odszedł, odwróciła się i zaczęła obserwować ekipę z kostnicy ładującą worek z ciałem do karetki. „Niewiele czasu" to był wciąż zbyt odległy termin.

Stwierdziła, że przejdzie się do baru na piechotę. W końcu to tylko kilka przecznic, a zaoszczędzi sobie kłopotów ze znajdowaniem miejsca do zaparkowania auta.

– Zanosi się na piękny dzień – oznajmiła Peabody i wystawiła twarz w stronę podmuchów lekkiego porannego wietrzyku.

– Powiedz to nieboszczykowi – burknęła Eve i wetknęła dłonie do kieszeni.

– No cóż. Jemu to akurat bez różnicy. Będzie martwy niezależnie od prognozy na dzisiaj.

– Taka prawda.

– A więc będzie piękny dzień. Ładna pogoda podobno zostanie z nami na dłużej. Jeśli uda się nam zakończyć sprawę do weekendu, umówiłam się wstępnie z Mavis, że zabierze Bellę i pójdziemy razem do parku miejskiego. O tej porze roku możemy pomóc w sianiu i sadzeniu wielu roślin.

Totalnie zaskoczona Eve odwróciła się do Peabody i gapiła się na nią, nie mogąc wykrztusić ani słowa.

– Mavis ma zamiar sadzić jakieś zielsko?! W ziemi?! – wyjąkała wreszcie.

– Tak przyjemnie jest przekopywać świeżą glebę! A poza tym to przynosi szczęście, jeśli kobieta w ciąży zasieje jakieś nowe rośliny.

Eve jakoś nie mogła sobie wyobrazić, co może być fajnego w przekopywaniu grządek, ale przyszła jej do głowy pewna analogia.

– Przecież w niej samej już zostało zasiane nowe życie – stwierdziła.

– Ha! Dobre spostrzeżenie! – Peabody, cała w skowronkach, dała Eve kuksańca w bok, takiego od serca. – Dobrze jest wyjść na świeże powietrze i siać coś, z czego powstanie nowe życie. A poza tym Bella nauczy się, skąd się biorą kwiaty i warzywa, jak rosną i jak się nimi zajmować.

– Chcecie z niej zrobić wyznawczynię kultu Matki Ziemi?

– Wszyscy wyznawcy tego kultu są ogrodnikami, jednak nie wszyscy ogrodnicy są jego wyznawcami. Zresztą nieważne... Idziemy na spotkanie z właścicielem? Tego baru, znaczy się?

– Nie. Z barmanem, a zarazem menedżerem. Jest dwóch współwłaścicieli, którzy mieszkają w Newark, i zgodnie z ich własnymi słowami oraz oświadczeniem barmana, nie byli na miejscu ani razu od kilku dobrych tygodni. Więcej wyciągniemy na pewno od faceta, który stał wczoraj za barem.

Kiedy doszły na miejsce, Eve rozejrzała się po najbliższym otoczeniu.

Okolica nijak nie przypominała wypielęgnowanej przestrzeni wokół budynku McEnroya. Nazwa Czarna Dziura idealnie pasowała do zapuszczonego baru. Wciśnięty między lokal z pustą witryną i ogłoszeniem, że jest do wynajęcia lub na sprzedaż, a lombard z zamkniętymi o tej porze stalowymi drzwiami, dosłownie straszył przechodniów.

Bar miał tylko jedno przybrudzone nieco okno, otoczone spiralą neonu – chwilowo wygaszonego – o treści: Bar Czarna Dziura. Zabezpieczenia samych drzwi obejmowały porządne zamki z policyjną gwarancją bezpieczeństwa. Na drzwiach widniała naklejka z głową psa szczerzącego zęby, informująca o tym, że obiekt jest chroniony przez system Bulldog Alarm, który nie zawierał kamery.

Eve nie musiała nawet wchodzić do środka. Z daleka było wiadomo, że to przybytek oferujący trunki alkoholowe najgorszej jakości, do którego stali bywalcy przychodzą się napić najtańszych sikaczów, i piją dopóty, dopóki nie zakręci im się w głowach na tyle, by móc się jeszcze stąd wytoczyć i stawić czoło swemu przegranemu, popapranemu życiu.

W środku ledwo bździły mocno przygaszone światła. Eve zanotowała jakiś ruch wewnątrz, a potem usłyszała zgrzytnięcie odblokowywanej zasuwy.

Mężczyzna, który stanął w drzwiach, miał na głowie szopę czarnych jak smoła włosów z miedzianorudymi pasmami, tu i ówdzie opadających na ramiona. Szerokie bary, wydatne bicepsy, ręce od nadgarstka w górę całe w tatuażach.

Na policjantki spoglądała para zaczerwienionych piwnych oczu, okolonych ciemnymi obwódkami sińców. Nawet jego szyderczy uśmiech nie kamuflował przemęczenia.

– A wy to te cholerne policjantki? – wychrypiał.

– Porucznik Dallas, detektyw Peabody. A ty to ten cholerny barman?

– Taaa. Szlag! – zirytował się od razu na powitanie. – Mamy wszystkie wymagane prawem licencje i akcyzy. Wiszą o, tam. – Machnął wkurzony kciukiem za siebie.

Odnotowała w pamięci ich istnienie, a następnie naocznie stwierdziła, że nie myliła się co do wstępnej oceny owego przybytku pijaczków. Zwykła speluna, pomyślała, ot, żeby się urżnąć w trupa za małe pieniądze. Zawieranie bliższych znajomości – niepożądane.

– Nie jesteśmy tutaj w sprawie pańskich uprawnień do prowadzenia tego interesu, panie Tiller.

– Jakikolwiek jest powód waszej wizyty, lepiej będzie, jeśli okaże się na tyle poważny, by usprawiedliwić wyrwanie mnie z wyra o tak dzikiej porze.

– Morderstwo wystarczy?

– Ach! Kurwa mać! – zaklął, po czym zostawił je przy wejściu, poszedł w stronę baru, podniósł uchylny blat i wszedł za kontuar. Wyjął spod niego butelkę i niski, szeroki tumbler do drinków. Nalał sobie setkę, a następnie opróżnił ją jednym haustem.

– A co ja mam z tym niby wspólnego? – spytał.

Eve podeszła do baru, wyświetlając po drodze na swoim telefonie zdjęcie identyfikacyjne Kagena.

– Znasz tego mężczyznę? – Obróciła wyświetlacz w stronę barmana.
– Nie żyje?
– Nie żyje.
– Tia. Znam. Stały klient. Dupek przyłazł codziennie.
– Kiedy ostatnio go widziałeś lub z nim rozmawiałeś?

Tiller dźgnął palcem siedzisko stołka barowego i powiedział:
– Siedział tu jeszcze wczoraj wieczorem. Smęcił, że mu się nie podoba mecz, który leciał w telewizorze na ścianie. „Nie lubię baseballu", ale co mnie to; niech spada. Ja lubię, a to ja prowadzę ten bar.
– Był sam?
– Przyszedł sam, jak zawsze. – Tiller wyjął inną butelkę i tym razem wziął do kompletu wyższą szklankę. Eve nie wiedziała, czego sobie nalał, ale pachniało jak morskie wodorosty. Zaprawił to kolejną setką wódki.
– O której się pojawił?
– No nie wiem, w mordę... Zamówił piwo, szklaneczkę whisky i coś do przegryzienia. To, co zawsze. Potem wziął kolejne i zaczął smęcić, że mu się mecz nie podoba. No to mu powiedziałem, że zawsze może wyjść, jak mu się coś nie widzi. I tak dawał gówniane napiwki. Zamówił jednak następną kolejkę. W barze siedziało kilku stałych klientów oglądających mecz, więc kazałem mu się zamknąć i zagroziłem skopaniem mu tyłka.
– Założę się, że się zamknął – odezwała się Peabody przymilnie.

Ale Tiller wzruszył tylko ramionami i wypił duszkiem połowę swoich wzmocnionych alkoholem wodorostów.

– Skopałem mu już kiedyś tyłek, więc wiedział, że zrobiłbym to znowu.

– Czy rozmawiał z kimś? Jakoś specyficznie zareagował? A może z kimś wyszedł?

– O, tak. Weszła jakaś uliczna dziwka, usiadła na stołku za barem i zamówiła piwo. No to szarpnął się na wielkopański gest i kazał mi je dopisać do swojego rachunku. Rozliczamy się raz na tydzień. Płaci albo nie jest obsługiwany.

– Jak wyglądała? – zainteresowała się Eve.

– Jak uliczna dziwka.

Eve dobrze znała taki typ ludzi: twardziel, nie lubił glin i miał nadzieję zbyć je obie byle czym.

Niedoczekanie.

– Tiller, czy ty wolisz wybrać się na przesłuchanie do aresztu w komendzie głównej?

– Możecie mi naskoczyć – odciął się. – Co ja mam niby wiedzieć, do kurwy nędzy? Stoję za barem, robię w tym gównianym interesie za psie pieniądze, dostaję jeszcze bardziej gówniane napiwki i mieszkam na górze w jakiejś podłej szczurzej norze. Wkrótce mogę nie mieć nawet i tego, dwaj palanci, którzy są właścicielami tej mordowni, w ogóle się nią nie interesują i zaczynają coś przebąkiwać o sprzedaży. Do dupy z takim interesem. Robię swoje, rozumiecie? A moja praca nie polega na zwracaniu uwagi na jakieś zdziry. Podałem jej piwo i tyle.

– Zacznijmy od początku. Na ile lat wyglądała?

– Kurna! Pełnoletnia była! – Nie wyglądał na specjalnie zadowolonego, oceniła Eve, ale wiedział, kiedy trafiał na innego twardziela, w dodatku z policyjną odznaką. – Wyglądała wystarczająco dorośle, żeby pić alkohol. Prawdopodobnie na tyle dorośle, że mogłaby mieć dziecko wystarczająco dorosłe, żeby się napić.

– Dokładniej! – poprosiła grzecznie Eve.

– Szlag! Może ze czterdzieści? Wyglądała na mocno zużytą.

– Rasa?

– Kto zwraca uwagę na takie drobiazgi?

– Ja.

– Chyba biała. Światła tutaj zawsze są przyćmione, okej? Raczej nie pretendujemy do lokalu wyższej klasy.

– Kolor włosów.

– Ożeż w mordę! Ja pierdolę! – Dopił resztkę swoich wodorostów, a potem nagle zmarszczył czoło, jakby smak napoju otworzył mu w głowie jakąś klapkę. – Fioletowe.

– Jesteś tego pewien? – Eve nie odpuszczała, mając w pamięci odnaleziony czarny włos. – Jasne czy ciemne?

– Kurwa! Fiolet to fiolet. Co ja tam wiem. Jak te pachnące kwiaty na dużych krzakach.

– Jak bzy? – podsunęła mu Peabody, a barman podziękował nieznacznym uniesieniem opróżnionej już szklanki.

– No właśnie! O to mi chodziło. Zakrywały jedną połowę jej twarzy, jak tak sobie teraz przypominam... było jednak widać szkaradną bliznę na jej policzku. Jak dla mnie niewarta była złamanego grosza, ale dupkowi Kagenowi widać wcale to nie przeszkadzało.

– Wyszedł z nią?

– Tak. Zostawiła, cholera, prawie pełny kufel piwa i zabrała go na szybki numerek albo loda. Nie moja sprawa.

– O której godzinie przyszła? O której wyszła?

– Jezu! – Muskuły i tatuaże zafalowały, kiedy wyrzucił obie ręce w górę. – Nie wiem, kurwa, no nie wiem! Miałem innych klientów, okej? Takie ochlapusy nigdy nie zostawiają napiwków. Jestem tu sam każdego pieprzonego wieczoru od osiemnastej do drugiej w nocy.

– Czy w telewizji leciał wtedy mecz drużyny Jankesów z Red Soxami? – spytała Eve.

Obrzucił ją zmęczonym spojrzeniem.

– Tak, w mordę! – prychnął. – Coś jeszcze?

– Którą rozgrywali rundę, kiedy ta kobieta weszła do baru?

Otworzył usta zdziwiony, potem je zamknął. Zmrużył oczy.

– Drugą część piątej rundy. Jeden aut już wykonany, biegacz na drugiej bazie. Jeraldo podnosi piłkę, potem rzuca ładnym łukiem na prawe pole. Biegacze w narożnikach. I co wtedy robi ten dupek Murchini? Rozpoczyna double play i opuszcza boisko z dwoma. Ta zdzira weszła, kiedy Murchini dobiegł do bazy.

– Okej. Podczas której rundy wyszli?

– Hmm... Chwileczkę... – Przypominanie sobie przebiegu meczu dość wyraźnie pobudziło jego zainteresowanie tematem. – Podałem jej piwo, kiedy w rundzie miotacz drużyny Soxów zmierzył się jedynie z trzema pałkarzami... Tak, to musiała być druga część szóstej rundy. Cecil wybija pierwszy narzut na faul, piłka leci nisko i ląduje na zewnątrz, odbija drugi narzut i nie trafia w narożnik, trzecia piłka, wreszcie udane wybicie i trafia w lukę. Shortstop Soxów łapie ją z powietrza, lecz Cecil wygrywa pojedynek i pierwszy staje na pierwszej bazie. – Pokiwał głową, jakby sam chciał siebie o tym zapewnić. – No tak, druga, dolna część szóstej

409

rundy. Wyautowali Ungera, który zbierał się do uderzenia. Duran jest górą. Łapacz Soxów podchodzi do wzgórka na środku wewnętrznego pola boiska, żeby uspokoić miotacza. Wychodzą.

– Unger to prawdziwa bestia – rzuciła Eve na zachętę, chcąc nawiązać z Tillerem bardziej swobodną rozmowę. – Jakie ma statystyki uderzeń zakończonych zdobyciem bazy? Trzysta trzydzieści?

– Taa, dokładnie! Typek spokojnie odchodzi, mając człowieka w pierwszej bazie, żadnych autów, Unger podchodzi do kija i zdobywa bazę dwa razy z rzędu przy dwóch kolejnych podejściach! To jest dopiero gość!

– W zupełności się zgadzam. Czy według ciebie Kagen był pijany?

Barman zdawał się jakby odrobinę mniej rozdrażniony.

– Nigdy nie wychodził stąd trzeźwy, ale to nie mój problem. – Wzruszył ramionami.

– Widziałeś kiedyś wcześniej tę kobietę?

– Tutaj nie, a tam, na zewnątrz, jedna uliczna dziwka podobna jest do drugiej. Takie jest moje zdanie.

Eve skinęła na Peabody, która wyświetliła na monitorze swojego komputera dwa szkice twarzy i podsunęła je Tillerowi. – Czy była podobna do którejś z tych dwóch kobiet?

– Nie posiadała ani trochę tej klasy co ta tutaj i nie była ani trochę tak seksowna jak ta. Słuchajcie, moim zdaniem nie ma takiej możliwości, żeby tak sterana życiem dziwka zarżnęła Kagena. No może gdyby wynajęła kogoś innego, żeby to zrobił, ale po co? Przecież nie miał przy sobie niczego wartościowego.

– Czy usiadła na stołku obok niego? Czy były wtedy w barze inne wolne miejsca?

– Mhm, tak, usiadła tuż obok. Pewnie, że było sporo pustych siedzeń. Nie mamy tu specjalnych tłumów, szczególnie w ciągu tygodnia.

– Czy twoim zdaniem wyglądali na takich, którzy znali się już wcześniej? – spytała Peabody.

– Nie wiem, ale na pewno nie widziałem jej tutaj nigdy przedtem. Od czasu do czasu wpadają do nas jakieś mewki, wypatrując chętnych. Jeśli okazywała się tania, łapał przynętę. Był tanim gnojkiem. Zapłacenie za seks było jedynym sposobem, żeby to dostał, jak na mój gust. – Skrzywił się. – Słuchajcie, czy dacie mi chwilę pospać jeszcze w tym cholernym stuleciu?

– Jasne. Dziękujemy serdecznie za tak miłą i bezinteresowną współpracę. – Zdając sobie sprawę, że to działanie całkowicie bezcelowe, Eve położyła na kontuarze swoją wizytówkę. – Jeśli zobaczysz ją jeszcze kiedyś albo coś ci się przypomni, skontaktuj się ze mną.

– Dobrze.

Pomyślała, że zapewne wyrzuci tę wizytówkę, zanim zamkną się za nimi drzwi knajpy.

– Nie chciałabyś, żeby popracował z nim Yancy? – spytała Peabody.

– Nie współpracowałby, a my nie byłybyśmy w stanie go do tego zmusić. A poza tym on tak naprawdę jej nie widział.

– Ale ta blizna...

– Zobaczył tę bliznę, gdyż to ona chciała, żeby ją zobaczył. Zapamiętał to, zapamiętał też kolor jej włosów i fakt, że przyszła tutaj jako sterana życiem prostytutka. To ona chciała, żeby tak ją zobaczyli ludzie.

Eve szła z dłońmi wciśniętymi do kieszeni spodni, z powiewającymi za nią długimi połami płaszcza.

– Bardzo dużo się od niego dowiedziałyśmy. Wiedziała, że Kagen korzysta z usług ulicznic, bo lubi jak najtaniej. Wiedziała, że będzie tutaj pił i zanim przyjdzie, on już zdąży się nawalić. Musi jedynie zaoferować mu numerek lub lodzika w przystępnej cenie, a wtedy pójdzie za nią jak w dym. Zostało jej tylko odciągnąć jego uwagę od kufla na kilka sekund, doprawić jego piwo, i już miała pewność, że z nią wyjdzie.

– A tam już czekał na nich samochód. Nie przed frontowymi drzwiami, lecz za rogiem, kilka kroków dalej. Ze wszystkich trzech z tym prawdopodobnie poszło jej najłatwiej. Może nie najszybciej, ale na pewno miała z nim najłatwiej. Mroczna, obskurna knajpa, a jej upatrzona ofiara już ledwo trzymała się na nogach.

– Masz rację. Masz całkowitą rację.

Policyjna ekipa pracowała jeszcze na miejscu odnalezienia ciała, lecz gapie stracili zainteresowanie.

Peabody wsiadła do samochodu pierwsza.

– Ależ to było sprytne! – zawołała z zachwytem. – Żeby mu podsunąć mecz baseballa w celu odświeżenia pamięci. Z negatywnie nastawionym świadkiem kiepsko się rozmawia, ale dzięki wspomnieniom z meczu przestał się tak jeżyć. Jakim cudem ktokolwiek potrafi zapamiętać tyle szczegółów?! – kontynuowała swój wywód, gdy Eve ruszyła z miejsca. – Mam na myśli wszystkie te dziewięć rund, kto gdzie stał, jak wykonał narzut piłką, jak wyglądało odbicie i to wszystko, co się potem działo.

Eve spojrzała na partnerkę z oburzeniem.

– Ponieważ, na litość boską, to jest baseball! – obruszyła się.
– No dobra, lubię baseball, ale nie mogę przecież... – zaczęła się tłumaczyć Peabody.
Eve gestem otwartej dłoni nakazała, by zamilkła.
– Baseballu nie można „no-dobra-lubić"! Podziwiaj go i czcij lub zamilknij na wieki.
– Oesu! Ostatecznie mogę przecież podziwiać graczy, zimnych i skoncentrowanych na grze, ubranych w te swoje śliczne wdzianka.
– Peabody, smucisz mnie. Bardzo mnie smucisz. – Kiedy partnerka już otwierała usta, by coś rzec, Eve znów ją uciszyła gestem dłoni. – Nie mów nic na wszelki wypadek, żebym nie musiała ci przyłożyć, gdy dostatecznie mocno mnie zmartwisz.
– Może lepiej porozmawiajmy o morderstwach – zaproponowała Peabody. – Tym raczej nie powinnam cię zasmucić na tyle mocno, by zasłużyć na łomot.
– Mądry wybór.
– Bo nie chodzi przecież o zwykłą rozmowę już-ty-wiesz-o-czym, żeby się dowiedzieć od barmana, o której godzinie oglądał już-ty-wiesz-co, kiedy wydarzyło się to i to, zamykające się w zakresie tematycznym naszej dysputy – powiedziała pokrętnie Peabody.
– Ponieważ zajęta byłam pracą, kiedy rzeczony mecz się odbywał, nie mogę z całą pewnością stwierdzić, czy pewne działania są znaczące, czy też nie, nawiązując do specyfiki tego sportu, biorących w nim udział graczy, sposobów wywoływania zawodników na boisko i tym podobnych zasad. Sprawdź sobie sama.
– Mam sprawdzić, jak... A może jednak mogę użyć

właściwych słów? Czy poczujesz się wówczas upoważniona do przyłożenia mi z liścia?

– Okej, możesz ich użyć. Dostajesz przyzwolenie. Znajdź powtórkę meczu Jankesów z wczorajszego dnia i przewiń do drugiej części piątej rundy.

– To mogę zrobić. – Policjantka wzięła się do roboty i nagle się wzdrygnęła. – Proszę, nie przywal mi czasem z piąchy, ale wszystko mi się pomyliło i w ogóle nie pamiętam, kto gdzie stał podczas meczu, gdy barman zobaczył wchodzącego Kagena.

– Murchini zbliżał się do bazy. Na pierwszej i trzeciej znajdowali się biegacze.

– Okej. Mam to. Poczekaj... Och! On naprawdę jest zimny jak lód. Było to o godzinie dwudziestej pięćdziesiąt trzy.

– Tym razem jakoś wcześniej się zaczęło. Sprawdź drugą część następnej rundy.

– Okej, okej.

– Jankesi mają człowieka na pierwszej bazie, a Unger przymierza się właśnie do uderzenia piłki kijem. Znajdź przerwę w meczu, kiedy łapacz Soxów dyskutuje ze swoim miotaczem.

– Mam, mam! Ja cię... Ten Unger jest faktycznie świetnie zbudowany! Mamy godzinę dwudziestą pierwszą siedemnaście.

– Nie marnowała czasu, co? – Eve zaczęła rozmyślać na głos. – Dość szybko się z nim rozprawiła.

– No coś ty, Dallas! Mając na uwadze godzinę jego zgonu, spędziła z Kagenem siedem godzin.

– Może potrzebowała więcej czasu? Może podała mu zbyt dużo narkotyku? Przecież był już nieźle przesączony alkoholem. Może miała jeszcze inne sprawy do załatwienia w trakcie?

Wjechała do garażu podziemnego komendy głównej i zaparkowała na swoim miejscu.

– Darla Pettigrew... – zaczęła mówić Peabody, kiedy wysiadły z samochodu. – Gdyby tak wziąć ją pod uwagę, a wiem, że skłaniasz się ku niej jako podejrzanej... Więc jeśli jednak to ją weźmiemy pod uwagę? Darla musiałaby robić sobie przerwy, żeby móc cokolwiek zrobić dla swej babci lub razem z nią. Czyli jeśli zaczęła tak wczesnym wieczorem, to musiała wrócić do domu i spędzić trochę czasu z Eloise, choćby w celu stworzenia sobie alibi. A może Eloise potrzebowała czegoś ze sklepu? Po prostu uważam, że istniejąca między nimi więź jest prawdziwa i równie mocna z obu stron.

– Ja również tak uważam – odpowiedziała Eve. – Bardzo dobrze, Peabody! – dodała, kiedy wsiadły do windy. – Naprawdę bardzo dobre wnioski! Poza tym każde wyjście zabiera jej nieco czasu: musi się ucharakteryzować, przebrać. Czas zgonu: trzecia pięćdziesiąt sześć. Świadek odnajduje ciało, dzwoni na policję o czwartej pięćdziesiąt osiem.

– Jeśli zajmowała się obserwacją budynku, w którym zamieszkiwała wybrana ofiara... A przecież musiała to robić w tym celu, prawda? Więc jeśli to robiła, prawdopodobnie wiedziała też, kiedy świadek zwykle wraca do domu. Wiedziała, kiedy będzie miała okienko. Nie chciała ryzykować.

– Tak, wiedziała, kiedy najlepiej będzie to zrobić. – Eve zgodziła się z partnerką. – Założę się, że zrobiła to na ostatnią chwilę, ale okienko znała. Kagen zmarł około czwartej, a musiała jeszcze przenieść go do samochodu, przetransportować na ulicę Sto Siedemdziesiątą Dziewiątą i ułożyć przed drzwiami budynku, zanim Cohen wróci do domu. Czyli tuż przed piątą. Taa... Czekała z tym do ostatniej chwili.

– Jak dla mnie to ma sens. – Przyzwyczajona do tego Peabody tylko cicho westchnęła, gdy Eve ominęła windę i ruszyła w górę po schodach. – Widzę, jak to działa, więc według mnie ma sens. Niestety, na razie pojęcia nie mam, jak my jej to udowodnimy.

– Spiszemy wszystkie nasze spostrzeżenia i wyślemy notatkę do Miry, żeby wykonała odpowiednią aktualizację profilu zabójcy. Przesłuchamy inne kobiety, które udało się nam zidentyfikować jako uczęszczające na zajęcia grupy wsparcia. Zobaczymy, czy ciało Kagena powiedziało Morrisowi coś nowego, a na samym końcu zamierzamy przycisnąć Harvo w sprawie włosa znalezionego przy ciele denata.

– Ach, więc kolejny dzień w naszym raju.

– Wyciągniemy z tego włosa, co się da! – powiedziała Eve. – A potem złożymy kolejną wizytę legendzie kina i jej wnuczce.

– Naprawdę?

– A i owszem! Małymi kroczkami do przodu.

Eve ruszyła wprost do swego gabinetu, do kawy, do swojej mapy oraz księgi zbrodni.

Ogarniała ją wściekła furia na myśl, że musi dodać trzecią ofiarę.

– No dobra, suko! – powiedziała na głos. – Masz ten swój hat trick, trzech – jednego po drugim, ale niech mnie cholera i wszyscy diabli, jeśli ci się uda wykonać czwarty karb na rękojeści sztyletu czy gdzie tam odznaczasz kolejny sukces.

Usiadła za biurkiem i najpierw napisała raport, a potem nakreśliła profil psychologiczny swojej głównej podejrzanej do zweryfikowania przez Mirę.

Podejrzana jest inteligentna, zorganizowana, przebiegła, ma szeroką wiedzę informatyczną oraz stosowne umiejętności. Należy do terapeutycznej grupy wsparcia Kobiety Kobietom i – przynajmniej do tej pory – zaznajomiła się ze wszystkimi kobietami, które pozostawały w jakiś sposób powiązane z kolejnymi trzema ofiarami. Jest kobietą dojrzałą, ma dostęp do znacznych zasobów finansowych, obecnie zamieszkuje w ogromnej prywatnej rezydencji – a prawdę mówiąc, w rezydencji z zatrudnionym tam personelem do kompleksowej obsługi.

Podejrzana jest wnuczką legendarnej aktorki, znanej i podziwianej na całym świecie celebrytki i aktywistki, walczącej o prawa i status kobiet. Dziadkowie podejrzanej pozostawali przez wiele lat w związku małżeńskim. Źródła mówią, że był to związek, który zapoczątkował nieomal książkowy romans. Niezwykle udane małżeństwo przerwała niespodziewana śmierć dziadka. Babcia wciąż nosi ślubną obrączkę. Ślubne portretowe zdjęcie wisi w salonie głównym.

Teza: Podejrzana oczekiwała i pragnęła związku i małżeństwa podobnego do małżeństwa jej dziadków. Oczekiwała i pragnęła mieć małżonka równie jej oddanego, jak dziadek był w stosunku do babci. Podejrzana pragnęła również samodzielnie stworzyć coś znaczącego, zakładając własny biznes, który by opierał się na jej własnych umiejętnościach.

Małżonek podejrzanej zawiódł wszelkie oczekiwania i pokładane w nim nadzieje. Korzystał z usług agencji towarzyskiej, wdał się w romans z młodszą kobietą, manipulował warunkami prowadzenia firmy, by osiągać większe zyski niż żona, a wreszcie zmusił ją, w trakcie trwania rozwodu, do sprzedaży wyżej wymienionej firmy. Małżonek dodał do zdrady jeszcze kupno domu z profitów osiągniętych ze sprzedaży firmy i zamieszkał w nim z młodszą kobietą.

Sądzę, że już wszystkie te zdradliwe działania skłoniły podejrzaną do pewnego rodzaju agresji, jednak prawdziwy przełom w jej zachowaniu nastąpił po dołączeniu przez nią do terapeutycznej grupy wsparcia. Tu podejrzana poznała uczestniczki grupy, zaczęła współczuć im i nawiązywać wzajemne relacje z kobietami, które cierpiały nie tylko z powodu zdrad partnerów, lecz również z powodu ich agresji, napaści seksualnych, gwałtów. Przestępstw, za które mężczyźni nie ponieśli żadnej kary – w przypadku zaś trzech ofiar ich zachowanie nie uległo zmianie.

Tak jak jej babcia – jej ideał – odnalazła cel w życiu, jednakże nie były to marsze protestacyjne czy płomienne mowy. Ona podjęła niezbędne jej zdaniem działania, i wprowadziła je w czyn. Stała się wyrocznią prawa. I znowu, naśladując swą babcię, zaczyna grać różne role – role kompletne, w całkowitym przebraniu i charakteryzacji, przyjmując osobowość granej postaci – by kusić mężczyzn swą seksualnością lub obietnicą seksu.

Otumanianie narkotykami służyło nie tylko ich ubezwłasnowolnieniu, stworzeniu warunków, by nie mogli się bronić, walczyć ani jej obezwładnić, lecz sprawiało, że stawali się słabi, odbierało im ono siłę i władzę. Rozbieranie ich do naga służyło ich upokarzaniu. Torturowanie nie tylko dawało kontrolę nad stopniem ich cierpienia z powodu zadanego bólu, lecz również syciło potrzebę zadawania im owych cierpień. Kastracja najwyraźniej miała pozbawiać ich męskości, ograbiać z broni, której używali przeciwko kobietom. Umierali bezbronni, bezpłciowi, w cierpieniach.

Podejrzana podrzuca ich ciała pod budynki, w których mieszkali, żeby podkreślić zdradę, której dopuścili się potencjalnie wobec własnego domowego gniazda. Porzuca ich na zewnątrz, na terenie publicznym, ogólnodostępnym, chcąc w ten sposób pokazać, że nie mają już domu. Ostatnie upokorzenie.

Wiersze mówią o popełnionych przez nich przestępstwach. Wszystko jest wyłożone czarno na białym. Jednakże dopiero pseudonim, który przybrała – Lady Justice, Dama Wymierzająca Sprawiedliwość – informuje mnie dobitnie, że jest to jej kolejna rola, dla której pragnie uwagi innych, uznania i chwały.

Profil psychologiczny zabójcy oraz profil Darli Pettigrew według mnie pasują do siebie.

Możesz potwierdzić lub obalić moją tezę?

Eve przeczytała jeszcze raz raport od początku i pokiwała głową z aprobatą. Zapisanie tego wszystkiego, wyrzucenie z siebie, zdecydowanie jej pomogło. Być może Mira nie zostawi na niej za to suchej nitki, ale szlag z tym – dla Eve to miało ręce i nogi. Wszystko grało i pasowało jak ulał.

Kiedy tylko wysłała plik, w drzwiach gabinetu stanęła Peabody.

– Pierwsza już przyszła. Jacie Peppedrine. Gdzie chcesz ją przesłuchać? – spytała.

Eve zdążyła się już wcześniej nad tym zastanowić.

– W sali przesłuchań – odrzekła.

Peabody zrobiła wielkie oczy.

– Dobra, nic nie mówię. – Wyjęła telefon i sprawdziła sytuację. – Sala A jest otwarta.

– Zarezerwuj dla nas i zaprowadź ją tam. Będę za minutkę.

– Tak jest! Rozumiem, że traktujemy ją jak podejrzaną?

– Kieruj się swoimi odczuciami – doradziła jej Eve, wstała i zaczęła przygotowywać teczkę z aktami sprawy. Idąc za swoimi odczuciami, nastawiła się na mocny atak. Jeśli będzie trzeba, nie odpuści. Najpierw podeszła do wąskiego okna i przez dłuższą chwilę wyglądała na zewnątrz. Popatrzyła w dół, na ulicę.

Było tam mnóstwo kobiet – choć mężczyzn również nie brakowało – które zapewne doświadczały tego, czego doświadczyły już uczestniczki terapii w grupie wsparcia KK, a być może czegoś jeszcze gorszego – bo zawsze mogło być gorzej.

Eve umiała współczuć i Bóg jeden wiedział, że umiała też nawiązywać relacje, lecz morderstwo – co pewne jak diabli – nie stanowiło żadnego równoważnika. Być może prawo nie zawsze działało jak trzeba, ale dopóki ona stoi po jego stronie, zawsze będzie próbować, do cholery!

Wzięła aktówkę z blatu biurka i wyszła. Stwierdziła, że Jenkinson ze swoim wściekłym krawatem oraz Reineke ze swoimi wściekłymi skarpetkami poszli się gdzieś bratać, gdyż ich miejsca pracy świeciły pustkami.

Santiago siedział za biurkiem, pracując przy komputerze i kryjąc zagniewaną minę pod rondem kowbojskiego kapelusza. Kapelusz na głowie świadczył o tym, że znów przegrał jakiś zakład z Carmichael, która z wyraźnym zadowoleniem pracowała zawzięcie przy komputerze.

Baxter – zajęty prowadzeniem rozmowy telefonicznej – oparł stopy odziane w modne, eleganckie buty o blat biurka, a jego młodszy partner pisał w tym czasie skrupulatnie jakiś raport. Najniżsi rangą funkcjonariusze policji prowadzili przyciszonymi głosami rozmowy w swoich boksach.

Przyglądała się przez chwilę ludziom pracującym pod jej komendą, a potem przeniosła wzrok na tabliczkę wiszącą nad drzwiami pokoju socjalnego.

BEZ WZGLĘDU NA TO,
JAKIEJ JESTEŚ RASY, JAKIEGO WYZNANIA,
JAKIEJ ORIENTACJI SEKSUALNEJ,
JAKIE MASZ POGLĄDY POLITYCZNE,
MY CIĘ* CHRONIMY I CI* SŁUŻYMY,
BO ZAWSZE MOŻESZ ZGINĄĆ.
* NAWET JEŚLI JESTEŚ DUPKIEM ŻOŁĘDNYM.

Co racja, to racja – pomyślała. – Takie, kurna, życie. Każdy z policjantów, którego ma pod komendą, będzie aż do śmierci się trzymał tej skurwysyńsko trafnej, cholernej maksymy.

I to właśnie robiła w tej chwili.

Poszła prosto do sali przesłuchań A.

Zauważyła, że obie, i Peabody, i Peppedrine, mają puszki z napojami gazowanymi i przez chwilę żałowała, że nie wzięła dla siebie pepsi z automatu w holu.

Jacie Peppedrine, dwudziestosześciolatka, okazała się osóbką o zachwycającej powierzchowności – przykładem kilku generacji mieszania różnych ras. Miała lekko skośne oczy Azjatki z tęczówkami w kolorze soczystej zieleni, skórę o barwie oprószonego złotym pyłem karmelu, wściekle skręcone kruczoczarne włosy, które podkreśliła kilkoma karmelowymi pasmami, a przy tym długi, wąski nos i szerokie usta o pełnych wargach.

– Pani Peppedrine, oto i moja partnerka, porucznik Dallas – przedstawiła ją Peabody.

– Słuchajcie drogie panie, proponuję się raz-dwa streścić i przejść od razu do konkretów, bo muszę się znaleźć w pewnym miejscu jeszcze przed południem.

Ma głos miękki jak aksamit – pomyślała Eve. – Nic dziwnego, że część swojego życia poświęcała na śpiewanie w marnych knajpach, drugą zaś część spędzała, będąc kelnerką tamże.

– Oczywiście. Bardzo dziękujemy za przybycie. Należy pani do grupy wsparcia Kobiety Kobietom – zaczęła Eve.

Wyraz twarzy Jacie w jednej chwili zmienił się ze średnio zainteresowanego w iście kamienny.

– To prywatna, anonimowa grupa – rzekła lodowatym tonem. – Nie macie prawa w niej grzebać.

– Nie wiem, czy zauważyłaś, ale jesteś w wydziale zabójstw – brnęła niewzruszona Eve. – Prowadzimy śledztwo w sprawie trzech powiązanych ze sobą morderstw. Te morderstwa z kolei mają powiązania z waszą grupą wsparcia.

– To niedorzeczne.

– Słuchasz czasem wiadomości w mediach?

– Ja zajmuję się pracą. Kiedy nie pracuję, chodzę na przesłuchania. Kiedy nie pracuję ani nie chodzę na przesłuchania, śpię.

– Nigel McEnroy, pierwsza ofiara, nafaszerował narkotykami i zgwałcił wiele kobiet, w tym dwie, które należały do tej grupy.

– Chcecie, żeby było mi żal, że gwałciciel nie żyje? Dlaczego wcześniej nie aresztowaliście drania?

– Może gdyby choć jedna z jego ofiar zgłosiła się na policję, zrobilibyśmy to. Druga ofiara, Thaddeus Pettigrew, to były mąż jednej z kobiet należących do grupy. Zostawił żonę dla młodszej, o wiele młodszej, z którą najpierw ją zdradzał. Używając prawnych manipulacji, zmusił żonę do sprzedaży firmy, którą sama założyła, a następnie zgarnął lwią część otrzymanej z tej transakcji kwoty. – Eve zamilkła, obserwując twarz Jacie. – Znasz tę historię i znasz tę kobietę.

Peppedrine odchyliła się na krześle do tyłu i skrzyżowała ręce na piersi w obronnym geście, sugerującym ochronę własnej osoby połączoną z jawną niesubordynacją.

– Nie będę rozmawiać na żadne tematy dotyczące naszej grupy! – fuknęła.

– Trzecia ofiara – mówiła dalej niezrażona jej zachowaniem Eve – Arlo Kagen, również były mąż jednej z waszej grupy, bił i gwałcił swoją połowicę oraz straszył, że skrzywdzi ich małego synka. Kolejna historia, którą znasz.

– Odpowiedź brzmi tak samo.

– Okej. A jaka wobec tego jest twoja historia?

– Nie znam was. Nie muszę wam opowiadać historyjek z mojego życia prywatnego. Jeśli to już wszystko...

– Siadaj! – warknęła Eve, kiedy Jacie zaczęła się podnosić. – Zacznijmy od tego, gdzie spędziłaś trzy ostatnie wieczory, które mieszczą się w zakresie czasowym prowadzonego przez nas postępowania. Poniedziałek, wtorek oraz wczorajszy wieczór. Interesuje mnie okres pomiędzy dwudziestą pierwszą a czwartą nad ranem.

– W poniedziałkowy wieczór śpiewałam przed tłumem ochlapusów, ale za to przed tłumem – podkreślam, w knajpie Last Call. Od dwudziestej pierwszej do pierwszej w nocy. Byłam na miejscu o dwudziestej trzydzieści, wyszłam o pierwszej trzydzieści. Wróciłam do domu sama i położyłam się spać. Tak samo wczoraj. We wtorek serwowałam wykwintne drinki z wykwintnymi przekąskami dla równie wykwintnych klientów bistro East. Od dwudziestej do drugiej w nocy. Wtedy zamykają. Dzisiaj mam przesłuchanie do występów w kolejnej zaplutej norze, ale przynajmniej miałabym bliżej do domu. Chcecie resztę rozkładu mojego tygodnia? Wygląda bardzo podobnie przez siedem cholernych wieczorów.

– To ciężki kawałek chleba – odezwała się Peabody. – Czy wciąż chodzisz na sesje terapeutyczne grupy?

– Dwa razy w miesiącu. Do pracy biegnę prosto z zajęć. Nie mam zbyt wiele czasu na zabijanie gwałcicieli, oszustów i damskich bokserów. Co więcej, mam gdzieś gwałcicieli, oszustów i damskich bokserów.

– Jest jednak ktoś, kto nie miał ich gdzieś. – Eve otworzyła teczkę i przestała się cackać. – Ktoś, kto tak bardzo nie miał ich gdzieś, że potrafił zrobić coś takiego...

Jacie zbladła – co dało się zauważyć nawet na jej wspaniałej smagłej skórze – gdy Eve rzuciła na blat biurka zdjęcia ciał zamordowanych mężczyzn.

– ...że potrafił po kilka godzin masakrować torturami trzech ludzi, że potrafił doprowadzić do ich śmierci przez drastyczne okaleczenie. Nie zasłużyli na to, obojętnie, co zrobili – jakich przestępstw się dopuścili i jakie grzechy popełnili. Jakiego czynu dopuścił się ktoś względem ciebie, Jacie? Jaki grzech popełnił? Chcesz, żeby skończył w ten sam sposób? Chcesz okazać się osobą współwinną popełnienia tego przestępstwa?

– Zabierzcie to sprzed moich oczu, proszę! Czy mogłabym poprosić o szklankę wody? – Kobieta odsunęła od siebie ze wstrętem puszkę ze słodkim napojem. – Trochę zwykłej niegazowanej wody.

– Pewnie. Zaraz przyniosę – zaofiarowała się Peabody.

– A dla mnie weź pepsi, dobrze? – poprosiła Eve, kiedy partnerka wstała. Zebrała zdjęcia i schowała je z powrotem do teczki. – Podaj mi jego nazwisko. Od tego zacznij. Nazwisko tego mężczyzny.

– Nie lubię tych spraw wspominać. Zaczęłam chodzić na spotkania grupy KK zeszłej jesieni, kilka miesięcy po tym, jak się to stało. Nie sądziłam, że będę w stanie o tym mówić, ale... Natalia... Przypuszczam, że rozmawiałyście już z nią... Więc Natalia... Ona ma tak uspokajający wpływ na każdego!... Istnieje nawet pewne górnolotne określenie, które tu akurat pasuje: odznacza się ogromną empatią. A wszystkie pozostałe kobiety są dla ciebie jak siostry, matki, przyjaciółki zawsze chętne służyć radą. Bardzo mi to pomogło. Uwierzyć nie mogę, że któraś kobieta z naszej grupy byłaby w stanie zrobić coś podobnego. Zrobić coś, co jest na tych zdjęciach z teczki. Ja nie mogłabym.

- Powiedz mi, jak on się nazywa. Zacznij od tego, Jacie, bo jeśli i jego zdjęcie znajdzie się w tej teczce, podziała to na twoją niekorzyść. Będzie zdecydowanie gorzej, jeśli zostanie zamordowany.

- Cooke. Ryder Cooke. Około godziny dwudziestej drugiej ósmego sierpnia zeszłego roku zgwałcił mnie i zrujnował mi życie.

17

Kiedy wróciła Peabody, nastąpiła chwila przerwy, podczas której Eve błyskawicznie przemyślała, jak najlepiej podejść dziewczynę.

– Jacie, możemy wyciągnąć z ciebie wszystko, zadając pytania, ale będzie ci łatwiej, jeśli opowiesz nam sama, co się wtedy wydarzyło.

– Nie sądzę, by cokolwiek miało pójść łatwiej. – Jacie popijała wodę małymi łyczkami. – Chciałam o tym jak najszybciej zapomnieć, ale on robił wszystko, żeby mi się to nie udało. Muszę się z tym mierzyć każdego cholernego dnia.

Peabody już otwierała usta, żeby coś powiedzieć, ale Eve nieznacznie pokręciła głową, uciszając ją.

Czekały.

– Jestem piosenkarką. Mam głos… Całkiem niezły głos. Chciałam nad nim popracować, żeby poprawić technikę śpiewu. Odkąd pamiętam, zawsze chciałam śpiewać. Ale wiecie, nie chciałam być gwiazdą, tylko po prostu śpiewać i tak zarabiać na życie. Zarabiać, używając mojego daru. Szło mi fantastycznie, więc wpadłam na pomysł, żeby pojechać do Nowego Jorku i tu się rozwijać. Złapałam kilka całkiem niezłych fuch i dawałam naprawdę dobre występy. Pojawiły się świetne recenzje, zrobiło się wokół mnie trochę szumu. Zaproponowano mi podpisanie kontraktu, nagranie i wydanie płyty. To było jak sen. Kiedyś nie śmiałam nawet o czymś takim marzyć, a teraz miałam wszystko na wyciągnięcie ręki.

Upiła jeszcze jeden łyk i odstawiła wodę na bok. Po chwili milczenia zaczęła mówić dalej.

– Usłyszał mnie łowca talentów z wytwórni płytowej Delray i poprosił o przesłanie im płytki demo z piosenkami. Wydałam większą część zaoszczędzonych pieniędzy, żeby wynająć studio nagrań i dobrą kapelę. Jeśli miałam przygotować demo, chciałam to porządnie zrobić. Wszystko się udało i szło dobrym torem, a przynajmniej tak mi się wydawało. – Odetchnęła głębiej. – Ryder Cooke jest właścicielem wytwórni Delray. A przy tym kreatorem, odkrywcą gwiazd, więc kiedy Ryder Cooke zaprasza cię do swojego gabinetu i chce porozmawiać z tobą o twojej przyszłości, o podpisaniu kontraktu, idziesz bez wahania. Więc poszłam. Wypiliśmy po kilka kieliszków. Nie byłam pijana – dodała żywiołowo. Jej oczy zalśniły, lecz nie łzami, tylko silnymi emocjami. Wspomnieniem tamtych chwil. – Nie jestem taka głupia, żeby się upijać na najważniejszym spotkaniu mojego życia, ale trochę wina wypiłam. Rozmawialiśmy, a on roztoczył przede mną wizję tego, co mogę mieć, kim mogę się stać, gdzie mogę śpiewać, a to było dla mnie szczytem marzeń. Potem stwierdził, że ma na piętrze coś, co muszę koniecznie zobaczyć. – Zacisnęła powieki. – To było głupie z mojej strony? Powiedzcie. Wciąż nie znam odpowiedzi na to pytanie. Nie zrobił żadnego ruchu ani nie wypowiedział żadnego słowa, które by sprawiło, że poczułabym się niekomfortowo, więc poszłam. Nie miałam złych przeczuć, kiedy weszłam z nim do jego sypialni. Wtedy mnie złapał w objęcia. Jest raczej postawnym mężczyzną, a ja niczego się nie spodziewałam... Zresztą nieważne. Przygwoździł mnie do łóżka. Zaczęłam krzyczeć, że nie, nie chcę, żeby mnie puścił, a on na to: „Leż spokojnie i dobrze się baw, dziecinko!". Coś w tym stylu. Leż spokojnie i dobrze się baw, dziecinko.

Musiała przerwać dla nabrania powietrza kilka razy. Wyrzucenia tego z siebie.

– Próbowałam go z siebie zepchnąć, uciec mu, lecz był silniejszy, no i... Już po wszystkim, kiedy płakałam, a on wciąż przyciskał mnie do łóżka, powiedział, żebym się z tym pogodziła. Ten biznes tak działa. Jeśli będę grzeczną dziewczynką, to mnie wypromuje i zrobi ze mnie gwiazdę. Jeśli komuś o tym powiem, narobi smrodu i będę skończona. Nikt mi nie uwierzy i będę miała szczęście, jeśli śpiewając na ulicy, zdołam zarobić na suchy chleb. – Przygryzła wargi. – Kiedy się ze mnie stoczył, uciekłam. Nie ściągnął nawet ze mnie ubrania, tylko majtki, więc natychmiast wybiegłam z jego mieszkania. Nie wiem, dlaczego od razu nie poszłam z tym na policję.

Dopiero teraz z jej oczu popłynęły łzy. Ocierała je niecierpliwie koniuszkami palców.

– Wstydziłam się, byłam w szoku, bałam się – ciągnęła. – Tamtego wieczoru wszystko zrobiłam źle, okej? Przyznaję, że wszystko zrobiłam źle.

Musiała znów zatrzymać się na dłużej, napić się wody.

Eve pozwoliła jej odetchnąć w spokoju i dała znak Peabody, żeby też milczała.

– Wróciłam do domu i wzięłam długi prysznic – podjęła po chwili Jacie. – Szorowałam się i szorowałam, chcąc go zmyć z siebie. Przepłakałam z pół nocy. Na próżno. Wszystko na próżno. Potem zaczęłam się wściekać i to było znacznie lepsze. Z samego rana poszłam prosto do firmy Cooke'a i opowiadałam wszem wobec, co się stało. I było dokładnie tak, jak mnie uprzedził: nikt mi nie uwierzył, a nawet jeśli ktokolwiek uwierzył, nie zamierzał występować przeciw swojemu szefowi. – Znów na chwilę zamilkła. – Oczywiście nie doszło do podpisania kontraktu. Wcale się nie zdziwiłam. – Teraz mówiła z goryczą, głosem twardym, a równocześnie kruchym jak tafla lodu. – Zostałam wyrzucona z kilku przyzwoitych miejsc, w których śpiewałam, i nie mogłam znaleźć żadnej fuchy w dobrych lokalizacjach. Puścił plotkę, że są ze mną same kłopoty, że za dużo piję, że ćpam i kradnę... i to podziałało. Więc teraz biorę wszystko, cokolwiek mi zaproponują, byle tylko zarobić na czynsz.

Zapadła cisza. Eve chwilę odczekała tak dla pewności, że dziewczyna skończyła.

– Jacie, czy chciałabyś złożyć oficjalne zeznania?

– Z czym ja do niego? – wybuchła. – To tylko moje słowo przeciwko jego słowu, więc praktycznie nic na niego nie mam.

Peabody wyciągnęła rękę ku niej i przykryła jej dłoń swoją.

– Myślisz, że byłaś jedyną, której to zrobił? – spytała miękko.

– Ja... Chyba nie. Nie, na pewno nie, ale to nie zmienia faktu, że dla niego jestem nikim. On jest wielkim twórcą gwiazd. Kto mi uwierzy?

– My wierzymy – zapewniła ją zwyczajnie Eve.

Jej oddech przyspieszył, stał się nieregularny, zaczął się rwać i znowu się rozpłakała.

– Jeśli teraz spróbuję wystąpić przeciwko niemu po tak długim czasie, będę chyba musiała zacząć śpiewać na skrzyżowaniach – załkała.

– Nie! Nic podobnego! – odparła Eve. – Na razie jednak musimy odłożyć tę sprawę na jakiś czas. Czy opowiedziałaś tę historię, czy zidentyfikowałaś mężczyznę, który cię zgwałcił, na zajęciach waszej grupy KK?

– Po to właśnie powstała ta grupa.

– Czy rozmawiałaś z kimś na ten temat poza grupą?

– Jasne. Kilka z nas chodziło razem na kawę po zajęciach i zdrowo jechałyśmy po facetach, którzy nas skrzywdzili. Czasami się zdarzało.

– Potrzebne mi są nazwiska, a najlepiej imiona i nazwiska, jeśli je znasz. Musimy porozmawiać z nimi tak szczerze, jak teraz rozmawiamy z tobą.

– Nie wydaje mi się to słuszne.

– Przeprowadziłyśmy już rozmowy z Jasmine Quirk, Leah Lester, Darlą Pettigrew, Uną Ruzaki i Rachel Fassley. Z Natalią Zulą również. Mamy już umówione spotkania z Mae Ming, Sashą Cullins i Bree Macgowan.

– Nie znam ani Jasmine, ani Leah z zajęć grupy. – Jacie przygryzła usta.

– Jasmine się przeprowadziła, a Leah nie chodzi na zajęcia od dłuższego czasu – wyjaśniła Peabody. – Czy znasz pozostałe kobiety, które wymieniła pani porucznik? Czy to z nimi chodziłaś na sesje przy kawie?

– Nie zawsze były to te same dziewczyny. Nie zawsze mogłam z nimi wyjść po terapii, ale bywałam na kawie ze wszystkimi wymienionymi przez panią porucznik. Szczerze mówiąc, jedyna niewymieniona, którą poznałam bliżej w ten sposób, to Sherri Brinkman. Następna porzucona przez byłego męża dla młodszej, ale najpierw zaraził ją chorobą weneryczną, a potem wyrolował podczas rozwodu, bo to on był tym, który miał kasę i prawników. Wiekowo Sherri zbliża się do sześćdziesiątki, ma poniżej metra sześćdziesięciu wzrostu i waży nie więcej niż sześćdziesiąt kilogramów. Nie ma opcji, żeby zrobiła coś takiego, co znajduje się w tej teczce.

– Okej. Powiedz mi w takim razie, jak długo była w waszej grupie?

– Uczestniczyła w zajęciach już w październiku, kiedy ja dołączyłam do grupy.

– Jacie, skoro już rozmawiamy o niej, skoro rozmawiamy o innych… Zapewniam, że nie jesteśmy twoimi wrogami – wtrąciła taktownie Peabody. – Musimy odnaleźć osobę, która dokonuje tych zbrodni, ale to nie znaczy, że stajemy się przez to twoimi wrogami.

Kobieta tylko wzruszyła ramionami, wpatrując się uporczywie w blat biurka. Eve poprawiła się na krześle.

– Czy znasz Mavis Freestone? – spytała.

Jacie podniosła wzrok. Na jej ustach pojawił się ironiczny uśmieszek.

– Ta, jasne. Ja i Mavis? Och, jesteśmy dobrymi przyjaciółkami. Jadamy lunche przynajmniej raz na tydzień. Jezu! Co za głupie pytanie!

– Peabody? Masz przy sobie coś do pisania? – Eve wyciągała właśnie z rękawa jednego z ukrytych tam asów.

Pani detektyw znalazła długopis i podała go szefowej.

– Masz jeszcze to swoje demo z piosenkami, które nagrałaś na przesłuchanie? – Eve zwróciła się z pytaniem do Jacie.

– Jasne, że mam. Zatrzymałam kopię nagrania.

– Daj mi godzinkę, a potem zadzwoń do Mavis na ten numer. Powiedz jej tak dużo lub tak mało, jak zechcesz, ale nie zapomnij przekazać, że Dallas twierdzi, iż powinna przesłuchać twoje demo.

Jacie wzięła wizytówkę.

– Nabijacie się ze mnie? – spytała, nie dowierzając, wpatrzona w trzymany w ręku kartonik.

– Jaki mogłybyśmy mieć w tym cel? Tak się składa, że jesteśmy z Mavis dobrymi przyjaciółkami. Co się dalej wydarzy, to już zależy tylko od ciebie.

W oczach kobiety ponownie zalśniły łzy, tym razem jednak nie popłynęły. Wpatrywała się w Eve ze zdumieniem, które z wolna przemieniało się w nadzieję.

– Dlaczego? Dlaczego mi pomagacie? – spytała wreszcie.

– Ponieważ nie jesteśmy twoimi wrogami. Uwierz nam, teraz, niezależnie od tego, czy zechcesz złożyć zeznania przeciwko Ryderowi Cooke'owi, czy też nie, my wezwiemy go na przesłuchanie. Na pewno nie byłaś jedyną kobietą, którą zgwałcił. Zamierzam zrobić, co w mojej mocy, aby jego zdjęcie nie znalazło się w tej teczce, by znalazł się za kratkami. To wszystko.

– J-ja muszę sobie to przemyśleć.

– W porządku. Mój numer widnieje po drugiej stronie wizytówki. Dziękuję, że przyszłaś.

Kiedy Jacie, wyraźnie oszołomiona, wyszła, Peabody dopiero wtedy osuszyła zwilgotniałe z przejęcia oczu.

– Ależ to było mega zajebiste, to co zrobiłaś, Dallas! Mega zajebiste!

– Nic mnie to nie kosztowało. Przejrzyj szybko akta Sherri Brinkman, zanim się z nią skontaktujesz. Zaproś ją do nas na przesłuchanie.

– Tak jest! – Peabody wstała i ruszyła do drzwi. – Zwykle ścigamy czarne charaktery. Miło jest czasem zrobić coś pozytywnego.

– Jak dla mnie ściganie czarnych charakterów to bardzo pozytywna sprawa.

– Wiesz, co chciałam powiedzieć.

O tak! – pomyślała Eve, kiedy Peabody wyszła. – Wiem.

Próbowała zadzwonić do Mavis, ale ta nie odbierała. Jej telefon automatycznie wysyłał dzwoniącym wiadomość:

Hej! Straszliwie żałuję, że nie mogę gadać, ale jestem w studio. Pisz! Buźki!

Napisała więc:

Tu Dallas. Będzie do Ciebie dzwonić Jacie Peppedrine. Wyświadcz mi, proszę, przysługę i zorganizuj sobie trochę czasu na przesłuchanie płytki demo z jej piosenkami. Jeśli nie będzie wymiatać, przekaż ją Roarke'owi. Z góry dziękuję!

Przełączyła się na ostatnio wykonane rozmowy wideo i wybrała numer do Nadine.

– Gotowa na wywiad jeden na jednego?

– Przecież przeprowadziłaś go z Peabody. Ta sprawa się z tym częściowo łączy i chcę ci podrzucić grubą, cuchnącą rybę.

– Mmm! Moja ulubiona! Czy ta gruba ryba ma jakieś nazwisko?

– Ryder Cooke.

Nadine przechyliła głowę i zmrużyła oczy.

– Nie mów, że masz go na stole w kostnicy...

– Nie i mam nadzieję, że uda się tego uniknąć. Musisz zacząć grzebać w bagnie, Nadine. Mam dziewczynę, która jak na razie nie złożyła jeszcze na niego oficjalnej skargi, lecz w mojej ocenie jest bardzo wiarygodna. Twierdzi, że ją zgwałcił, a sposób, w jaki się to odbyło, podpowiada mi, że nie był to ani pierwszy, ani też ostatni raz.

– Podaj mi jej nazwisko.

– Nie mogę tego uczynić, tak samo jak i ty byś tego nie uczyniła, Nadine. Jeśli tylko ona zdecyduje się podać to do wiadomości publicznej, dostaniesz je.

– Powiedz mi, kiedy to się zdarzyło.

– W zeszłym roku w sierpniu. Zacznij drążyć temat.

– Możesz na mnie liczyć. Dzięki za cynk.

– Zrób z tego użytek.

Następnie skontaktowała się z SVU, sekcją specjalną policji, gromadzącą dane ofiar, i przedstawiła im sprawę.

– Dopadniemy cię, ty skurwysynu! – mruknęła Eve pod nosem. – Jak nie tym sposobem, to innym.

Po powrocie do swego gabinetu dodała szczegóły przesłuchania do księgi zbrodni i przejrzała dostępne dane dotyczące Rydera Cooke'a.

Mężczyzna rasy mieszanej, lat czterdzieści osiem, z biznesem wartym kilka skromnych miliardów. Producent i prezes firmy Delray, którą zarządza od dwudziestu sześciu lat. Własny odrzutowiec, domy w Nowym Jorku, Nowym Los Angeles, East Hampton, na Jamajce. Dwie byłe żony plus osoba, która go reprezentuje jako pierwszoligowego gracza – tego udało się jej dowiedzieć, przeglądając media związane z przemysłem rozrywkowym.

Dowiedziała się również, przeczesując ten segment mediów, że Cooke przebywa obecnie w Nowym Los Angeles, gdzie jako producent nagrywa teledyski z zespołem o nazwie Growl.

Czyli na razie jest bezpieczny.

Sprawdziła następnie Sherri Brinkman, żeby się dowiedzieć, jak brzmiało imię jej byłego męża, i od razu zajęła się jego tożsamością.

Linus Brinkman, rasy białej kaukaskiej, lat sześćdziesiąt siedem, jedno małżeństwo, jeden rozwód, dwoje dzieci. Obecnie żyje w konkubinacie z LaDale Gerald, lat dwadzieścia pięć (czyli dziewczyną pięć lat młodszą niż jego własna córka).

Rezydencja w Nowym Jorku, drugi dom na wyspie Wielki Kajman na Karaibach oraz ostatnio zakupione mieszkanie w Paryżu.

Współzałożyciel i prezes Lodestar Corporation, firmy zajmującej się promocją różnych imprez: koncertów, większych zbiórek pieniędzy na szczytne cele, aukcji, a także imprez sportowych na żywo oraz online.

Wartość jego majątku określała liczba dziewięciocyfrowa.

Wiedziona ciekawością Eve wróciła do danych jego byłej żony. Środki finansowe sześciocyfrowe. Pracowała w firmie Lodestar przez dwadzieścia sześć lat jako wiceprezes do spraw marketingu – z dwiema przerwami na pracę na etacie matki – a obecnie pełniła funkcję asystentki prezesa w dziale marketingu mniejszej firmy, z pensją stanowiącą ułamek poprzedniego wynagrodzenia.

– Taa... Nieźle cię kiwnął, co, Sherri? – mruknęła Eve pod nosem.

Zadzwoniła do firmy Lodestar, gdzie przełączano ją kilka razy do różnych asystentek oraz asystentek asystentek i po frustrującej rundce pożegnano, udzielając informacji, że pan Brinkman wyjechał z miasta i nie można się w żaden sposób z nim skontaktować.

Wstała, przespacerowała się kilka razy w tę i z powrotem po gabinecie, kopnęła biurko.

Zadzwoniła do Roarke'a.

– Witam, pani porucznik! Jak miło cię usłyszeć wczesnym popołudniem! – ucieszył się.

– Już jest po południu? Cholera! Znasz Linusa Brinkmana z firmy Lodestar?

– Mniej więcej. Mniej niż więcej. Mieliśmy okazję się poznać.

– A może byś tak naciągnął maskę konsultanta cywilnego, skontaktował się z jego biurem i spróbował się dowiedzieć, gdzie on obecnie przebywa i kiedy ma wrócić? Jego asystentka ma kolejne asystentki i żadna z nich nic nie chce mi powiedzieć.

– Zrobię to, jeśli wygospodarujesz chwilę na coś w rodzaju lunchu.

– No ale... Dobrze. Oddzwoń do mnie od razu albo napisz wiadomość, jak tylko uda ci się czegoś dowiedzieć. Dzięki!

Nie była głodna, ale końcówka dnia zapowiadała się

na wypełnioną po brzegi. Nie chciała tracić czasu na jedzenie, a poza tym wątpiła, czy zdoła cokolwiek przełknąć.

Musi jednak zrobić, co obiecała. Powiedział „coś w rodzaju lunchu". Batonik czekoladowy spełniał te kryteria.

Zamknąwszy drzwi gabinetu na klucz, wygrzebała pilota z szuflady biurka i dezaktywowała nim sterowaną radiowo pułapkę z barwnikiem, jakich używają banki do ochrony banknotów przed złodziejami. Tę akurat zastawiła na nikczemnego złodziejaszka batoników. Wdrapała się na biurko i ostrożnie podważyła jeden z paneli sufitowych.

Wpatrywała się zdumiona w puste miejsce po pojemniku.

– Gdzie jesteś? – Wyjęła z kieszeni małą latarkę i poświeciła do środka.

Nic.

– Co za cholerny, przebrzydły skurczybyk!

Nie było nawet śladu po pojemniku z barwnikiem, a przecież powinien tu być. Złodziejaszek batoników musiał więc użyć pilota. Zapewne najpierw skanera, który ostrzegł go o zastawionej pułapce.

Zeskoczyła na podłogę i z marsową miną popatrzyła do góry na panel, a potem wcisnęła dłonie do kieszeni spodni.

Musiała to przyznać – z trudem, ale musiała – że to, cholera jasna, robiło wrażenie!

Przekręciła klucz w zamku, uchyliła drzwi i wyjrzała przez szparę na salę ogólną swojego wydziału. Jenkinson i jego krawat wrócili i – dobry Boże! – tym razem pyszniły się na nim małe tęcze, na pewno wygenerowane w reaktorze jądrowym. Wrócił również Reineke wraz ze swoimi skarpetkami.

Santiago i jego kapelusz przetoczyli się do biurka Carmichael, gdzie prowadzili z nią zaciekłą dysputę. Eve pomyślała, że pewnie dotyczy jakiejś prowadzonej przez nich sprawy albo kolejnego głupiego zakładu.

Wciąż nie było Baxtera i Truehearta, z czego wynikało, że musieli kogoś przyskrzynić.

Peabody wyglądała na pogrążoną w spisywaniu raportu.

– To jeszcze nie koniec! – obwieściła Eve na głos. Wszelkie aktywności ustały, twarze obróciły się w jej stronę. – Wierzcie mi, to jeszcze nie koniec.

Zamknęła drzwi i usiadła za biurkiem. Znów łypnęła spod oka na panel w suficie. Musi pomyśleć o innym zabezpieczeniu. O tak! Na pewno coś wymyśli.

Jej telefon zasygnalizował nadejście wiadomości.

> Brinkman jest w Nevadzie – Vegas – załatwia tam jakieś biznesowe sprawy. Wraca samolotem należącym do ich firmy na centralny port komunikacyjny Startrack Transpo Station, na ich prywatne lądowisko, o wpół do trzeciej. Zostanie stamtąd odebrany przez swojego stałego szofera z obsługującego ich miejskiego przedsiębiorstwa transportu osobowego. Miał pojawić się jeszcze w biurze, lecz pojedzie prosto do domu. Wieczorem bierze udział w eleganckim przyjęciu w strojach wieczorowych. Zamówił masażystę oraz stylistę na wizytę domową na godzinę piętnastą trzydzieści.
>
> Nie dziękuj. Zjedz.

– Okej, okej, dobra nasza – burknęła, tym razem rzucając ponure spojrzenie swojemu AutoChefowi, a potem odwróciła się ku drzwiom, zza których dobiegał zbliżający się ku niej energiczny stukot wysokich obcasów.

Nie zaskoczył jej w ogóle ani sam widok Miry, ani to, że wyglądała ślicznie jak wiosna w komplecie koloru łagodnego błękitu.

– Wybacz, ale nie chodziło mi o wciskanie się na siłę do twojego rozkładu dnia... – zaczęła Eve.

– Nie martw się, nie psujesz mi grafika zajęć. Zaraz wychodzę na spotkanie przy lunchu z Natalią Zulą, więc wygospodarowałam dla ciebie kilka minut. Chciałam cię przy okazji zapytać, czy nie zamierzasz przypadkiem ubiegać się o moje stanowisko?

– Nie rozumiem...

Mira z uśmiechem na twarzy pokonała kilka kroków dzielących ją od biurka Eve i uważnie przyglądając się jej mapie zbrodni, wyjaśniła:

– Sporządzony przez ciebie profil psychologiczny Darli Pettigrew wskazuje na niezwykłą przenikliwość w ujęciu tematu. Odniesienia do relacji z babcią, rozważania, jakie mogą być jej własne ambicje, w którą stronę podążał jej rozwój emocjonalny, jakie były oczekiwania, być może spowodowane właśnie przez tę relację... To wszystko uderza trafnością spostrzeżeń. – Mira przysiadła boczkiem na rogu biurka Eve. – Twoje podsumowanie i postawiona teza oparte są bardzo mocno na przeświadczeniu, że to ona zabiła. Jaką masz pewność, że tak właśnie jest?

– Przeprowadziłam badanie prawdopodobieństwa, które...

– Nie! Nie chodzi mi o mechaniczne przeliczanie prawdopodobieństwa. Jaką ty osobiście masz pewność?

– Dziewięćdziesiąt pięć procent. Powiedziałabym sto, lecz zawsze istnieje możliwość, że popełniam błąd, i z tym też muszę się liczyć. – To mówiąc, Eve stanęła przodem do mapy zbrodni, zaczepiła kciuki o szlufki paska i stała tak, przyglądając się zdjęciu Darli. – Ale muszę też brać pod uwagę fakt, że od samego początku wydała mi się podejrzana. Nie mogłam się pozbyć wrażenia, że coś kręci. Ponieważ zaś podejrzewałam ją od samego początku, mogło to wpłynąć na resztę mojego rozumowania.

– Szkoda, że nie mam możliwości porozmawiania z nią – westchnęła Mira. – Sama bym ją chętnie oceniła.

– Chcę ją zamknąć. – Eve odwróciła się z powrotem do Miry. – Potrzebny mi jest jakiś dowód, żeby ją wsadzić. Pracuję nad tym.

– Wobec tego zostawiam ją tobie. – Kobieta się wyprostowała. – Jak do tej pory wyładowywała agresję na mężczyznach. Koncentrowała się na tych, którzy skrzywdzili w jakikolwiek sposób kobiety z terapeutycznej grupy wsparcia, do której sama również należała. Jednakże ta agresja może w sposób niekontrolowany przenieść się na kogokolwiek, kto podejmie próbę powstrzymania jej przed odgrywaniem tej własnej wizji sprawiedliwości. A więc mimo że na razie postrzega cię jako kogoś o podobnym fachu, na pewno się to zmieni.

– Zapewne. Dzisiaj, nieco później, mam zamiar się o tym przekonać.

– W takim razie bądź ostrożna.

– Jeszcze tylko jedno pytanie... Czy według ciebie

paczka chipsów sojowych może być lunchem pewnego rodzaju?

– Nie! – odparła Mira, nie przerywając marszu w stronę drzwi.

– Szlag!

Eve zaczęła rozmyślać nad pizzą i konsekwencjami jej przygotowania, gdyby zapach się rozszedł po sali wydziału. Wywołałby chaos i rozruchy. Poza tym nie była na tyle głodna, żeby zjeść całą.

Następna przyszła jej do głowy zupa. Zauważyła, że w spisie dań ekspresu kuchennego jest kilka rodzajów pierwszego dania obiadowego. Z Roarke'a też był niezły numer. Podstępny skurczybyk – pomyślała. Zdecydowała się na kubek minestrone i... paczkę chipsów sojowych.

Jej partnerka weszła akurat wtedy, kiedy kończyła pochłaniać posiłek.

– Następny... – Peabody przerwała i wciągnęła powietrze nosem. – Tak nie pachnie zupa z automatu – stwierdziła. – To prawdziwa zupa.

– No i co z tego?

– Hmm... No bo... Pachnie naprawdę nieźle.

Eve odwróciła się i zaprogramowała jeszcze jedną porcję.

– Proszę! Ale ani słowa na ten temat.

– Rety! Dzięki! Mae Ming już tu jest, a poza tym przesłałam ci podstawowe informacje o Brinkman, dostępne w sieci.

– Weź Ming na siebie. Ja zajmę się kostnicą i po drodze zajadę do laboratorium odwiedzić Harvo.

– Niezłe rozwiązanie jak dla mnie.

– Czas nas goni, więc weź na siebie jeszcze przesłuchanie dwóch kolejnych dziewczyn, które są umówione na dzisiaj. Potem zadzwoń do Brinkman i zaproś ją do nas. Jeśli uda ci się wykryć nazwiska kolejnych kobiet, od razu je zapraszaj do komendy.

– Możesz na mnie liczyć.

Eve wzięła płaszcz i wepchnęła do kieszeni paczkę chipsów.

– Liczę – powiedziała. – I nie waż się tknąć mojego AutoChefa.

Wymaszerowała na salę ogólną wydziału, przyjrzała się podległym sobie pracownikom, zerknęła na tablicę zbrodni i skonstatowała, że Baxter i Trueheart faktycznie mieli jakąś sprawę. Konkretnie dwie za jednym zamachem, gdyż zabójca popełnił samobójstwo.

Przyjrzała się Truehearowi, który z ponurą miną spisywał raport, siedząc za swoim biurkiem. Nie wyglądał już na żółtodzioba – pomyślała. Umiejętność wyczucia wagi wykonywanego zawodu uczyniła z niego dobrego policjanta.

Teraz mogła wyczytać z jego twarzy, jak bardzo jest przejęty tym, co robi.

Miała złapać seryjnego zabójcę, ale miała też ludzi, którzy potrzebowali szefa.

Podeszła do jego biurka.

– Detektywie!

– Tak jest!

– Gdzie się podział twój partner?

– Jest w pokoju socjalnym. Poszedł tam zrobić nam kawę. Dopiero wróciliśmy z akcji…

– Tak, wiem. Widziałam tablicę.

– Wyglądało to na zwykłą awanturę domową. Byli w trakcie rozwodu budzącego wiele spornych kwestii, w tym sprawę opieki nad dwójką dzieci, jedno lat osiem, drugie dziesięć. Mężczyzna udał się do miejsca jej zamieszkania. Nie było śladów siłowego pokonywania drzwi wejściowych, wyglądało na to, że sama wpuściła go do środka. Dźgnął ją wielokrotnie nożem, a potem poderżnął sobie gardło.

– A co z dziećmi?

– Były w szkole. Na szczęście. Sąsiadka usłyszała jej krzyki, ale nie mogła wejść do środka, gdyż zamknął drzwi na zasuwę od wewnątrz. Wezwała policję, ale było już za późno. Miała siostrę. Dzieci są teraz ze swoją ciocią.

– Słuchaj, Trueheart. Czasami tak się zdarza, że nie ma dla nas już nic do roboty, pozostaje jedynie spisać raport. Nie ma kogo ścigać, nie ma kogo przyprowadzić do siedziby komendy i tu aresztować. Możemy tylko wszystko spisać i zamknąć sprawę.

– Wiem, pani porucznik. Baxter mówił mi to samo. – Westchnął ciężko. – Tym się właśnie teraz zajmuję.

Tyle im teraz tylko pozostało – myślała znowu, wychodząc. Radzenie sobie jakoś z tymi chwilami, kiedy nie było już nic więcej do zrobienia, to nieodłączna część ich zawodu. Zawsze pozostawała nadzieja, że zrobiło się wszystko, co się dało, wtedy kiedy jeszcze można było coślkolwiek zrobić.

Tym razem pojechała do kostnicy bez zbędnych nerwów, obserwując przepływające swobodnie obok ulice Nowego Jorku. Tylko w nocy było tak spokojnie, bez przetaczającej się wciąż wokół rzeki hałasu, pośpiechu, feerii barw, złości i wszelakich atrakcji. Nie można było mieszkać i pracować w mieście z tym wszystkim wokół, tak intensywnie oddziałującym na zmysły, by nie czuć potem przygnębienia, kiedy pozostawało jedynie spisanie zaistniałych zdarzeń. Należało zwalczyć zwątpienie i po raz kolejny uwierzyć, że następnym razem będzie się chciało zrobić i znów się zrobi wszystko, co w ludzkiej mocy.

Szła więc tym samym białym korytarzem kostnicy po raz trzeci w ciągu trzech dni wciąż z pełną determinacją. W pełni zaangażowana. I poważnie wkurzona.

Zanim zdążyła dojść do dwuskrzydłowych wahadłowych drzwi, wyszedł z nich Morris.

– Dallas! Dopadłaś mnie w drodze na lunch.

Wyciągnęła z kieszeni paczkę chipsów.

– Przekupię cię za szybkie podsumowanie.

– No dobra, ale tylko dlatego, że mam słabość do chipsów – odrzekł i wrócił niechętnie na salę, a Eve poszła za nim.

Na trzech stołach sekcyjnych leżały trzy ciała.

– Morderstwo z samobójstwem – rzucił Morris, kiedy zauważył, że Eve przygląda się dwóm pozostałym denatom.

– Mhm, wiem. Padło na Baxtera i Truehearta. Sposób męża na rozwiązanie problemu rozwodu i sprawy opieki nad dziećmi.

– Kobieta walczyła. Mogę ci powiedzieć nawet przed rozpoczęciem sekcji, że walczyła. Łatwo się nie poddała. – Poklepał ramię Eve i podszedł do stołu, gdzie leżało ciało Kagena. – Ten z kolei nawet palcem nie ruszył w swojej obronie. Nie mógł ze względu na stan całkowitego upojenia alkoholowego. Potem został jeszcze nafaszerowany narkotykami. Moja teoria brzmi następująco: uważam, że pierwszy środek stymulujący, który został mu podany, nie zadziałał, bo gość był zbyt pijany. To był ten sam barbituran, który podano dwóm poprzednim ofiarom. Ale ten facet wlał w siebie ponad półtora litra piwa i trzy pięćdziesiątki whisky, zanim mu podano środek nasenny.

– Pewnie dlatego go nie skatowała tak bardzo jak poprzednich ofiar. To możliwe. Złamana ręka. To już nieomal symboliczne. Był leworęczny i tą ręką bił żonę – wyjaśniła Eve.

– Zgadza się. Lewa ręka była u niego ręką dominującą. Miał również początki marskości wątroby i wielu innych chorób. Jego obrażenia? Tylko trzy, najdalej cztery godziny między pierwszymi a ostatnimi. Masz rację co do tego, że nad nim nie pastwiła się tak bardzo. Być może nie miała tym razem aż tyle czasu?

– Nie było sensu go torturować, póki nie odzyskał przytomności, a potem prędko musiała kończyć, żeby zdążyć go odwieźć pod dom, zanim jeden z jego sąsiadów wróci z nocnej zmiany. Kiedyś pracował w policji, więc okazał się bardzo pomocny.

– Co za pasmo szczęśliwych zbiegów okoliczności!

– A żebyś wiedział. Równie szczęśliwie Peabody odnalazła włos, który, mam nadzieję, Harvo dokładnie przebada. Co ci jeszcze mówi jego ciało?

– Blizny na kostkach palców rąk świadczą o tym, że używał swoich pięści regularnie przez lata. Stopień zużycia organów wskazuje na systematyczne nadużywanie alkoholu, złą dietę, pobieżne czyszczenie zębów. W niczym mu to nie pomogło.

– Musisz wiedzieć, że zabójczyni dokładnie znała przyzwyczajenia i sposób bycia swoich ofiar. Wiedziała o tym wszystkim.

– Jak widać, był dla niej najłatwiejszym celem ze

wszystkich trzech, a i tak popełniła błędy. Podała mu za dużo środka nasennego, musiała przyspieszyć proces zabijania, tak że nie sprawdziła ciała na tyle dokładnie, by nie pozostawić po sobie żadnych śladów.

– Staje się nieuważna. Podejmuje też większe ryzyko. W tym wypadku zdecydowała się usiąść obok denata przy samym barze. Siedziała na tyle długo, że zdążyła zamówić piwo i uciąć z nim pogawędkę, w dodatku z barmanem znajdującym się dwa kroki od nich. A więc... Łap! – Rzuciła Morrisowi paczkę chipsów. – Dzięki!

W drodze do laboratorium Eve pogrążyła się w rozmyślaniach. Niechlujne, świadczące o braku czasu na przemyślane działania było podanie ofierze zbyt dużej dawki środka nasennego. Zabójczyni musiała wiedzieć, że za dużo pił, był jednak potężnym facetem, a zapewne nie chciała ryzykować, że podjąłby choćby najmniejszą próbę obrony.

Jeszcze bardziej o niechlujności w działaniu świadczyło pozostawienie włosa.

Nie pochodził z fioletowej peruki, musiała się więc pozbyć przebrania, zanim się nim zajęła.

Musi poprosić Harvo, żeby przebadała DNA.

Kiedy Eve znalazła się już w laboratorium, od razu skręciła w stronę przeszklonego królestwa Harvo. Królowa włosów i włókien zasiadała na wysokim stołku przy długim blacie roboczym. Miała na sobie coś w rodzaju bardzo szerokiego kombinezonu ochronnego – w jej wersji kolorystycznej. Był w kolorze wiosennej zieleni, upstrzony od góry do dołu jakimiś niezrozumiałymi dla osoby postronnej symbolami i znaczkami.

Własne włosy – również w kolorze wiosennej zieleni – ściągnęła gumką w niewielki, podskakujący przy każdym ruchu kucyk z tyłu głowy. W jej nosie lśnił mały kolczyk ze szmaragdowym oczkiem. Jak widać zieleń była dziś u niej kolorem dnia.

W tle dudniła muzyka, w której rytmie raz po raz podskakiwał kucyk. Palce rąk – z równie zielonymi paznokciami – tańczyły po dotykowym ekranie komputera.

Kiedy Eve weszła do środka, Harvo oderwała wzrok od monitora i posłała jej uśmiech, a następnie pstryknęła trzykrotnie palcami i muzyka ucichła.

– Hej, Dallas! Trzymasz się? Właśnie skończyłam robotę dla ciebie. Klapnij sobie! – Wskazała stołek obok.

– Dzięki, postoję. Ta presja i w ogóle…

– Tak, tak. Wiem, jak to działa. A więc na twoim włosie była krew denata oraz komórki jego naskórka. Wygląda na to, że krew zaczęła zastygać wokół, więc musiał jeszcze żyć, kiedy włos spadł i się przykleił. Tak na marginesie krew i naskórek należą tylko do denata.

– Dasz radę pobrać próbkę DNA?

– To stary włos, Dallas. Stary, martwy włos bez cebulki. To, co mi przesłałaś, to ludzki włos, ale bardzo stary. Pochodzi z jakiegoś produktu upiększającego fryzurę.

Brak DNA… – pomyślała Eve. Niestety, nie tak wielki zwrot w śledztwie, jak sobie wyobrażała.

– Z peruki? – spytała.

– Może z przedłużanych włosów lub z dopinki. Peruce dam jednak solidne osiemdziesiąt pięć procent. Nie ma tu żadnych oznak byle jakości. Włos jest ludzki, prawie cały nigdy nie był traktowany żadnymi farbami, więc ktokolwiek go sprzedał lub podarował perukarzowi, miał prawdziwe kruczoczarne włosy.

– Prawie cały?

Harvo obróciła się z siedziskiem stołka i wyświetliła na monitorze włos w dużym powiększeniu.

– Patrz tutaj. Lekkie dotknięcie, dosłownie muśnięcie siwizny. I tu występuje koloryzacja. Trudno powiedzieć, na jakiej długości, ponieważ włos jest ucięty. Nie cały, od końcówki do cebulki, lecz ścięty na pewnej długości.

Eve nawet nie próbowała się dopytywać, skąd Harvo to wszystko wiedziała. Nie było potrzeby kwestionowania opinii wydawanych przez królową.

– To farba używana do koloryzacji wyłącznie przez charakteryzatorów teatralnych i filmowych: firmy Numex, o nazwie Lightning Strike. Przypuszczam więc, że włos mógł pochodzić z peruki przygotowanej dla jakiejś konkretnej postaci – rozważała Harvo. – Większość zwykłych ludzi nie dodawałaby przecież specjalnie pasm siwizny do czarnych włosów.

– Większość zwykłych ludzi stara się pozbyć siwizny czy też srebrnych włosów – weszła jej w słowo Eve.

– No właśnie! – Rozradowana Harvo wystawiła palec wskazujący do góry, ruchem ręki podkreślając każdą wypowiadaną sylabę. – Hm. Może ktoś chciał postarzyć odgrywaną postać? Może miał to być komplet z jakimś kostiumem starszej kobiety czy coś w tym rodzaju. W każdym razie na perukę naniesiono nieco srebrnej farby smugami lub chlapnięciami. A sam włos? Według mnie pochodzi z głowy Azjatki. Jest ładny, gruby, zdrowy. Takie włosy są drogie. Jest bardzo zadbany. Dbano o niego profesjonalnie, produktami specjalistycznymi wysokiej jakości. Ostatnio użyta była specjalna odżywka do peruk firmy Allure.

– Jesteś w stanie ustalić nawet nazwę firmy?! – zdziwiła się Eve.

– Dallas! – Harvo rozłożyła ręce. – Do kogo ty z takim pytaniem?

– No tak, jesteś marką sama w sobie – zmitygowała się Dallas. Chciała jeszcze spytać, czy Harvo ma pewność co do tej peruki, ale ugryzła się w język. Przecież doskonale wiedziała, z kim ma do czynienia.

– Tym razem odgrywała dziwkę z ulicy. Fioletowe włosy. Barman twierdził, że były fioletowe jak kwiaty bzu, nie czarne. Stał pół metra od niej. Nawet w przyćmionym świetle nie mógłby pomylić kolorów. W jakim celu ona zmienia peruki? Dlaczego w ogóle wkłada perukę, kiedy ich torturuje?

– To pytanie wychodzi poza zakres kompetencji, za które mi tu płacą. Być może po prostu lubi za każdym razem wyglądać inaczej, kiedy, no wiesz… wykonuje inne zadanie.

– Wkłada różne kostiumy, powiadasz? – Eve zaczęła w zamyśleniu krążyć po salce. – Myślisz, że to kostiumy? Część odgrywanej roli? Przebiera się, żeby wyglądać tak, jak chce być przez nich postrzegana, kiedy ma już ich pod swoją kontrolą? Kiedy są bezradni? Czy ona przypadkiem… – Eve nagle stanęła jak wryta. – Ależ tak! Właśnie tak! Ożeż, skubana! Oni mają widzieć w niej tę osobę, w którą ona się wciela. Pierdoloną Lady Justice!

– No cóż, podsumujmy. Pierdolona Lady Justice miała na głowie profesjonalnie pielęgnowaną perukę z najwyższej jakości ludzkich włosów, kiedy rozprawiała się z tym typem. To mogę ci zagwarantować.

– Jasne! Pewnie, że tak! Dzięki ci, Harvo!

– Zawsze do usług.

Eve zatrzymała się jeszcze w drzwiach.

– O co chodzi z tym twoim... o tym?... – spytała, kreśląc w powietrzu kółka palcem i wskazując jednocześnie na laboratoryjny kombinezon Harvo.

– Tymi znaczkami na moim kombinezonie? Och, Dallas, to układ okresowy pierwiastków. Przez chemię do lepszego życia i do lepszej śmierci, no nie?

– Trudno się z tobą nie zgodzić. To na razie! Pa!

18

Eve poszła z powrotem do swojego wydziału zabójstw i pierwsze, co zobaczyła, to puste biurko Peabody.
– Gdzie Peabody? – spytała Baxtera.
– W sali przesłuchań.
Nie będę się dopytywać o szczegóły – zdecydowała.
– Może się tak zdarzyć, że będę potrzebować na dzisiejszy wieczór zespołu operacyjno-rozpoznawczego do obserwacji domu podejrzanej. Na miejscu od dziewiętnastej do dwudziestej trzeciej. Ty i Trueheart zgłaszaliście się na ochotnika.
– O tak. W ten sposób działamy bezinteresownie. Czy to sprawa Lady Justice?
– Ma teraz dobrą passę i jakoś nie widzę, by coś miało ją przerwać. Jeden potencjalny cel jej ataku wyjechał z miasta, ale drugi uczestniczy dzisiaj w wieczornym galowym przyjęciu. Może podejmie próbę wyciągnięcia go stamtąd.
– Załatwisz mi smoking, to tam pojadę.
– Nie pojedziesz na żadne wytworne przyjęcie. Będziesz siedział w samochodzie i obserwował wielki, wytworny dom podejrzanej. Muszę wiedzieć, kiedy

i czy w ogóle ona opuści swą rezydencję. Jakimkolwiek samochodem. Do tej pory używała ciemnego auta miejskiego. Jeśli tylko zobaczysz takie auto albo białą terenówkę, albo srebrny sedan, opuszczające teren rezydencji, natychmiast do mnie dzwonisz, a potem za nim pojedziesz.

– Słyszałeś to, dzieciaku? – spytał Baxter Trueheart. – Trzeba zaopatrzyć się w przekąski na czas obserwacji domu.

– Jeżeli nie ruszy za nim do godziny dwudziestej trzeciej, będzie to oznaczać, że robi sobie przerwę. Ale na wszelki wypadek... zostańcie jeszcze z godzinkę.

Podała im adres i pomaszerowała do swojego gabinetu.

Następnie zaprogramowała kawę, po czym wyjęła telefon.

– Co też pani porucznik taka rozmowna dzisiaj?

– Nie będzie żadnych pogaduszek. Czy nie powinieneś teraz kupować jakiegoś kraju trzeciego świata i zajmować się koronowaniem na jego króla, zamiast odbierać telefon?

– Zrobiłem to już dziś rano. – Roarke uśmiechnął się do kamerki. – I właśnie skończyłem spotkanie z lunchem, podczas którego zatwierdziłem plany mojego pałacu. Co mogę dla ciebie zrobić?

– Na jakie eleganckie przyjęcie wybiera się dzisiaj wieczorem Brinkman?

– Ach, to doroczna Wiosenna Gala, której gospodarzem jest Nasza Planeta. Jej celem jest zebranie funduszy na ochronę środowiska.

– Wspaniale. Możesz załatwić nam wejściówki?

Zamilkł.

– Przypuszczam, że raczej nikt ci nie podał zastrzyku z medykamentem – rzekł po chwili – który wywołałby u ciebie chęć udzielania się towarzysko, w dodatku na eleganckim przyjęciu w strojach wieczorowych, wnioskuję więc, że chodzi o pracę.

– Obie hipotezy są właściwe. Podejrzewam, że Lady Justice może chcieć podejść na nim Brinkmana. Ona lubi ryzyko, lubi się przebierać, a tutaj będzie miała to wszystko. Plus wymówkę, żeby włożyć kolejny kostium. Peabody zajmuje się przesłuchiwaniem kilku następnych kobiet, więc my możemy się zająć innymi potencjalnymi ofiarami. Obecnie Brinkman znajduje się najwyżej na tej liście. Interesuje mnie opcja znalezienia się tam, by go osłaniać, a jeśli mi się poszczęści, aresztuję ją – powiedziała Eve.

– Obserwowanie ciebie podczas aresztowania osoby podejrzanej to jedna z moich ulubionych form rozrywki. Szczególnie kiedy jesteś ubrana w elegancką suknię. To dodaje pikanterii.

– Nie wiem, co to oznacza, ale się zgadzam. Możesz nam załatwić wejściówki?

– Ponieważ gala odbędzie się w wielkiej sali balowej mego pałacu, czyli w tym wypadku hotelu, na pewno mogę. Czy mam też umówić Trinę, żeby wpadła cię uczesać i tak dalej?

Eve wciągnęła powietrze i wypuściła je przez nos.

– To nie było miłe.

– Wiem, za to zabawne. A więc do zobaczenia w domu.

– Jasne. I nie waż się dzwonić do Triny! – dodała, zanim się rozłączyła.

Z kubkiem kawy w dłoni, z nogami na blacie biurka, zajęła się studiowaniem powiązań na swojej mapie zbrodni.

– W jaką rolę wcielisz się tym razem? Kelnerki? Ja bym tak zrobiła. Łatwo dosypać coś do kieliszka, jeśli się je roznosi i podaje. Pozostaje jedynie wyprowadzić go z sali na zewnątrz. A dokonanie tego przed tymi wszystkimi ludźmi, tą całą publicznością? O tak! Będzie ci się to podobało. Co za krok naprzód w porównaniu z ostatnią meliną!

Eve popijała kawę, rozmyślając.

Mogłaby też pójść tam jako gość, jako jedna z wielu bogatych, eleganckich kobiet.

– Ale jak możesz zostawić babcię bez opieki? – mruknęła pod nosem. – Czy gdzieś tu się mylę? Czy babcia jednak uczestniczy w tym procederze? W takim przypadku... W takim przypadku porozmawiamy inaczej. Zanim nadejdzie wieczór, będę musiała jeszcze raz rzucić okiem na was obie.

Eve nie zmieniła pozycji, nawet kiedy usłyszała zbliżający się do jej drzwi charakterystyczny stukot obcasów kowbojek Peabody.

Sama pani detektyw wyglądała kiepsko, jak zauważyła Eve. Była blada i wykończona.

– Błagam – jęknęła Peabody. – Umrę bez kawy.

– Rób.

Dopiero obsługując AutoChefa, Peabody głęboko, powoli odetchnęła.

– Mam kolejne nazwisko. Następna kobieta. Skontaktuję się z nią, jak tylko wypiję kawę. Mam również nazwisko, a w tym konkretnym przypadku nawet dwa, przyszłych potencjalnych ofiar.

– Usiądź. – Jej partnerka wyglądała jak zbity pies,

więc Eve odstąpiła jej własne krzesło. – Siadaj i streść mi przebieg przesłuchań.

– Po pierwsze, Ming ma alibi na pierwsze dwa wieczory. Wyjechała z wizytą do swojej rodziny w Maine. Sprawdzę to jeszcze, ale wydaje się wiarygodna. Wróciła dopiero wczoraj po południu. Mieszka w wynajętym pokoju ze współlokatorką i obie były w domu około dwudziestej, a potem jej współlokatorka jeszcze wyszła. Ming twierdzi, że położyła się do łóżka o dwudziestej trzeciej. Była bardzo zmęczona i nie słyszała, kiedy tamta wróciła. Widziała ją jednak dzisiaj o siódmej trzydzieści. Współlokatorka zaś twierdzi, że była z powrotem około pierwszej w nocy. Miała wspaniałą randkę. Tak to wygląda w ogólnym zarysie i z tego wynika, Dallas, że to nie ona.

– Na wszelki wypadek sprawdź. A potencjalne ofiary?

– Gregory Sullivan i Devin Noonan. Obaj są licencjatami i dalej studiują na nowojorskim uniwersytecie. Tuż przed przerwą świąteczną z okazji święta Dziękczynienia została zorganizowana impreza: dużo alkoholu, trochę dragów. Ming nie kręciła ani nie unikała odpowiedzi na moje pytania. Nie zaprzeczała, że piła i wzięła co nieco. Poszła do pokoju po swoje okrycie wierzchnie, chciała wrócić do domu. Obaj weszli za nią i zamknęli drzwi na klucz. Powiedziała, że to Sullivan pchnął ją na łóżko, ale Noonan ją trzymał, kiedy ten drugi ściągał jej majtki. Ponieważ było głośno, nikt nie słyszał jej krzyków ani wołania o pomoc. Gwałcili ją na zmianę.

– Czy komukolwiek o tym powiedziała?

– Nie. – Peabody przetarła twarz otwartą dłonią. – Mówili, że sama się o to prosiła, ocierając się kusząco podczas tańca z Sullivanem. Wszyscy widzieli, jak to robiła. Tak jej powiedzieli, po wszystkim zostawili ją tam po prostu. Wciągnęła spodnie, poszła do domu i zwymiotowała. Jej współlokatorka już wyjechała na ferie świąteczne, więc była sama w pokoju. Widziała ulotki reklamowe grupy na kampusie i postanowiła pójść na terapię, gdy zaczęła mieć w nocy koszmary. Dołączyła do grupy na początku grudnia.

– Czy Pettigrew również uczestniczyła w tych zajęciach, na których wymieniła z nazwiska swoich gwałcicieli?

– Tak. Ming wyznała, że zaczęła okropnie płakać i nie mogła przestać, a wtedy Pettigrew podeszła do niej i ją przytuliła.

– Czy złoży zeznania obciążające tych dwóch?

– Najpierw myślałam, że się na to nie zdecyduje, ale kiedy porozmawiałyśmy, stwierdziła, że to zrobi, chce jednak najpierw skontaktować się ze swoją matką i opowiedzieć jej o tamtym zdarzeniu. Zwierzyła się ze wszystkiego swej współlokatorce, kiedy zaczęła chodzić na terapię, ale matce nie była w stanie wyznać prawdy. Sądzę, Dallas, że wróci i złoży te zeznania.

– Dobrze. Może wolałabyś się zająć potencjalnymi ofiarami, a ja przesłucham kolejną dziewczynę?

– Nie. Już mi lepiej. – Na potwierdzenie swoich słów Peabody dopiła kawę i wstała. – Naprawdę już dobrze się czuję. Potrzebowałam tylko małej przerwy. Mogę teraz przesłuchać następną osobę.

– Jeśli tylko poczujesz, że dłużej nie dasz rady, przestań.

– Jeszcze nie nadszedł ten czas. – Policjantka podeszła do drzwi. – Jest źle, ale czuję, że dobrze im robi, kiedy pozwalam im się wygadać, pokazuję, że im wierzę. Pójdę teraz wszystko spisać i sprawdzę ich alibi, zanim przyjdzie następna.

– Peabody, robisz dobrą robotę.

– Poczuję to tak naprawdę, dopiero kiedy zamkniemy sprawę, a zamknięcie jej będzie zawierać w sobie również wsadzenie za kratki takich dupków jak ten Sullivan czy Noogan.

Tak się właśnie stanie – pomyślała Eve.

Przejrzała dostępne dane tych dwóch studentów. Znalazła informacje na temat Sullivana: kilka poalkoholowych incydentów zaprawionych narkotykami, kilka tygodni w klasycznym poprawczaku. Skąpa historia zatrudnienia ograniczała się do paru tygodni pracy w roku w rodzinnym biznesie. Grywał w lacrosse'a i w tenisa, studiował biznes i finanse, a jakieś tam niewielkie pieniądze wyciągał z posiadanego funduszu powierniczego.

Znała ten typ człowieka.

Noonan okazał się nieomal lustrzanym odbiciem swojego kumpla, tyle że zamiast w lacrosse'a grywał w golfa. Pracował też nieco więcej: zwykle co roku po kilka miesięcy w country clubie w Connecticut, do którego należeli członkowie obu rodzin.

Zebrała wszystko, co miała, tym razem jednak zamiast kontaktować się z wydziałem specjalnym do spraw ofiar przestępstw, zajęła się tym osobiście. Omówiła strategię działania z kilkoma znajomymi detektywami oraz porucznikiem dowodzącym grupą.

Doszła do wniosku, że był to czas spędzony bardzo produktywnie. Pozytywnie.

Kiedy wróciła do swojego gabinetu, na jej biurku leżał już raport Peabody. Przeczytała go, dodała swoje uwagi po wizycie w wydziale specjalnym oraz wyniki własnych poszukiwań.

Zauważyła, że Peabody nie miała czasu sprawdzić żadnego alibi, toteż raz jeszcze przejrzała otrzymane informacje i zaczęła to sama robić.

*

Kiedy Eve rozmawiała ze współlokatorką Ming, Linus Brinkman wysiadał właśnie ze swojego prywatnego odrzutowca. Podczas lotu zjadł ze smakiem sałatkę cesarską oraz miseczkę zupy z wędzonych pomidorów, wypił dwa kieliszki wina pinot noir.

To wszystko wraz z niezwykle udanym wyjazdem wprawiło go w doskonały humor.

Nieco się nachmurzył, kiedy zobaczył szofera trzymającego tabliczkę z jego nazwiskiem.

– Jestem Brinkman. Gdzie Viktor?

– Bardzo mi przykro, proszę pana, lecz poszedł na zwolnienie chorobowe dosłownie kilka chwil temu. Znalazłem się tu, żeby nie odczuł pan żadnych niedogodności z tego powodu. Pan pozwoli, że wezmę pański bagaż.

Brinkman podał mu swoją walizkę, lecz jego marsowa mina jeszcze się pogłębiła.

– Przysłali droida na zastępstwo? Jesteś doskonale wykonanym egzemplarzem, ale jednak tylko droidem.

– Tak, proszę pana. Byłem dostępny w trybie natychmiastowym i zostałem zadysponowany, żeby zapewnić panu wszelkie wygody i żeby nie musiał pan oczekiwać zbyt długo na inne zastępstwo. Jestem oczywiście droidem w pełni zaprogramowanym na stanowisko szofera, mam prawo jazdy oraz wymaganą licencję na prowadzenie pojazdów. Pański samochód oczekuje tam, na zewnątrz.

– Już dobrze. W porządku. Nie mam czasu na bezsensowne gadki.

– Rozumiem. – Droid pchał walizkę na kółkach w stronę samochodu, a potem otworzył przed Brinkmanem tylne drzwi.

Kiedy mężczyzna pochylił się, żeby wsiąść do środka, dostrzegł na tylnej kanapie kobietę.

– A pani to kto? – zdziwił się.

– Mam na imię Selina, panie Brinkman. Firma wysłała mnie jako towarzyszkę pana podróży w celu zrekompensowania niedogodności. – Podała mu rękę na powitanie i niepostrzeżenie wstrzyknęła w dłoń środek usypiający.

– Nie jesteś kolejną droidką, co? – spytał, już lekko bełkocząc.

– Oczywiście, że nie! – Zaoferowała mu kieliszek wina. – Kobieta z krwi i kości, zupełnie jak ty.

Spał jak dziecko, zanim zdążyli przejechać przez centrum.

– Zatrzymaj się przed salonem piękności, Wilford. Potem podjedziemy jeszcze na targ.

– Tak jest, pani Pettigrew.

– Następnie zabierzesz go tam, gdzie zawsze. Skuj go i podwieś na łańcuchach.

– Oczywiście, pani Pettigrew.

– Podałam mu taką dawkę, że nie ocknie się przez kilka najbliższych godzin, więc kiedy skończysz, możesz przejść w stan uśpienia.

– Jak sobie pani życzy.

Tak – pomyślała. – Dokładnie tak, jak sobie życzę.

*

Pomiędzy jednym a drugim przesłuchaniem Eve zapoznawała się z krótkimi sprawozdaniami Peabody. Dostawała nowe nazwiska i nowe informacje. Sama sprawdzała kolejne osoby w sieci oraz ich alibi. Znalazła w ten sposób następnego mocnego kandydata na ofiarę zabójczyni: pracownika banku udzielającego pożyczek, który zmuszał lub próbował zmusić kobiety ubiegające się o pożyczkę do zrobienia mu loda w zamian za akceptację dokumentów złożonych w sprawie pożyczki.

Może i w końcu straci tę pracę i odsiedzi z sześć miesięcy, lecz Eve wątpiła, czy w rozumieniu Lady Justice byłaby to dla niego dostatecznie dobra kara.

Kiedy Peabody weszła do gabinetu ze straszliwym zmęczeniem malującym się w zapadniętych oczach, Eve wstała.

– Sprawdzisz mi tego typa po drodze – zarządziła.

– Po drodze dokąd?

– Jedziemy złożyć Darli Pettigrew kolejną wizytę. Nazwijmy ją wizytą kontrolną – powiedziała Eve, ściągając płaszcz z wieszaka. – Potem podrzucę cię do domu, ale potrzebna mi tam będzie osoba pełna współczucia.

– Jestem, kurna, tak pełna współczucia, że aż mi się uszami wylewa. Zaraz zawału dostanę z tego wszystkiego. Mam braci, Dallas... – Zatrzymały się po drodze przy biurku Peabody, żeby zabrać jej kurtkę. – ...mam wspaniałego ojca, wujków, kuzynów – ciągnęła. – Mam McNaba. Roarke'a, Leonarda, Charlesa, chłopaków z wydziału. Wiem, że nie wszyscy mężczyźni to świnie wykorzystujące kobiety. Ale ci mężczyźni z przesłuchań... Jezu! Nie ma na nich wystarczająco obraźliwych słów!

– Zapłacą za to. Nie życiem, ale zapłacą.

– Sądzę, że wszystko przez to, że musiałam ich wysłuchiwać jednego po drugim, bez przerwy. Czułam się tak, jakby waliły się na moją głowę jakieś okrutne ciężary, rozumiesz? Widujemy o wiele gorsze rzeczy, ale to zwalało się na mnie jedno po drugim.

– Zapłacą za to – powtórzyła Eve. Zmusiła się do pozostania w windzie do końca, dopóki nie zjadą na sam dół, do garażu. – Kiedy tylko skończymy z Darlą, wracasz do domu.

– Jakoś wytrzymam – odparła Peabody. – Chcę doprowadzić to do końca.

– Niewiele do tego końca zostało. Może się nieźle dziać dzisiaj późnym wieczorem. Wysłałam Baxtera i Truehearta na obserwację rezydencji Callahan. Jeśli Darla dzisiaj się wymknie, natychmiast cię ściągnę z powrotem.

– Co zamierzasz zrobić po wizycie u niej?

– Chcę przeprowadzić rozmowę z Linusem Brinkmanem. Do tego nie jesteś mi potrzebna. Nie przyda się tu wprowadzenie elementu współczucia. Wrzuciłam nazwiska do bazy wydziału specjalnego, a Nadine próbuje wywęszyć cokolwiek na Rydera Cooke'a. Mam przeczucie, że kiedy gostek wróci do Nowego Jorku, będzie na niego czekać niespodzianka.

Wyszły z windy i ruszyły na ukos przez parking w stronę auta.

– Od razu mi lepiej, kiedy tak mówisz – powiedziała Peabody. – Ostatnia dziewczyna, którą przesłuchiwałam, zamieszkała ze swoją siostrą po tym, jak jej były chłopak tak ją urządził, że wylądowała w szpitalu. Po fakcie gdzieś przepadł i za cholerę nie mogli go znaleźć. Potem ktoś otruł małego pieska jej siostry. Dasz wiarę?

Małego pieska, Dallas! Ktoś pociął opony samochodu siostry, ktoś stłukł w nim przednią szybę. Przez okno pokoju dziennego ktoś wrzucił kamień. Tego typu gówniane sprawki. – Wsiadła do samochodu i wciąż mówiła. – Powiada, że czasem go widuje, a to w metrze, a to gdzieś z daleka na ulicy, na policji jednak twierdzą, że nie mogą go odnaleźć. Ona boi się mieszkać u siostry, ale nie ma się gdzie podziać.

– Znajdziemy go. Dopadniemy. Poszukaj informacji o nim. – Musisz być ciągle czymś zajęta, pomyślała Eve. – Sięgnij do materiałów dochodzeniówki. Znajdź jego akta.

Peabody wyjęła swój komputer podręczny i rozpoczęła poszukiwania.

– Ma dwa inne oskarżenia o napaść. Oba nieruszone, albowiem w obu przypadkach strona skarżąca wycofała zarzuty. Historia zatrudnienia w kratkę, nie ma aktualnego adresu zamieszkania. – Peabody zerknęła na Eve. – Czy mogłabym pociągnąć ten temat? Wiem, że to musi poczekać, dopóki ona nie złoży oficjalnego oskarżenia, ale on rzeczywiście gdzieś przepadł, więc nie wiem, jak niby nasza zabójczyni miałaby go odnaleźć przed policją. Jednakże jeśli będę mogła rozpracować tę sprawę...

– Jest twoja. Jeśli tylko zabraknie ci jakichś danych, dawaj mi znać.

Eve prowadziła samochód, a Peabody w tym czasie sięgnęła do akt pierwszej sprawy o napaść, a potem do akt dochodzeniówki z Queens odnośnie do czynów karalnych, których mężczyzna dopuścił się na psie, domu i samochodzie.

Eve wspomniała coś o konieczności zachowania

obiektywizmu, którego nie słyszała w tonie głosu Peabody ani nie dostrzegała w wyrazie jej twarzy, wiedziała jednak, że ten rodzaj zaangażowania w dochodzenie, ten rodzaj determinacji może napędzić machinę prawa i doprowadzić do zmiany postrzegania sprawy oraz do jej zamknięcia.

Musiała też przyznać, że sama nie miała żadnych obiekcji przeciwko takiemu potraktowaniu tematu.

Podjechały pod bramę rezydencji Eloise Callahan. Eve podała swoje dane identyfikacyjne, została pozytywnie zweryfikowana i kiedy wrota się otworzyły, wjechała do środka.

– Dupek miał koleżkę, u którego koczował na krzywy ryj przez kilka miesięcy przed napaścią na żonę. Koleżka ten twierdzi, że od tamtej pory nie widział go na oczy. Utrzymuje również, że ofiara rzeczonych napaści łatwo wpada w histerię, jest paranoiczką i czepia się o byle co. Twierdzi, że dupek zakończył znajomość z nim dosłownie kilka dni przed napaścią i że ona prawdopodobnie została napadnięta i obrabowana, i postanowiła pogrozić mu palcem. – Peabody ściągnęła brwi. – To jakieś brednie.

– To współudział po fakcie – orzekła Eve.

– Owszem. – Jej partnerka oderwała wzrok od monitora komputera, kiedy samochód się zatrzymał. – Okej, teraz odkładam to na bok i przechodzę w tryb współczującej kobietki.

Wysiadły. Zanim Eve zdążyła nacisnąć guzik wideofonu, otworzyła im drzwi ta sama droidka co zawsze.

– Dzień dobry, pani porucznik! Dzień dobry, pani detektyw! Zapraszam do środka. Czy mogę wziąć wasze okrycia?

– Dziękujemy, ale my tylko na krótko.
– Proszę zaczekać w salonie. Czy podać coś do picia?
– Dziękujemy, ale my tylko na krótko – powtórzyła Eve. – Chciałybyśmy porozmawiać z panią Pettigrew.
– Proszę chwileczkę poczekać. Sprawdzę, czy jest dostępna. Pani Callahan została poinformowana o waszym przybyciu i już schodzi na dół. Proszę się rozgościć.
– Czy pani Pettigrew jest w domu? – spytała Eve.
– Sprawdzę, czy pani Pettigrew jest dostępna – powtórzyła beznamiętnie droidka i wyszła.

Dosłownie kilka sekund później drzwi windy się otworzyły. Wyszła z nich Eloise w towarzystwie drobnej kobiety o czarnej jak heban skórze. Pani domu ubrana była w niebieską tunikę i czarne szerokie spodnie.

– Pani porucznik, pani detektyw, jak miło was znów widzieć! – Autentycznie się ucieszyła. – Przedstawiam wam cudowną Donnalou Harris, moją pielęgniarkę i osobę, która mi we wszystkim pomaga.

– Bez przesady, pani Eloise. – Donnalou roześmiała się serdecznie. Podeszła do każdej z nich i uścisnęła dłoń na powitanie. – Jestem taka zadowolona, że widzę was obie. Jak widzicie, pani Eloise jest w doskonałej formie dzisiejszego popołudnia. Ja już wkrótce będę kończyć dyżur.

– Och, wkrótce, wkrótce! Daj spokój, Donnalou! – obruszyła się Eloise, nieomal perfekcyjnie naśladując ton jej głosu. – Lepiej usiądźmy wygodnie i napijmy się kawy. I przestań zabijać mnie wzrokiem – dodała, zwracając się do pielęgniarki. – Przez ostatnie kilka miesięcy wypiłam tyle herbat, że starczyłoby mi na dwa życia.

A poza tym, czy nie powiedziałaś dzisiaj z samego rana, że wszystko już ze mną w porządku?

– Nieomal w porządku – poprawiła Donnalou, tym razem obrzucając swą podopieczną pobłażliwym spojrzeniem. – Zgadzam się, ale tylko na jedną filiżankę, bo w innym wypadku podrzuciłabyś mi jakąś truciznę, gdybyś tylko miała coś pod ręką.

– Pozwólcie, że wezwę Ariel.

– Właśnie poszła sprawdzić, czy pani wnuczka jest dostępna – powiedziała Eve.

– Och, przed chwilą wyjechała do miasta. Sama ją zachęciłam, żeby pojechała do salonu piękności na manicure. Przygotowania do wyjścia zajęły jej dłuższą chwilę, ale przecież musi od czasu do czasu opuścić dom i się rozerwać. Zgodziła się dopiero wtedy, kiedy Donnalou obiecała, że zaczeka do jej powrotu. A ja już prawie wróciłam do swojej poprzedniej wagi.

– Prawie – potwierdziła Donnalou.

– Rozumiem. Czy spodziewacie się wkrótce jej powrotu? – spytała Eve.

– Nie byłabym tego taka pewna. – Eloise wzięła do ręki pilota, żeby przywołać droidkę. – Czy wasza wizyta jest powiązana z Thaddeusem? Czy chodzi o śledztwo? Słyszałyśmy, że został zamordowany kolejny mężczyzna... Staram się wymyślać wnuczce jakieś zajęcia, żeby nie miała za wiele czasu na oglądanie wiadomości telewizyjnych. Wciąż ma nadzieję usłyszeć, że odnaleźliście tego, kto to robi.

– To musi być dla niej trudne – powiedziała Peabody tonem pełnym współczucia. – Zdaję sobie sprawę, jak wiele dla niej znaczy pani wsparcie. Rozmowy z panią na pewno jej pomagają.

– Nie ma na świecie drugiej tak kochającej osoby jak pani Eloise – potwierdziła Donnalou. – Nie dawała spokoju wnuczce, żeby choć na chwilę wyszła z domu, zrobiła coś dla siebie. Ta dziewczyna jest taka bezinteresowna! Będzie mi was obu bardzo brakowało.

– Na pewno nie będzie. Musisz nas koniecznie często odwiedzać. Jeżeli Darla nie zdąży wrócić przed naszą kawką albo przed twoim wyjściem, mogę jej przekazać wszystkie twoje zalecenia w stosunku do mnie. Choć, prawdę mówiąc, staram się ją trzymać z dala od tego wszystkiego. Najlepiej by było, gdyby udało mi się przekonać ją do wyjazdu stąd razem ze mną za jakiś tydzień.

– Za dwa tygodnie – poprawiła ją Donnalou. – Żadnego latania samolotami jeszcze przez dwa tygodnie.

– Dwa tygodnie! – Eloise przewróciła oczami. – Obu nam potrzebna jest zmiana scenerii. Sądzę, że spacery w słońcu Lazurowego Wybrzeża dobrze nam zrobią. Mam zamiar zarezerwować tam willę dla całej naszej rodziny. – Jej twarz rozjaśniła się w uśmiechu, kiedy o tym mówiła. – Tak bardzo tęsknię za moimi dziećmi! Mam już dość bycia niepełnosprawną babcią.

– Wcale pani nie przypomina niepełnosprawnej babci! – zaprotestowała Eve. – Wygląda pani nawet na zdrowszą i silniejszą niż dwa dni temu.

– Codziennie jest ze mną lepiej dzięki temu tutaj nadzorcy niewolników. – Poklepała dłoń Donnalou. – No i oczywiście mojej najdroższej Darli. Gdy tylko ja... Darla! – Uśmiech Eloise stał się jeszcze bardziej promienny, kiedy energicznym krokiem weszła do pokoju jej wnuczka. – Nie wiedziałam, że już wróciłaś.

– Byłam w kuchni. Znalazłam przepiękne truskawki na targu i chciałam was zaskoczyć pysznym podwieczorkiem z herbatką.

– Żadnej herbaty! – zaprotestowała ze śmiechem Eloise. – Błagam! Niech to będzie tym razem kawa.

– Hmm... – Dopiero kiedy Darla zauważyła przyzwalające skinienie głowy Donnalou, uśmiechnęła się i powiedziała: – Niech będzie kawa. Pozwólcie, że poproszę Ariel o jej przygotowanie. Odnalazła mnie w kuchni i poinformowała, że mamy gości, więc poprosiłam ją o przyszykowanie małego poczęstunku.

– Niech pani usiądzie z gośćmi. Ja się tym zajmę – powiedziała Donnalou do Darli i wstała.

– Dziękuję! – Darla usiadła obok Eloise, a pielęgniarka wyszła. – Taka kobieta to skarb. Nie wiem, co byśmy bez niej zrobiły. Mam nadzieję, że długo nie czekacie. Kiedy wróciłam do domu, poszłam prosto do kuchni i nie spotkałam po drodze ani Donnalou, ani Ariel. Zaniosłam tam zakupy z targu.

– Przyjechałyśmy całkiem niedawno.

– Moja kochana Busia przekonała mnie, że powinnam się ruszyć z domu. – Popatrzyła na babcię i zakołysała lekko jej dłonią o bladoróżowych paznokciach. – Miałaś jak zwykle rację, Busiu. Potrzebowałam małej odskoczni, ale obiecuję, że w przyszłym tygodniu obie wybierzemy się do spa. Zarezerwowałam dla nas cały dzień zabiegów upiększających.

– Bosko! – Eloise zamknęła oczy w niecierpliwym wyczekiwaniu spodziewanych przyjemności, a z jej piersi wyrwało się westchnienie szczęścia. – Rewelacyjny pomysł!

– Bardzo mi przykro, pani porucznik, pani detektyw, że odbiegam od tematu. Chciałam zatrzymać chwilę dłużej to przyjemne uczucie, które mnie ogarnęło... – Usta Darli zadrżały, lecz prawie natychmiast doszła do siebie. – Czy macie jakieś nowe wiadomości dotyczące Thaddeusa?

Kiedy wymawiała imię byłego męża, wyciągnęła rękę ku babci i ujęła jej dłoń.

– Obecnie prowadzimy bardzo intensywne, wielowątkowe postępowanie wyjaśniające. Pani babcia poinformowała nas już, że wiecie o trzecim zabójstwie.

Darla spuściła wzrok i pokiwała głową.

– Dlatego właśnie dałam się namówić Busi na wyjście z domu – powiedziała. – To jest coś okropnego!

– Wszyscy trzej mężczyźni, którzy zostali zamordowani, mają jakieś powiązania z kobietami uczęszczającymi na sesje terapeutyczne do waszej grupy wsparcia.

Podczas gdy Eloise, otworzywszy usta, zastygła w zdumieniu, Darla złapała się za pierś tuż przy szyi.

– N-nie rozumiem – wyjąkała.

– McEnroy powiązany był z Jasmine Quirk i Leah Lester. Pani z kolei związana była z Thaddeusem Pettigrewem. Były mąż Uny Ruzaki, Arlo Kagen, został zamordowany wczoraj wieczorem.

– Dobry Boże! Darlo! I pomyśleć, że namawiałam cię ostatnio do powrotu do tej grupy! Nie możesz tego zrobić, po prostu nie możesz, dopóki to wszystko się nie uspokoi.

– Nie rozumiem. – Darla przycisnęła dłoń do swojej skroni. – Po prostu nie rozumiem.

– Istnieje możliwość, że za tymi morderstwami stoi jakaś kobieta z tej grupy. Być może kilka kobiet.

– Och, nie, nie! To absolutnie niemożliwe! Przecież te kobiety są ofiarami.

– To musi być dla ciebie trudne – odezwała się łagodnie i bardzo życzliwie Peabody. – W grupie takiej jak ta wszystkie zbliżacie się do siebie. Sama osobiście rozmawiałam z kilkoma z nich i wiem, przez co musiały przejść.

– Ale... Jak?... Używałyśmy tylko imion. W jaki sposób udało się wam do nich dotrzeć i jeszcze z nimi porozmawiać? – Darla była zdumiona.

– Na tym polega nasza praca. Wiemy, jak to się robi – odrzekła energicznie Eve, patrząc Darli prosto w oczy. – Potrafimy każdego odszukać, przesłuchać, sprawdzić alibi, możliwości, stan psychiczny. Znałaś niektóre z tych kobiet również z nazwiska.

– Tak, ale... – Kobieta, drżąc, wypuściła ostrożnie powietrze, ile sił próbując powstrzymać napływające łzy. – Zachowywałyśmy tę wiedzę dla siebie. To kwestia zaufania.

– Nie przy śledztwie w sprawie o morderstwo.

– Uwierz mi – włączyła się do rozmowy Peabody. – Traktujemy wszystkie kobiety, z którymi rozmawiamy, z największym możliwym współczuciem, tak aby ich nie krzywdzić. Nie chcemy im dodawać kolejnych stresów do traum, które przeżyły.

– Według mnie to niemożliwe. Nie można tego w pełni zrozumieć, dopóki się samemu nie doświadczyło zdrady, upokorzenia, przemocy. Nie możecie tego wiedzieć – zirytowała się Darla.

– Darlo! Przecież panie policjantki muszą wykonać swoją pracę. – Eloise znów ujęła dłoń wnuczki i zaczęła ją pocierać między swoimi dłońmi. – Ktoś zabija tych mężczyzn. Jednym z nich był Thaddeus.

– Wiem, wiem, lecz...

Wróciła Donnalou, pchając przed sobą barek na kółkach.

– Podwieczorek przy kawie! – oznajmiła wesoło i nagle spoważniała. – Co się dzieje? Pani Eloise...

– Ze mną wszystko w porządku. Nic mi nie jest, ale czy mogłabyś zrobić Darli coś na uspokojenie? Nie sądzę, żeby potrzebowała akurat teraz kawy.

– Oczywiście. Natychmiast.

– Nic nie rozumiecie – burknęła Darla pod nosem, kiedy Donnalou pospiesznie wyszła. – Podczas sesji grupy dzieliłyśmy się z innymi najbardziej intymnymi szczegółami naszego życia. Obnażałyśmy nasze dusze. Żadna z nich nie byłaby w stanie zrobić czegoś takiego poza grupą.

– Zaprzyjaźniłaś się z nimi. – Peabody pochyliła się ku niej, cała stając się uosobieniem ciepła i zrozumienia. – Są dla ciebie jak siostry, a czasem trudno jest zajrzeć w głąb duszy przyjaciółki czy siostry, która skrywa tam najmroczniejsze tajemnice.

– Nie wierzę. Chyba że... – Darla się zamyśliła. – Chyba że ktoś w jakiś sposób wniknął do grupy. Mając ten straszny zamysł...

– Jakieś sugestie? – spytała Eve. – Nazwisko?

– Nie, nie, przysięgam!

– Peabody, odczytaj nam pełną listę nazwisk kobiet, które już mamy, a które zdążyłyśmy przesłuchać. Gdybyś mogła coś nam do tego dodać, Darlo, bardzo by nam to pomogło.

Eve obserwowała ją, podczas gdy Peabody czytała. Zauważyła w oczach tamtej rozbłyski wściekłości, natychmiast maskowane spojrzeniami kierowanymi w dół, napinające się mięśnie szczęki oraz – jeśli się jej nie przywidziało – najlżejszy z krzywych uśmieszków.

Satysfakcja.

– N-nie znam wszystkich tych nazwisk, a na pewno nie znam pełnych danych osobowych. Kilka znam, i owszem, jak na przykład biednej Uny czy Rachel. Nie chodziłam na zajęcia od chwili, kiedy Busia zachorowała, czyli od końca zeszłego roku. To musi być jakaś nowa. Kobieta, której nie znam. Albo – przepraszam, że to powiem – obie jesteście w błędzie.

– Przyniosłam bardzo przyjemny środek uspokajający. – Donnalou wróciła w trybie pełnej opiekuńczości. – Proszę to wypić duszkiem, pani Darlo. Wygląda pani bladawo. Proszę to wypić. Zaprowadzę panią na górę. Powinna się pani położyć na jakiś czas.

– Tak, tak. Sądzę, że to dobrze mi zrobi. Przepraszam! Przykro mi, ale muszę się położyć. Niedobrze mi. Źle się czuję.

– A więc pójdzie pani teraz ze mną. – Donnalou pomogła jej wstać. – Może to pani wypić na górze. Utnie sobie pani krótką drzemkę. Czy nie mówiłam, że potrzebuje pani więcej snu? Sen ma działanie lecznicze – mówiła, wyprowadzając Darlę z salonu.

– Moja biedna dziewczynka – szepnęła Eloise. – Szok za szokiem, a teraz jeszcze to zmęczenie wywołane opieką nade mną. Cóż, teraz ja zaopiekuję się nią. Bardzo mi przykro, że nie mogłyśmy w niczym pomóc.

– Dziękujemy za poświęcony nam czas – powiedziała Eve i wstała.

– Mam nadzieję, że szybko odnajdziecie tego, kto to robi. Darla nie radzi sobie z tym psychicznie i nie dojdzie do siebie, dopóki się to nie skończy. – Eloise westchnęła.

– Tak, jestem pewna, że ma pani rację. Wychodzimy! – zarządziła Eve. – Proszę nas nie odprowadzać.

Nie odzywała się do Peabody, dopóki nie wsiadły do samochodu. Już miała otworzyć usta, lecz partnerka ją ubiegła.

– Miałaś całkowitą rację – orzekła. – Od początku do końca. Nieźle nią wstrząsnęła informacja, że mamy już wszystkie te nazwiska i że szukamy zabójczyni wśród kobiet z grupy. Co więcej, najpierw ją to wkurzyło, lecz okazała zdenerwowanie nie w ten sposób, jak powinna, gdyby to dotyczyło jej znajomej czy przyjaciółki.

– Tak. Zgadza się. – Eve pokiwała głową. – Powinna inaczej okazać zdenerwowanie, a teraz będzie usilnie myśleć nad tym, jak skierować nasze zainteresowanie ku komuś innemu. Albo ku komuś, na kim jej nie zależy lub w ogóle ku jakiejś kobiecie spoza grupy. Nie będzie potrzebowała za wiele czasu na rozpracowanie sprawy. Jest mistrzynią obmyślania strategii działania.

– Zapewne nie zawahałaby się napaść na którąś z nas, żeby odpłacić za podjęcie próby zniweczenia tych obmyślonych już działań.

– Też to zauważyłaś? To dobrze. – Eve wyjechała z bramy posiadłości na ulicę. Po pewnym czasie zatrzymała się przy krawężniku. – Uważaj na siebie i lepiej jedź do domu taksówką – powiedziała, kiedy Peabody zaczęła się zbierać do wysiadania. Wysupłała z kieszeni banknot do zapłacenia za przejazd i wyciągnęła go w stronę partnerki.

– Dzięki – rzekła Peabody – jeszcze mam kasę.

– Bierz i nie gadaj. Koniecznie weź taksówkę. Jedź

prosto do domu i zajmij się najpierw upieczeniem placka albo czegokolwiek innego, żeby oczyścić umysł.

– Mogłabym właściwie tak zrobić...

– Potem bądź w pełnej gotowości. Jestem przekonana, że dzisiaj wieczorem znowu uderzy. Trochę ją podpuściłyśmy, więc nie będzie tracić czasu.

– Tak jest! Będę gotowa! – zameldowała Peabody, kiedy już wysiadła. – Ty też uważaj na siebie!

– Nie omieszkam. – Kiedy ruszyła, skontaktowała się z Baxterem. – Zmiana grafika dnia. Przesuwamy obserwację podejrzanej.

– Na kiedy?

– Na już.

19

Eve doszła do wniosku, że Linus Brinkman może docenić ostrzeżenie o tym, iż stał się potencjalnym celem seryjnej zabójczyni – sadystycznej, obłąkanej kobiety – nawet jeśli przerwie mu sesję masażu przed wieczorną imprezą.

Postanowiła zacząć od niego, po nim zamierzała kontaktować się po kolei ze wszystkimi potencjalnymi ofiarami, które miała na swojej liście, rozmawiać z nimi twarzą w twarz o ich rozkładach dnia, o przyzwyczajeniach oraz – o, tak! – o tym, że popełnione czy też popełniane w dalszym ciągu przez nich czyny karalne mogą stanowić podstawę do namierzenia ich przez Darlę.

Pragnęła lepiej poznać strategię jej działania, mimo wszystko jednak skłaniała się ku Brinkmanowi oraz wieczornej gali.

Na ulicach panował jak zwykle duży ruch, miejsce do parkowania było na wagę złota, włączyła więc koguty na dachu i wcisnęła się w lukę w strefie parkowania dla aut dostawczych.

Brinkman mieszkał w starej, porządnie odrestaurowanej kamienicy przy samym Central Parku, z portierem przy wejściu i mnóstwem balkonów, z których roztaczał się drogo kosztujący każdego lokatora widok.

Portier, odziany w stalowoszary mundur ze srebrną lamówką, otaksował ją jednym krótkim spojrzeniem.

– Mogę w czymś pomóc? – spytał. – Czy udaje się pani z wizytą do któregoś z lokatorów?

– Do Linusa Brinkmana.

– Jest pani umówiona?

– Nie. – Wyjęła swoją odznakę policyjną. – Chcę odwiedzić pana Brinkmana.

– Jakiś problem, pani porucznik?

– Tak! – Na tym zakończyła wyjaśnienia, po czym obeszła portiera łukiem i już zamierzała otworzyć jednym mocnym szarpnięciem szerokie szklane drzwi, gdy naraz portier podskoczył do nich tak szybko i zwinnie, że zdążył uprzedzić jej ruch.

– Wynona w recepcji objaśni, jak się dostać na górę – rzekł.

– Okej.

Przeszła na ukos przez spokojne, przestronne lobby, wyłożone marmurowymi płytkami, z popielatymi fotelami, poustawianymi tak, aby siedzące na nich osoby mogły wygodnie pokonwersować. Na masywnym stole ustawiono ogromny bukiet kwiatów.

Za drewnianym kontuarem z głęboko rzeźbionym motywem dekoracyjnym – który według Eve wyglądał tak, jakby kiedyś służył za bar w knajpie – siedziała dziewczyna o brązowych, kręconych włosach, ściągniętych do tyłu na skroniach i przypiętych spinkami. Opadały burzą loków na plecy prostej czarnej garsonki.

Wynona zapewne – doszła do wniosku Eve.

– Dzień dobry pani. – Dziewczyna zaprezentowała wyćwiczony uśmiech. – W czym mogę pomóc?

Eve machnęła jej przed nosem policyjną odznaką.

– Linus Brinkman – powiedziała krótko.

– Oczywiście. Zaraz powiadomię pana Brinkmana, że pani przyszła.

– Nie! Sama się udam na górę.

– Rozpoczęłam dyżur dwadzieścia minut temu i przyznam, że nie wiem, czy pan Brinkman jest u siebie. Gdybym mogła się skontaktować...

– Nie! – powtórzyła Eve i ruszyła do windy. – Proszę o odblokowanie drzwi!

– Tak, oczywiście. – Wynona nie wyglądała na zadowoloną, ale odblokowała windę.

Eve pojechała na górę bezszelestnie mknącą kabiną, w której unosił się delikatny zapach wiosennej łąki.

W holu drugiego piętra naprzeciw wyjścia z windy ustawiona była niewielka konsolka z równie niewielką, ładną dekoracją kwiatową. Eve szła korytarzem wyłożonym miękką, szarą wykładziną dywanową, mijając kolejne szerokie, białe drzwi, każde z monitoringiem i solidnymi zabezpieczeniami. Było tu równie cicho jak w windzie.

Przycisnęła guzik wideofonu narożnego apartamentu i czekała na efekt.

Pan Brinkman i pani Gerald są obecnie nieosiągalni. Proszę nagrać dla nich wiadomość tutaj lub zostawić na recepcji przy wejściu do budynku. Życzymy miłego dnia!

– Nowojorska policja NYPSD. – Eve przysunęła swoją odznakę do oka kamery. – Porucznik Dallas Eve w sprawie oficjalnie prowadzonego śledztwa.

Twój identyfikator zostanie zeskanowany w celu weryfikacji.

– Mhm, jasne – mruknęła pod nosem i czekała dalej.

Tożsamość została potwierdzona: porucznik Dallas Eve. Proszę czekać!

Więc czekała.
Drzwi otworzyła kobieta w staroświeckim stroju pokojówki, w białym fartuszku z falbanką. Miała krótkie blond włosy ścięte na boba oraz niebieskie oczy o niewzruszonym spojrzeniu. Eve oszacowała ją na czterdzieści kilka lat.
– Bardzo mi przykro, pani porucznik, ale pan Brinkman i pani Gerald są obecnie niedostępni. Czy mogłabym w czymś pomóc?
– Musi pani coś zrobić, żeby się stali dostępni.
– No bo pani Gerald jest w swojej sypialni z całą ekipą kosmetologów i stylistów…
– Świetnie. A pan Brinkman?
– Niestety, chyba jeszcze nie wrócił do domu. Jego ekipa kosmetologów i stylistów już czeka na niego w przyległej sypialni.
– Chodźmy zatem!
– Ale…
– Czy ja wyglądam na kogoś, kto ma za dużo czasu na czcze pogawędki? – wkurzyła się Eve. – Oboje mogą zacząć zabiegi upiększające, kiedy skończę rozmawiać z Brinkmanem i wyjdę. Proszę mnie tam natychmiast zaprowadzić! – zażądała.
Niewzruszona czy nie, pokojówka jednak nieco się

wystraszyła. Pokazała Eve gestem kierunek i poszła przodem. Przeprowadziła ją przez ogromny salon pełen ozdób, ozdóbek i ozdóbeczek, a także kolorów, a potem przez mniejszy już salonik z barem i wielkimi skórzanymi fotelami. Zatrzymała się przed dwuskrzydłowymi drzwiami i zapukała.

– Czy to Linus? – Zniecierpliwiony głos strzelił jak z bata, kiedy pokojówka otworzyła drzwi sypialni z jeszcze większą liczbą fikuśnych różnokolorowych ozdób i ozdóbek.

Eve zobaczyła kolejną blondynkę relaksującą się na rozłożonym fotelu prosto z salonu piękności. Roiła się wokół niej ekipa w czerwonych laboratoryjnych fartuchach. Fryzjerzy kombinowali coś przy długich na kilometry włosach, kosmetyczki i kosmetolodzy uwijali się przy twarzy – obecnie pokrytej jakimś różowym paskudztwem – oraz klęczeli przy jej stopach.

– Nie, proszę pani. To...
– Czy nie mówiłam ci, Hermine, żeby mi nie przeszkadzać? No, czy nie mówiłam?
– Tak, psze pani, ale to policja.
– Nic mnie to nie obchodzi, nawet gdyby to był sam Pan Bóg. Medytuję teraz, do jasnej cholery!

Usłyszawszy ostatnie słowa, Eve wychyliła się zza pleców pokojówki i przyjrzała dokładnie kobiecie, przykrytej szczelnie białym puszystym kocykiem.

– Porucznik Dallas – przedstawiła się. – Niech mi pani powie, gdzie znajdę Linusa Brinkmana i może pani sobie wracać do medytacji.

– Och, do jas... Nie wiem. Skąd mam wiedzieć? – Otworzyła jedno niebieskie oko o rozdrażnionym spojrzeniu, gdy kosmetolog zajął się wmasowywaniem różowego paskudztwa w skórę jej twarzy. – Proszę stąd wyjść!

Aby rozwiązać problem, Eve zwróciła się do pokojówki.

– Gdzie jest przyległa sypialnia? – spytała.

– Ach!... – Wyprowadzona z równowagi Hermine przeszła przez cały pokój, zastukała do kolejnych drzwi i otworzyła je z impetem, aż trzasnęły w ścianę. – Panie Brinkman! – zaczęła.

W drzwiach stanęła kolejna kosmetyczka.

– On się jeszcze nie pojawił! Czekamy z zegarkiem w ręku. Jesteśmy umówieni na kolejny masaż. Jeszcze trochę i przegapi swój zabieg.

Eve czuła, jak zaczyna jej migać ostrzegawczo czerwona lampka. Podeszła do LaDale.

– Czy rozmawiałaś z nim po wylądowaniu? – spytała.

– Nie, ponieważ nie raczy odbierać telefonu. Rozmawiałam z nim, kiedy jeszcze leciał, i tyle. Właśnie wszystko rujnuje.

– Jaka firma przewozowa go obsługuje?

– Skąd, u diabła, ja mam to wie... Hermine!

– Tak, psze pani. Pan Brinkman korzysta z usług firmy Luxe Riders.

Eve wyjęła natychmiast z kieszeni telefon i wybrała numer.

– Wyjdzie pani w końcu? Jak ja się mam, do cholery, zrelaksować?! Ulysses! Dostanę zmarszczek przez te wszystkie stresy.

– Nigdy! – wymruczał rzeczony Ulysses i zaczął powoli, systematycznie usuwać różową breję.

Eve, całkowicie zdegustowana, wyszła z pokoju i stanęła przy drzwiach.

– Luxe Rides. Przy telefonie Abigail.

– Porucznik Dallas, nowojorska policja. Dzwonię w sprawie Linusa Brinkmana. Czy wysłaliście dzisiaj po południu samochód z kierowcą do centralnego portu komunikacyjnego, skąd mieliście go odebrać?

– Czy mogę poprosić o numer identyfikacyjny z odznaki, ponieważ ta informacja jest poufna?

– Chryste! – Eve wyrecytowała go błyskawicznie. – Sprawdzajcie, byle szybko.

– Jedną chwilę.

Obraz na wyświetlaczu zmienił się na niebieski, oznaczający pauzę w przekazie wideo. Eve w tym czasie krążyła niespokojnie w tę i z powrotem.

– Dziękuję za cierpliwość. Pan Brinkman odwołał ten kurs, gdyż jego wyjazd się przedłużył. Czy mogę jeszcze w czymś pomóc?

– W jaki sposób nastąpiło odwołanie kursu?

– Ach! Widzę tutaj, że otrzymaliśmy informację o odwołaniu w formie mejla z jego biura o godzinie czternastej dziesięć w dniu dzisiejszym. Czy to jakiś problem?

– Taa...

Eve się wyłączyła. Hermine, która również kręciła się w pobliżu drzwi, podeszła do Eve.

– Pani porucznik, pan Brinkman dzwonił do pani Gerald z samolotu. Wiem na pewno, że dochodziła trzecia, bo styliści i ekipa kosmetologów już byli na miejscu i rozstawiali sprzęt w sypialni pani Gerald. Musiało nastąpić jakieś nieporozumienie.

– Tak sądzisz?

Wściekła jak osa Eve wybiegła z mieszkania. Użyła policyjnego komunikatora.

– Baxter? – wywołała go.

– Już dojeżdżamy na miejsce.

– Chcę wiedzieć natychmiast, jeśli tylko zobaczysz kogoś wchodzącego lub wychodzącego stamtąd. Wydaje mi się, że ona ma już w środku kolejnego faceta.

– Możesz załatwić nakaz przeszukania?

– Pracuję nad tym. Jeśli nastąpi jakakolwiek aktywność przed lub za bramą czy na terenie posiadłości, natychmiast się ze mną kontaktuj!

Po czym, biegnąc przez hol wejściowy kamienicy, przełączyła się na linię Peabody.

– Zabójczyni złamała schemat swojego działania! – krzyknęła, kiedy tylko partnerka odebrała połączenie. – Jadę teraz do centralnego portu komunikacyjnego zobaczyć, co jest na nagraniach monitoringu, ale nie mam żadnych wątpliwości, że to ona odebrała Brinkmana, kiedy wylądował.

– Jak to...

– Wytłumaczę ci później. Powiedz taksówkarzowi, żeby zawracał. Dołączysz do Baxtera i Truehearta. Zaraz będą pod rezydencją Callahan i rozpoczną obserwację.

– Wysiadam z taksówki. Pojadę metrem. Będzie szybciej.

– Dobrze. – Eve wskoczyła do samochodu i wybrała numer Roarke'a.

– Trzy telefony jednego dnia! – ucieszył się. – I jeszcze dzisiejsza gala.

– Zapomnij o gali. Zabójczyni dopadła kolejną ofiarę. Tuż pod moim nosem! Cholera!

Beztroski uśmiech znikł z jego twarzy.

– Gdzie jesteś? – spytał.

– Jadę w kierunku centralnego portu komunikacyjnego, żeby zobaczyć na własne oczy, jak to zrobiła. Muszę mieć coś, cokolwiek, do jasnej cholery, żeby zdobyć nakaz przeszukania. Po prostu wiem, że zawiozła go do swego domu.

– Spotkamy się na lotnisku. Możesz potrzebować kogoś z działu techniki operacyjnej EDD – rzekł, zanim zdążyła zaprotestować.

– Tak, tak. Mogę. Muszę kończyć.

Mając w głowie EDD, zadzwoniła do McNaba.

– Uzgodnij to z Feeneyem. Będziesz mi potrzebny podczas operacji. Uzgodnij to jak najszybciej i złap się z Baxterem, Trueheartem oraz Peabody w miejscu zamieszkania Eloise Callahan. Skontaktuj się z nimi i ustal, gdzie stoją na obserwacji.

– Przyjąłem. Potrzebna będzie furgonetka EDD?

Zastanawiała się chwilę. Choć miała nadzieję, że nie, na wszelki wypadek lepiej niech będzie.

– Tak, jasne! Przyjedź furgonetką. Ruchy!

Sama również włączyła syreny i koguty na dachu i dodała gazu.

Nawet z tym zaparkowany na drugiego dostawczak, a potem ekipa remontująca ulicę kosztowały ją kolejne cenne minuty.

Przepchnęła się jakoś przez drogi wewnętrzne lotniska i zaparkowała przy terminalu lotów prywatnych. Kiedy stanęła przy krawężniku i wyskoczyła z samochodu, drogę zablokował jej ochroniarz.

– Tutaj nie wolno parkować!

– Jestem z policji. Muszę... – Wyciągnęła swoją odznakę.

– W takim razie powinna pani znać prawo. Dobrze mówię? W tej strefie nie można zostawiać samochodów bez kierowcy. Proszę go przestawić albo zostanie odholowany.

– Muszę natychmiast przejrzeć nagrania monitoringu z...

Ochroniarz wypiął klatę.

– Niczego paniusiu nie zobaczysz, dopóki nie przestawisz tego grata. Parking jest za tą bramką.

– Na litość boską!... – Błyskawicznie rozważyła, czyby nie wdać się jednak w kłótnię, a nawet czy nie skopać mu tyłka, lecz równie błyskawicznie przekalkulowała, że i jedno, i drugie zajmie jej więcej czasu niż przeparkowanie cholernego grata.

Wskoczyła z powrotem za kółko, przejechała przez bramkę i zaparkowała na miejscu zarezerwowanym dla pojazdów uprzywilejowanych. Zignorowała automat ostrzegający ją, że nie posiada autoryzacji. Na wszelki wypadek włączyła policyjne światła ostrzegawcze i zostawiła tak samochód z automatem przetwarzającym nowe dane.

Pobiegła z powrotem do terminala.

– Nie było tak trudno, co? – spytał strażnik krawężnika z ironicznym uśmieszkiem.

– Pocałuj mnie gdzieś – rzuciła szyderczo – i skontaktuj się natychmiast z szefem ochrony.

– Policja nie policja, nie wolno ze mną rozmawiać w ten sposób! Powinno się...

Złapała go za kołnierz koszuli i szarpnęła do siebie.

– Jeśli za pieprzone pięć sekund nie wezwiesz tu szefa ochrony, aresztuję cię, tępa barania głowo, za czynną napaść na funkcjonariuszkę policji i za utrudnianie śledztwa, a jeśli nie dostanę tych nagrań z monitoringu na czas, to dorzucę jeszcze współudział w zabójstwie.

– Trochę opanowania! – stęknął ochroniarz.

Więc się opanowała, ale po swojemu: cofnęła się, wyciągnęła broń i kazała mu podnieść ręce do góry.

– Spokojnie! Tylko spokojnie! Wykonywałem jedynie swoją pracę!

– Pięć... Cztery... Trzy...

– Okej, okej! – Nacisnął włącznik mikrofonu w klapie. – Potrzebny jest tu na dole Darren. Jakaś policjantka świruje.

Nie czekali więcej niż minutę na pojawienie się mierzącego ponad metr dziewięćdziesiąt Darrena. Dobrze zbudowany, ubrany w czarny garnitur, podszedł do nich energicznym krokiem. Eve zauważyła ledwie widoczne uwypuklenie w miejscu, gdzie ukrytą miał broń. Jego ciemna skóra, ciemne oczy o twardym spojrzeniu, ogolona głowa i ogólnie cały jego wygląd wzbudzał szacunek. Nawet u Eve.

– Zobaczmy najpierw odznakę.

Eve uniosła ją i przytrzymała chwilę dłużej.

– Nowojorska policja NYPSD. Prowadzę śledztwo w sprawie serii morderstw. Mam powody przypuszczać, że jeden z waszych klientów został uprowadzony z tego miejsca dzisiejszego popołudnia. On będzie następny.

– Uprowadzony? To chyba zbyt daleko posunięte podejrzenia.

– Nazywa się Linus Brinkman. Przyleciał prywatnym odrzutowcem firmy Lodestar prosto z Las Vegas dzisiaj około piętnastej trzydzieści. Ktoś, ale nie Brinkman, odwołał zamówiony wcześniej kurs w firmie transportu osobowego, z której usług zwykle korzystał, i podstawił swój samochód. Muszę obejrzeć nagrania z kamer monitoringu przy bramce lotniska oraz z zewnątrz, sprzed wejścia do terminala. Sprawdźcie listę pasażerów, na miłość boską!

– W związku z ochroną danych osobowych wymagany jest nakaz, aby...

Rozgorzała w niej wściekła furia i wylała się wraz ze słowami:

– Trzech mężczyzn uprowadzonych, torturowanych, wykastrowanych! Jesteś na bieżąco z najnowszymi wydarzeniami w Nowym Jorku, Darren, do jasnej cholery?

Wystarczyło to, żeby złamać opór szefa ochrony. Jego spojrzenie się zmieniło.

– Tak, słyszałem o tym – rzekł.

– Sprawdź listę pasażerów! Ale już! Jeśli Brinkman wysiadł z samolotu, wisi teraz nagi, podwieszony za nadgarstki do sufitu.

– To jakieś bzdury, Darren. To wariatka!

– Zamknij się, Len. Proszę za mną, pani porucznik. Zaczniemy od listy pasażerów.

Kiedy się odwrócili i szli w stronę wejścia, podjechał i zatrzymał się następny samochód. Wysiadł z niego Roarke, a auto odjechało.

– Witam! – zwrócił się do niego Darren. – Nie wiedziałem, że miał się pan dzisiaj pojawić.

– Nie miałem. Jestem z panią porucznik.

– Jesteś właścicielem portu? – zażądała wyjaśnień Eve.

– Niezupełnie – odrzekł, a potem zwrócił się do szefa ochrony: – Darren, mam nadzieję, że pomożesz pani porucznik we wszystkim, o co cię poprosi.

– Oczywiście. Właśnie idziemy sprawdzić listę pasażerów. Nie połączyłem ze sobą tych faktów – mruknął pod nosem, kiedy wprowadzał ich do środka. – Widziałem film w zeszłym roku, ale jakoś nie skojarzyłem faktów.

– A co to, do diabła, ma wspólnego z czymkolwiek? – prychnęła Eve.

– Tak tylko mówię. – Podszedł prosto do stanowiska odprawy. – Moniko, sprawdź, proszę, czy przyleciał Linus Brinkman.

– Lodestar. Leciał samolotem firmowym – dodała Eve.

– Nie muszę sprawdzać. Znam pana Brinkmana. Przyleciał o czasie. Pomachałam mu nawet na powitanie, kiedy przechodził obok, idąc w stronę swojego szofera.

– Nagranie z kamery. Natychmiast – zarządziła Eve.

– Z której bramki, Moniko?

– Jedynka. Bramka numer jeden.

– Proszę za mną – powiedział do Eve.

Przeszedł przez cały hol terminala, minął rozsuwane drzwi i zdążał dalej przed siebie szybkim krokiem. Za kolejnymi rozsuwanymi drzwiami weszli w długi korytarz. Tu mieściła się centrala ochrony lotniska i stanowiska monitoringu.

Darren usiadł na miejscu jednego z dwóch pracowników śledzących monitory przy poszczególnych bramkach i wyjściach i przystąpił do pracy.

– Przyjechał o piętnastej trzydzieści, tak? – uściślił.

– Zgadza się – odparła Eve.

– Monika mówiła, że był punktualnie, więc... – Przewijał nagranie, stukał w klawisze, zatrzymywał i przewijał dalej.

Eve zauważyła Brinkmana przechodzącego przez bramkę. Ubrany był w zwykłe, codzienne spodnie i lekką marynarkę, miał walizkę na kółkach i aktówkę. Skinął ręką na powitanie komuś przy stanowisku odpraw, nie zwalniając kroku.

– Podążaj za nim – zarządziła Eve.

– Chwileczkę. Muszę przełączyć kamery. Na razie widać było, że przyleciał sam i wyszedł o własnych siłach i... no i proszę: to musi być jego szofer.

– To nie jest jego szofer. Powiększ, popraw jakość. Zrób zbliżenie kierowcy. Chcę mieć wydruk z całą jego sylwetką oraz powiększenie twarzy. – Kiedy Darren wykonał powiększenie, Eve zaklęła szpetnie pod nosem. – To droid.

– Wcale nie wygląda na droida.

– Powiększ. Jeszcze bardziej.

– No dobrze, ale... Skurczybyk! Masz rację! – Darren gwizdnął cicho. – To jeden z najnowocześniejszych, topowych droidów.

– A więc w ten sposób ona to robi – mruknęła Eve. – Droidy. Brinkman coś do niego mówi, marszcząc czoło. Zapewne się dopytuje, gdzie podział się jego szofer. Ten droid jest zaprojektowany tak, by dawać rozsądne odpowiedzi. Popatrz tylko! Poszedł jednak za nim. Teraz kamera zewnętrzna. Dawaj widok z zewnątrz!

– Idą w stronę postoju taksówek i wynajętych aut na wysepce. Tam zwykle oczekują samochody przewoźników. Daj mi... O tak! Wychodzą! Droid otwiera przed nim tylne drzwi.

– Powiększ! Daj widok z kamery, z której widać jak najwięcej wnętrza samochodu.

– Nie da rady wydobyć nic więcej.

Jednak Eve w zupełności wystarczył widok skrzyżowanych damskich nóg i wahającego się Brinkmana. Następnie wysunęła się na zewnątrz ręka, którą on potrząsnął. W końcu wsiadł do środka.

– To w ten sposób ona to robi! Właśnie podała mu dawkę środka usypiającego. Daj widok na rękę, popraw ostrość i zatrzymaj. Widzisz to? To malutkie coś we wnętrzu jej dłoni.

– Miniiniektor ciśnieniowy – wyjaśnił Roarke. – Wątpię, czy cokolwiek poczuł.

– Potrzebuję markę i model samochodu, rok produkcji. Muszę mieć tablice rejestracyjne.

– To vulcan, typ Town Coach, luksusowy model z zeszłego roku. My je produkujemy – wyjaśnił Roarke.

– Spróbuj przybliżyć tablice rejestracyjne – zleciła Darrenowi, gdy samochód ruszał z miejsca. – E, C, Z, osiem, cztery, trzy, osiem. Wydrukuj mi te zbliżenia i zrób dla mnie kopię nagrań z wnętrza terminala i sprzed budynku. – Odwróciła się i wyjęła podręczny komputer, żeby sprawdzić blachy w bazie danych.

– Fałszywe nazwisko i adres... Powinnam się domyślić.

– Daj mi dwie minuty – zwrócił się do niej Darren – a dostaniesz to, czego potrzebujesz. Wciąż jednak twierdzę, że, cholera, raczej niemożliwe jest zaprogramowanie droida tak, by zrobił jakąkolwiek krzywdę istocie ludzkiej.

– „Cholera, raczej" to nie oznacza, że nie jest całkowicie niemożliwe. Mam Baxtera i Truehearta, którzy obserwują teraz dom – zwróciła się do Roarke'a. – O tej porze powinna tam już być również Peabody. McNab ma przyjechać furgonetką EDD. Zamierzam użyć materiałów, które zaraz dostaniemy, do zdobycia na cito nakazu. Będę potrzebowała Reo i niezwykle chętnego do współpracy sędziego, ponieważ tak naprawdę nic, co już mam, nie wskazuje jasno na nią. Nie mam dowodów na powiązanie jej z tą sprawą. – Sprawdziła czas na swoim zegarku wielofunkcyjnym. – Musi zaczekać, aż wyjdzie pielęgniarka. Powinna być teraz w domu, a babcię musi położyć spać. Jest jeszcze za wcześnie, lecz ona wie, że ja węszę. Wie, więc będzie chciała zacząć jak najwcześniej. – Przechadzała się nerwowo w tę i z powrotem, rozpracowując sposób myślenia i działania Darli. – Uprowadziła go wcześniej niż zwykle, przełamując swój schemat. Ja oczekiwałam, że zacznie działać wieczorem, więc udało się jej mnie przechytrzyć. Podała mi na tacy samochód, tablice rejestracyjne i cholernego droida, bo wiedziała, że nie zdołam powiązać tego z jej osobą. Przynajmniej jak do tej pory.

Zamilkła na chwilę.

– Potrzebny mi ten pieprzony nakaz! – wybuchła znowu. – Muszę się dostać do garażu, do domu, do piwnic. Cholera by to wzięła! Zawiozła go tam tuż pod moim nosem! Babcia myślała, że jest wciąż poza domem i robi sobie kretyński manicure. Oczywiście zdążyła też zrobić paznokcie, zapewniając sobie alibi. Przywiozła go, kurwa, do domu, kiedy ja tam byłam! Wyobrażasz to sobie?!...

– Nie możesz się za to winić – próbował ją uspokoić Roarke. – No chyba że chcesz zrobić z siebie idiotkę. – Palnął ją otwartą dłonią w ramię. Eve miała taką minę, jakby mu chciała oddać z nawiązką. – A przecież idiotką nie jesteś, bo idiotka nie zdołałaby zawęzić grona podejrzanych do jednego człowieka i mieć już dom tego kogoś pod obserwacją.

– W niczym to mi nie pomoże, dopóki nie będziemy mogli wejść do środka.

– Proszę, pani porucznik. – Darren podał jej pakunek. – Wydruki i kopie nagrań z kamery monitoringu. Jestem przekonany, że uda się wam dotrzeć do niego na czas.

– Jasne, dzięki! Ty prowadzisz, okej? – zwróciła się z prośbą do Roarke'a, kiedy ruszyli w stronę samochodu. – Muszę opracować jakiś sposób na Reo, żeby przekonać ją do swoich racji.

– Nie wątpię, że zdołasz to zrobić. A na jakie nazwisko zarejestrowała samochód? Może to też jest jakaś wskazówka? Może łączy się jakoś ze sprawą? Prowadzi do grupy wsparcia.

– Maura Fitzgerald. Nie mam jej na liście. Przynajmniej jak do tej pory.

Pokazała mężowi, gdzie zaparkowała samochód, i spostrzegła, że nagle cały się rozpromienia w uśmiechu.

– Co cię tak rozweseliło?

– Czasem dobrze jest być miłośnikiem kina i wieloletnim fanem Eloise Callahan. Dlatego wiem, że swojego pierwszego Oscara odebrała w bardzo młodym wieku lat dwudziestu dwóch za rolę dziewczyny o imieniu Maura Fitzgerald w klasyku *Only by Night*. Tylko nocą.

– Robisz mnie w balona.

– Ani trochę. Wcale nie byłbym zaskoczony, gdyby się okazało, że wpisała jej taki sam adres zamieszkania, jak adres budynku, w którym kręcono sceny do filmu z jej babcią w roli głównej. – Otworzył przed nią drzwi samochodu. – Czy to pomoże w zdobyciu prawomocnego nakazu?

– Pewne jak diabli, że nie zaszkodzi. – Podekscytowana złamała własne zasady, porwała go w objęcia i ucałowała namiętnie. – Ach, kiedy tylko znajdziemy się we Włoszech, dam ci taki wycisk, że popamiętasz!

– Już się nie mogę doczekać. Może chociaż leciutko potrenujemy jeszcze przed wyjazdem?

– Jeśli tylko ją dorwę dzisiejszego wieczoru, masz to jak w banku.

Podczas gdy Roarke prowadził, Eve zajęła się sprawdzaniem adresu.

– A niech mnie drzwi ścisną! Ale wcelowałeś! To adres budynku, w którym kręcono film *Mieszkanie 8B*, z Eloise Callahan w roli głównej. No dobra, Reo! Zaprzęgam cię do roboty.

Eve przedstawiła sytuację; zastępczyni prokuratora generalnego wysłuchała całej relacji i złapała się za ładne blond włosy.

– Dallas! Chcesz, żebym namówiła sędziego do wystawienia nakazu przeszukania na podstawie tego tylko, że podejrzana wykorzystała nazwisko i adres użyte w starym filmie oraz twoich przeczuć i kobiecej grupy wsparcia? Domagasz się przeszukania nowojorskiej rezydencji legendy Hollywoodu, bo przypuszczasz, że jej wnuczka, która w życiu nie zrobiła nic złego, jest szurniętą seryjną zabójczynią?

– Nie przypuszczam, tylko mam pewność. Dowody są wprawdzie poszlakowe, Reo, ale nagromadziło się już ich aż nadto, a poza tym wszystko się spina. Mówię ci, że w środku jest mężczyzna, którego głównym przestępstwem w ocenie zabójczyni było porzucenie żony dla młodszej kobiety. Ten mężczyzna wisi teraz nagi w piwnicy jej domu. Będzie torturowany, a na koniec zostanie wykastrowany i pozostawiony tam, żeby wykrwawić się na śmierć. Tak się stanie, jeśli nie pozwolisz mi tam wejść. Widziałaś zdjęcia z miejsca odnalezienia ciał?

– Tak. – Reo odetchnęła ciężko. – Tak. Widziałam je.

– Skończy jak tamci i będzie to nasza wina.

– Okej, w porządku. Pozwól, że się do tego zabiorę.

I zanim Eve zdążyła jej odpowiedzieć, wyłączyła się.

– Zdobędzie nakaz – oświadczyła pewnie Eve.

– Zna cię – powiedział Roarke. – Wie, że nie naciskałabyś, gdyby sprawa nie była poważna. Też uważam, że jej się uda.

– Powinieneś zaparkować gdzieś poza zasięgiem kamer monitoringu przy bramie – zaczęła. – Tam! – Wskazała ruchem ręki. – To Baxter i Trueheart. Stań za nimi.

Roarke wrzucił bieg do lotu, po czym wzbił się pionowo w górę, przeleciał na drugą stronę alei i opadł w dół za pojazdem, w którym siedzieli policjanci.

Wyskoczywszy ze swego samochodu, Eve przypadła do ich radiowozu i pochyliła się do Truehearta siedzącego na miejscu pasażera z przodu, dając mu znak, by opuścił szybę.

– Żadnego ruchu, pani porucznik – zameldował.

– Peabody zaraz tu będzie. McNab przyjedzie furgonetką z osprzętem operacyjnym. Reo pracuje nad uzyskaniem nakazu. Będziemy teraz... Brama się otwiera! Ach, to tylko pielęgniarka. Idzie na piechotę. Nic nie rób.

Donalou spieszyła się dokądś, rozmawiając przez telefon. Nie zauważyła Eve, póki omal na nią nie wpadła.

– Och, pani porucznik Dallas! – zawołała ze zdziwieniem. – Nie spodziewałam się spotkać pani tutaj. – Po czym rzuciła do telefonu: – Nie, Harry, teraz jadę prosto do domu. Może wezmę taksówkę. Do zobaczenia wkrótce! Przepraszam! – zwróciła się znów do Eve, chowając komórkę. – Chciałam tylko dać znać mężowi, że jestem w drodze do domu. Czy pani do nich wraca?

– Co się w tej chwili dzieje w środku?

– Co się dzieje? Nie za bardzo rozumiem...

– Gdzie jest Darla? – spytała Eve bez ogródek.

– Środki uspokajające i krótka drzemka pomogły. Poczuła się lepiej, więc jednak postanowiły razem z Eloise zrobić sobie podwieczorek przy popołudniowej herbatce.

Pielęgniarka przeniosła wzrok z Eve na Roarke'a, a potem na samochód obok.

– Czy coś się stało? – zaniepokoiła się.

– Gdzie robią sobie ten podwieczorek? – dopytywała się dalej Eve.

– Naprawdę nie rozumiem... Na górze, w saloniku pani Eloise.

– Czy dom posiada podpiwniczenie?

– Ja... Nie jest to właściwie piwnica, lecz kondygnacja podziemna. Mieści się w niej pracownia Darli... Mamy zakaz wstępu – dodała z niewyraźnym uśmiechem. – Zamyka się tam tylko wtedy, kiedy ja jestem przy pani Eloise.

– Nigdy pani nie była w tym podziemiu?

– No cóż... Nie. Prawdę mówiąc, nie miałam ku temu żadnego powodu. Możecie mi zdradzić, o co w tym wszystkim chodzi? Przyznam, że trochę mnie wystraszyliście.

– Zamierzam wezwać za chwilę radiowóz. Odwiozą panią do domu. Proszę się nie kontaktować z nikim z rezydencji Eloise Callahan ani też nie prosić nikogo innego o skontaktowanie się z kimkolwiek w środku. W razie złamania mojego polecenia będę zmuszona panią aresztować za utrudnianie pracy policji.

– O mój Boże! – przeraziła się nie na żarty Donnalou.

– Proszę spojrzeć na mnie! – poleciła jej Eve. – Jakie są pani priorytety? Kto jest dla pani najważniejszy w tym domu?

– Oczywiście pani Eloise, jej dobre samopoczucie oraz jak najlepsze zdrowie. Jest moją pacjentką.

– To, o co poproszę, będzie miało wpływ na jej zdrowie i dobre samopoczucie. Proszę patrzeć mi w oczy! – napomniała ją Eve. – Zwracam się do pani jako profesjonalistki z dziedziny medycyny i proszę o ocenę osoby Darli Pettigrew.

– To raczej nie moja sprawa. Ja...

– ...właśnie zdecydowałam, że teraz to już jest pani sprawa – przerwała jej Eve.

– Ja... Ona jest bardzo oddana pani Eloise. Powiedziałabym, że jest trochę tajemnicza, ma okresy podekscytowania i okresy depresji. Przeżyła kilka trudnych lat z rozwodem, utratą swojej firmy, a teraz jeszcze to wszystko. Ona... ona pracuje tam na dole nad jakimś nowym projektem, jak twierdzi. Z tego, co zaobserwowałam, ma dzięki temu zajęcie i jest szczęśliwa.

– Zamierzam wezwać policjantów, w których eskorcie pojedzie pani do domu.

– J-ja naprawdę nie zadzwonię ani do pani Eloise, ani do pani Darli. Nie chcę zadzierać z policją i jeśli mówi pani prawdę, nie chcę robić niczego, co by mogło zranić panią Eloise. Jednakże jeśli będzie mnie potrzebować, muszę mieć pewność, że nie znajdę się nagle poza zasięgiem.

– Jeśli Eloise będzie pani potrzebować, zadzwonię osobiście. Ma pani na to moje słowo.

20

Peabody dobiegła do nich truchtem w tej samej chwili, kiedy Donnalou wsiadała do radiowozu.

– Czekamy na McNaba w furgonetce EDD – wyjaśniła jej Eve.

– Rozumiem. Czy to była ta pielęgniarka?

– Tak. Dotrzyma słowa, nie skontaktuje się z nikim w środku. Reo pracuje nad zdobyciem nakazu. Z tego, co mówiła pielęgniarka, Darla ma się lepiej i spędza czas przy popołudniowej herbatce z Eloise.

– Wtedy zapewne poda jej środek usypiający.

– Tak myślę. – Eve skinęła głową. – Położy babcię do łóżka, upewni się, że mocno śpi, a potem ruszy na dół, na kondygnację podziemną, którą pielęgniarka nazwała jej pracownią. Domownikom zakazała tam wchodzić, pracuje jakoby nad nowym projektem.

– Nieźle ci poszło z pielęgniarką – pochwalił Roarke.

– Jest profesjonalistką, pielęgniarką z powołania. Tak ją odbieram. Lubi Eloise, Darli nie. Czy mógłbyś zerknąć na system zabezpieczeń przy bramie tak, żeby się nie dostać w zasięg kamer monitoringu?

Mężczyzna ledwo zauważalnie uniósł jedną brew i bez słowa pomaszerował we wskazaną stronę.

Tymczasem Baxter wysiadł, oparł się plecami o samochód i zajął obserwacją terenu.

– Potrzebny mi jest McNab z furgonetką. No i oczywiście ten cholerny nakaz. Trueheart! – Pokazała mu na migi, żeby wysiadł. – McNab zastosuje swoje magiczne techniki operacyjne i pokaże nam położenie ludzi i droidów we wnętrzu budynku. Mając tę wiedzę, z nakazem w garści, wejdziemy do środka szybko i jak najciszej. Roarke rozbroi systemy zabezpieczeń i alarm przy drzwiach wejściowych.

– Na pewno je sforsuje – odrzekł Baxter. – Z tego, co widziałem, to zamki z najwyższej półki, ale Roarke na bank da sobie z tym radę.

– Kiedy już znajdziemy się na terenie posiadłości, ty, Trueheart i McNab pójdziecie na tyły. W rezydencji tej wielkości muszą być jakieś boczne wejścia. Rozproszcie się, obstawcie je wszystkie i utrzymujcie ze sobą kontakt. Wejdziemy do środka na mój znak. Jeśli natraficie na jakiegokolwiek droida, natychmiast go dezaktywujcie. One też są z najwyższej półki, więc możecie do tego potrzebować McNaba.

– My obstawiamy front? – spytała Peabody.

– Ty, ja i Roarke. Będziemy go potrzebować, żeby nas wprowadził bezgłośnie do środka i był gotów na spotkanie droidów, z którymi będzie się musiał rozprawić. – Przerwała wyjaśnienia, kiedy zauważyła powracającego Roarke'a.

– Mogę rozbroić bramę – powiedział.

– Ile czasu będziesz potrzebował? – spytała Eve.

– To bardzo precyzyjny system. Dziesięć do piętnastu minut.

Baxter roześmiał się z ulgą.

– Szkoda jednak, że nie spotkaliśmy się wcześniej, a tak zmarnowałem całą młodość – zażartował.

Roarke uśmiechnął się na to i rzekł:

– Jeśli młodość z perspektywy czasu nie okaże się zmarnowanym okresem w życiu człowieka, znaczy to, że nie była prawdziwą młodością. Czy mam zaczynać, pani porucznik?

– Tak, ale za chwilę. Musimy zaczekać na nakaz. O! Już podjeżdża furgonetka.

Nie zdziwiła się specjalnie, kiedy zobaczyła wyskakującego z niej Feeneya. Jej poprzedni partner, a obecnie szef sekcji techniki operacyjnej EDD miał na sobie ten sam co zawsze sraczkowaty garnitur z wygniecioną beżową koszulą, a do tego krawat w brudnym brązie. Przyprószone siwizną rude włosy powiewały mu w nieładzie wokół obwisłej twarzy o wyrazie zbitego psa.

– Nie oczekiwałam wsparcia tak wysokich szarż – skomentowała Eve.

– Myślałaś, że stracę jedyną okazję wejścia do rezydencji Eloise Callahan? Wychowałem się na jej filmach, dziecinko. Była i prawdopodobnie wciąż jest bożyszczem mojego staruszka. Pewnie dostanie zawału, jeśli przyłożę rękę do jej aresztowania.

– Nic mu nie grozi. Nie widzę jej w tym wszystkim. Dała się omotać wnuczce – wyjaśniła Feeneyowi i zwróciła się do jego towarzysza: – McNab! Chcę mieć lokalizację ludzi i droidów. Chcę widzieć ich ruchy.

Z furgonetki wyskoczyła jeszcze Callendar.

– Robi się, pani porucznik! – krzyknęła.

– Akurat była na miejscu – pospieszył z wyjaśnieniem Feeney. – Zrobimy to szybciej z dwójką na pokładzie.

– Nam też lepiej pójdzie w większej grupie. No dobra! Jak tylko Roarke otworzy bramę i wpuści nas do środka, otaczamy dom. W każdej grupie musi być ktoś z EDD, kto rozpracuje zamek w drzwiach, jeśli nie odblokują się centralnie wszystkie naraz. Poza tym będzie dezaktywować napotykane droidy. Nasza podejrzana i jej ofiara znajdują się na poziomie kondygnacji podziemnej. Nie byłam wszędzie w środku, więc jeszcze nie wiem, gdzie się mieszczą wiodące tam drzwi. – To powiedziawszy, Eve z rękami na biodrach obejrzała się przez ramię na bramę. – Musi cały czas mieć oko na babcię, zapewne ma więc system kamer i monitorów w środku.

Feeney w zamyśleniu potarł podbródek.

– Moglibyśmy je wyłączyć, ale na pewno by zauważyła, że coś się dzieje, gdyby ni z tego, ni z owego zgasły.

– Nic innego nie wymyślimy. Lepsze to, niż gdyby miała zauważyć policjantów wślizgujących się do jej domu. – Eve sprawdziła czas, cała spięta w niecierpliwym wyczekiwaniu. – Wchodzimy i szukamy zejścia do piwnic. W domu są windy. Jedna z nich musi zjeżdżać na najniższą kondygnację. Na pewno to piętro jest przez nią zablokowane. Mam rację? – Popatrzyła na Feeneya, który skinął głową i rozwinął jej myśl.

– No jasne, nie chciałaby nieproszonego gościa, zajęta obcinaniem jajek jakiemuś nieszczęśnikowi.

– No cóż, jest blokada, to odblokujemy. Jeden zespół

zjedzie windą, drugi zejdzie po schodach. Jeśli do piwnic jest też dostęp z zewnątrz, to wejście również obstawiamy. Na pewno będzie uzbrojona. – Eve wyjaśniała dalej sposób przeprowadzania akcji. – Nigdy nie użyła zwykłego paralizatora do męczenia swoich ofiar, ale ma elektryczny poskramiacz w formie szpicruty. Bóg jeden wie, jak bardzo jest niebezpieczna. Szlag mnie trafia, ale... no, kurwa, muszę to powiedzieć: ona jest mocno psychiczna i wcale nie jak jakiś nieszkodliwy paranoik. Ta jej choroba psychiczna uniemożliwi nam wejście na drogę prawną.

– Niedobrze, jasna cholera! – zaklął Feeney.

– Nawet nie mów.

Kiedy jej telefon zadzwonił, odebrała w mgnieniu oka.

– Powiedz mi to, co chciałabym usłyszeć, Reo.

– Zaraz będziesz miała nakaz. Szlag! Muszę wypić drinka – jęknęła. – Wisisz mi całą górę drinków.

– Odpłacę się. Pozostań w pełnej gotowości. Mam zamiar ci dostarczyć seryjną zabójczynię do rąk własnych. I to wkrótce.

– Wstrzymam się z tym drinkiem, póki nie dasz sygnału. Aresztuj ją, Dallas!

– Tak jest, pani prokurator! Roarke, zaczynamy. – Po czym zwróciła się do Feeneya: – Dawaj mi namiary, lokalizację celów.

Feeney wystawił uniesiony kciuk w stronę furgonetki, gdzie McNab i Callendar tylko czekali na sygnał, i natychmiast rozpoczęli skanowanie budynku.

– Potrzebujemy małą chwilę, Dallas, żeby objąć cały budynek – wyjaśnił jej McNab. – Callendar, ty się zajmij może skonfigurowaniem połączenia zdalnego.

– Mam, wszystko mam. Jak się tylko ruszą, będziemy wiedzieć.

Eve kręciła się niecierpliwie wokół Callendar, wpatrując się w główny monitor furgonetki.

– Koordynacja źródeł ciepła i czujników elektronicznych! – polecił Feeney.

– Mamy to, kapitanie! – Dwa rzędy kolczyków-kółek w uszach McNaba zatańczyły, kiedy zaczął poruszać głową i podrygiwać ramionami w rytm wewnętrznego bitu komputerowego maniaka. – Już jesteśmy blisko. Mamy to! Dwa droidy na parterze, na tyłach domu od strony północnej. Na pierwszym piętrze brak odczytów. Na drugim jeden obraz robota humanoidalnego, jeden to istota ludzka.

– W łóżku – dopowiedziała Eve. – Pozioma postać. Pewnie śpi. To babcia z pilnującym ją droidem. Tu mamy najniższą kondygnację i tu, od wschodniej strony, to zapewne jest Darla Pettigrew, a ta pionowa, wyciągnięta sylwetka to będzie Brinkman. Trzyma ręce nad głową. Podwiesiła go do sufitu. To centralna część tego obszaru. Czy tu, obok niego, to obraz robota humanoidalnego?

– Tak. Jest z nimi jeden droid.

– Połączenie zdalne skonfigurowane. Mam ich wszystkich! – Callendar zameldowała wykonanie rozkazu.

– Zepnij to! – polecił Feeney, po czym otworzył szufladę i wyjął słuchawki z mikrofonami. – McNab, przejmij kierowanie systemem w furgonetce, a Callendar niech dołączy do zespołu Baxtera. Ja idę z Trueheartem. Ty, Peabody i Roarke ruszajcie od frontu. Pasuje ci? – zwrócił się do Eve.

– Powinno zadziałać – odparła.

Wzięła słuchawki, które podał jej Feeney, i wyszła z furgonetki.

– Trueheart! Jesteś w zespole z Feeneyem. Bierzcie zachodnią stronę, znajdźcie tam jakąś wnękę i ukryjcie się w niej. Baxter! Ty i Callendar idziecie od wschodu. Zablokujcie wszystkie wyjścia od tamtej strony i idźcie na tyły. Od północnej strony znajdziecie dwa droidy. Dezaktywujcie je, o ile ja z Peabody jeszcze nie zdążymy tego zrobić. Chcę też mieć wyłączone windy.

– To się da zrobić – zapewniła ją Callendar.

– Musimy obstawić wszystkie zejścia do piwnic. Musimy ją tam zablokować. – W trakcie wydawania poleceń rozpracowała działanie słuchawek. – Dom jest ogromny. Może mieć więcej nieaktywnych obecnie droidów. Czy może je aktywować zdalnie? – zwróciła się z pytaniem do Feeneya.

– Jeśli zostały w ten sposób zaprogramowane, to tak – odrzekł kapitan.

– Przeszukajcie dom piętro po piętrze. Parter, pierwsze, drugie. Jeśli znajdziecie jakiekolwiek droidy, zdejmijcie je. Roarke, jak tam?

– Jeszcze minuta, najwyżej dwie.

– Roarke wejdzie z nami od frontu i od razu ruszy na górę, na drugie piętro. Zdejmie znajdującego się tam droida i określi stan babci. – Nie mogąc ustać spokojnie w miejscu, Eve stawała to na palcach, to znów na piętach. – Jak już przejdziemy przez bramę i znajdziemy się na terenie posiadłości, musimy natychmiast wyłączyć wszystkie kamery zewnętrzne. Nim pójdziemy dalej, muszą zostać wyłączone te we wnętrzu domu. Następnie na mój sygnał wchodzimy do środka.

– Ona się przemieszcza w stronę centralnej części kondygnacji podziemnej, Dallas – szepnął szefowej do ucha McNab.

– Roarke! Gazem! – ponagliła go rozgorączkowana Eve.

– No i proszę! Gotowe! – odparł Roarke spokojny i niewzruszony jak skała. – Dwie sekundy i… – Skrzydła bramy bezszelestnie rozsunęły się na boki. – Nie chciałabyś pewnie, żebyśmy musieli przeskakiwać górą.

– Genialnie.

– Koronkowa robota! – odezwał się Baxter.

– A teraz ruchy! – Ostatnią parę słuchawek podała Roarke'owi. – Jeśli zauważy, że monitory nagle przestały działać, może po prostu w sekundzie zaszlachtować ofiarę. Prawdopodobnie ma tam i inne rodzaje narzędzi zbrodni. Ruchy! Dezaktywujcie wszystkie droidy, które mogą być wrogo nastawione lub zaprogramowane do powiadamiania jej w razie potrzeby. No i szukamy zejścia na dolną kondygnację. Naprzód!

Podbiegła truchtem do bramy, obserwując rozdzielające się zespoły swoich ludzi.

– Roarke! Ty natychmiast, kiedy tylko znajdziemy się w środku, biegniesz po schodach na drugie piętro. Rozbrajasz tego droida, o którym wiemy, i sprawdzasz, co z babcią.

– Mam wezwać lekarza, jeśli sytuacja okaże się dla niej zbyt stresująca?

– Życie albo śmierć… Jasne! Sprawdź w tym celu ich telefon domowy lub komórkę Eloise. Pielęgniarka ma świadomość, że może być w każdej chwili do niej wezwana. Nazywa się Donnalou Harris. Skontaktuj się z nią.

Zatrzymała się przed drzwiami wejściowymi.
– Alarmy, blokady? – rzuciła.
– Już się robi – odparł. – Jeszcze chwila.
– Poczekajcie, aż system alarmowy zostanie rozbrojony – powiedziała Eve do zespołów. – Czekać na mój rozkaz!

Zaczęło się zmierzchać i świat niknął stopniowo w miękkich szarościach. Uderzył w nich powiew świeżego, wiosennego wiatru, w którym zakołysały się i zadrżały łodyżki kwiatów z gotowymi do pęknięcia pąkami. Do słuchawki w uchu Eve docierała krótka wymiana zdań w zespołach, lecz jej mózg zajęty był też czymś innym: myślała o mężczyźnie podwieszonym za nadgarstki piętro niżej.

– Bardzo mądrze – mruczał pod nosem Roarke – ale tego się właśnie spodziewałem. No i mam to, *aye*, no i już! Czas iść spać, no i... gotowe. System rozbrojony! – poinformował Eve. – Wszystkie drzwi zewnętrzne odblokowane.

– Na pewno wszystkie?
– Jak działać, to po całości – rzucił zadowolony.
Pokręciła tylko głową z uznaniem i uniosła broń, którą już trzymała w ręku.

– Słyszeliście? – rzuciła do mikrofonu. – Ruchy! Ruchy! Wchodzimy!

Słyszała, jak Baxter wychwala Roarke'a. Niezła robota! – usłyszała w słuchawkach. Wpadła do środka przyczajona, a za nią pochyleni Roarke i Peabody.

Wewnątrz panowała cisza absolutna. Już kiedy była tu po raz pierwszy, uderzyło ją, jak dostojna jest cisza w domach bogaczy. Pokazała mężowi gestem, żeby

szedł na górę główną klatką schodową. Peabody dostała nakaz pójścia w kierunku przeciwnym.
– Musimy znaleźć zejście do piwnicy – rzekła półgłosem. – Callendar! Windy!
– Już się robi, pani porucznik.
– Jakieś ruchy?
– Tylko w kondygnacji podziemnej. Obie ludzkie sylwetki w dalszym ciągu znajdują się w centralnej części. Ruchy wykonują obie.
– Ona krąży wokół niego, Dallas – dodał McNab. – On się szarpie. Wciąż zwisa, szarpie się i kołysze. Kurwa!
Źle dla Brinkmana – pomyślała Eve – lecz Darla zdawała się zbyt zajęta, żeby spostrzec, że monitory zgasły.
– Dwa droidy rozbrojone – zameldował Feeney. – Dwa cholerne, milutkie droidy.
– Jeden na trzeciej kondygnacji naziemnej – zameldował Roarke. – Typu medycznego. Również rozbrojony. Pani Callahan sprawia wrażenie osoby spokojnie śpiącej.
– Na razie wstrzymaj się z lekarzem. Sprawdź, czy całe piętro jest czyste.
– U nas czysto – zameldował Baxter. – Wydaje mi się, że mamy te twoje drzwi z dostępem do piwnic.
– My również mamy zejście na dół – usłyszała Feeneya. – Na tyłach głównej kuchni jest coś w rodzaju luksusowej spiżarni.
– Ruszamy do was na tyły domu. Peabody, sprawdzaj po kolei wszystkie pomieszczenia!
– Ależ tu głucha cisza! – Peabody otworzyła szybko następne drzwi i wpadła do środka, trzymając broń w wyciągniętych przed sobą rękach. – Czysto!

– No, no! Nieźle. U mnie też czysto!
– Kolejny wyłączony droid. Zablokowałem go – poinformował Roarke. – W schowku przy kilku wydzielonych pomieszczeniach, które można nazwać apartamentem mieszkalnym Pettigrew. Drugie piętro czyste. Schodzę na dół.
– Sprawdź pierwsze po drodze na wszelki wypadek – poprosiła Eve.
– Może niech lepiej to zrobią Baxter i Trueheart – wtrącił się Feeney, gdy Eve z Peabody w końcu dotarły do kuchni. – Te drzwi powinien obejrzeć jakiś spec od techniki i elektroniki. Cholera! Widziałem niejeden skarbiec ze słabszymi zabezpieczeniami.
– Baxter, Trueheart! Sprawdźcie pierwsze piętro! Roarke! Na parter, tyły domu. Co z tymi drzwiami? – zwróciła się z pytaniem do Feeneya.
– Przeskanowałem całe – odparł. – Zamknęła je na klucz, zabezpieczyła systemem alarmowym z dwoma awaryjnymi systemami, w razie gdyby jeden z nich padł. Musimy odbezpieczać je stopniowo. Gdybyśmy spróbowali zrobić standardowe obejście, natychmiast włącza się drugi system i w dalszym ciągu zabezpiecza drzwi.
– Moje są zabezpieczone identycznie. – W głosie Callendar słychać było frustrację, ale i podziw. – Niczego bardziej skomplikowanego dotąd nie widziałam. Magiczna magia.
– Szlag by to trafił i jasna cholera! McNab! Zabezpiecz furgonetkę i chodź tu do nas. Podziałasz razem z Callendar. Co robimy? – denerwowała się Eve.
– Odsuń się trochę – poprosił Feeney. – Przeciągnął skanerem po drzwiach i postukując nerwowo o podłogę

swoim sraczkowatym butem, wklepywał kolejne polecenia. – Nie tędy droga – mruknął w końcu pod nosem. Kiedy usłyszał kroki nadchodzącego Roarke'a, obejrzał się przez ramię. – Mamy tu zamek zapadkowy oraz zamek obrotowy – poinformował. – Oba z wewnętrznymi alarmami, oraz blokadę drzwi w trybie paniki.

– To wszystko? – Roarke rozpromienił się cały zadowolony. – Pracowałem już z takimi blokadami.

– Taa... Ja też, ale mamy tu tryb awaryjny, wykorzystuje on łącza alarmu i zamkniętego zamka, oraz drugi, który włącza się przy naruszeniu poprzedniego zabezpieczenia. – Feeney zmrużył oczy i spytał: – A czemu to jesteś taki z siebie zadowolony?

– Bo to jeden z moich własnych systemów zabezpieczających. Pomagałem go zaprojektować. Jest naprawdę niezły. Jeśli się zna pewne tajniki...

Feeney wyciągnął w jego stronę swój skaner.

– Dzięki, ale mam własny – odrzekł Roarke.

– Mógłbyś przeszkolić moich chłopaków, jak go używać? – spytał Feeney.

– Zobaczymy. Poproszę o odrobinę miejsca, pani porucznik – zwrócił się Roarke do Eve, która niemalże dosłownie siedziała mu na karku. Czuł jej oddech na szyi.

– Po drugiej stronie tych drzwi jest właśnie torturowany człowiek – fuknęła Eve.

– Jestem tego świadom, ale ta robota wymaga precyzji.

Eve się odsunęła.

– Może dałoby się ją jakoś wywabić na zewnątrz? – zwróciła się z pytaniem do Peabody. – Może włączymy z powrotem kamery monitorujące drugie piętro i...

– I cisza!... – syknął Roarke.

Eve tylko prychnęła na to, ale dała znać Peabody ruchem ręki, żeby wyszła razem z nią z pokoju.

– Gdyby się udało ją jakoś wywabić stamtąd…

– Jeśli włączymy parter, może spanikować i zabić Brinkmana, tak jak mówiłaś, a nie o to nam chodzi – rozsądnie zauważyła Peabody.

– Wiem, wiem… – Eve krążyła nerwowo w kółko. – Musi być jakiś sposób. W końcu wcześniej czy później zerknie na te monitory… Raczej wcześniej niż później i zacznie się zastanawiać. Może to sprawi, że wyjdzie stamtąd, ale… Nie. – Sfrustrowana, skrajnie zniecierpliwiona Eve przeczesała palcami włosy. – Ma swoje sposoby, by sprawdzić, co się dzieje. Doskonale zna działanie tych wszystkich urządzeń. Coś wykombinuje nawet przy wyłączonych monitorach.

– Cóż… Niech to wszyscy diabli!

Usłyszała, że Feeney coś mówi, więc podeszła do niego.

– I jak tam, McNab? Macie to?

– Też byśmy chcieli… No dobra, jeszcze trochę nam brakuje do osiągnięcia celu, ale jesteśmy tuż-tuż. Nieźle zabezpieczone dziadostwo.

– Nie rób teraz obejścia – poradził mu Roarke. – Ona jest na to zbyt mądra. Cofnij się i przesuń za tę krawędź… tylko powoli… spokojnie. Jedno kliknięcie do góry, dwa z powrotem, jedno w lewo, dwa w prawo.

– Zrozumiałam! – usłyszeli radosny głos Callendar. – Bardziej to magiczne niż najmagiczniejsza magia! Zabezpieczenia nikną w oczach!

– Tu jeszcze jest coś więcej – rzekł Roarke. – Ona włączyła osłonę, która teraz schodzi pod spód. Widzisz to?

– Mam ją! – Ucieszyła się.

– Całkiem seksownie to wygląda – odezwała się Peabody. – Maniacy techniki i technologii przy pracy.

Eve zareagowała jedynie zamknięciem oczu, ale już po chwili spytała:

– Jakieś ruchy pod nami?

– Bez zmian – poinformowała ją Callendar. – Oboje w centralnej części.

– Zaraz i ty się tam znajdziesz. – Roarke rozprostował palce dłoni. – Masz to, McNab?

– Już kończę... Juhuuu! No i jest!

– Uwaga! Na mój znak ruszamy. Oby się udało utrzymać faceta przy życiu. Hej tam! Baxter, Trueheart i technicy z tyłu! Peabody ze mną!

Policjantka stanęła u boku Eve i wzięła głęboki wdech, a potem wydech.

– Zgarnijmy tę sukę! – syknęła.

– Naprzód! – rzuciła komendę Eve.

Usłyszała krzyki w tej samej chwili, kiedy Roarke pociągnął skrzydło ciężkich drzwi i otworzył je przed nią. Wrzask przechodzący w wycie, przepełniony bólem i rozpaczą. W przerwach słychać było wrzeszczący kobiecy głos:

– Dlaczego nigdy nie jesteśmy dla was wystarczająco dobre? Co? My dajemy wam i dajemy, a wy nas w zamian wykorzystujecie, bijecie, gwałcicie, porzucacie dla innych. Wreszcie nadszedł czas, kiedy to wy musicie za to zapłacić. I wszyscy za to zapłacicie!

Eve runęła w dół po schodach i wbiegła do głównego pomieszczenia ze ścianą monitorów, długimi blatami roboczymi, w połowie wykończonymi droidami, z podłogą z betonu wykończonego powłoką z żywicy epoksydowej w kolorze palonego złota.

Darla stała z ręką odchyloną do tyłu. Trzymała w dłoni elektryczny poskramiacz. Właśnie brała zamach, by zdzielić nim mężczyznę. Na jego wykrzywionej, posiniaczonej twarzy malowało się najczystsze przerażenie. Z nadgarstków sączyła się krew. Miotał się, skuty kajdankami podwieszonymi na łańcuchach do sufitu.

Eve zauważyła ze zdumieniem – a rzadko jej się zdarzało czuć to w stosunku do morderców – że kobieta miała na sobie obcisły kostium ze skóry z czarnym skórzanym napierśnikiem, na głowie wspaniałą czarną perukę ze srebrzystosiwymi końcówkami, która spływała falami z jej ramion, a górną część twarzy zasłaniała jej lśniąca srebrna maska z kocimi oczami.

– Co to za maskarada? – spytała Eve.

Teraz usta Darli wykrzywił grymas wściekłości.

– Nie! – krzyknęła w furii. – Nie powstrzymacie mnie. Jestem Lady Justice, a Linus Brinkman został uznany za winnego i skazany na śmierć!

– Darla! Odsuń się od niego!

– Justice, czyli Sprawiedliwość, to moje drugie imię! To właśnie tacy jak on odczują na własnej skórze, czym jest sprawiedliwość!

– Rzuć broń na ziemię i odsuń się od niego! To nie jest prośba – rzekła dobitnie Eve.

– Wilford! Obrona!

Na te słowa droid rzucił się do przodu. Lecz Roarke w tej samej chwili wystukał komendę na swoim urządzeniu mobilnym i droid zatrzymał się w pół ruchu i zamarł, całkowicie wyłączony.

– Ty bydlaku! – ryknęła Darla. – Będziesz następny, którego dosięgnie sprawiedliwość. Wynoś się stąd!

Zejdź mi z drogi albo ci rozerżnę gardło tą elektryczną szpicrutą! Nie powstrzymasz mnie! – Uniosła wyżej rękę z poskramiaczem. – Nie powstrzymasz...

W tej samej chwili Eve tknęła ją paralizatorem.

– Powstrzymam – rzekła, gdy ciałem tamtej wstrząsały drgawki. Darla wypuściła z ręki batog, a Roarke podskoczył do niej szybko i złapał ją, zanim się osunęła bezwładnie na betonową posadzkę.

– Baxter, Trueheart! Uwolnijcie go. Peabody, dzwoń po karetkę i skontaktuj się z pielęgniarką Eloise.

Eve przykucnęła obok Darli, którą Roarke ułożył na podłodze.

– Ależ z niej psychopatka bez piątej klepki, no nie? – orzekł.

Eve wyciągnęła kajdanki.

– Nie moja rzecz oceniać – powiedziała, zatrzaskując obręcze na nadgarstkach nieprzytomnej Darli. – Ale że bez piątej klepki, to się zgodzę.

– Błagam! Błagam! Błagam! – łkał Brinkman, drżąc na całym ciele. – Błagam, nie pozwólcie jej więcej mnie tknąć.

– Jesteś już bezpieczny. Jesteś bezpieczny. Spokojnie. Pójdę poszukać dla niego jakiegoś koca, dobrze, pani porucznik? – spytał Trueheart. – On jest w szoku.

– Dobrze. Potem razem z Baxterem zabierzecie ją na górę i spiszecie. Przyjdę, jak tylko tutaj skończymy.

Baxter przekrzywił głowę, przyglądając się badawczo Darli.

– Wygląda to jak kostium komiksowej superbohaterki – rzekł. – Trochę z klasycznej Wonder Woman, a trochę z Dark Angel.

– Ma też coś z Rose & Thorn, tej o rozdwojonej jaźni – dodał Roarke.

– Taa... – Baxter spojrzał na niego i pokiwał głową. – O tak, z niej też.

– Zespół ratowników medycznych w drodze – poinformowała Peabody. – Pielęgniarka też już jedzie. To był celny strzał, Dallas! Donnalou na pewno się przyda Eloise.

Kiedy Darla zaczęła powoli odzyskiwać przytomność i otwierać oczy, Eve znów przy niej przykucnęła.

– Faszerowałaś prochami własną babcię! – rzuciła jej w twarz.

– Busia? Busia? – Darla zamrugała powiekami. – Nie, nie, nie! To jeszcze nie koniec!

– Owszem, koniec. Masz prawo milczeć.

Mimo że Eve wygłosiła stosowną formułkę, kobieta nie skorzystała z tego prawa. W dalszym ciągu szarpała się w więzach, łkała z wściekłości i frustracji, klęła.

– McNab, chodź tutaj – poprosiła Eve.

Policjant oderwał się od studiowania elektronicznych zabawek z nieprzytomnym wyrazem twarzy, najwyraźniej oszołomiony tym, co zobaczył.

– Pomóż zaprowadzić ją do radiowozu – wyjaśniła. – Potem możesz tu wrócić i dalej się bawić.

– Tak jest! – Pobiegł w stronę schodów.

Feeney również się przyglądał stanowiskom pracy Darli, zacierając ręce.

– Callendar, bierzmy się do roboty. Odpalmy ten sprzęt i pobawmy się trochę.

– Tak jest, kapitanie!

Eve zadzwoniła po ekipę czyścicieli, podczas gdy

Peabody pomagała otulonemu kocem Brinkmanowi dojść do kanapy.

– Co z nim, Peabody? – spytała Eve, kiedy skończyła rozmowę.

– Nic mu nie będzie – odpowiedziała, a potem zwróciła się do poszkodowanego: – Wkrótce dojdzie pan do siebie, panie Brinkman.

– Biła mnie... Biła mnie... Nie rozumiem za co – jęczał.

– Pójdę na górę i poczekam na ekipę techników i karetkę – zdecydowała Eve.

– Idę z panią, pani porucznik – rzekł Roarke.

Eve przyglądała mu się z ukosa, kiedy zaczął wchodzić po schodach.

– Przecież wolałbyś się pobawić z naszymi maniakami techniki – stwierdziła.

– No pewnie, i zaraz to zrobię. Teraz jednak...

– W jaki sposób zdjąłeś tak błyskawicznie tego droida? – zainteresowała się.

– Ach! Na szybko przeanalizowałem budowę jednego z tych na górze. Doskonała robota! Trochę szkoda... Tak czy owak, zdołałem szybko zaprogramować wyłączenie maszyny. Szkoda by było, gdybyś musiała go zniszczyć.

– Specjalnie by mnie to nie zabolało.

– Wiem. Masz długą noc przed sobą. – Pogładził dłonią jej włosy.

– I tak lepszą niż kilka ostatnich, a poza tym odpada poranna wyprawa do kostnicy.

McNab nieomal sfruwał z powrotem na dół. Miał na tyle dobrego wychowania, że zatrzymał się przy Eve, uśmiechnął się głupawo i spytał, jąkając się niezręcznie:

– Czy jestem ci do czegoś jeszcze potrzebny, Dallas?
– Zajmij się swoją ulubioną robotą.
– Raz się człowiek rodzi, raz żyje i raz umiera. Idziesz ze mną, Roarke?
– Zajmij się swoją ulubioną robotą... – powtórzyła Eve, słysząc wycie karetki, tym razem jednak skierowała te słowa do Roarke'a – ...a ja pójdę poinstruować ekipę ratowników medycznych.
– Jeśli nalegasz...
Eve weszła na górę sama, wpuściła medyków przez bramę do środka i pokierowała ich na dół do Brinkmana. Następnie skontaktowała się z Reo, potem z Mirą.
Ech, długa noc przede mną – pomyślała, obserwując taksówkę wjeżdżającą przez bramę. – Długa noc dla nich wszystkich.
– Co z panią Eloise? – spytała Donnalou, gdy wyskoczyła z auta.
– Jest na górze. Została odurzona środkami usypiającymi.
– Odurzyliście ją?
– Nie. Zrobiła to Darla krótko po tym, jak wyjechaliście. Odurzała ją rutynowo, żeby Eloise się nie dowiedziała, co robi w piwnicach domu.
– A co robiła w piwnicach domu?
– Zabijała mężczyzn.
– To nie może być prawda! – Donnalou zachwiała się i zrobiła krok do tyłu.
– Niech pani to powie temu mężczyźnie, którym zajmuje się ekipa ratowników medycznych. Właśnie do niego zeszli. Udało się nam przybyć na czas i ocalić mu życie. Muszę przeprowadzić rozmowę z Eloise.
– A ja muszę sprawdzić, co z nią. Muszę... – Za-

milkła. Sprawiała wrażenie stopniowo dochodzącej do siebie. – Wiadomo, co jej podano?

– Nie, ale sądzę, że Darla przechowywała wszystkie medykamenty u siebie na dole. Dam pani znać.

Donnalou poszła na górę, Eve zeszła na dół. Zastała wszystkich maniaków techniki zatopionych w przeglądaniu warsztatu pracy Darli, jej gadżetów i budowanych przez nią droidów.

– Gdzie Peabody? – spytała i Callendar pokazała w lewo. Zanim Eve ruszyła w tamtą stronę, podeszła jeszcze do Brinkmana i ratowników medycznych.

– Panie Brinkman?

– Był w kompletnym amoku – wyjaśnił jeden z ratowników. – Musieliśmy mu coś podać na uspokojenie. Zabierzemy go do szpitala, gdzie pewnie zostawią go na noc i opatrzą mu oparzenia i rozcięcia skóry. Więcej z niego pani wyciągnie, jak się uspokoi.

– Okej, mogę poczekać – odparła Eve.

Skierowała się w stronę Peabody dokładnie w tej samej chwili, gdy ta ruszyła ku niej.

– Dallas, musisz koniecznie to zobaczyć!

– Znalazłaś może ubranie Brinkmana i resztę jego rzeczy?

– Tak. Ona ma tu cały pieprzony magazyn przeróżnych rzeczy. Zaczęłam oznaczać to, co wyglądało mi na własność pozostałych ofiar: ubrania, telefony, portfele i tym podobne. Zaciekawiło mnie, co ma tam jeszcze. Zaczęłam się rozglądać. Powierzchnia tych pomieszczeń jest ogromna. – Peabody zatrzymała się i wskazała przed siebie. – Prawdziwy magazyn. Rzeczy ofiar zmagazynowane są tam, a jej, hmm… jej skład strojów i dodatków mieści się o tam. Wygląda jak garderoba teatralna.

Peruki – chyba z tuzin w najróżniejszych wariantach kolorystycznych i stylach – wystawione na blacie. Obok toaletka z podświetlanym trójdzielnym lustrem, przed nią krzesło. Dziesiątki szuflad i szufladek – jak sprawdziła Eve – zawierających środki do charakteryzacji twarzy, kosmetyki do malowania oczu, implanty, podkłady charakteryzatorskie do twarzy, tymczasowe tatuaże, środki barwiące skórę całego ciała. Ogromna paleta różnorodnych ubiorów: od biznesowych garniturów i garsonek po stroje wieczorowe, buty, torebki, wiszące schludnie na specjalnych słupkach i haczykach. Biżuteria połyskująca w przezroczystych szufladkach przezroczystego słupka.

Kolejne potrójnie dzielone lustro, tym razem wysokości człowieka, obok tablica z wywieszonymi na niej zdjęciami Darli w różnych ubraniach, a raczej – jak pomyślała Eve – przebraniach. Kostiumach. Na następnej tablicy te kostiumy, te postaci, które miały uosabiać, zestawione z kolejnymi ofiarami – tymi, których już zabiła czy raczej namierzyła i zdjęła.

– Może byś poszła na górę i przyprowadziła tutaj ekipę techników-czyścicieli? – poprosiła Eve. – Muszę odnaleźć skrytkę, w której przechowywała medykamenty i narkotyki.

– W takim razie lepiej będzie, jeśli pójdziesz ze mną. Jakoś nie bardzo mi się chce tam wracać, ale skoro chcesz…

Peabody poprowadziła Eve do jeszcze innego miejsca. Znajdował się tu komputer i mnóstwo monitorów

517

pokazujących obraz z kamer z wnętrza domu. W przeszklonej małej chłodziarce stały buteleczki z lekarstwami, a w szufladkach – posegregowane strzykawki i iniektory.

Na kontuarze leżał przygotowany zawczasu sztylet ceremonialny – dokładnie taki, jak przewidział Morris. Na jego rękojeści widniały inicjały identyczne jak na napierśniku:

LJ

Wyżej nad nim spoczywało to, co sprawiło, że Peabody tak niechętnie wróciła do tego pomieszczenia.

Na półce stały w równym rzędzie słoje z cieczą konserwującą genitalia, które Darla odcięła swoim ofiarom. Wszystkie były oklejone starannie opisanymi etykietkami.

– Psychopatka bez piątej klepki – mruknęła Eve pod nosem.

Czeka mnie długa noc – pomyślała znowu, idąc na drugie piętro do pielęgniarki.

Donnalou siedziała przy łóżku Eloise.

– Dokończenie sprawdzania kondygnacji podziemnej oraz innych wykorzystywanych przez Darlę pomieszczeń zajmie nam jeszcze trochę czasu. Byłoby dobrze, żeby Eloise przynajmniej kilka następnych dni spędziła gdzieś poza domem.

– Nic z tego wszystkiego nie rozumiem.

– Mogłaby pani ją obudzić?

– Lepiej by było, gdyby obudziła się sama. Wprawdzie środek, który przyniosła w buteleczce pani partnerka, nie jest zbyt mocny, ale...

– Powinnam jej udzielić pewnych wyjaśnień. Muszę wkrótce opuścić to miejsce, a ona zasługuje na to, żebym wytłumaczyła jej wiele spraw. Sądzę też, że powinna pani z nią zostać.

– Oczywiście zostanę tak długo, jak długo będzie mnie potrzebować. Obudzę ją. Proszę o delikatność. To wszystko zapewne złamie jej serce.

Donnalou wyjęła ze swojej torby lekarskiej małą fiolkę i pomachała nią pod nosem Eloise.

Starsza pani zamrugała powiekami i lekko westchnęła. Kiedy zaczęła się przekręcać na bok, Donalou ujęła jej dłoń.

– Pani Eloise? Pani Eloise! Czas się obudzić. To ja, Donnalou.

– Och, czy ja znowu zasnęłam? Och, Donnalou, staję się coraz starsza i starsza, i coraz bardziej się rozleniwiam. – Ponownie westchnęła i otworzyła oczy. Dostrzegła Eve.

– Pani porucznik Dallas? – Staruszka podniosła się do pozycji siedzącej, a Donnalou natychmiast poprawiła jej poduszki za plecami. – O mój Boże! Czy mi się pogorszyło?

– Nie. – Eve przysunęła krzesło do boku łóżka i usiadła, żeby Eloise łatwiej było widzieć jej twarz.

– O Boże! O mój Boże! Coś się stało Darli!

– Nic jej nie jest. Została aresztowana.

– C-co takiego?!

– Eloise, zaraz powiem pani coś, co już zapewne jest pani wiadome albo może pozostawało dopiero w sferze podejrzeń. Darla jest chora i właściwie od dawna chorowała i mentalnie, i emocjonalnie. Prawdopodobnie były jakieś tego oznaki. Wzięła ją pani do siebie, bo bardzo ją kocha i musiało się pani wydawać, że to pomoże, że to wystarczy. Niestety, tak się nie stało. Sądzę jednakże, iż musiały występować jakieś objawy.

Eloise, blada jak ściany jej pokoju, sięgnęła po dłoń Eve.

– Co ona zrobiła? Proszę mi powiedzieć, co ona takiego zrobiła?

Eve spełniła jej prośbę.

21

Eloise prawie nie reagowała, kiedy Eve referowała jej fakty oraz omawiała zebrane przez siebie dowody. Łzy w oczach zabłysły starszej pani niejeden raz i Eve zdała sobie sprawę, jak silnej woli wymagało ich powstrzymywanie. Prościej byłoby pozwolić im płynąć.

– Muszę... – Ponieważ Eloise ledwo wydobyła z siebie głos, przerwała na chwilę. – Czy mogłabym przeprosić dosłownie na momencik? Chciałabym, żeby Donnalou pomogła mi wstać i odrobinę się ogarnąć. Proszę zaczekać kilka minut w saloniku obok.

Mam jeszcze tyle pracy – pomyślała Eve. – Tyle mi jeszcze zostało do zrobienia...

Lecz szacunek dla tej silnej osobowości kazał jej wstać.

– Zaczekam – powiedziała.

– Nie będę pani długo tam trzymać.

Eve przeszła do małego pokoju z elegancko zaaranżowanym miejscem do siedzenia i zamknęła za sobą drzwi.

Zdjęcia... Mnóstwo zdjęć. Rodzina – domyśliła się Eve – oraz różne zdjęcia Eloise z wielu minionych lat.

Na imprezach, z innymi sławnymi osobami, na marszach protestacyjnych, na czerwonym dywanie.

Całe jej życie – z tego, co Eve mogła zaobserwować – przeżyte najpełniej, jak to możliwe.

Telefon zasygnalizował nadchodzące połączenie, wyjęła go więc i spojrzała na wyświetlacz. Nadine. Już miała go zignorować, ale uświadomiła sobie, że nie byłoby to fair wobec przyjaciółki, i zdecydowała, że odbierze.

– Jestem w samym środku wydarzeń, Nadine.

– Ja również. Pomyślałam, że powinnam dać ci znać, że mam dwie kobiety, które przekonałam do nagrania swoich przejść z Cookiem. To kwestia kilku dni, kiedy afera wybuchnie. Wkładam właśnie kij w mrowisko.

– Sprawiedliwość – rzekła Eve. – Na szczęście odpowiedniego rodzaju. – Zastanowiła się. – Coś jeszcze niedługo wybuchnie, zarezerwuj więc czas, miejsce i co tam jeszcze zwykle rezerwujesz. Będzie niezła afera.

– Złapałaś Lady Justice! – Kocie oczy Nadine rozbłysły.

– Mam ją. Nie będę cię teraz faszerować detalami, bo są jeszcze inni, którzy oberwą rykoszetem, choć na to nie zasługują. Zamierzam podać ci szczegóły na tacy, jak tylko wszystko do końca wyjaśnię, a ty jakoś wygłuszysz aferę. Użyjesz swojego autorytetu po właściwej stronie.

– Trwam zatem w oczekiwaniu.

– Odezwę się.

Eve wrzuciła telefon z powrotem do kieszeni.

Kilka chwil później weszła Eloise z Donnalou u boku. Miała na sobie coś, co było chyba peniuarem – doszła do wniosku Eve, gdyż prezentowało się zbyt elegancko jak na zwykły szlafrok.

Miękki, ciepły błękit otulał jej drobną sylwetkę aż po kostki stóp. Sczesała włosy do tyłu i wklepała w twarz odrobinę dyskretnego pudru.

– Dziękuję za cierpliwość. Donnalou, czy mogłabyś przygotować kawę dla nas wszystkich?

– Oczywiście. Usiądźcie, proszę. – Pielęgniarka pomogła jej zasiąść w fotelu z obiciem w kolorze indygo, a sama podeszła do barku, gdzie zajęła się kawą.

– Chcę powiedzieć, że jestem ci wdzięczna... Chciałabym, abyśmy mówiły sobie po imieniu i mam nadzieję, że się na to zgodzisz. Czuję, że powstała między nami swego rodzaju więź. Szanuję twoją rangę, twoją pracę, lecz muszę porozmawiać z tobą jak kobieta z kobietą, mimo że również funkcjonariuszką policji.

– Nie ma sprawy.

– Miałaś rację, podejrzewając, że wiedziałam o tym, iż Darla cierpiała... cierpi z powodu pewnej choroby. Wierzyłam, że kiedy tutaj zamieszka, kiedy będzie się mną opiekować... a opiekowała się mną niezwykle czule, z pełnym oddaniem i poświęceniem... Więc wierzyłam, że opieka nade mną, kiedy ciężko zachorowałam, pomaga jej się pozbierać. Przysięgam na wszystkie świętości, że pojęcia nie miałam o tym, jak głębokie było jej cierpienie, jak ostry przebieg przybrała choroba. Doskonale to przed wszystkimi ukrywała. – Głos jej się załamał, przerwała więc, by się pozbierać, a po chwili wzięła od Donnalou filiżankę z kawą. Siedziała, popijając ją powoli, i w końcu znów uniosła głowę i wyprostowała ramiona. – Przysięgam, że nigdy tego w niej nie dostrzegłam. Najbardziej się obawiałam jej dążenia do samounicestwienia, gdy życie, którego tak rozpaczliwie pragnęła, legło w gruzach, ale tego, co się wydarzyło, nigdy. Nie mogę sobie tego nawet wyobrazić. Kocham ją całym sercem, a nigdy tego szaleństwa w niej nie zauważyłam. Na pewno starałabym się pomóc. Jej ojciec, a mój syn, bez wątpienia zorganizowałby jakąś pomoc psychologiczną dla córki.

– Wierzę w każde twoje słowo – powiedziała Eve bez wahania. – Wiedziałam, że można ci wierzyć, już kiedy pierwszy raz się spotkałyśmy. Wiem, że nie jesteś z tym powiązana w żaden sposób.

– Och, ale jak to się mogło stać? Jest dzieckiem mojego dziecka. Ty dostrzegłaś w niej od razu to szaleństwo, prawda? Jak udało ci się to dostrzec?

– To zupełnie coś innego – odparła Eve. – Kwestia wytrenowania, doświadczenia… Przede wszystkim zaś nie jest kimś, kogo kocham.

Eloise pokiwała głową, wpatrując się w filiżankę z kawą.

– Jest już za późno na podanie jej pomocnej dłoni, nie da się uratować życia, które odebrała, nie da się zaoszczędzić żalu, żałoby i rozpaczy tym kobietom, które tych mężczyzn kochały. Darla jest jednak dzieckiem mojego dziecka… Zatrudnię dla niej najlepszych adwokatów, najlepszych lekarzy.

– Mamy w wydziale biegłą psycholog, która oceni stan jej zdrowia psychicznego. Doktor Charlotte Mira. Jest najlepsza ze wszystkich.

– Znam ją i z książki, i z filmu, lecz…

– Powinnaś zaangażować kogoś innego. Ja tylko mówię, że doktor Mira będzie oceniać stan zdrowia twojej wnuczki i że możesz wierzyć jej diagnozom. Ja będę przesłuchiwać Darlę, a doktor Mira będzie nas obserwować.

– Czy będę mogła się zobaczyć z Darlą? Porozmawiać z nią?

– Tak. Później. Czy jest jakieś miejsce, do którego mogłabyś się udać przynajmniej na kilka dni? Tutaj nie chciałabyś teraz przebywać, uwierz mi.

– Tak, mam przyjaciół. Donnalou pomoże mi się spakować. Byłaś dla mnie nadzwyczaj uprzejma i wykazałaś się dużą cierpliwością. Nigdy tego nie zapomnę.

– Wykonuję tylko swą pracę.

– Uprzejmość to nie praca, Eve, to wybór każdego z nas. Odrywam cię teraz od tego, czym powinnaś się zajmować. – Wstała i wyciągnęła rękę. – Dziękuję ci! Spakuję najpotrzebniejsze rzeczy, a potem skontaktuję się z synem. Na pewno będzie chciał przyjechać do Nowego Jorku.

– Poinformuję cię, kiedy będziesz mogła się z nią zobaczyć – powiedziała na pożegnanie Eve i zeszła na dół, gdzie ekipy policyjne techników-czyścicieli i funkcjonariuszy mundurowych metodycznie przeszukiwały dom. Żałowała, że nie może zaoszczędzić Eloise przeciskania się przez szpalery policjantów. Niestety, będzie to dla niej kolejna bolesna bariera do pokonania.

W piwnicach wszystko wyglądało mniej więcej tak samo. Ale działo się wiele.

Peabody przerwała rozmowę z dwójką czyścicieli w białych kombinezonach ochronnych i zwróciła się do Eve:

– Kazałam im pobrać próbki zeskrobin z posadzki do porównania. Wprawdzie przyłapaliśmy ją na gorącym uczynku, ale dowodów nigdy nie za wiele.

– Im więcej, tym lepiej. Chodźmy zawieźć ją do paki – powiedziała Eve i odwróciła się w stronę wyjścia.

Peabody popatrzyła jeszcze na zespół technicznych, wciąż szperających z upodobaniem w zabawkach Darli.

– Chyba woleliby tu zamieszkać na stałe – rzuciła żartem dziewczyna i też ruszyła w stronę wyjścia, lecz nieoczekiwanie Eve się zatrzymała.

– Stój! – Pani porucznik zastopowała również partnerkę i podeszła do ściany. – Spójrz na tego droida tutaj! To ten sam, którego wykorzystywała jako kierowcę do podwożenia jej do wybranych celów oraz do transportowania zwłok na miejsca, w których je porzucała. Potrzebne mi są jego karty pamięci.

– Na pewno do nich dotrzemy – rzekł Feeney. Z wrażenia dostał rumieńców. – Mamy również mnóstwo innych rzeczy: dokumenty, rozpiski dnia, fotografie, plany awaryjne, gdyby coś nie wyszło za pierwszym razem, alternatywne trasy przejazdów, prace Darli.

– Wydaje mi się, że prowadziła coś w rodzaju dziennika – dodał McNab.

– Taa... Ten typ ludzi tak ma – powiedziała Eve. – Potrafią zaplanować wszystko w najdrobniejszych szczegółach, są pamiętliwi, zwłaszcza co do własnych doznanych krzywd i urazów, są też do bólu zorganizowani.

– W swoich pracach ma też zarys biznesowego planu rozwoju firmy – powiedział Roarke. – Bardzo solidny, mimo że dopiero w powijakach. No i jeśli się weźmie pod uwagę jej... hmm... stan psychiczny. – Zatrzymał wzrok na twarzy żony. – Wracasz teraz do siebie?

– Tak. Zamierzam wziąć ją do sali przesłuchań, więc chciałabym dostać kopie wszystkiego, co zgracie z komputerów oraz systemów operacyjnych droidów.

– Daj nam chwilę – poprosił, nie podając, kogo konkretnie ma na myśli, a potem pociągnął Eve do ustronnego kąta. – Musisz koniecznie to dzisiaj robić? Przecież Darla nigdzie ci nie ucieknie.

– Niby tak, ale chcę, żeby popatrzyła na jej zachowanie Mira, a poza tym właśnie do mnie jedzie Reo. Kolejna sprawa: muszę ją przyprzeć do ściany w chwili, kiedy jest wkurzona tym, że przerwaliśmy jej proces zabijania. Będzie bardziej otwarta, by tak rzec.

– W takim razie najpierw coś zjedz.

– Och, odczep się, do cholery!

Złapał ją za podbródek.

– Jesteś już tak blada, że się zrobisz za chwilę przezroczysta. Poświęcisz parę minut na to, by razem ze swoją partnerką zjeść tam, w swoim gabinecie, pieprzoną pizzę, podczas gdy będziesz opracowywać strategię przeprowadzania przesłuchania i przeglądać to, co ci prześlemy.

No skoro już wyłożył jej to w ten sposób...

– Pieprzoną pizzę?... – bąknęła smętnie. – Nie wiedziałam, że ją już robią w automatach.

– Wciąż, widzę, zachowałaś odrobinę rozsądku w swoim bardzo przemęczonym móżdżku. Co się stało tam na górze, żeś do tego stopnia posmutniała?

– Ach, byłam świadkiem nadzwyczajnej sceny: gracji połączonej z niezłomną siłą ducha. Z pewnych względów wywarło to na mnie ogromne wrażenie. Zjem jednak trochę tej pieprzonej pizzy.

– To dobrze. I nie bocz się, proszę, na mnie, bo do niczego dobrego to nie prowadzi, a ja potrzebuję tego tak samo jak ty. – Przyciągnął ją do siebie i objął. Poczuł, jak cała sztywnieje, więc się poddał.

– No cóż! – westchnęła Eve. – Jeśli tego potrzebujesz...

- Potrzebuję. - Musnął ustami czubek jej głowy. - Będę tutaj z moimi kumplami z EDD, dopóki nie skończysz.

- To może potrwać...

- ...całą długą noc - dokończył. - Nie będzie to pierwsza zarwana u nas noc.

Ani też nie ostatnia, pomyślała Eve.

- Peabody! Idziemy! - krzyknęła.

Zjadła pizzę, ale nie w swoim gabinecie tylko z Peabody, lecz w sali konferencyjnej wraz z Peabody, Mirą i Reo.

- Eloise Callahan zamierza znaleźć jej najlepszego prawnika - zaczęła Eve. - Zanim on się tu pojawi, zamierzam wykorzystać tę krótką przerwę na wyciągnięcie z niej wszystkiego, co się da.

- Wraz z kilkoma innymi policjantami przyłapaliście ją na torturowaniu czwartej ofiary. - Reo wgryzła się w kawałek pizzy i przewróciwszy oczami, westchnęła z zachwytu. - Porównamy włos z peruki, jak również zeskrobiny z podłogi. Mamy jej dziennik, jej dokumentację, wszystko. Nic jej nie pomoże żaden adwokat, nawet jeśli weźmie najnowsze wcielenie słynnego Clarence'a Darrowa. I tak jest ugotowana.

- Bez dwóch zdań. Zeznania są zawsze najlepsze, a to nam niejedno powie. Niestety, nigdy nie trafi do betonowej celi gdzieś poza naszą planetą.

- Prawne orzekanie niepoczytalności to nie twoja działka.

- Muszę ją zobaczyć, żeby to ocenić.

- Ona ma rację, Reo. - Peabody odgryzła przedostatni kawałek pizzy.

- To nie oznacza, że nie znajdzie się w więzieniu o zaostrzonym rygorze. Najwyżej trafi do sekcji dla upośledzonych umysłowo. – Eve popatrzyła na Mirę. – Jeśli jesteśmy w błędzie, ty będziesz umiała to ocenić.

– To nie takie proste. Zaplanowała wszak precyzyjnie każde z tych trzech morderstw... – Reo zaczęła piętrzyć argumenty przeciw twierdzeniom swoich poprzedniczek. – Zaplanowała też alternatywne rozwiązania, drogi ucieczki, sposoby uniknięcia identyfikacji. Odróżnia dobre od złego.

– Poddam ją obserwacji oraz wnikliwej ocenie podczas sesji jeden na jednego – ucięła temat Mira. – Eve, co to za pizza? Smakuje wyśmienicie. Nigdy nie jadłam lepszej.

– Z tego, co wiem, to pieprzona pizza.

– Jaka?!

– To jedno z dzieł Roarke'a. Zaczął zaopatrywać mojego biurowego AutoChefa, bo wciąż się martwi, że się zagłodzę na śmierć.

– Aaaach! – westchnęły równocześnie Reo i Peabody.

– Miłość czasami objawia się podwójną mozzarellą – rzekła z uśmiechem Mira.

– Pewnie tak. – Eve kiwnęła głową. – Muszę do kogoś zadzwonić, a potem zaczynamy. Peabody, gotowa na przesłuchanie?

– Jasne!

– Przyprowadź ją tam. Spotkamy się na miejscu – zarządziła Eve, a sama się udała do swojego gabinetu, skąd zadzwoniła do Nadine.

– Dzisiaj wczesnym wieczorem – zaczęła Eve – funkcjonariusze wydziału zabójstw oraz ekipa wydziału techniki operacyjnej EDD weszli do domu Eloise Callahan...

– Co takiego?! – przerwała jej Nadine.

– ...na podstawie nakazu przeszukania wydanego zgodnie z literą prawa – ciągnęła Eve. – W tymże czasie aresztowali Darlę Pettigrew. Rzeczona Darla Pettigrew jest oskarżona o uprowadzenie, torturowanie i zamordowanie Nigela McEnroya, Thaddeusa Pettigrewa oraz Arlo Kagena, a także o uprowadzenie i torturowanie Linusa Brinkmana. Pani Callahan, babcia Darli Pettigrew, była odurzana środkami uspokajającymi i nasennymi przez swoją wnuczkę i nie jest osobą podejrzaną w śledztwie ani też osobą współwinną. – Zamilkła, a po chwili dodała: – To tak jakby cały przegląd najważniejszych wydarzeń.

– Rany boskie, Dallas!

– Nadine, chciałabym, żebyś uchroniła Eloise Callahan przed skandalem. Chcę, żebyś skombinowała dla niej jakąś cholernie dobrą tarczę. Ona w tym wszystkim jest również ofiarą.

– Jesteś pewna, że nie była...

– Na sto procent – powiedziała Eve. – Wnuczka podawała jej coś przed swoimi polowaniami i miała jeszcze, cholera! droidkę-pielęgniarkę własnej produkcji, która jej strzegła. Torturowała i mordowała w piwnicach domu babci, za drzwiami z tak mocnymi zabezpieczeniami, że nawet Roarke, który zresztą zaprojektował ten piekielny system, musiał na jego rozgryzienie poświęcić kilka dobrych minut.

– Okej, zrozumiałam. Daj mi...

– Teraz mam zamiar ją zapuszkować. To wszystkie informacje, których ci mogę na razie udzielić. Ty rób swoją robotę, ja będę robić swoją.

– Powodzenia nam obu! – rzekła Nadine na pożegnanie.

Eve wrzuciła telefon do kieszeni i wykonała kilka obrotów do tyłu ramionami, żeby je rozluźnić, a potem wyszła na spotkanie Peabody.

– Jest w środku – powiedziała Peabody, stojąc przed drzwiami sali przesłuchań B. – Nie poprosiła o przedstawiciela prawnego ani się nie chciała z nikim kontaktować. Mundurowi, którzy przyprowadzili ją na górę z celi, powiedzieli, że już się nie może doczekać rozmowy z nami.

– Nie trzymajmy jej zbyt długo w napięciu.

Eve weszła pierwsza do środka.

– No w końcu! – Kiedy Darla uniosła ręce, brzęknął łańcuch kajdanków, którymi była skuta. Siedziała za stołem w pomarańczowym kombinezonie aresztantki. Wyglądała na spokojną i opanowaną.

– Nagrywanie włączone – zaczęła Eve. – Porucznik Dallas Eve oraz detektyw Peabody Delia wchodzą do sali przesłuchań z Pettigrew Darlą w związku ze sprawami o sygnaturach: H-33491, H-33495, H-33498 oraz H-33500. – Eve najpierw położyła na stole aktówkę, po czym obie z Peabody zajęły miejsca. – Pani Pettigrew...

– Och, nie krygujmy się tak. Wystarczy Darla.

– Dobrze. A więc Darlo. Zostały ci odczytane twoje prawa. Czy wszystko zrozumiałaś?

– Oczywiście, że tak. Rozumiem, że musimy przebrnąć przez wszystkie te formalności, poradzić sobie jakoś z tymi uciążliwymi zasadami, lecz znalazłam się tutaj, żeby porozmawiać z wami. Z wami obiema.

– Wspaniale – powiedziała Eve.

No tak... – pomyślała, przyglądając się uważnie ożywieniu w twarzy Darli. – Jeszcze chwila i wszystko nam wyjaśni.

– Jesteś oskarżona o uprowadzenie, rozporządzanie barbituranami bez zezwolenia, uwięzienie, torturowanie i zamordowanie Nigela McEnroya, Thaddeusa Pettigrewa oraz Arla Kagena. Jesteś również oskarżona o uprowadzenie, rozporządzanie barbituranami bez zezwolenia, uwięzienie oraz napaść na Linusa Brinkmana, połączoną z uszkodzeniem ciała.

Słysząc to, Darla przewróciła tylko oczami jak nastolatka, którą rodzice przyłapali na złamaniu zakazu wychodzenia z domu.

– To jakiś nonsens! – prychnęła ze złością.

– Jak coś takiego może być nonsensem? – spytała spokojnie Peabody. – Aresztowaliśmy cię podczas znęcania się nad Linusem Brinkmanem. Odnaleźliśmy rzeczy należące do McEnroya, Pettigrewa oraz Kagena w twojej pracowni. Zaprzeczanie oskarżeniom nic ci nie da, Darlo.

– Całe to oskarżenie to jakiś nonsens – upierała się młoda kobieta.

– A więc zaprzeczasz, jakobyś torturowała i zabiła trzech mężczyzn oraz znajdowała się w trakcie odbierania życia kolejnemu? – upewniała się Eve.

– Nie. Temu w ogóle nie zaprzeczam. Nie zaprzeczam aktom i faktom, na litość boską! Tylko same te oskarżenia to jakaś bzdura. Przecież egzekwowałam prawo. Sprawiedliwość, której nikt inny nie chciał wyegzekwować. Miasto powinno zorganizować uroczystą paradę na moją cześć, cholera, a każda kobieta, która kiedykolwiek była molestowana, zgwałcona, pobita czy zdradzona, wiwatowałaby na mój widok. – Pochyliła się do przodu. – Kto jak nie wy powinien najlepiej mnie zrozumieć? To przecież was ograniczają te wszystkie formalności, te głupie regulacje i przepisy prawa... Jesteście jednakże kobietami, kobietami, które muszą nieomal codziennie widzieć ból i upokorzenia zadawane kobietom przez tych zdegenerowanych mężczyzn. Ja uczyniłam to, czego wy nie możecie czynić, gdyż zdałam sobie sprawę, że zwyczajnie musicie się tego obawiać. Ja powstrzymałam tych mężczyzn przed kolejnymi złymi uczynkami, przed wyrządzaniem kolejnych krzywd, przed odczuwaniem przewrotnej radości z bólu, który wywoływali. Żaden z nich nie zasługiwał na to, by żyć.

– Więc uznałaś, że to twoja sprawa, co z tym zrobisz? – wtrąciła Eve. – Że teraz ty będziesz decydować o tym, kto będzie dalej żył, a kto musi umrzeć?

– Ktoś musi decydować! – Darla trzasnęła pięścią w stół. – Ktoś musi działać! Czy wy nie pojmujecie, co wycierpiały kobiety z mojej grupy, gdy ci mężczyźni nie płacili za to żadnej ceny? Byli bezkarni! Zrobiłam to, co trzeba było zrobić! Musieli za to zapłacić i zapłacili! Dzięki mnie! Każdy z nich miał wybór. Wszyscy potulnie za mną poszli, uwiedzeni moim wyglądem, moim seksapilem. Rządzi nimi fiut, nic innego. Każdym, co do jednego. – Z jej oczu bił złowrogi blask. – Czy wy naprawdę wierzycie, że mężczyźni, którym się oddałyście, są wam WIERNI? Czy jesteście aż tak zaślepione, że nie widzicie ich nielojalności? Mężczyźni zostali stworzeni do zdrad, grabieży, atakowania i brania siłą. Taka ich natura.

– Czy planowałaś zabić wszystkich mężczyzn na świecie? – zainteresowała się Peabody. – Czy miałaś w planach jakieś ograniczenia wiekowe?

Darla posłała Peabody rozbawione spojrzenie.

– W sumie to racja, lepiej by było dusić wszystkie noworodki płci męskiej zaraz po urodzeniu, ale na razie się nie da. To dopiero wtedy, gdy dopracujemy metody rozmnażania się bez ich udziału. – Wzruszyła ramionami. – Chłopcy zawsze w końcu wyrastają na mężczyzn, a mężczyźni zostali wyposażeni przez naturę w oprogramowanie z fatalnym błędem. Jakieś rozwiązanie tego problemu mogą stanowić droidy lub hybrydy mężczyzn z droidami. Mam nadzieję rozpocząć pracę nad tym projektem, gdy tylko ukończę fazę wstępną moich badań.

To pewnie ten plan na biznes, o którym wspominał Roarke – domyśliła się Eve.

– Jasne! – powiedziała na głos. Ale to szalone babsko, pomyślała. – Może jednak zatrzymajmy się na razie na tej fazie wstępnej. Zacznijmy od McEnroya. Poprosiłabym o dokładne przeanalizowanie poczynionych kroków podczas pracy nad nim.

– W porządku. Jestem naprawdę bardzo z tego dumna, zresztą nie bez powodu.

Opowiedziała im wszystko po kolei, omówiła szczegółowo wszystkie czynności – a jedyne, co przy tym okazywała, to właśnie rzeczoną dumę.

Kiedy zaczęła mówić o byłym mężu, jej oblicze oblekł cień złości.

– Wspomnienia o nim nie powinny mnie aż tak bardzo drażnić. – Uniosła odruchowo dłoń w górę, po czym odetchnęła kilka razy głęboko, a wreszcie z jej piersi wyrwał się krótki, cichy śmiech. – To on mi otworzył oczy, on stał się motorem wszelkich moich działań, powinnam więc być mu wdzięczna. Dopóki mnie nie zdradził, byłam bardzo zadowolona, tkwiąc pod jego butem. Całe moje życie, a nawet praca, no wszystko koncentrowało się na dostosowywaniu się do jego potrzeb i na spełnianiu jego zachcianek. Gdyby mnie nie zdradził, gdyby nie ukradł mi firmy, gdyby nie złamał mi serca, nie podeptał dumy, wciąż byłabym jego żoną i wciąż by mnie wykorzystywał.

– To wtedy właśnie przeprowadziłaś się do Eloise – podsunęła Eve.

– Tak. Moja kochana Busia otworzyła przede mną swój dom, zapewniając mi wszelkie wygody. Jest najmilszą, najbardziej kochającą istotą na świecie. Lecz niestety, jest naiwna. Wierzy i zawsze wierzyła, że mężczyzna, którego kochała, był jej wierny, że nigdy nie zbłądził, nigdy nie skrzywdził innej kobiety. – Znów walnęła pięścią w stół. – Był mężczyzną, czyż nie? Pozwoliłam jej jednak hołubić tę iluzję, albowiem prawda by ją jedynie zraniła, a do tego nigdy bym nie dopuściła.

– Podawałaś jej środki oszałamiające i usypiające – wtrąciła Peabody. – Bezustannie.

– Potrzebowała wypoczynku, więc dawałam jej wypoczynek. Sen leczy, a przecież była bardzo chora. Nigdy nie zostawię jej samej! Nigdy! Skonstruowałam droidkę-pielęgniarkę, żeby się nią opiekowała, kiedy nie mogłam być na miejscu. Teraz śpi i jest bezpieczna, muszę wrócić, zanim się obudzi. Potrzebuje mnie.

– Przejdźmy może do Kagena – powiedziała ze spokojem Eve.

– Obrzydliwy typ. – Darla pomachała ręką przed nosem, jakby poczuła jakąś cuchnącą woń. – Nie mogło być nic prostszego, jednakże przebywanie w pobliżu jego cielska? Czarna robota.

Eve słuchała, nie przerywając. Nie odczuwała potrzeby zadawania pytań, nawet kiedy tamta – z własnej nieprzymuszonej woli – wdała się w szczegóły znęcania się nad Brinkmanem.

– Doprawdy ledwo się do niego zabrałam. Zaczęłam nieco wcześniej niż z jego poprzednikami, lecz, prawdę mówiąc, chciałam z nim skończyć szybciej i trochę się w końcu wyspać. W ciągu kilku ostatnich dni niewiele spałam. Używałam środków stymulujących, które trzymały mnie na nogach przez wiele godzin.

– No tak. A w kolejce czekają następni mężczyźni, z którymi należy się rozprawić.

– Oczywiście, ale to sprawa na jutro. Będę projektantką wnętrz. Jestem umówiona z mężczyzną, który ma żonę i kochankę, ale wymyślił sobie, że mimochodem wykorzysta jeszcze jedną kobietę. Wyśmiał jej źle ulokowaną miłość, a potem zniszczył jej karierę. Jest właścicielem nieruchomości, którą chce wyremontować. Będę grać Roweenę Carson i mam już przygotowany cudowny kostium do tej sceny.

– Czy ty aby na pewno zdajesz sobie sprawę, że to nie film? – spytała Peabody.

Kiedy opadły wszystkie maski z twarzy Darli, pozostało spojrzenie człowieka szalonego.

Utrzymywała kontakt wzrokowy – jak zauważyła Eve – lecz miała w oczach obłęd.

– Oczywiście, lecz ja odgrywam różne role, a strój jest nieodłączną częścią wizerunku kobiety, której ci mężczyźni poszukują. Dużo później odkrywam przed nimi swe prawdziwe oblicze.

– Lady Justice – dopowiedziała Eve.

– Tak! Dokładnie! – Darla cała się rozpromieniła i uśmiechnęła do niej z wdzięcznością. – Teraz, kiedy już sobie wszystko wyjaśniłyśmy i zrozumiałaś moje pobudki, naprawdę muszę wracać do domu i sprawdzić, co z Busią.

– Jest z nią Donnalou.

– Och, tak! – Darla ściągnęła brwi. – A więc wszystko w porządku, ale...

– Ale będziemy cię jednak musiały tutaj zatrzymać. Możesz się teraz przespać, a jutro rano przeprowadzi z tobą rozmowę doktor Mira.

– Och! Poznam ją z największą przyjemnością. Byłam zachwycona jej rolą w waszym filmie. Jednakże Busia...

– Donnalou z nią zostanie – powiedziała zimno Peabody i wstała. – Zaopiekuje się nią.

– Jest cudowną pielęgniarką, jednakże...

– Twoja babcia teraz śpi. – Peabody obeszła stół dookoła, żeby odpiąć skutą kajdankami Darlę i pomóc jej wstać. – Jest bezpieczna i śpi. Wszyscy możemy się wreszcie trochę przespać.

– Masz rację. Jestem kompletnie wykończona. Cieszę się, że wszystko sobie wyjaśniłyśmy. Na początku byłam na was zła – przyznała, kiedy Peabody wyprowadzała ją z salki. – Potem jednak do mnie dotarło, że kobiety powinny się trzymać razem. Kobiety muszą pomagać kobietom! Kobiety kobietom! – gadała jak nakręcona.

Eve odetchnęła, kiedy drzwi wreszcie się za nimi zamknęły.

– Detektyw Peabody Delia opuszcza salę przesłuchań z Pettigrew Darlą – powiedziała do mikrofonu. – Koniec przesłuchania.

Zapadła cisza.

Po wyjściu Peabody z Darlą Eve zastygła w bezruchu i wciąż trwała nieporuszona na swoim miejscu, kiedy weszły Mira i Reo. Tkwiła tam, nawet gdy się zbliżyły i zasiadły razem przy stole.

Mira zaczęła pierwsza.

– Porozmawiam z nią sam na sam oraz dokonam oceny formalnej dopiero jutro, lecz z moich wstępnych obserwacji wynika, że jej stan można by określić jako niemieszczący się w granicach zdrowia psychicznego określonych prawnie. Nie jest w pełni władz umysłowych, wobec czego nie może wziąć udziału w procesie sądowym.

– Cóż... Jestem zmuszona zgodzić się z tą opinią – rzekła Reo. – Jeśli to nie był kolejny akt...

– Akt?! Wszystkie jej działania są jak ponowne akty jakiegoś chorego, absurdalnego przedstawienia teatralnego! – wybuchła Eve. – Niestety, ale to wszystko jest najprawdziwszą prawdą. Wydaje się jej, że za chwilę zostanie zwolniona i wróci do domu. Widzi w nas jedną wielką wspólnotę kobiet, która pozwoli jej iść w świat i dalej robić to, przed czym nas powstrzymują tylko te niemądre przepisy prawa. Wydaje mi się, że powinnaś raczej powiedzieć, iż grając Lady Justice, odegrała rolę swojego życia.

– Powstrzymałaś ją, najprawdopodobniej ratując wiele istnień ludzkich, z jej własnym życiem włącznie. Mogła nie znieść dłużej utrzymywania tej roli na swoich barkach. Możesz teraz ją przekazać w ręce moje i Reo. –

Mira sięgnęła przez stół i dotknęła dłoni Eve. – Ty i Peabody powinnyście wziąć kilka dni wolnego. Trochę odpocząć, nacieszyć się wiosną.

– Taa... Pomysł przedni. – Eve wstała. – Muszę teraz to wszystko spisać i uciekać stąd w podskokach, póki szefostwo nie wykombinuje, że mam zorganizować konferencję dla mediów.

Reo roześmiała się krótko.

– Uciekaj, dziewczyno – poradziła jej – bo to nadejdzie nieuchronnie.

Wprawdzie Eve nie wybiegła w podskokach, ale skierowała się szybkim krokiem ku wyjściu.

Zanim zdążyła sporządzić raport, rozbolała ją głowa. Kiedy składała pod nim podpis, miała wrażenie, że czaszka jej zaraz pęknie. Wtedy wszedł Roarke.

– Już po wszystkim? – spytał.

– Taa... Już po wszystkim.

– Przeprowadziliśmy czynności podsumowujące, głównie dotyczące spraw techniczno-informatycznych w dziale EDD. W moim odczuciu jest mało prawdopodobne, by doszło do rozprawy sądowej.

– Owszem. Bardzo mało prawdopodobne. Nie jest z nią dobrze, Roarke, i tyle można powiedzieć w tej sprawie. Mira to niebawem ode mnie przejmie.

– Nie masz nic przeciwko temu?

– Taki jest bieg rzeczy... – zaczęła, lecz nagle zamilkła i pokiwała głową. – Tak. Nie mam nic przeciwko temu. To tylko... Tak właśnie działa wymiar sprawiedliwości. Prawdziwy wymiar sprawiedliwości. Wciąż bawisz się z technicznymi?

– Jestem z tobą, moja pani porucznik.

– Wspaniale! Więc spadajmy stąd.

– Weź najpierw tabletkę na ból głowy. – Roarke wyjął pudełeczko z pigułkami przeciwbólowymi.

– Spadajmy stąd. Za pięć minut ma nas tu nie być. Jeśli potem wciąż będę potrzebować proszków, wezmę. Umowa stoi?

– Stoi. – Ujął jej dłoń i ucałował szarmancko. – Zjesz zupkę, napijesz się winka, pośpisz.

– Podoba mi się taka koncepcja. – Wyszła za nim, zbyt zmęczona, żeby protestować przeciwko zjeżdżaniu na dół zatłoczoną windą. – Będę jeszcze musiała sprawdzić pocztę na komputerze. Sądzę, że masz wiele zabawek, którymi mógłbyś się w tym czasie pobawić, a może zechcesz poświęcić chwilę własnym sprawom, w dążeniu do zawładnięcia większością znanego nam wszechświata?

– Mogę robić i to, i to równocześnie. Lubię wielozadaniowość w pracy.

– Dobry w tym jesteś.

Na parkingu wsiadła do auta od strony pasażera, odsunęła fotel do tyłu i rozłożyła oparcie.

– Rozmawialiśmy o wzięciu kilku dni wolnego... – wymamrotała.

– Tak?

– No więc złożyłam wniosek o urlop.

– Zrobiłaś to?! Kiedy zaczynasz?

– Od teraz.

– Niemożliwe! – Zerknął na nią z niedowierzaniem. Wyjechali z parkingu podziemnego na ulicę.

– A jednak. Peabody też dałam jutro wolne, a jeśli będzie chciała, to dam i pojutrze. Tak sobie myślę... Może wrócimy do domu, wrzucimy parę rzeczy do toreb podróżnych i wybierzemy się do Włoch? Moglibyśmy bzyknąć się na pokładzie... Taka tam wielozadaniowość... – Wzruszyła ramionami. – Dobry seks odwróciłby moją uwagę od tego, że znalazłam się gdzieś wysoko w powietrzu.

– Daj mi pół godziny, a twoje marzenie się spełni.

– Chciałabym obudzić się już gdzieś indziej. Pobyć gdziekolwiek przez parę dni i nie myśleć o chorych, nieszczęśliwych kobietach, które wyobrażają sobie, że mordowanie mężczyzn jest nie tylko niezbędne, lecz niesie też w sobie element heroizmu. Masz pewnie mnóstwo spraw do załatwienia, a ja tu...

– Projekt hotelu willowego we Włoszech jest dla mnie bardzo ważny i moja obecność na miejscu może się okazać kluczowa. Poza tym chciałbym spędzić kilka dni, zajmując się swoją żoną, która akurat postanowiła w tym czasie nie zapracowywać się na śmierć.

– Wiem, że nie ma sensu powtarzać, abyś się o mnie nie martwił, ale właśnie w tej chwili chciałabym ci powiedzieć, jak bardzo doceniam twoje starania o moje dobre samopoczucie. Nawet kiedy się wściekam i irytuje mnie to jak diabli, doceniam to.

– Chyba przeszedł ci ból głowy?

– Widzisz? To jest właśnie irytujące, lecz równocześnie bezcenne: to, że ty po prostu to wyczuwasz i wiesz. Więc... Kocham cię! Kocham cię jak jasna cholera i za nic bym nie chciała, żeby zastąpiła cię jakaś pokręcona hybryda mężczyzny z droidem.

– To również godne jest docenienia.

– Nie jestem naiwna – mruknęła pod nosem. – Wiem, co mam i kogo mam... A tak na marginesie: czy nie moglibyśmy jednak zamienić tej zupki na spaghetti z mięsnymi pulpecikami? To byłby jak gdyby nasz pierwszy krok ku słonecznej Italii. Wino, spaghetti, seks i spanko. Albo najpierw seks, a potem cała reszta. Albo...

Ujął ponownie jej dłoń i ponownie szarmancko ucałował, kiedy wjeżdżali w bramę ich posiadłości.

– Może jednak poimprowizujemy? – zaproponował.

– Jak dla mnie może być.

Z pasją oddali się realizacji swych planów. Zamierzenia wypełnili wprawdzie co do joty, lecz w kolejności dość przypadkowej.

Nazajutrz obudziły ją promienie wiosennego słońca, włoski styl. Leżała wtulona w męża.

Na liście jej spraw pozostał tylko jeden szczególny punkt, który należało powtórzyć.